ROTTWEILER

RUTH RENDELL

ROTTWEILER

roman

TRADUIT DE L'ANGLAIS
PAR JOHAN-FRÉDÉRIK HEL GUEDJ

Titre original :
The Rottweiler

Éditeur original :
Hutchinson, Londres, 2003

© Kingsmarkham Enterprises, Ltd., 2003

ISBN original : 0-09-179946-5

Pour la traduction française :
© Éditions des Deux Terres, 2006

ISBN : 2-84893-024-1

les-deux-terres@wanadoo.fr

Pour Jeanette Winterson,
avec mon affection

CHAPITRE 1

Le jaguar trônait dans un angle du magasin, entre la statue d'une divinité grecque secondaire et une jardinière. Pour tout le monde ou presque, le mot «jaguar» évoquait d'abord une voiture et non un animal, Inez ne l'ignorait pas et, d'après elle, cela en disait long sur le monde dans lequel nous vivions. Ce jaguar au pelage noir, à peu près de la taille d'un très grand chien, avait été jadis une créature de la jungle qu'un grand-père, chasseur de gros gibier, avait tirée et fait empailler. Le petit-fils de ce grand-père lui avait apporté le trophée à la boutique la veille, le lui avait d'abord proposé pour la somme de dix livres, et puis pour rien. Garder cela chez soi, lui avait-il avoué, c'était franchement gênant, pire que d'être vu en manteau de fourrure.

Inez n'avait accepté le fauve que pour se débarrasser du petit-fils. Les yeux de verre jaune du jaguar la tançaient d'un air où elle avait cru percevoir le reproche. Sentimentalisme inepte, trancha-t-elle. Qui irait le lui acheter? Il lui paraîtrait peut-être plus séduisant à neuf heures moins le quart du matin, du moins l'espérait-elle, mais non, l'effet demeurait le même, avec cette fourrure rêche au toucher, ces membres raidis, l'expression menaçante. Elle lui tourna le dos et, dans la petite cuisine en arrière-boutique, elle alluma la bouilloire, comme d'habitude, pour le thé qu'elle appréciait aussi, depuis peu, de partager avec Jeremy Quick, son locataire du dernier étage.

Ponctuel comme toujours, il tapota du bout des doigts à la porte de communication intérieure, et entra au moment où elle rapportait le plateau dans la boutique.

– Comment allons-nous aujourd'hui, chère Inez ?

Il était le seul à prononcer son prénom à la manière espagnole, *Igneffe*. En effet, lui avait-il appris, à l'inverse des hispanophones sud-américains, les Espagnols d'Espagne le déformaient ainsi par déférence envers un de leurs souverains, affligé d'un cheveu sur la langue, qu'ils imitaient. Inez jugeait que cette explication avait tout de l'anecdote apocryphe, mais elle était trop polie pour le lui faire remarquer. Elle lui tendit sa tasse avec une sucrette nichée dans le creux de la cuiller. Il avait toujours la manie de déambuler cuiller à la main.

– Non, mais qu'est-ce que c'est que ça ?

Elle savait qu'il lui poserait cette question.

– Un jaguar.

– Et quelqu'un va vous l'acheter ?

– Je m'attends plutôt à ce qu'il finisse par rejoindre le fauteuil gris et la pendule chinoise en porcelaine, qui vont me rester sur les bras jusqu'à ma mort.

Il caressa la tête de la bête d'une petite tape.

– Zeinab n'est pas encore arrivée ?

– Je vous en prie, Jeremy. Elle me rabâche tout le temps qu'elle n'a aucune notion de l'heure. « Dans ce cas, lui ai-je fait observer, si tu n'as aucune notion de l'heure, pourquoi n'es-tu jamais en avance ? »

Cela le fit rire. Inez se dit (et ce n'était pas la première fois) qu'il était assez séduisant. Trop jeune pour elle, naturellement, oui, sans doute. Mais, au fond, était-ce si sûr, à une époque où les mentalités étaient en pleine évolution ? Il ne devait être son cadet que de sept ou huit ans.

— Il vaut mieux que j'y aille. Parfois, j'ai le sentiment d'avoir trop conscience du temps qui passe.

Il reposa tasse et soucoupe sur le plateau, d'un geste précautionneux.

— J'ai entendu dire qu'il y aurait eu un nouveau meurtre.

— Oh, non !

— C'était au journal de huit heures. Et c'est arrivé pas loin d'ici. Je dois filer.

Au lieu d'attendre qu'elle déverrouille la porte de la boutique pour le laisser sortir, il repartit par où il était venu, et sortit dans Star Street en empruntant l'accès réservé aux locataires. Inez ne savait pas où il travaillait, ce devait être quelque part dans la périphérie nord de Londres, une profession liée à l'ordinateur. Comme beaucoup de gens, aujourd'hui. Il avait une mère qu'il aimait avec tendresse, et une fiancée, mais il n'évoquait jamais ses sentiments à son égard. Une seule et unique fois, Inez avait été invitée dans son appartement du dernier étage, où elle avait pu admirer sa décoration minimaliste et son jardin sur le toit.

À neuf heures, elle ouvrit la porte de la boutique et porta le présentoir de livres jusque sur le trottoir. Les ouvrages qu'elle y plaçait étaient de vieux poches d'auteurs oubliés, mais de temps à autre elle en vendait un cinquante pence. Quelqu'un avait garé une camionnette crasseuse le long du trottoir. Inez lut un mot glissé derrière le carreau : *Ne pas laver. Saleté du véhicule soumise à analyse scientifique.* Cela la fit rire.

La journée s'annonçait belle. Le ciel pâle était d'un bleu tendre, et le soleil pointait derrière les alignements de petites maisons et les hautes boutiques du coin de la rue, surmontées de leurs trois étages. Il aurait été plus agréable de respirer de l'air frais, au lieu de cette puanteur, mélange de diesel, de dioxyde de carbone, de curry et d'urine, grâce aux messieurs venus se soulager contre les palissades aux petites heures du jour, mais c'était la vie moderne. Elle dit bonjour à M. Khoury,

11

le bijoutier, son voisin, qui abaissait l'auvent de toile de sa devanture (de sa part, c'était assez optimiste).

– Bonjour, madame.

Comme toujours, le ton était austère et morose.

– J'ai une boucle d'oreille qui a perdu – comment appelez-vous cela ? – son ardillon, lui expliqua-t-elle. Si je vous l'apporte tout à l'heure, pourriez-vous me la réparer ?

– Je vais voir ça.

C'était invariablement sa réponse, on avait l'impression que c'était lui qui vous rendait un service. En revanche, il finissait bel et bien par effectuer la réparation.

Zeinab arriva en courant dans Star Street, tout essoufflée.

– Hello, monsieur Khoury. Hello, Inez. Désolée, je suis en retard. Tu sais que je n'ai aucune notion de l'heure.

Inez soupira.

– Oui, c'est ce que tu me répètes sans arrêt.

Si Inez voulait être honnête avec elle-même, et elle l'était presque à tout coup, il lui fallait admettre que son employée était meilleure vendeuse qu'elle, et c'est pour cela que Zeinab conservait son emploi. Selon la formule de Jeremy, elle aurait été capable de vendre un fusil à éléphant à un protecteur des espèces en voie d'extinction. C'était en partie dû à son allure, évidemment. La beauté de Zeinab, telle était la raison qui attirait beaucoup d'hommes dans la boutique. Inez n'éprouvait pas le besoin de se bercer d'illusions, elle était très sûre d'elle, mais elle avait connu des jours meilleurs, et même si elle avait été aussi ravissante que Zeinab, à cinquante-cinq ans il était inévitable qu'elle ne soit plus en état de rivaliser. La femme qu'elle était lorsque Martin l'avait croisée pour la première fois, vingt ans plus tôt, cette femme-là était loin. Pas un quidam ne traverserait la rue pour venir lui acheter un œuf en céramique ou un chandelier de l'époque victorienne.

Zeinab avait toute la classe d'un premier rôle féminin dans une production de Bollywood. Sa chevelure noire ne s'arrêtait pas à la taille, elle flottait jusqu'à ses cuisses fuselées. Sans rien d'autre que ses cheveux pour la couvrir, elle aurait pu monter à cheval dans Star Street en restant parfaitement convenable. Quant à son visage, il évoquait les traits les plus réussis d'une demi-douzaine de stars du cinéma contemporain, que l'on aurait synthétisés. Dès qu'elle souriait, si vous étiez un homme, vous sentiez votre cœur fondre et vos jambes menaçaient de céder sous votre poids. Ses mains évoquaient les fleurs aux couleurs lumineuses d'un arbre tropical et sa peau avait la texture d'un pétale de lys effleuré par le soleil couchant. Elle portait toujours des jupes très courtes et des chaussures à très hauts talons, des T-shirts d'un blanc immaculé l'été, des pulls floconneux d'un blanc tout aussi immaculé l'hiver, et un seul diamant (ou une pierre scintillante) piquée dans une narine parfaite.

La voix, en revanche, était moins séduisante, le ton n'avait pas les accents engageants et musicaux de la bourgeoisie de Karachi, on était plus proche du cockney de l'Eliza Doolittle de Lisson Grove, ce qui était curieux, sachant que ses parents habitaient à Hampstead et que, à l'en croire, elle serait pratiquement princesse. Aujourd'hui, elle avait choisi une jupe en cuir noir, des bas opaques noirs et un pull qui paraissait taillé dans la fourrure d'un lapin angora, aussi blanc que neige, aussi duveteux que le poitrail d'un cygne. Elle arpentait la boutique avec grâce, sa tasse de thé dans une main et le plumeau multicolore dans l'autre, chassant d'une chiquenaude la poussière des flacons en argent, des instruments de musique anciens, des étuis à cigarettes, des broches années trente en forme de fruits, des assiettes Clarice Cliffe ou du schooner, un quatre-mâts, dans sa bouteille. Les clients ne s'imaginaient pas la corvée que cela représentait de garder propre un endroit pareil. La poussière donnerait vite à la boutique un air miteux, comme si elle n'était pas fréquentée. Elle s'arrêta devant le jaguar.

— D'où est-ce qu'il vient?

— Un client me l'a donné. Après ton départ, hier.

— Il te l'a *donné*?

— Il savait que cette pauvre bête ne valait rien, j'imagine.

– Une autre fille a été assassinée, reprit Zeinab. Du côté de Boston.

N'importe qui, n'étant pas au courant, aurait cru qu'elle parlait de Boston, Massachusetts, voire même de Boston dans le Lincolnshire, mais en fait il s'agissait de Boston Street, Londres, NW1, une rue qui longeait la gare de Marylebone.

– Cela en fait combien ?

– Trois. Dès que les journaux du soir seront sortis, j'irai en chercher un.

Par la vitrine du magasin, Inez regarda une voiture qui se garait le long du trottoir, derrière la camionnette blanche. La Jaguar turquoise appartenait à Morton Phibling, qui passait presque tous les matins, dans le seul but d'apercevoir Zeinab. Il n'avait pas besoin de place de stationnement libre car son chauffeur restait à l'attendre dans la voiture, et si un agent de la circulation se montrait, il partait boucler le tour du pâté de maisons. M. Khoury secoua la tête, la main droite agrippée à sa barbe fournie, et retourna dans sa bijouterie.

Morton Phibling descendit de sa Jaguar, lut l'écriteau à l'arrière de la camionnette sale, sans un sourire, et se glissa dans le magasin, en laissant la porte entrouverte, et les pans déboutonnés de son manteau en poil de chameau enflèrent. Il n'avait jamais eu la réputation de savoir articuler un bonjour.

– J'ai vu qu'une autre jeune demoiselle s'était fait massacrer.

– Si vous avez envie de le formuler ainsi.

– Je suis venu me ravir le regard de la lune de mes délices.

– Comme toujours, lâcha Inez.

Morton avait la soixantaine passée, il était petit, court sur pattes, avec une tête qui avait dû de tout temps sembler trop grosse par rapport à son corps, à moins qu'il ne se soit un peu tassé. Il portait des lunettes, pas tout à fait des solaires, non, les verres teintés étaient très foncés, avec un effet chromé violacé. Le personnage n'était pas beau et, d'après ce qu'Inez savait de lui, n'avait rien de très sympathique ou de bien amusant, mais il était fort riche, il possédait trois maisons et cinq autres voitures, toutes repeintes d'une couleur vive, jaune banane, orange, violet et citron vert des Caraïbes. Il était amoureux de Zeinab. Il n'y avait pas d'autre terme.

Occupée à coller une étiquette de prix sur le dessous d'une carafe Wedgwood, Zeinab leva les yeux et lui adressa l'un de ces sourires dont elle avait le secret.

— Comment allez-vous, en ce jour, ma chérie ?

— Je suis OK, et ne m'appelez pas ma chérie.

— C'est ainsi que je songe à vous. Je songe à vous nuit et jour, vous le savez, Zeinab, au crépuscule et au point du jour.

— Faites comme si je n'étais pas là, ironisa Inez.

— Je n'ai pas honte de mon amour. Je le clame sur les toits. La nuit, dans mon lit, je cherche celle que mon âme adore. Lève-toi, mon amour, ma belle, et partons loin d'ici. (Il s'épanchait toujours de la sorte, et pourtant aucune des deux femmes n'y prêtait jamais la moindre attention.) Que le lys est splendide, au matin !

— Une tasse de thé, ça vous dirait ? proposa Inez.

Elle éprouvait le besoin de s'en servir une deuxième, mais elle ne l'aurait pas préparée exprès.

— Je vous remercie. Ce soir, ma chérie, je vous emmène dîner au Caprice. J'espère que vous n'avez pas oublié.

— Bien sûr que non, je n'ai pas oublié, et arrêtez de m'appeler ma chérie.

— Je viens vous chercher chez vous, n'est-ce pas ? À sept heures et demie, cela vous convient-il ?

— Non, ça me va pas. Combien de fois faut-il que je vous le répète, si vous venez me prendre à la maison, mon père va se mettre en pétard ? Vous savez ce qu'il a fait à ma sœur. Vous voulez qu'il me plante un coup de couteau ?

— Oh, mes attentions sont honorables, mon cœur. Je ne suis plus marié, je veux vous épouser, je vous respecte profondé-ment.

— Je ne fais pas… je veux dire, ça ne fait pas de différence, rétorqua Zeinab. Je ne suis pas supposée sortir seule avec un type. Jamais de la vie. Si mon papa savait que je sors seule avec vous dans un restaurant, il péterait les plombs.

– J'aurais apprécié de découvrir votre charmant foyer, regretta Morton Phibling, mélancolique. Ce serait un tel plaisir de vous regarder évoluer dans votre environnement. (Il baissa d'un ton, et pourtant Inez n'était même pas à portée de voix.) Au lieu de vous voir dans ce dépotoir, tel un superbe papillon sur un tas de fumier.

– Pas moyen de faire autrement. Je vous retrouve au Cap...

Dans la petite arrière-cuisine, Inez, qui était en train de verser de l'eau bouillante sur trois sachets de thé, frémit à la pensée de ce père terrible. Un an avant que Zeinab ne vienne travailler chez Star Antiques, il avait presque tué sa sœur Nasreen, au motif qu'elle aurait déshonoré sa maison en restant passer la nuit dans l'appartement de son petit ami. «Et ils n'avaient rien fait», avait insisté Zeinab. Nasreen n'était pas morte, malgré cinq coups de couteau à la poitrine. Sa convalescence à l'hôpital avait duré des mois. Inez voulait bien croire, en effet, que son employée risquait la mort si elle se choisissait un autre prétendant que celui qui serait approuvé, et chaperonné, par ses parents, mais ce risque lui semblait sans doute exagéré. Elle revint dans la boutique avec le thé. Morton Phibling, lui signala Zeinab, était parti au bout de la rue leur acheter le *Standard*.

– Comme ça on pourra lire les articles sur ce meurtre. Regarde ce qu'il m'a offert, cette fois.

Zeinab lui tendit une grande épingle de revers, deux roses et un bouton de rose montés sur une tige, piquée sur un coussinet de satin bleu.

– Ce sont de vrais diamants?

– Il m'offre toujours de vrais diamants. Ça doit valoir des milliers de livres. J'ai promis de le porter ce soir.

– Comme épreuve il y a pire, s'amusa Inez. Mais fais attention, sur ton chemin. Porter ça bien en vue, cela t'expose au danger, tu risques de te faire agresser. Et n'oublie quand même pas qu'il y a un tueur en vadrouille, et il est connu pour voler au moins un bijou ou un accessoire à toutes les jeunes filles qu'il tue. Tiens, le voilà, il revient.

16

Mais au lieu de Morton Phibling, c'était une femme d'âge mûr à la recherche d'une porcelaine Crown Derby pour un cadeau d'anniversaire. À l'entrée, elle avait choisi un livre de poche, un Peter Cheyney illustré en couverture par une photo de jeune fille étranglée. C'était de circonstance, songea Inez, en lui comptant cinquante pence pour le bouquin, et en lui enveloppant une assiette en porcelaine rouge, bleu et or. Morton fut de retour et tint courtoisement la porte à la cliente. Zeinab s'extasiait encore sur ses roses en diamants, l'air d'un ange qui contemple une vision béatifique, songea Morton.

— Je suis tellement content que cela vous plaise, ma chérie.

— Ça vous donne… cela ne vous donne toujours pas le droit de m'appeler ma chérie. Bon, alors, jetons un œil à ce journal.

Inez et Zeinab se le partagèrent.

— Selon eux, c'est arrivé très tôt hier soir, vers neuf heures, lut la jeune femme. Quelqu'un a entendu un cri, mais ce quelqu'un n'a rien fait, il lui a fallu cinq minutes pour réagir, et il a vu cette silhouette qui dépassait la gare en courant, une silhouette dans la pénombre, ils parlent d'un homme ou d'une femme, le témoin n'en sait rien, sauf qu'il portait un pantalon. Ensuite, il l'a trouvée… on ne l'a pas encore identifiée… elle était couchée sur le trottoir, morte, assassinée. Ils ne disent pas comment ça s'est passé, sauf qu'elle avait le visage tout bleu. Il a encore dû faire ça avec un de ces lacets. Pas un mot à propos d'une quelconque morsure.

— Cette histoire de morsure, c'est totalement absurde, s'agaça Inez. La première jeune fille avait une trace de morsure dans le cou, mais ils ont identifié l'ADN comme étant celui de son petit ami. Les traitements que les gens peuvent s'infliger par amour! Alors, bien sûr, ils l'ont appelé le Rottweiler, et le nom lui est resté.

— Et cette fois, est ce qu'il a encore subtilisé quelque chose qui appartenait à cette fille? Laisse-moi voir un peu. (Zeinab parcourut l'article jusqu'en bas.) J'imagine qu'ils n'en savent rien, vu qu'ils ignorent qui elle était. Il avait pris quoi, les autres fois?

— Pour la première, un briquet en argent avec ses initiales serties de grenats, lui rappela Morton, témoignant de sa connaissance considérable de la joaillerie, et une montre-gousset en or chez la deuxième.

— Nicole Nimms et Rebecca Milsom, c'était comme ça qu'elles s'appelaient. Je m'demande ce que ça sera avec celle-là. Ça sera jamais un téléphone portable, je m'en doute bien. Avec tous les connards qui traînent dans les rues, n'importe qui vole des téléphones portables, alors lui, ça serait pas trop son genre, hein ?

— Donc, en allant ce soir au Caprice, ma chérie, prenez garde, insista Morton, qui ne semblait pas avoir remarqué le jaguar. J'ai bien envie de vous envoyer une limousine.

— Si vous essayez, je ne viens pas, le prévint Zeinab, et puis vous m'avez encore appelée ma chérie.

— Est-ce que tu vas l'épouser ? lui demanda Inez après son départ. Il est un peu vieux pour toi, mais il a beaucoup d'argent, et il n'est pas si mauvais bougre.

— Un peu vieux ! Je serais obligée de m'enfuir de la maison, tu sais, et ça serait un déchirement. J'aimerais pas abandonner ma pauvre maman.

Le carillon de la porte d'entrée sonna et un homme entra, il cherchait un guéridon, pour une plante. De préférence en fer forgé. Zeinab lui adressa l'un de ses sourires.

— Nous avons une ravissante jardinière que j'aimerais vous montrer. Elle est arrivée de France hier.

En fait, elle provenait d'une brocante de Church Street qui avait liquidé quelques articles pour dégager de la place. Le client observait Zeinab qui, accroupie à côté du jaguar pour extraire son ustensile à trois pieds d'une pile de dessus-de-lit indiens, se tourna, leva vers lui son visage, et elle en écarta les deux ailes de cheveux noirs, comme l'on dévoile une belle image.

— Très joli, marmonna-t-il. Combien coûte-t-elle ?

Il ne rechigna pas, et pourtant Zeinab avait ajouté vingt livres au prix prévu. Quand elle leur vendait quelque chose, les hommes essayaient rarement de marchander.

18

– Ne vous donnez pas la peine de me l'envelopper.

On lui ouvrit la porte de la rue, et il se débrouilla tant bien que mal avec son achat. Une fois sur le trottoir, cet homme timide, presque courbé en deux, reprit enfin courage :

– Au revoir. J'ai été très heureux de faire votre connaissance, risqua-t-il.

Inez ne put s'empêcher de rire. Depuis que Zeinab travaillait pour la boutique, elle devait admettre que ses affaires allaient au mieux. Elle regarda ce monsieur s'éloigner en direction de la gare de Paddington. Il n'allait pas emporter sa jardinière dans le train, non ? L'objet était presque aussi haut que lui. Elle remarqua que le ciel s'était couvert. Pourquoi n'avait-on plus droit qu'à de beaux débuts de matinée, et jamais à une vraie belle journée ? La camionnette blanche et sale avait disparu, et une autre, plus propre, était en train de se garer à sa place. Will Cobbett en descendit, puis le conducteur. Inez et Zeinab les observèrent par la fenêtre. Elles suivaient du regard tout ce qui se passait dans Star Street, ce qui leur fournissait matière à des commentaires en simultané.

– Celui-là, qui est en train de descendre, c'est lui qu'on appelle Keith, c'est pour ce type-là que Will travaille, expliqua Zeinab. Il va du côté d'Edgware Road, dans ce coin où ils vendent des matériaux de construction. C'est toujours là qu'il va, parce que c'est moins cher. Qu'est-ce qu'il fabrique, Will, déjà de retour à cette heure-ci ? Le voilà qui arrive.

– J'imagine qu'il a dû oublier ses outils. Ça lui arrive souvent.

Will Cobbett était à peu près le seul occupant de l'immeuble à ne jamais pénétrer dans la boutique. Il empruntait la porte latérale, réservée aux locataires. Les deux femmes entendirent le bruit de ses pas, qui montaient l'escalier.

– Qu'est-ce qu'il a ? fit Zeinab. Tu sais ce que Freddy dit de lui ? Il considère qu'il est pas loin d'être demeuré.

Inez fut choquée.

– Ça, c'est méchant. De la part de Freddy, cela me surprend. Will est ce que l'on appelait autrefois un jeune homme un peu retardé, et maintenant on parlerait plutôt de « difficultés d'apprentissage ». Enfin, difficultés d'apprentissage ou pas, il est assez bel homme, je dois dire.

— L'apparence extérieure, ce n'est pas tout, s'indigna Zeinab, chez qui l'apparence était pourtant tout. J'aime assez qu'un homme soit intelligent. Sophistiqué et intelligent. Si je sors une heure, ça ne t'ennuie pas, non ? Normalement, je dois déjeuner avec Rowley Woodhouse.

Inez consulta sa montre. Il n'était que midi et demi.

— Donc tu seras de retour à deux heures et demie, suggéra-t-elle.

— Et là, c'est qui, la méchante ? Je n'ai aucune notion de l'heure, qu'est-ce que j'y peux ? Je me demande s'il ne serait pas possible de prendre des cours de gestion du temps. J'avais envisagé un cours de diction. Mon père me soutient que je devrais apprendre à parler correctement, alors que maman et lui ont un accent qui leur vient tout droit du centre d'Islamabad. J'ai plutôt intérêt à filer, sinon Rowley va me faire une scène.

Inez se rappela que Martin avait enseigné la diction, pendant un temps. C'était avant *Forsyth* et sa grande période, bien entendu. Quand elle l'avait rencontré, il enseignait et il acceptait des petits rôles. Il possédait une belle voix, trop patricienne pour un rôle d'inspecteur de police dans une série télévisée actuelle, en revanche encore parfaite pour les années quatre-vingt. Elle écouta le martèlement des pas de Will qui descendait l'escalier. Il rejoignit sa camionnette en courant, sa trousse à outils à la main, juste au moment où arrivait la contractuelle. Et c'est à cette seconde-là que Keith fit son apparition, en sens inverse. Inez observa la dispute qui s'ensuivit. Les passants aiment assister aux confrontations entre les contractuelles et d'infortunés automobilistes, dans le seul espoir d'assister à une bagarre. Inez ne s'abaisserait pas jusque-là. Mais enfin, elle considérait que Keith n'avait qu'à payer, il fallait tout de même qu'il apprenne à reconnaître une double ligne jaune d'interdiction de stationner quand il en avait une sous le nez.

Elle patienta, le temps que deux femmes blondes très maquillées tournicotent dans la boutique, soulevant des fruits et des figurines en verre qui auraient pu être ou ne pas être des Netsuke. Elles «jetaient juste un œil», précisèrent-elles. Après leur départ, elle vérifia que le carillon de l'entrée soit en ordre de marche, passa dans la cuisine, sur l'arrière, et alluma la télévision pour suivre le journal de la mi-journée. Le présentateur affichait la mine que tous les journalistes de son espèce savaient sans doute prendre quand le sujet d'ouverture du journal était sinistre ou déprimant, comme ici dans le cas du meurtre de la jeune fille de Boston Place, survenu la veille au soir. On l'avait identifiée, il s'agissait de Caroline Dansk, de Park Road, NW1. Elle avait dû marcher jusqu'à Park Road, songea Inez, traverser Rossmore et prendre Boston Place pour se rendre quelque part, peut-être à la gare. Pauvre petite créature, elle n'avait que vingt et un ans.

L'image suivante montrait la voie ferrée à la sortie de Marylebone et la rue qui la longeait, avec son haut mur de briques. Très sélect, ces maisons pimpantes et ces alignements d'arbres plantés sur les trottoirs. On voyait la police en patrouille, des fourgons et des cordons de sécurité dressés un peu partout, la petite foule habituelle massée derrière les barrières, cherchant ce dont elle pourrait se repaître. Pas encore de photo de Caroline Dansk, et pas non plus d'apparition de ses parents anéantis devant les caméras. Cela viendrait en temps et en heure. Tout comme, à n'en pas douter, une description de l'objet que son assassin lui avait dérobé après avoir étouffé son souffle, sa vie, avec cette espèce de lacet.

Si c'était le même homme. Maintenant que cette histoire de morsure s'était révélée une ineptie, rendant le sobriquet caduc, on ne pouvait affirmer l'existence d'un lien qu'en se fondant sur le vol d'un petit accessoire féminin. Ces jeunes gens en possédaient tant, songea Inez, ils avaient tous des ordinateurs, des appareils photo numériques et des téléphones portables, ce n'était pas comme de son temps. Une expression sinistre, ça, comme si tout le monde faisait son temps et, quand c'était terminé, le début du long déclin vers l'obscurité s'annonçait, d'abord le crépuscule, puis la tombée de la nuit, et enfin l'obscurité. Son temps à elle était intervenu assez tard dans sa vie, il n'avait débuté qu'à sa rencontre avec Martin, et c'est après la mort de son mari que la lumière du jour avait commencé de s'assombrir. Allons, Inez, se dit-elle, cela ne rime à rien. Prépare-toi à déjeuner, car tu n'as aucun Rowley Woodhouse, aucun Morton Phibling pour aller te le chercher, et laisse place à des pensées plus gaies. Elle se confectionna un sandwich au jambon et sortit son pot de pickles, mais elle n'avait plus envie de thé, un Coca Light lui conviendrait fort bien, la caféine la réveillerait pour l'après-midi.

Je me demande ce qu'il a pu dérober à cette fille. Je me demande qui est-ce et où il vit, s'il a une femme, des enfants, des amis. Pourquoi commet-il ces actes, quand et où recommencera-t-il ? Il y avait quelque chose de dégradant à spéculer sur de pareils événements, mais c'était presque inévitable. Elle n'avait pu contenir sa curiosité, alors que Martin, lui, savait s'en empêcher, il savait s'élever au-dessus de ce penchant pour les détails monstrueux. C'était peut-être parce que, chaque fois qu'il jouait dans un épisode de *Forsyth*, il était obligé de se plonger dans des crimes fictifs, ce qui lui ôtait toute envie de se frotter à la réalité.

Le carillon retentit. Inez s'essuya les lèvres et retourna dans la boutique.

CHAPITRE 2

Les samedis étaient précieux. Les dimanches, ce n'était pas du tout pareil, car le lundi se profilait avec une proximité dangereuse, en surplomb de la journée, il vous rappelait qu'il ne vous restait plus qu'une nuit avant que la corvée ne reprenne. Ce n'était pas que Becky Cobbett n'appréciait pas son métier. Loin de là. Ne lui avait-il pas permis de grimper l'échelle sociale, en lui apportant « tout ça » ? Par « tout ça », elle désigna, avec un geste vague de la main, cet appartement confortable de Gloucester Avenue, son mobilier Shaker, ses bagues aux doigts et la petite Mercedes garée le long du trottoir. Tout cela sans l'intervention d'aucun homme. Des hommes, il y en avait eu, mais ils avaient tous moins bien réussi qu'elle, aucun d'eux ne jouissait de revenus très reluisants, et pas un seul n'avait su lui offrir de vrais cadeaux.

Le simple fait de se rendre compte, quelques secondes après son réveil, que l'on était samedi constituait l'un des grands moments de sa semaine. Si elle ne partait nulle part ou si son neveu ne venait pas lui rendre visite, la matinée suivait le même programme invariable – qui débordait aussi sur la première moitié de l'après-midi, car elle déjeunait dehors. Elle n'allait pas forcément dans le West End, ce pouvait être aussi Knightsbridge ou bien Covent Garden. Aujourd'hui, ce serait sa journée dans Oxford Street et Bond Street. Elle ne rapporterait peut-être rien de conséquent, mais elle ferait tout de même quelques achats, de petits articles, en fait quelques babioles, un rouge à lèvres, un CD, un foulard, un flacon d'huile essentielle pour le bain ou un best-seller choisi dans la liste des dix meilleures ventes. Ce serait du lèche-vitrines au véritable sens du terme, elle irait chiner à l'intérieur des boutiques, elle explorerait les rayons qu'elle n'avait jamais visités, et elle réfléchirait longuement à l'achat d'un cosmétique, afin de recevoir le cadeau qui irait avec. Le placard de sa salle de bains était rempli à ras bord de trousses de toilette de toutes les formes et de toutes les couleurs, des trousses qui avaient contenu ces cadeaux-là. Les vêtements, c'était différent, les choisir, c'était une affaire sérieuse, et elle s'accordait toujours le temps de la réflexion.

« Je ne suis pas riche, avait-elle l'habitude de répéter, mais je crois pouvoir affirmer que je suis à l'aise. »

L'achat proprement dit restait rare, et quand elle cédait, c'étaient des pièces de très bonne qualité, très chères, mais les choisir et les payer n'étaient pas une entreprise réservée à ces petits tours du samedi. Ces après-midi-là restaient d'une totale frivolité et n'avaient rien à voir avec le repérage d'un nouveau tailleur noir pour le bureau ou d'une robe moulante destinée au dîner annuel du cabinet. Ses samedis, il fallait qu'elle en profite le cœur léger, depuis la minute où elle sortait de chez elle pour prendre le métro à la station de Camden Town jusqu'à son retour cinq ou six heures plus tard, en taxi.

Elle ne perdait jamais de temps à boire un café, elle suivait l'itinéraire qu'elle s'était tracé jusqu'à treize heures. Il était alors grand temps de trouver un restaurant, une cafétéria ou un bar à huîtres dans un grand magasin, et de déjeuner. Ensuite, il lui restait quelques boutiques à visiter et, le cas échéant, à étudier avec plus de sérieux l'achat d'une pièce de choix, mais cela se limitait à une première approche prudente. En réalité, il était hors de question qu'elle achète quoi que ce soit, ou même qu'elle se décide tout de suite en vue d'un achat ultérieur. Les vêtements de cette gamme de prix étaient aussi des achats du samedi, mais il s'agirait alors d'un samedi exceptionnel, réservé à ce seul objectif, loin de toute frivolité – et de tout plaisir.

Elle connaissait les meilleurs emplacements où héler un taxi. À l'inverse de ces gens qui beuglaient un ordre au chauffeur, elle s'adressait à lui d'un ton poli :

– Voudriez-vous me conduire à Gloucester Avenue, je vous prie ?

Ils ne situaient pas toujours, ils confondaient avec Gloucester Terrace, Gloucester Place ou Gloucester Road.

– C'est au nord de Regent's Park, leur précisait-elle. Vous prenez la direction de Camden Town, et au feu vous tournez à gauche.

Elle demanda au chauffeur de s'arrêter, le temps d'acheter le *Daily Mail.* Une fois de retour chez elle, elle se préparait toujours un thé et consacrait dix minutes à la lecture du journal. Cette pauvre jeune fille qui s'était fait étrangler à Boston Place, la veille au soir, avait sa photo sur toute la première page. « Caroline Dansk, 21 ans », indiquait la légende, la dernière victime du Rottweiler.

« La police ne possède pas de nouvelles informations sur l'identité de la silhouette sombre qui a été vue en train de s'enfuir des lieux du crime, lut Becky. Il est impossible de dire, déclare un porte-parole officiel, s'il s'agissait d'un homme ou d'une femme. » L'étrangleur au lacet se distinguait par sa manie de dérober un petit accessoire sur le corps de la victime, et par une autre manie plus macabre, une morsure. Cette fois, l'objet volé semblait être un porte-clés, d'où il aurait retiré les clés de Mlle Dansk, en les laissant dans son sac. Toutefois, des sources proches de la famille déclaraient qu'il n'y avait aucune trace de morsure.

« "Caroline gardait ses clés attachées sur un anneau en plaqué or orné d'une breloque, un fox-terrier, indiquait son beau-père, M. Colin Ponti, 47 ans. C'était un cadeau d'anniversaire d'un ami. Elle ne sortait jamais sans." »

« Noreen Ponti, la mère de Caroline, était trop anéantie pour s'adresser aux médias… »

Becky secoua la tête, replia le journal et revint sur ses emplettes. Quand c'était de la musique, elle écoutait le disque en s'installant dans un fauteuil. Et puis elle éprouvait vite le besoin d'ouvrir le sac qui contenait ses cadeaux, les échantillons, d'examiner chaque sachet, chaque flacon de près. Cette fois-ci, il y avait un CD, et elle l'inséra dans son Walkman, posa la tête contre un coussin et ferma les yeux. Elle allait consacrer sa soirée à regarder la télévision, ou la cassette vidéo qu'elle venait aussi d'acheter.

En somme, tout cela relevait d'un plaisir hédoniste, une forme de luxe innocent, une manière de ne rien se refuser. Mais ce n'était pas un plaisir sans mélange. Il y avait forcément « un os dans le kebab », une formule entendue dans la bouche d'un badaud, sur Oxford Street. L'os dans le kebab, c'était son sentiment de culpabilité disproportionné, très virulent, en particulier le samedi, et surtout ce samedi-ci, car elle ne pouvait décemment ignorer qu'elle n'avait pas revu Will depuis plus d'une semaine, et que, au lieu d'aller flâner dans South Molton Street, elle aurait dû lui téléphoner pour l'inviter à déjeuner. À déjeuner, pas à dîner. Dans son foyer pour enfants, on leur servait leur repas principal à midi, il s'y était habitué et c'était encore ce qu'il aimait le mieux.

Tant qu'elle était occupée à choisir la crème de nuit et la lotion pour le corps qui lui donneraient droit à son échantillon gratuit, Becky était parvenue à bannir de son esprit toute pensée concernant son neveu. Elle avait tenu ces remords en lisière le temps de déjeuner chez Selfridges, mais maintenant qu'elle était de retour chez elle, et que le CD était terminé, ces sombres pensées revenaient à toute volée sur les ailes noires de la culpabilité. Will avait dû rester tout seul. Il avait beau ressembler à un David Beckham en plus massif et plus lourd, il était trop simple et trop naïf pour se créer des amis, trop méfiant pour se rendre tout seul au cinéma ou à une manifestation sportive. Ce soir, avec de la chance, l'homme qu'il appelait son ami, l'un des travailleurs sociaux du foyer pour enfants, l'emmènerait peut-être au Monkey Puzzle boire un verre, mais cela n'arrivait pas tous les samedis, même pas un samedi sur deux. De toute façon, l'intervention d'un tiers était impuissante à dissiper ce sentiment d'avoir trahi Will, et de l'avoir trahi depuis vingt ans. Le dégoût de soi envahit Becky, lui donna franchement la nausée, rien que de repenser à sa manière de passer cette journée et à tout le plaisir qu'elle en avait retiré.

Anne, sa sœur, avait trouvé la mort dans un accident de voiture. Cette voiture appartenait à un garçon qui la conduisait à Cambridge, pour lui présenter ses parents, le premier homme à être entré dans la vie d'Anne après la naissance de Will. D'ailleurs, elle n'était pas souvent sortie avec lui. C'était leur première soirée ensemble depuis des mois. La voiture avait été heurtée de plein fouet par un poids lourd sur l'autoroute M11. Le chauffeur du camion s'était endormi au volant et il avait enfoncé la glissière de sécurité du terre-plein central. Il avait trouvé la mort, Anne aussi, et son compagnon, l'homme qu'elle avait presque résolu d'épouser, avait perdu les deux jambes.

Deux policiers s'étaient présentés à l'appartement d'Anne, pour avertir Becky de l'accident. Elle avait veillé sur Will, alors âgé de trois ans. Naturellement, elle était restée avec lui, en prenant deux semaines de congés. Anne et elle étaient très proches, il la connaissait presque aussi bien que sa propre mère, et elle avait pris l'habitude de dire qu'elle avait profité de tous les plaisirs de la maternité, sans en endurer les responsabilités. Dans les journées qui avaient suivi la mort d'Anne, cette remarque lui était revenue à l'esprit. Était-elle censée prendre la place d'Anne, garder Will avec elle et lui tenir lieu de mère ? Était-elle tenue de l'adopter ?

Elle se rappelait maintenant avoir souvent confié à Anne

qu'elle l'aimait comme si c'était son propre enfant. Était-ce la vérité ? À cette époque-là, elle travaillait pour une agence de voyages et elle avait repris ses études en suivant des cours du soir, pour décrocher un diplôme de gestion commerciale. Si elle devenait la mère adoptive de Will, il n'y aurait plus de soirées du tout. Aller travailler suffirait déjà amplement à sa peine. Et, au fait – mais oui, à quoi pensait-elle donc ? –, Will avait un père. Elle retrouva sa trace et lui téléphona. Il n'avait jamais versé aucune pension alimentaire et ses visites à son fils avaient été rares, mais cette fois il lui promit de venir.

Becky renouvela ses deux semaines de congés et son patron n'était pas très content. Durant cette période, qu'elle passa surtout chez elle, elle réussit à inscrire Will dans une crèche et, se résignant, elle prit son courage à deux mains, téléphona aux services sociaux et les informa de la situation. Le père de Will se présenta et Will, qui se montrait affectueux et confiant avec tout le monde – trop affectueux et trop confiant –, s'assit sur ses genoux, tandis que l'autre annonçait à Becky qu'il lui était impossible d'emmener ce petit garçon avec lui : sa femme n'avait que dix-neuf ans et elle était enceinte, on ne pouvait attendre d'elle qu'elle s'occupe d'un enfant de trois ans, en plus du reste.

Will fut placé dans une institution d'accueil. Avant que les services sociaux ne viennent le chercher, Becky pleura presque toute la nuit, mais elle ne pouvait pas le garder, elle ne pouvait pas. Elle puisa un peu de réconfort dans sa manière heureuse et innocente de donner la main à l'employée des services sociaux, et de lui sourire. Tout ira pour le mieux, ne cessait-elle de se répéter, il s'en trouvera très bien, c'est préférable, plutôt que de le garder avec moi, il ira dans une bonne famille d'accueil, ou alors quelqu'un qui meurt d'envie d'avoir un enfant finira par l'adopter. Mais personne ne se présenta. Malgré sa beauté et son caractère gentil et doux – trop doux –, personne n'avait envie d'un enfant chez qui « quelque chose ne tournait pas rond ». Le pire des tourments, pour Becky, c'était de se demander s'il était ainsi parce qu'elle avait autorisé son placement dans un foyer, et si elle n'avait pas agi par pur égoïsme. Elle consacra de longues heures à essayer de se remémorer les signes qui le différenciaient des autres enfants, certains moments antérieurs à la mort de sa mère, et elle finit en effet par se souvenir d'Anne le jugeant trop silencieux, trop bien élevé, pas du tout rebelle et intenable comme un petit garçon devrait l'être. Elle restait encore hantée par le remords.

Elle compensa, en tout cas elle essaya, en lui rendant visite au foyer, une initiative que l'on jugeait plutôt déplacée, et en lui organisant des sorties, accueillies avec une approbation modérée. Au fur et à mesure que sa situation s'améliorait et que ses affaires prospéraient, elle se mit à lui acheter des cadeaux, qu'elle était obligée de conserver chez elle, par crainte qu'ils n'éveillent la jalousie des autres enfants. Quand il eut douze ans, elle proposa de prendre à sa charge ses frais de scolarité dans un établissement privé de New England, où les élèves dans sa situation bénéficiaient d'une attention personnalisée. Les services sociaux s'y opposèrent. On s'y montrait très progressiste, très à gauche, et on fit observer à Becky qu'elle ne saurait exercer aucune influence sur son destin ou sur son avenir, elle n'était que sa tante. Quant à son père, il était finalement parti pour l'Australie, en laissant derrière lui une autre femme avec un enfant.

– La balle est dans notre camp, mademoiselle Cobbett, conclut l'assistante sociale de Will. La décision nous appartient.

Et donc Will intégra une école spécialisée où tous les enfants rencontraient des difficultés d'apprentissage, une école où le personnel enseignant était trop peu nombreux, et les professeurs tous épuisés par la masse des tâches administratives qui leur incombaient. Aux yeux de Becky, il était déjà très étonnant qu'il sache lire, d'ailleurs il n'y parvenait que si les mots étaient courts et simples, en revanche il était assez bon en calcul. Peut-être n'aurait-il pas mieux réussi dans cette autre école, l'institution privée de Vermont. Et quand il aurait seize ans, quand il devrait quitter l'établissement, qu'adviendrait-il de lui ? Comment gagnerait-il sa vie ?

Les services sociaux lui trouvèrent une place dans une école secondaire, la filière du bâtiment. Il était gentil avec tout le monde, poli et désireux d'apprendre, mais les diagrammes qu'il était censé étudier, les manuels techniques qu'il devait lire ne signifiaient rien à ses yeux. Il n'y avait plus d'arithmétique simple, rien que des poids et mesures, et des calculs, mais tout cela le dépassait. À cette époque, il habitait dans une maison occupée par six jeunes gens, sortis eux aussi d'un foyer, que l'on avait sélectionnés pour qu'ils s'entendent bien, et, même s'il ne se plaignait jamais, Becky se rendait compte qu'ils le houspillaient, qu'ils le bousculaient. Qu'avait-il envie de faire?

— Vivre avec toi, lui avait-il répondu.

Le sol s'était dérobé sous ses pieds, son monde avait basculé. Après coup, elle sentit qu'elle venait de vivre le pire moment de son existence. À cette période, elle avait un chevalier servant, qui passait avec elle les nuits du samedi et du dimanche, et parfois une autre nuit dans la semaine. Quand il n'était pas là, elle avait besoin de paix, de ses samedis matin bien à elle. Mais en cet instant où elle dut lui avouer ce qui lui pesait, à ce moment-là elle toucha le fond.

— Cet appartement n'est pas assez grand pour deux, Will. Tu sais qu'il n'y a qu'une seule chambre à coucher. Et si tu habitais de ton côté, qu'en penses-tu? Pourvu qu'on se voie souvent?

Il sourit de son doux sourire.

— Ça ne m'embête pas.

Les pouvoirs publics locaux, qui avaient la tutelle de cette école, procurèrent au jeune homme un emploi, du travail non qualifié pour le compte de Keith Beatty et, au bout d'un certain temps, il acquit quelques qualifications de base. C'était Becky qui lui avait trouvé son logement au-dessus de Star Antiques. Commode pour son travail à Lisson Grove, et pas trop loin de chez elle, il était d'une superficie adaptée à ses moyens, juste une chambre meublée avec une cuisine et une douche. Et les autres occupants de la maison étaient gentils :

Inez et un type des Caraïbes, très jovial, un certain Freddy quelque chose, et un homme agréable, au dernier étage. Ludmila, elle ne l'avait encore jamais croisée. Elle craignait que Will ne sache pas s'y prendre pour garder un appartement propre, et elle s'était attendue à devoir se charger des corvées du ménage à sa place, mais en l'occurrence il la surprit. Non seulement il maintenait les lieux dans un état impeccable, mais il ajoutait toutes sortes de jolies choses au mobilier de base fourni par Inez. Pour certains de ces objets, un vase en verre de couleur verte, un chat en porcelaine, une lampe dont le pied était un boulier chinois, elle pensait qu'Inez les lui avait donnés, et d'autres venaient d'elle, mais il en avait acheté aussi, les coussins gris et rose, les tasses et les soucoupes blanches avec leurs mouchetis de toutes les couleurs de l'arc-en-ciel. Il fallait qu'il ait le téléphone, elle n'aurait jamais un moment de sérénité s'il n'avait pas le téléphone, et pourtant elle doutait qu'il sache passer un coup de fil.

Il adorait aller au zoo, donc elle l'y emmenait. Ils montaient en bateau, sur le canal, à hauteur de Camden Lock, et ils remontaient le fleuve, jusqu'à Thames Barrier. Ils étaient allés une ou deux fois au cinéma, mais ces sorties-là la mettaient mal à l'aise, car il croyait que tout ce qu'il voyait à l'écran était réel. Il trouvait le sexe déroutant, la violence le terrifiait, il gémissait et il s'agrippait à elle au point qu'elle était obligée de le conduire hors de la salle. *Harry Potter*, qui lui semblait une histoire assez innocente, l'impressionna tellement qu'à leur sortie suivante il était allé dans la gare de King's Cross chercher le quai numéro 9 trois quarts, sans comprendre pourquoi il ne s'y trouvait pas. Surtout, elle l'invitait à Gloucester Avenue, mais, estimait-elle, cela n'arrivait pas assez souvent, il faudrait que ce soit au moins une fois par semaine, et plus souvent ce serait encore mieux. Que faisait-il, quand il était seul, dans son logement de Star Street? En proie au doute et à une vive inquiétude, à cause de ses réactions au cinéma, elle lui avait acheté une télévision, et il adorait ça. Comment s'accommodait-il de la violence et du sexe, elle l'ignorait et elle redoutait de lui poser la question. Au-delà du niveau du livre d'enfant le plus simple, la moindre lecture le dépassait, et écouter de la musique ne l'intéressait pas du tout. Il nettoyait l'appartement, supposait-elle, et il rangeait ses éléments de décoration. Et il y avait toujours son soutien occasionnel, le travailleur social de l'Assistance, qui l'emmenait au pub boire une bière.

Le véritable événement souhaitable, songea-t-elle en insérant une nouvelle cassette dans le magnétoscope, serait qu'il trouve une petite amie. Une fille gentille et sensible, un peu vieux jeu, si tant est qu'un être pareil puisse exister, qui le maternerait et prendrait soin de lui. Une agence de rencontres ? La pire solution au monde pour les individus comme Will. Peut-être Inez connaîtrait-elle quelqu'un. Becky décida qu'elle en parlerait à Inez, et bientôt. Avant de lancer la cassette, elle composa le numéro de Will, et quand il répondit, comme toujours, par un « Allô ? » timoré et interrogateur, elle l'invita à déjeuner et à dîner pour le lendemain.

Il accepta, avec l'enthousiasme survolté d'un jeune homme à qui l'on aurait proposé de partir faire le tour du monde.

CHAPITRE 3

Pour Inez, Will Cobbett était sans doute le seul occupant de la maison à ne rien savoir du dernier meurtre, et même à en ignorer l'existence. Et le seul habitant dans tout Star Street, probablement aussi. Tout le monde en parlait, mais Will, qu'elle avait rencontré dans l'arrière-salle en descendant chercher son journal du dimanche, lui avait juste répondu que c'était une belle journée, madame Ferry, et il avait prévu d'aller la passer avec sa tante. Ses yeux bleu clair glissèrent d'un air absent sur le titre de première page en gros caractères, corps 48, sans manifester le moindre intérêt, et il se contenta de lever la tête, en lui confiant à quel point il attendait cette journée.

– J'aime vraiment bien aller chez elle. Elle me cuisine mon dîner à midi, et on mange que les choses qu'on aime.

Il était si beau garçon, toujours si propre et si soigné qu'il devait être intelligent, en plus. Comment un homme pouvait-il être aussi grand et aussi mince, avoir ce nez droit et cette bouche fermement dessinée, ce cheveu blond et ces yeux, et être… enfin, pas tout à fait comme les autres ? En général, les gens s'attendaient à ce que les illettrés et les simples d'esprit soient vilains et contrefaits, mais Will, lui, était beau. Il n'y avait pas d'autre terme pour le décrire, et si elle avait eu trente ans de moins, elle aurait volontiers perdu la tête pour lui.

— Vous direz bonjour à votre tante de ma part.

Elle appréciait Becky Cobbett, qui était merveilleuse avec Will. Peu de tantes se donneraient tout le mal qu'elle se donnait. L'altruisme n'était pas chose courante.

— Transmettez-lui mon meilleur souvenir. La prochaine fois qu'elle viendra ici, il faudra descendre, me l'amener ici, nous prendrons un verre.

— Et je pourrais avoir du jus de framboise et d'airelle ?

— Bien sûr. Il faut que l'on convienne d'une date.

Elle n'allait pas mentionner Caroline Dansk ou ce qu'il était advenu d'elle. Becky lui avait expliqué que toute violence, la moindre idée même de violence, le bouleversait à l'extrême. Il y avait plusieurs autres occupants de l'immeuble ou, tant qu'on y était, quantité de gens dans la rue plus que désireux de discuter du meurtre. Inez monta les journaux au premier, se prépara un café dans la petite cafetière à une tasse et dégusta un feuilleté aux fruits. La photo de Caroline Dansk était parue dans le journal de la veille, mais celle-ci était différente. Elle avait l'air plus âgée, mais plus jolie, les lèvres entrouvertes, de grands yeux, songea Inez, remplis d'espoir. Cela ne lui avait guère porté chance. Morte à seulement vingt et un ans.

C'était l'âge qu'elle avait lors de son mariage avec son premier mari. Si elle avait été un peu plus vieille, elle aurait été mieux avisée, elle aurait évité de se lier à un homme qui était incapable de s'empêcher de poser les yeux ou, pire, les mains sur toutes les filles qu'il croisait, séduisantes ou non. Inez était alors très jolie, les cheveux blonds et les yeux marron, des traits réguliers, encadrés d'une épaisse et longue chevelure, mais pour Brian ce n'était pas suffisant. Elle était bien obligée d'en percevoir les signes, et elle les voyait, ces signes. Tout tenait à la mauvaise interprétation qu'elle en faisait, c'était toujours la vieille, très vieille histoire, elle se croyait capable de le changer. En réalité, c'était avec l'arrivée de Martin qu'elle avait enfin eu dans sa vie un homme qu'elle n'avait aucune envie de changer. Elle soupira et revint à cette première page.

Cela recommençait, cette fois c'était un porte-clés que le meurtrier avait emporté, l'anneau proprement dit, en onyx et plaqué or, avec une chaîne également plaquée or, lestée d'un scotch-terrier en onyx. La police et le journal n'avaient pas vu ce porte-clés, évidemment, mais un artiste en avait dessiné sa propre interprétation à partir de la description qu'en avait donnée le beau-père de Caroline. Inez ne voyait pas l'intérêt de la démarche. L'étrangleur n'allait pas laisser traîner ce colifichet n'importe où, à la portée de n'importe qui. Le journal signalait que Noreen Ponti, la mère de la pauvre jeune fille, avait enregistré un appel à témoin pour aider à retrouver le tueur. Compréhensible, mais vain. Tout le monde aimerait le débusquer, là n'était pas le problème. Elle passa à la page suivante, un scandale chez les conservateurs, un médecin, un mandarin, impliqué dans un réseau d'adeptes de la flagellation, et la photo de mariage d'un politicien du troisième âge qui avait épousé une politicienne, elle aussi du troisième âge.

Inez avait gardé pour elle le premier étage de l'immeuble. Elle disposait d'un grand salon, d'une cuisine de belles dimensions, de deux chambres et d'une salle de bains. Avec l'argent que lui avait laissé Martin, elle avait réaménagé les trois étages qu'ils avaient partagés tous deux, au-dessus de la boutique, les avait convertis en appartements, et toutes les chambres étaient équipées de rangements, l'électricité remise à neuf, et elle avait fait poser de nouveaux éléments encastrés et moquetter les sols. N'étant pas philanthrope, elle savait que cela lui permettrait de louer beaucoup plus cher, et elle était fermement décidée, depuis belle lurette, telle Scarlett O'Hara, à ne plus jamais être pauvre. À l'étage au-dessus du sien, les deux studios, en fait deux chambres avec chacune sa cuisine et sa salle de bains, étaient occupés par Will sur l'arrière et par Ludmila Gogol sur la rue, mais celle de Ludmila l'était aussi, plus de la moitié du temps, par Freddy Perfect.

À l'instant, d'ailleurs, on pouvait entendre le bruit des pas de Ludmila au-dessus. Le dimanche elle se levait toujours très tard, et elle restait toute la journée vêtue d'une de ses innombrables robes de chambre, même si elle sortait au bout de la rue chercher un journal ou un demi-litre de lait. Gogol, se rappela Inez, c'était le nom d'un écrivain russe célèbre. Cela n'empêchait pas pour autant que ce soit le vrai nom de Ludmila – il y avait bien des gens qui s'appelaient Shakespeare ou Browning, et Martin avait eu un cousin nommé Dickens, mais, sans trop qu'elle sache pourquoi, venant de sa locataire, c'était moins vraisemblable. Chez Ludmila, l'accent allait et venait. Parfois il était très prononcé, une diction de personnage de cinéma très Europe centrale, et à d'autres cela évoquait davantage la façon de s'exprimer des candidats de l'agence de placement de Lisson Grove.

Inez s'intéressait aux êtres. En revanche, cela l'empêchait d'être bon juge de leur caractère. Elle le savait, mais elle ignorait comment changer cela. Comment, par exemple, allait-elle s'y prendre pour savoir si Freddy Perfect était bien celui qu'il donnait l'impression d'être, un clown joyeux mais pas vraiment drôle, ou une espèce de filou à la petite semaine ? Et Zeinab – pourquoi n'autorisait-elle jamais personne à venir lui rendre visite chez elle, et refusait-elle même de se laisser raccompagner ? Son père, strict comme peuvent l'être certains musulmans, avait beau ne pas apprécier l'idée qu'elle ait des petits amis, surtout des petits amis non musulmans, à moins d'être un furieux paranoïaque, qu'aurait-il à objecter à ce qu'elle soit reconduite au domicile familial par une femme ? Inez, encore la semaine dernière, ne lui avait-elle pas proposé de la raccompagner chez ses parents en livrant un buste en bronze du maréchal Montgomery dans une demeure de High-gate ? Et pourtant cette seule perspective avait suffi à l'effrayer. Les êtres humains étaient impossibles à comprendre.

Ces deux vieux du journal, par exemple, ils s'étaient mariés,

mais qu'est-ce qui les y avait poussés ? Ils totalisaient cent qua-
rante-six ans à eux deux. À leur âge, que s'imaginaient-ils pouvoir encore apprendre l'un de l'autre, avec leurs habitudes et
leurs manies ? Avaient-ils réellement l'énergie d'essayer ? Après
Martin, Inez avait résolu de ne plus se remarier, à supposer
que quelqu'un lui demande sa main, mais elle aurait apprécié
d'avoir un homme près d'elle. Un homme agréable, fin de
la cinquantaine, qui la sortirait, l'emmènerait au cinéma ou
boire un verre de temps en temps. Et parfois il resterait passer
la nuit, pourquoi pas ? Certains jours, les chaudes soirées d'été,
elle passait devant un café, des tables sorties sur le trottoir, une
lumière douce tombant sur les couples assis là, et elle se sentait
presque malade du besoin d'avoir Martin à nouveau à ses
côtés. À défaut – et cet « à défaut » durerait pour toujours –, un
homme possédant certains des traits de caractère de Martin,
un être qui, en cet instant, préférerait sa présence à toute autre
présence. Elle ne réclamait pas l'amour passionné ou même
cette sorte de dévotion qu'elle avait eue pour l'homme de
sa vie, non, rien qu'un tempérament agréable, qui l'attirerait
et qui apprécierait sa compagnie.

Côté apparence, elle s'était débrouillée de son mieux, elle
avait conservé sa silhouette, elle avait de la chance avec ses
cheveux blond-châtain qui grisonnaient rarement, mais tous
les hommes qui entraient dans la boutique ne manquaient pas
de repérer aussi Zeinab, et là les jeux étaient faits. À tout coup.
Pour ce qui était de Morton Phibling, elle ne se serait pas fait
prier, et, n'importe quelle femme un peu raisonnable l'aurait
compris, pour un homme dans son genre une compagne de
son âge eût été un choix bien plus approprié qu'une jeune fille
de vingt ans. Les hommes ne voyaient jamais les choses ainsi.

Ce dimanche s'étirait devant elle. Si elle refusait de céder
à la solitude le reste de la semaine, elle était très solitaire les
dimanches, elle les passait seule, à moins que des amis ne l'invi-
tent à déjeuner ou à dîner, ou qu'elle ne fasse l'effort de les
inviter. Peut-être faudrait-il faire cet effort plus souvent, quand
bien même cela supposerait de cuisiner et de s'habiller. La

journée était consacrée à la lessive, au repassage, à un coup d'aspirateur et, si le froid ne tombait pas, elle s'achevait en début de soirée par une promenade dans le parc ou sur Bayswater Road, où les couples installés dans les cafés se tenaient la main, à des tables éclairées de bougies. Et quand elle rentrait chez elle, c'étaient les cassettes vidéo – qui parfois, d'ailleurs, remplaçaient cette petite sortie. Les douze films d'une heure qui étaient devenus son bien le plus précieux.

Comme presque tous les acteurs, sauf ceux qui occupaient les sommets, Martin avait traversé de longs moments sans travailler. C'étaient les périodes où il donnait des cours de diction, où il s'occupait de ranger des rayonnages chez Sainsbury et, au creux de la vague, où il faisait des ménages dans des appartements. Dès qu'il était devenu une grande star, certaines personnes pour lesquelles il avait travaillé s'étaient souvenues de lui, et elles répétaient partout: «Vous n'allez pas me croire, mais Martin Ferry a été notre homme de ménage. » Il avait failli se dispenser de cette audition pour le rôle de l'inspecteur-chef Jonathan Forsyth, mais un ami avait insisté pour qu'il tente sa chance. C'était ce même ami qui lui avait présenté Inez une semaine auparavant. Martin était en pleine procédure de divorce d'avec sa première épouse, et Inez venait à peine de divorcer d'avec Brian. Il lui avait téléphoné, lui avait rappelé qui il était, il l'avait invitée à sortir et lui avait appris qu'il passait une audition pour le premier rôle dans une nouvelle série policière, mais ce n'était pas la peine qu'elle croise les doigts, car il n'avait pas un gramme d'espoir d'obtenir le rôle.

Il avait donc décroché ce contrat, et les répétitions avaient commencé, mais les perspectives concernant cette série demeuraient peu brillantes. Les livres sur lesquels elle était fondée n'étaient franchement pas des best-sellers, et Inez, qui en avait lu quelques-uns, les jugeaient mal écrits et peu convaincants. Mais soit qu'un bon scénariste ait su les transformer, soit que la présence charismatique de Martin dans le rôle-titre ait suffi, *Forsyth* se retrouva vite propulsé en tête de l'Audimat. En l'espace de trois mois, après la diffusion de six épisodes, le nom de Martin était connu de tous. Inez se dit qu'il allait la larguer, se trouver quelqu'un de plus en rapport avec son nouveau statut, une femme plus jeune et qui soit aussi dans le show-biz. Or, au contraire, il la demanda en mariage.

Il ne possédait rien, il vivait dans un appartement en location, mais juste avant leur mariage il avait acheté la maison de Star Street, et ils avaient emménagé dans les trois étages supérieurs, en fermant le volume de la boutique depuis longtemps désaffectée. Dire que ce fut un mariage heureux, comme le répétaient certaines de ses connaissances – « Oh, Inez ? Elle est très heureuse dans son couple, pas toi ? » –, c'eût été franchement sous-estimer leur union. Ils vivaient le bonheur absolu. Cette sorte d'amour échevelé, passionné, qui jamais, jamais ne dure, que seuls vivent les très jeunes gens, et encore, un bref moment, se prolongea chez eux sans rupture aucune, depuis leur mariage civil au Marylebone Register Office jusqu'au jour où Martin eut une crise cardiaque et décéda. Martin, un homme mince, grand, actif et sobre, qui ne fumait jamais une cigarette, fut frappé d'une crise cardiaque à l'âge de cinquante-six ans et mourut en l'espace de quelques minutes.

La maison et ses économies considérables devinrent celles d'Inez. Cela lui était égal. Cela lui aurait été égal qu'il ne lui laisse rien et qu'un voleur ait dérobé tout ce qu'elle possédait, en la jetant à la rue, et qu'elle couche sur le trottoir avec les clochards. Rien ne pouvait être pire que perdre Martin, et elle n'avait aucune source de réconfort. Du moins le croyait-elle, à l'époque. La découverte des douze cassettes de *Forsyth* parmi les affaires de Martin l'avait fait sursauter. Pourquoi ne les avait-elle pas jetées aux ordures, elle ne l'avait jamais compris, peut-être était-ce juste parce qu'elle se sentait incapable d'y toucher. Elle avait toujours su où elles se trouvaient, dans un tiroir qu'elle évitait d'ouvrir. Un rapide regard au boîtier de la cassette, sur son visage, avait suffi à ce qu'elle s'écroule en larmes, inconsolable.

Par la suite, environ six mois après sa mort, elle avait sombré dans un puits sans fond, dans les abîmes de la dépression et du manque, au-delà du désespoir. Rien que le voir un instant, rien que cinq minutes, l'avoir là, dans la pièce. Elle étouffait de ne pas le voir. Elle en conclut que si elle n'apercevait pas son visage, fût-ce un court instant, elle ne supporterait pas cet état plus longtemps. Elle allait passer dans sa chambre, avaler tous les somnifères que le médecin lui avait prescrits, avec un verre de gin. C'est alors – elle ne comprit jamais pourquoi – qu'elle se souvint des vidéos. Elle allait pouvoir s'offrir cette brève vision, elle obtiendrait même plus que cela, elle pourrait le voir, l'entendre, le regarder bouger, marcher et parler, des heures d'affilée. Et si c'était terrible de le voir et l'entendre ? Il lui serait difficile de se sentir plus mal que maintenant.

Lorsqu'elle sortit la cassette de son boîtier, ses mains tremblaient. C'était le premier épisode de la série, *Forsyth et le Jeune Ménestrel*, et son premier choc fut la musique bien connue du générique, un air de Haendel qu'elle n'avait entendu nulle part ailleurs. Mais quand l'image s'anima, quand la caméra suivit Martin montant l'escalier de son bureau, elle laissa échapper un cri, elle n'avait pu s'en empêcher. Ce serait bien aussi atroce qu'elle l'avait redouté.

Ce ne fut pas atroce. Après tout, elle avait devant elle son époux bien-aimé, son amant, son trésor, le seul homme qu'elle ait jamais vraiment aimé, il était là, avec elle, dans cette pièce, et elle avait la sensation qu'il lui parlait. Tout ce qui lui manquait, c'était qu'elle ne pouvait pas le toucher, et ce « tout »-là pesait fort, mais ce film lui apportait tant d'autres choses. Et ce n'était pas un événement unique. Il n'allait plus disparaître pour toujours, car rien ne lui interdisait de visionner ces cassettes chaque fois qu'elle en aurait envie, autant qu'elle le voudrait, se réserver ce deuxième choix, ce pis-aller, un Martin imprimé, enregistré, son sourire, sa belle voix, aussi souvent qu'elle le souhaitait. Et puis il y avait d'autres épisodes, qu'elle ne possédait pas. Mais elle pourrait se procurer tout ce qu'il avait fait, tout ce qui avait été reproduit sur cassettes vidéo...

Par la suite, au lieu de sortir marcher, d'avoir devant elle, dans la lumière dorée du soir, des visions qui ne suscitaient en elle qu'une amère nostalgie, elle pourrait s'offrir une longue soirée avec Martin.

Star Street est orientée vers l'ouest, elle relie Edgware Road à Norfolk Square, la gare de Paddington et Saint Mary's Hospital. C'est une rue composée de rangées de maisons jadis humbles, chacune à trois niveaux, avec un sous-sol, mais aux croisements avec les rues qui la traversent, à chacun des quatre coins, une boutique occupe l'espace du rez-de-chaussée, surmontée de trois étages, ces immeubles d'angle surplombant ainsi nettement les autres. Comme ce dispositif se répète précisément aux trois carrefours, cela relève à l'évidence d'un plan concerté, une innovation architecturale voulue par le concepteur de ces maisons, dès le dix-neuvième siècle.

Ces rues sont assez larges et les arbres y sont rares, un manque compensé par les platanes et les tilleuls du jardin de Norfolk Square. Des files de voitures sont garées le long des trottoirs, car, comme presque partout dans Londres *intra-muros*, il n'y a pas d'autres places de stationnement. Personne ne dirait de Star Street que c'est une belle rue, mais elle conserve ses attraits hérités de l'époque victorienne. Une certaine symétrie assez plaisante dans l'agencement de ces maisons, et ces boutiques qui possèdent un charme démodé : une quincaillerie, l'inévitable agence immobilière, un coiffeur, un marchand de journaux et Star Antiques, cette dernière enseigne occupant l'angle avec Bridgnorth Street.

Autrefois librairie d'ouvrages d'occasion, cette surface commerciale était restée inoccupée pendant des années. Peu de temps après la mort de Martin, la tante d'Inez, Violet, était morte à l'âge de quatre-vingt-douze ans, en lui laissant sa grande maison de Clapham avec tout son contenu, assez de mobilier victorien pour approvisionner une boutique d'antiquités. Et c'est ce qu'Inez avait décidé d'ouvrir. Elle avait fait retirer les planches des fenêtres, elle avait rouvert et commencé par emplir le lieu des affaires de tante Violet. Les occupants des appartements étaient venus s'installer petit à petit, Ludmila la première, puis Will Cobbett, et dernièrement Jeremy Quick. L'escalier qui desservait les étages débouchait dans une petite entrée, avec une porte d'accès à la boutique, une autre donnant sur la rue et une troisième sur le jardin. La porte de la boutique portait un écriteau qu'Inez y avait fixé, avec la mention *Privé. Entrée interdite*, mais personne n'y avait jamais prêté attention, même pas Jeremy Quick, qu'Inez aurait volontiers baptisé le locataire idéal, pour ainsi dire sans défaut. Pour une raison inconnue, qui lui restait mystérieuse, tous préféraient d'abord faire un petit tour dans la boutique plutôt que sortir directement dans Star Street.

Elle n'était pas là depuis plus de dix minutes, ce lundi matin, et Star Antiques était encore fermé, que l'on sonnait déjà à la porte de la rue en tapotant vivement contre la vitre de la devanture.

Sans lever les yeux des deux chopes qu'elle était en train d'épousseter, elle s'écria :

— Nous n'ouvrons pas avant neuf heures et demie.

— Police, fit une voix. Si vous permettez qu'on vous dise un mot.

Inez déverrouilla la porte. Ils étaient deux, deux messieurs. Le plus âgé était désolé de la déranger, mais ils menaient une enquête de routine. Il se présenta comme l'inspecteur Crippen. Inez trouvait le nom assez malvenu, s'agissant d'un officier de police, mais ce nom-là ne devait rien dire aux jeunes générations[1]. Ils étaient l'un et l'autre très différents du beau, du suave, de l'élégant inspecteur-chef Forsyth.

— En quoi puis-je vous être utile ? Cela a-t-il un rapport quelconque avec la jeune fille assassinée à Boston Place ?

— C'est exact, madame.

Elle aurait presque préféré qu'il l'appelle « mon p'tit cœur ».

---

1. En 1910, un Dr Crippen disparaissait de Londres avec sa linotypiste. Dans la cave de son domicile, la police exhuma le corps désossé de son épouse, Cora Crippen, surnommée la « Belle Elmore ». Crippen finit pendu *(NdT)*.

– J'imagine que vous avez dû en entendre parler à la télé.

– Ce n'est pas tout près d'ici. Boston Place doit bien se trouver à un kilomètre et demi.

Le plus jeune eut un sourire indulgent.

– Ce n'est pas si loin non plus. Une personne, de sexe inconnu, a été vue s'éloignant du lieu du crime au pas de course et, selon un témoin digne de foi, dix minutes plus tard, une silhouette à peu près identique s'engageait dans Star Street, en venant d'Edgware Road.

– Que voulez-vous dire par « s'engageait » ? Toujours en train de courir, ou quoi ?

Crippen était sur le point de reprendre la parole lorsque la porte du hall d'entrée s'entrebâilla d'une trentaine de centimètres, et Jeremy Quick pointa la tête.

– Je suis terriblement navré, je n'avais pas l'intention de vous interrompre.

Et il se retira.

– Qui était-ce ? s'enquit Crippen.

– Le locataire de l'appartement du dernier étage.

– Nous aimerions lui parler. Où est-il allé, madame ?

– Vers la station de métro d'Edgware Road, je suppose, fit Inez.

– Rattrapez-le, Osnabrook, ordonna Crippen. Allez-y, filez vite. Avez-vous d'autres locataires, madame… euh ?

– Mme Ferry. Oui, deux. Vous deviez me dire si cette personne de sexe inconnu courait toujours.

– Elle courait encore. Par le plus grand des hasards, auriez-vous aperçu cet individu ? Il devait être aux alentours de vingt et une heures quinze, jeudi soir.

– J'étais en haut, dans mon appartement. Les rideaux étaient tirés.

Inez lâcha un soupir d'exaspération car la porte s'ouvrait à nouveau.

Mais, cette fois, l'intrus ne se contenta pas de s'arrêter sur le seuil, il referma la porte derrière lui. Comme l'avait déjà plaisamment observé Jeremy, quand il s'agissait de se mettre en avant, Freddy Perfect n'était jamais en retrait.

– Bonjour à tous, lança-t-il. Pas souvent qu'on a des visiteurs si matinaux, n'est-ce pas, Inez? (Il lui adressa un clin d'œil.) Les affaires doivent se bousculer.

– Ce gentleman est-il un autre de vos locataires, madame Ferry?

Freddy répondit à sa place:

– Le locataire, ce n'est pas moi, chef. La locataire, c'est Mlle Ludmila Gogol, ma maîtresse.

Si c'était la première fois que l'on appelait Freddy «gentleman», c'était sans nul doute aussi la première fois que Crippen se faisait appeler «chef» par un tiers – en dehors de ses subordonnés. Il réagit au substantif employé par Freddy pour désigner sa fiancée ou sa partenaire par un rapide battement de paupières. La porte de la rue s'ouvrit, Osnabrook était de retour, précédé de Jeremy Quick.

– Cela ne devra pas me demander plus de cinq minutes, proclama ce dernier. Je vais arriver en retard au bureau.

Osnabrook le questionna au sujet de l'homme que l'on avait vu s'enfuir en courant, mais avant que Jeremy ait pu répondre, Freddy Perfect s'immisça:

– Alors là, pourquoi serait-il parti en courant, c'est bien la question que je me pose, renchérit-il sur le ton de la conversation. Je vous la pose, d'ailleurs. Il fuyait qui? Il fuyait quoi? Quelqu'un s'était-il lancé à sa poursuite?

– Ça, nous n'en savons rien.

C'était Crippen qui venait de lui répondre, non sans une certaine impatience, et il répéta sa question à Jeremy. Dans le coin, près de la grande urne décorée d'une frise du Parthénon sur toute sa circonférence, Freddy restait là, piqué, hochant sagement la tête en tournant et retournant entre ses mains une paire de jumelles d'opéra, comme si c'était un komboloï.

– En fait, oui, je l'ai bien vu, admit Jeremy. Il était à peu près neuf heures dix, neuf heures et quart. J'ai entendu un martèlement de pas sur la chaussée, vous voyez, et des freins crisser. Comme si la personne qui courait avait traversé une rue, peut-être Edgware Road, et comme si une voiture avait dû freiner pour l'éviter. J'ai regardé dehors. Deux de mes fenêtres donnent sur Star Street. Il courait dans la rue, en direction de Norfolk Square.

— Vous n'avez parlé de cela à personne ?

— Je n'avais pas établi le lien.

— Bien sûr que non, intervint Freddy, en reposant les jumelles et en attrapant un rond de serviette en argent. Et pourquoi en aurait-il parlé ? On ne s'imagine pas, à chaque fois qu'on voit une personne courir, qu'elle s'enfuit des lieux d'un crime, n'est-ce pas ?

— Monsieur Quick ?

— Exactement. Il a raison. Pour moi, autant que je sache, ce particulier pouvait fort bien être sorti faire son jogging du soir.

Osnabrook leva les yeux au ciel.

— C'était un homme ? Vous êtes formel ?

Subitement, Jeremy eut l'air décontenancé.

— Maintenant que vous me le demandez, je n'en suis pas certain. Une femme, à mon avis, ce ne serait pas impossible. Écoutez, il faut vraiment que je parte travailler.

— Avant de partir, vous allez nous laisser son signalement, monsieur Quick.

— Maintenant, Inez, nous allons voir s'il a vraiment le sens de l'observation, glissa Freddy.

À cette troisième remarque déplacée, Crippen explosa :

— Si vous n'y voyez pas d'inconvénient, monsieur... euh, c'est quoi votre nom, au fait ?

— Perfect, précisa Freddy. Perfect, c'est mon nom, et *perfect*, c'est aussi ma nature, comme je le dis toujours, je suis parfait. Je voulais me rendre utile, ajouta-t-il sur un ton digne.

— Oui, enfin, merci. Avez-vous vraiment pu bien le voir... euh... ou la voir, monsieur Quick ?

— Homme ou femme, il ou elle était très jeune, en tout cas, environ vingt ans, dans un genre de jean, un jean ordinaire, et un haut à manches longues, sans veste. Le tout dans des tons sombres, gris ou bleu foncé, je ne saurais dire, il faisait noir et, à la lumière artificielle, les couleurs ne sont jamais pareilles. Maintenant, il faut vraiment que je file.

– Dommage que j'aie raté ce… cet hermaphrodite, lâcha Freddy. (Ravi de ce mot, il le répéta :) Hermaphrodite, oui. Moi, j'aurais pu vous en fournir une description détaillée.

Il leva une flûte à champagne vénitienne dans la lumière et observa au travers.

– Enfin, comme par hasard, Mlle Gogol et moi, nous étions sortis prendre un rafraîchissement au Marquise Restaurant.

– Voulez-vous reposer ce verre, je vous prie, Freddy ? le coupa sèchement Inez. Je ne vois pas qui vous a autorisé à vous promener ici en fouinant partout comme si vous étiez le propriétaire des lieux.

Freddy afficha un air blessé.

– C'est pourtant ce que font tous les clients dans les boutiques de brocante.

– Ici, nous ne sommes pas dans une brocante et, pour que l'on parle de clients, encore faudrait-il que vous m'achetiez quelque chose. Vous n'avez rien de mieux à faire ?

– Bon, eh bien, puisque nous n'avons plus personne à questionner, nous allons vous laisser, fit Osnabrook. Dites-moi, je n'avais pas vu aussi une jeune fille asiatique ?

Inez soupira. Quel homme aurait pu oublier pareil spectacle ?

– Elle n'habite pas ici. Elle travaille pour moi.

Enfin, elle devrait, songea-t-elle en consultant l'horloge de parquet, d'une minute à l'autre.

– Il se peut que nous ayons à revenir nous entretenir avec vous, l'avertit Crippen en prenant congé, tandis qu'Osnabrook lui tenait la porte ouverte.

– Nous sommes sur la crête d'une vague de crimes, cela vous surprend-il ? s'enquit Freddy.

Il fallait toutefois porter une qualité à son crédit, c'est qu'il ne se vexait jamais. Ce qui pouvait avoir aussi ses inconvénients.

– Vous savez, si jamais vous recherchez un deuxième vendeur, cela ne m'ennuierait pas du tout de vous rendre ce service, pourvu que la paie soit correcte, naturellement.

Il s'assit dans un fauteuil en velours gris qui avait été celui de tante Violet, et s'installa pour bavarder confortablement. Avant qu'Inez ait eu l'occasion de répondre à sa proposition par un « non » catégorique, Zeinab fit son entrée.

– On a eu le Vieux Bill ici, lui annonça Freddy, qui est venu poser des questions sur le Rottweiler. Notre ami commun, M. Quick, a été en mesure de leur fournir quelques renseignements superficiels. C'est amusant, ils n'ont jamais évoqué la morsure, hein ?

– Il ne les mord pas, objecta Zeinab. Il y a erreur. Cela me dégoûte trop de vous expliquer.

Sa minijupe du jour était en cuir noir, avec quelques clous en or discrets, le pull angora était blanc comme neige et il scintillait. Elle avait un oiseau doré peint sur chaque ongle, en guise de rappel des clous de la jupe. Inez s'étonnait qu'un père aussi strict ne s'oppose pas à de telles audaces vestimentaires, à moins qu'il n'en sache rien, car elle sortait peut-être de la maison en douce, en secret, ou même, qui sait, voilée d'un tchador.

– Il est temps que vous y alliez, Freddy, fit Inez avec vivacité. Ludmila va se demander où vous êtes.

En réalité, c'était bien la dernière question que risquait de se poser Ludmila. Elle devait parfaitement savoir où il se trouvait, car elle était en pleine vendetta contre Zeinab, qu'elle suspectait de vouloir exercer sa fascination sur Freddy. À contrecœur, il se leva, remarqua pour la première fois le jaguar et se mit à lui tourner autour, dans le sens des aiguilles d'une montre, en hochant la tête d'un air approbateur.

– Freddy !

– J'y vais.

Il fit un signe de la main au jaguar, ajouta qu'il avait besoin de quelque chose « pour se mouiller le sifflet » et qu'il allait remonter à l'étage.

– Le voilà parti, souffla Inez. Je vais enfin pouvoir me préparer un thé. Comment s'est passé ton dîner avec M. Phibling ?

– À peu près comme d'habitude. Il me harcèle, m'asticote, il m'embête avec un tas de poèmes, des trucs où il me raconte qu'il voudrait s'allonger avec moi sous un arbre, avec une miche de pain et une bouteille de vin. Dieu sait pourquoi. Les hommes, ça ne sait jamais où s'arrêter, hein?

— Certains hommes, oui.

— Rowley Woodhouse veut que je me fiance. C'est un vrai cinglé, il m'a déjà acheté ma bague de fiançailles. Ça me plairait assez d'avoir la bague, sans le mec.

Inez s'éloigna pour aller préparer le thé. À son retour avec deux mugs sur un plateau, une femme vêtue d'un manteau de fausse fourrure à peu près de la même couleur que celle du jaguar était entrée. Elle se campa devant un long miroir mural encadré de métal doré, que Zeinab faisait de son mieux pour lui vendre, mais au bout de vingt minutes d'examen attentif, elle ressortit sans l'acheter.

— Ce n'est pas plus mal, avoua Zeinab, comme si elle était propriétaire de la boutique et du miroir. Je ne sais pas comment je me débrouillerais sans. Il me le faut, pour me maquiller.

Les ouvriers du bâtiment les mieux organisés commencent le travail tôt et terminent tôt. Keith était un bon ouvrier du bâtiment, dans la mesure où, quand il promettait à une propriétaire d'être là en début de semaine, cela voulait dire mardi et pas jeudi après-midi, et quand il signalait qu'il repasserait le lendemain, il repassait vraiment, ne serait-ce que dix minutes. Le matin, il arrivait plus ou moins à l'heure promise, c'est-à-dire vers huit heures, et il réglait sa radio tout bas, ou même il l'éteignait si le client se montrait pointilleux sur le chapitre du silence, comme l'étaient certaines personnes un peu particulières. Le travail qu'il effectuait était tout à fait de bonne qualité. Au début, il avait estimé que prendre un garçon un peu enfantin comme Will Cobbett pour qu'il travaille avec lui représenterait trop de responsabilité. Pouvait-il le laisser seul chez un client? Serait-il prêt à l'heure, quand il passerait le chercher? Pouvait-il compter sur lui pour accomplir des tâches simples? Personne n'avait jamais mentionné ses « difficultés d'apprentissage » ou ses « problèmes de chromosomes » à Keith, et, s'il en avait entendu parler, il n'aurait certainement pas embauché Will. Tout ce qu'il savait, c'était que le jeune homme avait été pris en charge par l'Assistance et qu'il était plutôt «lent». Mais le garçon se révéla un bon ouvrier, il faisait ce qu'on lui disait, il ne fumait pas et il n'en avait même pas envie – à cet égard, Keith était lui-même singulier, puisqu'il ne touchait pas non plus au tabac –, et il semblait digne de confiance. À ce jour, tout s'était bien passé, aucun motif de plainte, et si la conversation avec cet apprenti revenait un peu à bavarder avec son neveu âgé de dix ans, cela valait mieux que les conneries que lui sortaient certains de ses employés précédents. Mais voilà, il s'était produit quelque chose de gênant. Sa sœur s'était entichée de Will.

Elle habitait encore chez ses parents, à Harlesden. Il y était allé un dimanche et, pendant que sa mère faisait sa sieste d'après déjeuner et que son père lavait la vaisselle, Kim l'avait pris à part dans le salon et elle s'était confiée à lui:

– Il a une petite amie, Keithy?

– Ça m'étonnerait, lui avait-il assuré. Il m'en a jamais parlé.

– Il me plaît vraiment. Il a toujours une belle dégaine. Il ressemble plus à une star de Hollywood que ces acteurs qu'on voit à la télé.

– Écoute, Kimmie, tu sais qu'il est pas très intelligent.

– Oui, et alors? Ne me parle pas de cervelle, je t'en prie. Dominic avait un cerveau, il fréquentait l'université, et regarde comment il m'a traitée. Si je ne lui avais pas planté une épingle de nourrice dans la jambe, il m'aurait violée.

– Je vais te dire quelque chose, avait insisté Keith. Will va jamais t'inviter à sortir avec lui. Si c'est ce que tu veux, il va falloir que tu lui demandes.

– Où est-ce que tu travailles demain? Un chantier du côté d'Abbey Road, c'est ça?

– Exact, mais tu peux pas passer là-bas.

– Ah non, pourquoi? Tu m'as dit que la propriétaire était dehors toute la journée. Je ferai un saut sur mon heure de déjeuner.

Kim, qui était plus courageuse en paroles qu'en sentiments,

travaillait dans un salon de coiffure de Saint John's Wood High Street.

— Je vais l'inviter. Cela m'est égal. Je vais lui raconter qu'il y a un film que j'ai envie de voir.

— Tu manques pas de culot, s'était exclamé Keith, admiratif, d'inviter un mec que tu connais pas à sortir avec toi !

— Eh ben, justement, comme ça je vais finir par le connaître, non ?

Il avait ri, mais il n'en demeurait pas moins troublé. Will était jeune et il était fort. Comme violeur, il pouvait se révéler bien plus efficace que Dominic, cette lavette. Mais enfin, sa sœur était libre de ses actes et elle n'était pas non plus innocente. Elle arriverait à gérer, il n'en doutait pas, quitte à appliquer la technique de l'épingle de nourrice dans la jambe. Peut-être qu'ils sortiraient ensemble juste une fois, et ça s'arrêterait là. Avoir assez de cervelle pour fréquenter l'université, c'était une chose, mais entre ça et le niveau de Will, l'écart était immense. Entre les deux, sur l'échelle qui menait du génie au légume, n'y avait-il pas une flopée de garçons susceptibles de convenir à Kim ? Mais Will était si beau garçon…

Morton Phibling venait de partir, il était arrivé dans sa Mercedes orange et il avait « laïussé » (c'était le terme employé par Zeinab) un bon moment sur son amour, ce jardin clos, parfumé de toutes sortes d'épices. Ce n'était pas la première fois qu'Inez se demandait où elle l'avait déjà croisé. Cela remontait à très longtemps et, sans trop qu'elle sache lequel, il y avait un lien avec Brian, son premier mari, mais, à part cela, elle ne parvenait pas à mettre le doigt dessus. Un petit mystère.

Zeinab ouvrit le tiroir d'une armoire à pharmacie d'époque victorienne, en sortit un objet et tendit à Inez sa main gauche : elle venait de passer un diamant à l'annulaire.

— Qu'en penses-tu ? Quand Morton est venu, je l'ai fourré dans ce tiroir. Rowley m'a proposé de le porter, pour l'essayer. Je ne lui ai rien promis

— Très joli, fit Inez. Tiens, ça me rappelle ma boucle d'oreille.

Il faut que je passe chez le voisin, M. Khoury, je ne serai pas longue.

Elle avait le sentiment qu'elles ne vendraient plus rien aujourd'hui. D'ailleurs, elles s'étaient déjà plutôt pas mal débrouillées, en se débarrassant de l'espèce de grande urne décorée de la frise du Parthénon, qui traînait là depuis des mois, si ce n'est des années, et en vendant toute la verrerie vénitienne à une femme qui en était collectionneuse. La camionnette blanche avec son écriteau sur l'analyse scientifique de la saleté était réapparue. Il était temps qu'ils lui collent un sabot de Denver, se dit Inez. Elle considérait encore le véhicule d'un œil soupçonneux quand celui de Keith Beatty s'immobilisa juste devant, et Will en descendit. Quatre heures dix. Ils terminaient toujours à quatre heures pile.

— Hello, Will, comment ça va ? s'enquit-elle.

— Bien, merci, madame Ferry, lui répondit-il.

Il resta là, planté devant l'écriteau qu'il s'efforçait de déchiffrer, et soit il n'y parvint pas, soit il comprit son contenu, sans trouver cela drôle pour autant. Inez entra chez le bijoutier.

M. Khoury se précipita sur elle comme sur une visiteuse qu'il aurait attendue toute la journée, pour se soulager de ses griefs.

— Des policiers sont venus, commença-t-il sur un ton très choqué. Que dois-je croire ? Je vais vous dire, moi, ce que je crois. Ils sont venus m'arrêter, ils me prennent pour un terroriste d'Al-Qaida.

— Certainement pas, monsieur Khoury.

— Comme vous dites, c'est pas vrai. Il a été question de cette dernière jeune dame qui est morte. Est-ce que j'aurais vu quelqu'un courir jeudi soir ? Je leur ai dit : «Vous croyez que j'habite ici, dans ma boutique ? Moi, dans ce coin ? (La remarque n'était guère flatteuse pour Inez, mais elle ne s'en formalisa pas.) Je possède une jolie maison à Hampstead Garden Suburb », je leur ai répondu. Est-ce que quelqu'un aurait essayé de me vendre une montre-gousset ou un porte-clés ? ils m'ont demandé. Ils s'imaginent que je sais pas lire les journaux ? «Je suis pas un fourgue, moi ! je leur ai dit. En plus, j'irais toucher à cette saleté ? Même pas avec une grande perche. » Quand ils ont entendu ça, ils sont partis. Bien, qu'est-ce que je peux pour vous, chère madame ?

— Ma boucle d'oreille, lui rappela Inez.

Elle était encore en réparation, car il l'avait expédiée dans un mystérieux atelier, à Hungerford. Non, il n'avait aucune idée de la date de retour. En rentrant dans sa boutique, Inez passa devant une cliente à l'air satisfait qui tenait en main un sac bleu foncé Star Antiques.

— Qu'est-ce qu'elle a acheté ? s'étonna Inez, qui n'avait pas su deviner. Ça m'avait l'air assez grand. Pas la pendule en porcelaine avec l'homme au turban et la favorite de harem en effigie ? J'avais renoncé à la vendre.

— Non, et c'était pas non plus la bestiole. Elle a emporté une paire de chandeliers en laiton, là, avec les fleurs séchées.

— Je prépare une autre tasse de thé ?

— Pas pour moi, fit Zeinab. Je peux rentrer chez moi, maintenant, Inez ? Mon père, si je suis pas rentrée pour six heures, il va le prendre de travers.

Alors pourquoi ne faisait-il pas la tête quand elle sortait avec Morton Phibling ou Rowley Woodhouse ? Ou s'imaginait-il qu'elle sortait toujours en compagnie d'amies ? Inez était lasse de lui demander comment elle allait retourner chez elle — remonter jusqu'à West Heath en partant d'ici, c'était un sacré trajet par les transports en commun –, et elle était encore plus lasse de voir écarter ses propositions de la conduire en voiture. Dommage, parce qu'elle n'aurait vu aucun inconvénient à sortir, quitte à revenir seule après avoir déposé Zeinab. Elle éprouvait une forme de plaisir mélancolique à l'idée de s'arrêter dans sa voiture le long de l'étang du Vale of Health, ou tout au bout, vers South End Green, à suivre du regard les jeunes gens qui entraient dans les cafés illuminés, les retardataires qui terminaient leurs courses de fruits et légumes, et les hommes, un bouquet de fleurs à la main. Pour un mois d'avril, il faisait chaud. Le soleil couchant avait bariolé le ciel de longs bandeaux couleur corail, abricot et primevère, des nuages en forme de queues de fourrure grise s'étiraient entre ces lignes colorées. Ah, enfin, elle n'irait pas là-bas toute seule sans raison…

Zeinab se fit un raccord de rouge à lèvres, rejeta ses cheveux en arrière, la salua, et la voilà partie. Pour son trajet, le bus 139 jusqu'à Swiss Cottage était un choix possible, ensuite elle changerait pour monter dans un deuxième bus qui se rendait à Fitzjohn's Avenue. Or Zeinab tourna le dos à l'arrêt de bus, traversa Edgware Road à hauteur du feu de Sussex Gardens et marcha en direction de Broadley Terrace et Lisson Grove. Des hommes qui passaient par là tournèrent la tête pour admirer la jeune femme et l'un d'eux, que Zeinab rangea aussitôt dans la catégorie des voyous, l'interpella :

– Qu'est-ce que tu fais ce soir, chérie ?

Elle l'ignora. En prenant Rossmore Road, elle pressa le pas, car c'était au bout, là-bas, à Boston Place, que Caroline Dansk était morte. Quand Zeinab repensa au fil d'acier sciant le cou de la fille et, après que le fil avait rempli son office, au masque monstrueux de ce visage penché tout près des veines gonflées, au piège d'une morsure qui se referme, tout son corps se mit à trembler, jusqu'à ce qu'elle se souvienne : non, en fait, il ne les mordait pas.

Mais elle était presque arrivée. Elle traversa la rue, le panneau indiquait *Cité de Westminster, ensemble de logements de la Ville*, et elle s'engagea dans l'allée qui courait entre les immeubles. L'ascenseur du bâtiment baptisé Dame Shirley Porter était en panne. Quelle surprise ! Zeinab monta les trois étages, introduisit sa clé dans la serrure du numéro 36 et s'écria :

– Salut, les gosses, je suis rentrée !

CHAPITRE 4

Refuser une invitation, cela ressemblait si peu à Will que Becky eut peine à croire qu'elle avait bien entendu sa réponse. Mais quelque peu à cran, sous le poids de la culpabilité, elle ne se sentait pas le courage de lui demander la raison. Elle n'aurait pas posé la question à un autre invité, alors pourquoi la lui poser à lui? Après qu'il l'eut prévenue de son indisponibilité samedi, un silence flotta à l'autre bout du fil, agréable et de bon aloi, mais un silence tout de même.

— Bon, alors pourquoi ne viendrais-tu pas vendredi soir?

Le vendredi soir, elle était toujours épuisée. S'il s'était agi de n'importe qui d'autre, elle aurait pu l'emmener dîner au restaurant, mais Will n'apprécierait pas. C'était la retrouver à la maison qui lui plaisait, un cadre familier avec des plats familiers.

— Si tu te sens capable de venir jusqu'ici par tes propres moyens, je te raccompagnerai.

— Très bien, dit-il. Je pourrais venir samedi, si vraiment tu veux, ajouta-t-il ensuite avec son langage de garçon de dix ans, mais seulement si j'ai le droit de repartir à cinq heures me préparer.

Elle ne put résister à la tentation plus longtemps :

— Où vas-tu, Will ?

— Une jeune dame et moi, on va au cinéma.

Sa stupéfaction quand il avait décliné son invitation n'était rien comparée au choc de cette nouvelle. Elle s'efforça de ne pas laisser l'étonnement transparaître dans sa voix :

— C'est charmant.

Lui dirait-il avec qui, au juste ?

— C'est la sœur de Keith. Elle s'appelle Kim. Elle est venue là où je travaillais et elle m'a dit : « Tu as envie d'aller au cinéma, Will ? » Alors moi, j'ai dit : « Oui, avec plaisir », parce que Keith m'avait prévenu que c'était un bon film sur un trésor enterré.

Tout tendait à prouver que ces deux-là, Keith et Kim, avaient manigancé l'affaire entre eux. Et pourquoi pas ? À première vue, il n'y avait aucun mal à cela. Will était sur le plan physique un jeune homme normal, avec des besoins normaux de jeune homme. Fallait-il le priver pour toujours de toute satisfaction sexuelle et d'une agréable compagnie féminine parce qu'il souffrait de ce qu'un médecin avait baptisé le « syndrome du chromosome X fragile » ? Elle s'était posé la question quelques années plus tôt, mais davantage comme une réflexion abstraite que face à un réel problème qu'elle risquait de rencontrer. Si elle avait su prêter un visage à cette possible petite amie, elle aurait parié sur une jeune femme souffrant du même handicap, qu'il aurait rencontrée au centre d'accueil. Mais il ne fréquentait plus les centres d'accueil…

— Je vais venir vendredi, lui promit-il. On pourra faire des spaghettis et du *cheese-cake* au chocolat ?

— Bien sûr, oui.

Elle consulta la rubrique cinéma du *Guardian*. *Le Trésor de la Sixième Avenue*, ce devait être celui auquel songeait Will. On lui accordait trois étoiles, rangé dans la catégorie des films convenant aux plus de douze ans. En quelques lignes satiriques, l'auteur de ces vignettes critiques le jugeait plutôt destiné aux moins de douze ans, car c'était l'aventure ridicule de deux hommes et d'une jeune fille enfouissant leur butin, des bijoux de chez Tiffany, dans le jardin d'un immeuble, au milieu d'une ville américaine anonyme. Cela semblait d'une totale innocuité, et c'était surtout ce qui inquiétait Becky.

Elle avait reconduit Will dans Star Street, salué Inez et refusé le verre qu'elle lui proposait sous prétexte qu'elle reprenait le volant, et, voyant Will content, installé devant la télévision à côté d'Inez, Becky était repartie chez elle. Elle espérait qu'il n'y aurait pas de scènes de violence susceptibles de bouleverser son neveu, mais, autant qu'elle se souvienne, à part l'inévitable poursuite en voiture, les séries qu'ils regardaient ensemble tournaient davantage autour de la vie à la campagne qu'autour de scènes d'action trépidantes.

Ce nouveau départ, cette sortie avec une fille, c'était peut-être ce qui pourrait encore arriver de mieux à Will – ainsi qu'à elle. Elle s'imagina les invitant tous deux à déjeuner, ou pour la soirée. Ensuite, ce serait le mariage, et la jeune fille – Becky espérait de tout cœur que ce soit une jeune personne agréable – dissuaderait Will de passer autant de temps avec sa tante. Les visites, très bien, objecterait sa jeune épouse, mais pas deux fois par semaine, Becky aimerait avoir une vie à elle. Elle se souvenait d'un jour, voici quelques années, où Will lui avait demandé si elle était mariée. Elle n'avait pas du tout saisi où il était allé chercher cette idée de mariage. Elle lui avait répondu que non, et il avait eu cette réflexion : «J'aimerais bien me marier avec toi.»

Ç'avait été l'un de ces instants où votre cœur manque un battement. Elle n'avait eu qu'une envie, fermer les yeux et laisser échapper un gémissement.

– Je suis ta tante, Will, lui avait-elle rappelé. Tu ne peux pas épouser ta tante.

Il n'avait pas relevé.

– Ensuite on pourrait habiter au même endroit. On aurait une grande maison avec de la place pour tous les deux.

– Ce n'est pas possible, lui avait-elle répété, et pourtant la dernière partie de sa suggestion n'avait rien d'impossible.

Elle lui avait trouvé un air triste et cela l'amena à se demander si un homme s'était déjà attristé de son refus de l'épouser. À sa connaissance, non. Tout cela s'arrangerait peut-être si cette jeune fille lui voulait du bien et, pourquoi pas, si elle l'aimait d'amour. Et elle, Becky, se sentirait libérée. Elle savourait déjà l'idée de connaître des jours fériés sans Will, des samedis sans contraintes, une liberté sans culpabilité, tout en le sachant heureux. Pour l'heure, Will n'avait pas d'amis, sauf Monty, qui était animé par le sentiment du devoir, et elle, Becky, qui prenait de l'âge, vivait seule, sans partenaire. Si Will avait une autre femme à aimer, peut-être ne finirait-elle pas comme Inez Ferry, réduite à passer ses soirées devant la télévision en compagnie d'un de ses locataires.

Dès le départ de Becky, Inez fit ce qu'elle avait l'intention de faire avant de les convier, elle et Will, de façon un peu impulsive. Elle coupa l'émission en plein milieu et la remplaça par une cassette de *Forsyth*. Will n'était pas comme les autres, il ne jugerait pas cela bizarre, sentimental ou gênant. Cette fois, cet épisode lançait Forsyth sur la piste d'un tueur responsable de la mort de plusieurs jeunes filles. L'histoire n'était pas loin d'évoquer les meurtres du Rottweiler, songea Inez, sauf que l'on n'assistait à aucun de ces meurtres, il n'y avait pas la moindre violence d'ailleurs. Will lui demanda où cela se passait, est-ce que c'était près d'ici ; il avait l'air d'humeur à bavarder, alors elle lui fit signe, un doigt sur les lèvres.

– Chut, pas maintenant, Will. On regarde le film.

Will parut hésiter, mais il obéit.

– J'ai bien aimé, lui avoua-t-il quand ce fut terminé.

– Je suis contente, le remercia Inez. C'était mon mari qui jouait le rôle de l'inspecteur-chef Forsyth.

Pour Will, c'était là une idée compliquée à saisir, mais il consentit un effort, le front plissé, les lèvres froncées, et il eut l'air de comprendre.

— Il faisait semblant d'être cet homme ?

— C'est cela. Et il s'appelait Martin Ferry.

— Où est-il maintenant ?

— Il est mort, Will.

— Il était gentil ?

— Très gentil. Il t'aurait plu.

À l'étonnement d'Inez, il posa ses mains sur les siennes.

— Si vous l'aimiez bien, alors je suis désolé qu'il soit mort.

S'il était capable de prononcer de telles paroles, en conclut-elle, il ne devait pas souffrir de carences bien graves. Elle se sentit émue par lui, au plus profond d'elle-même, au point qu'elle aurait aimé le prendre dans ses bras, mais, évidemment, de cela il ne saurait être question. C'était un jeune homme, pas un enfant. Elle se rendit compte que c'était la toute première fois qu'elle regardait un épisode de *Forsyth* en compagnie de quelqu'un. Mais tout s'était passé à merveille, elle s'était sentie réconfortée, comme à chaque fois, et elle comprit aussi que, parmi toutes ses connaissances, elle n'aurait sans doute accepté aucune présence si aisément que celle de Will. Sauf peut-être un enfant, aussi silencieux et aussi attentif que lui.

Il leva les yeux vers elle.

— Ma mère est morte, lui confia-t-il, mais j'ai Becky. J'aimerais vivre avec Becky, seulement son appartement n'est pas assez grand pour nous deux. Vous n'avez pas une Becky, vous.

— Non. Mais je vais très bien sans. On regarde les nouvelles, maintenant ? Et ensuite je t'envoie en haut.

À la minute où elle entendit le sujet d'ouverture du journal, elle regretta d'avoir gardé Will avec elle. Une jeune fille avait disparu, dans le nord de Londres. Elle avait dix-huit ans, elle était étudiante, et elle habitait chez ses parents, à Hornsey. Ils ne l'avaient plus revue depuis mercredi soir, quand elle était sortie en boîte avec des amies. La boîte était située sur Tottenham Court Road, et les amis avaient déclaré l'avoir quittée juste un peu avant deux heures du matin. Jacky Miller, la jeune disparue, avait été vue pour la dernière fois dans l'entrée du club, en train de téléphoner à un taxi depuis son portable.

Si j'étais restée dehors jusqu'à deux heures du matin à dix-huit ans, songea Inez, mes parents auraient piqué une de ces colères! Ceux de cette jeune fille paraissaient désemparés, sa mère était restée couchée, les yeux grands ouverts, à tendre l'oreille, à guetter son retour, à l'attendre, et puis elle s'était levée pour aller regarder par la fenêtre, dans la rue, pour voir si elle n'arrivait pas. C'était le geste de toutes les mères terrorisées, un geste bien inutile et qui n'avait sans doute nul autre effet que d'aggraver les choses. Le matin venu, et toujours sans aucun signe de vie de leur fille, ils avaient appelé la police. Personne n'avait plus vu ni entendu Jacky Miller depuis deux nuits et deux jours. La photo qui s'afficha à l'écran était celle d'une jeune fille plutôt ronde, au visage enfantin, aux cheveux bouclés très blonds. Elle avait l'air innocente, vulnérable, et, même si c'était peut-être une projection de la part d'Inez, incapable de vraiment veiller sur elle-même.

— Qu'est-ce qui a disparu? demanda Will.

Elle n'avait guère envie de lui répondre, mais elle était bien obligée.

— Une jeune fille est sortie mercredi soir et elle n'est plus rentrée chez elle. Elle ne vit pas par ici. (C'était sans rapport, mais elle se dit que cette précision le soulagerait.) Elle vit loin d'ici.

— Elle va rentrer chez elle, affirma-t-il d'un ton rassurant. Ne t'inquiète pas.

— Parfait, je ne m'inquiète pas. Il est aussi l'heure de rentrer chez toi, Will. Souhaites-tu quelque chose avant de monter? Une boisson chaude?

Il répondit très poliment:

— Non, merci, madame Ferry.

À moins de un kilomètre de là, quelque part dans l'immeuble Dame Shirley Porter, Zeinab et Algy Munro regardaient, eux aussi, le journal *News at Ten*. Les enfants étaient au lit et s'étaient endormis. Entre leurs parents, sur une table de marbre noir ornée de dorures, était posée une boîte ouverte de chocolats belges, et ils se servaient distraitement. La pièce où ils se trouvaient, en dépit de ses dimensions et de ses proportions identiques à celles de tous les autres appartements de l'immeuble, avec le même type de fenêtres, des murs peints de la même couleur « magnolia » et des boiseries vernies de la même teinte « flocon de neige », était bien plus joliment meublée et aménagée. Par exemple, la télévision était un modèle à écran plasma, fixé au mur à la manière d'un tableau. Une chaîne stéréo, avec des haut-parleurs de la taille d'un homme debout, occupait un angle, et un piano droit un autre. Un lustre imposant était suspendu au centre de la pièce, composé d'au moins cinq cents prismes de verre. Sur un bureau, entre deux fenêtres, était installé un ordinateur équipé d'un écran aux dimensions superlatives, accès Internet et tous les accessoires possibles et imaginables.

— Je parie que c'en est encore une que le Rottweiler a chopée, commenta Algy en gobant une truffe de chocolat blanc fourrée au rhum. Sauf qu'il ne l'a pas laissée dans la rue, pour que n'importe qui tombe dessus. Enfin, comme on dit, les cadavres finissent toujours par resurgir.

— Tu sais quoi, Algy ? Rowley Woodhouse m'a raconté qu'il existe une Rottweiler National Society, et les adhérents ont fait tout un scandale parce que les gens appellent ce tueur le Rottweiler, ils écrivent aux journaux et je sais plus quoi encore. Ils prétendent qu'il faut arrêter ça, sous prétexte que c'est pas juste, que c'est de la calomnie pour leurs bêtes, parce que les rottweilers sont des chiens aimants et amicaux quand on les traite comme il faut.

Algy ne releva pas.

— Je n'aime pas trop que tu fréquentes ce Rowley Woodhouse, Suzanne. C'est pas correct que tu portes cette bague. Il fallait que je te le dise.

Zeinab prit un chocolat à la rose, ornée d'une feuille de rose en sucre cristallisé.

— Tu n'as qu'à considérer ça comme un travail. C'est mon métier. (Elle éclata de rire.) Disons qu'Inez, c'est mon boulot de jour, et sortir avec Morton et Rowley, c'est un peu mes heures supplémentaires. C'est pas que ça me plaise vraiment. Pour la bague... enfin, je vais devoir lui rendre, tu le sais. Je peux pas continuer de dîner avec ce vieux Morton si en théorie je suis fiancée avec Rowley.

— Je n'aime pas ça, protesta Algy. Je n'aime pas ça du tout.

— Mais si, tu aimes. Toute cette informatique, et la chaîne, et la télé, tu apprécies, non? Ça te plaît qu'on parte en vacances à Goa. Tu adores ton costume Armani, et que les gosses aient un château Harry Potter, et une Barbie, et tous les jeux vidéo qu'ils veulent.

Elle aurait pu ajouter: «Ce n'est pas toi qui vas leur rapporter tout cela alors que tu es au chômage, sûrement pas», mais cette jeune femme avait du cœur, et ses sentiments envers Algy Munro étaient beaucoup plus tendres que ceux qu'elle professait à l'égard de Morton Phibling et Rowley Woodhouse.

— Tu veux savoir combien j'ai obtenu pour cette aigrette de diamants qui me vient de Morton?

Elle lui annonça la somme. Le visage d'Algy exprima un mélange d'émerveillement, de concupiscence et de stupéfaction.

— C'est avec ça qu'on va tous partir aux Maldives, et aussi à Hawaii, si ça te dit, et après ça il nous en restera encore un bon paquet.

— Où est-ce que tout cela va finir, Suzanne?

— Je vais te le dire. Dis-toi que je suis mannequin. Un mannequin, à vingt-cinq ans, c'est terminé... enfin, vingt-huit, maximum. Pas toutes, d'accord, mais la grande majorité. Tu penses à moi comme ça, je travaille pour gagner un paquet de pognon, et quand je vais commencer à perdre la forme, ce sera la fin, rideau. D'ici là, on aura de quoi s'acheter une maison à Arkley. Tu veux un verre? Il y a deux bouteilles de champ qui restent.

— Ça m'inquiète, insista-t-il. Ça ne me plaît pas, et ça m'inquiète.

— Tu veux dire que tu n'apprécies pas de rester coincé ici avec les gosses et ma mère la moitié du temps. Ce que tu voudrais, c'est sans doute te mettre à penser aux autres... Ça t'inquiète!

Cette pauvre femme dont la fille a disparu, cette Mme Miller, maintenant, oui, elle a de quoi s'inquiéter. Mets-toi un peu à sa place, tu verras que ça ira vite super, et là tu rigoles, quoi.

Zeinab se leva, se pencha par-dessus son fauteuil et lui donna un baiser. Il essaya de l'attirer sur ses genoux, mais elle s'esquiva et alla dans la cuisine chercher deux verres en cristal Waterford et la bouteille de Pol Roger.

Il n'y avait pas eu d'autres visites des policiers, et pourtant, tous les jours, Inez s'était un peu attendue à les revoir. Ils avaient peut-être compris qu'il n'y avait plus aucune information à recueillir auprès des occupants de cet immeuble de Star Street, malgré leur intention annoncée de revenir interroger tout le monde. Elle était assise dans la boutique, elle buvait sa première tasse de thé de la journée – la première de la semaine – et elle lisait deux journaux du matin. L'un des deux publiait une photo de Jacky Miller, l'autre un cliché des trois amies qui l'avaient accompagnée dans ce club de Tottenham Court Road. Ce dernier quotidien ajoutait une interview du standardiste de la compagnie de taxis où Jacky avait téléphoné, et qui avait pris son appel à deux heures du matin, dans la nuit de mercredi à jeudi. L'interview n'avait rien de passionnant. Il pouvait juste leur certifier qu'il avait prévenu l'une de leurs voitures sur son radiotéléphone, le chauffeur s'était rendu au club, mais il n'avait pas trouvé Mlle Miller, il avait eu beau se renseigner à l'intérieur, et pourtant il avait sillonné la rue dans les deux sens pour la dénicher. L'autre journal, qui n'avait pas décroché l'interview avec le standardiste, reliait cette disparition aux deux jeunes filles assassinées par le Rottweiler. Anticipant le pire, l'une des trois amies présentes dans la boîte de nuit avait même déclaré au quotidien que Jacky portait une paire de boucles d'oreilles qu'elle lui avait offerte pour son anniversaire, des anneaux en argent incrustés de brillants, et elle était convaincue que le meurtrier avait dû les lui dérober. Il n'y avait rien au sujet de cet homme que l'on avait vu courir. Cette piste avait été abandonnée.

Inez soupira et se dit aussitôt qu'il fallait cesser de soupirer. Cela devenait une habitude. Quand Jeremy Quick passa la tête par la porte entrebâillée et lui lança un «Bonjour, Inez!», elle lui proposa une tasse de thé et lui demanda si elle soupirait trop.

— Je n'ai rien remarqué de tel, non. Nous vivons dans un monde lamentable, donc cela ne m'étonne pas que vous soupiriez. Belinda soupire beaucoup. Il y a amplement de quoi, quand on y réfléchit. Elle a dû rentrer chez elle à neuf heures, hier soir, pour libérer sa voisine. Quand elle sort avec moi, elle doit obtenir de la voisine qu'elle vienne tenir compagnie à sa mère.

— Quel âge a-t-elle? La mère, je veux dire.

— Oh, elle est très âgée, presque quatre-vingt-dix ans. Elle n'a aucun problème particulier, mais elle est très exigeante et elle refuse qu'on la laisse seule.

Inez n'avait jamais rencontré Belinda Gildon, mais elle avait vu une photographie d'elle avec Jeremy, prise dans une quelconque station balnéaire, en Méditerranée, et puis un jour elle l'avait aussi aperçu, lui, attablé dans l'un de ces restaurants devant lesquels elle passait à pied, les soirs d'été. Il n'arrêtait pas de consulter sa montre, comme s'il attendait quelqu'un. Belinda, sans aucun doute. Elle avait été tentée d'aller le saluer, car ce soir-là elle se sentait dans un état de solitude aiguë, juste se lever, aller jusqu'à sa table, être présentée à Belinda quand elle arriverait et, pourquoi pas, prendre un verre avec eux. Mais, bien entendu, elle s'était abstenue, ce n'était pas une idée très sérieuse. Elle avait fini par se demander pourquoi ils ne se mariaient pas, mais la réponse était là, évidente, il venait de la lui fournir, et c'était aussi la raison pour laquelle Jeremy avait l'air tout le temps seul.

— Je me disais juste, reprit-elle, comment se fait-il que la police nous ait dit qu'elle repasserait, et qu'elle ne soit jamais revenue?

— Nous n'avions plus rien à leur répondre. Et maintenant, il y a cette fille qui a disparu, pauvre gamine. Je vais vous dire à quoi je pensais. Il y a des centaines de milliers de gens qui disparaissent tous les ans et qu'on ne retrouve jamais. Belinda ne serait pas étonnée que ce gaillard qu'on appelle le Rottweiler en ait déjà tué quelques-unes avant même de venir s'installer par ici.

— S'il leur retire toujours un bijou ou je ne sais trop quoi d'autre, la police devrait établir un lien, n'est-ce pas?

Jeremy l'admit, cela lui avait traversé l'esprit, mais il fallait qu'il file. Inez se versa une autre tasse de thé et lut la suite d'un des journaux, les nouvelles intérieures, la page «International» et un article sur les produits autobronzants. À neuf heures, elle retourna l'écriteau suspendu côté intérieur de la porte vitrée sur *Ouvert* et charria le présentoir de livres sur le trottoir. Elle rentrait dans la boutique quand la porte latérale, au pied de l'escalier, s'ouvrit sur Ludmila et Freddy Perfect enlacés. Ludmila portait une longue jupe de coton marron, une tunique rouge avec des soutaches couleur or qui avait l'air de provenir d'un uniforme de hussard, et des bottes violettes à talons aiguilles, et Freddy un costume pied-de-poule rehaussé d'une vieille cravate de la Harrow School. Ils firent signe de la main à Inez, sans s'arrêter, peut-être parce que la Mercedes orange de Morton Phibling venait juste de s'immobiliser le long du trottoir.

— Elle n'est pas encore là, monsieur Phibling.

— Il est presque neuf heures et demie!

— Oui, je sais.

Inez fut tentée d'ajouter un commentaire sur le retard flagrant de Zeinab, mais cela risquait de gâcher les chances de la jeune fille. Qui sait si Phibling n'était pas très sourcilleux sur le plan de la ponctualité, une sorte de maniaque attaché à ce que les gens arrivent à leur travail à l'heure, et qu'un tel retard rebuterait? Elle ne savait pas grand-chose de lui, n'en avait jamais su beaucoup, en réalité, si ce n'est qu'elle était persuadée de l'avoir déjà rencontré. En tout cas, pour l'heure, il allait repartir et repasserait plus tard.

À sa grande surprise, il la suivit dans la boutique.

– J'éprouve un désir tout particulier de la voir.

Il sortit un écrin de bijoutier de son pardessus en poil de chameau.

– Que pensez-vous de ceci ? Je l'ai emmenée dîner vendredi soir et elle m'a confié qu'elle allait sérieusement envisager de se fiancer.

– Vraiment ?

Inez resta presque stupéfaite devant l'éclat des pierres bleues et blanches posées sur leur nid de velours bleu.

– Une parure de saphirs et de diamants, annonça Morton Phibling. Cela m'a coûté un paquet, mais je peux me le permettre. Elle vaut tous les trésors d'Haroun Al-Rachid, affirma-t-il en adoptant son ton très *Mille et Une Nuits*. Zeinab mériterait le palais de Topkapi, si je parvenais à mettre la main dessus.

Il s'assit dans le fauteuil de tante Violet, se cala contre le dossier et alluma un cigare.

– Si cela ne vous ennuie pas, monsieur Phibling, intervint Inez, je ne peux vraiment pas permettre que l'on fume ici.

– Point d'inquiétude. Je vais fumer dehors, sur le trottoir, tandis que j'attendrai mon amour.

Zeinab était encore plus en retard que d'habitude. Un retard dû à Carmel, qui avait fait une crise pour ne pas aller à l'école, avec le soutien de Bryn, qui s'était vautré par terre en hurlant, mais elle ne pouvait rien expliquer de tout cela à Inez.

– Hier soir, mon père a rossé maman et j'ai dû m'occuper de certaines choses pour elle.

– Je suis désolée.

Inez allait ajouter que Zeinab aurait été mieux inspirée de se trouver des excuses pour les rares fois où elle était à l'heure, et non pour ses retards, qui étaient quotidiens. Mais elle en était incapable, pas face à l'évocation de toute cette violence domestique.

– Comment va ta mère ?

– Elle est couverte de bleus, expliqua Zeinab. Elle m'a juré qu'elle allait le dénoncer à la police, mais avec elle c'est toujours des mots, elle n'agit jamais.

Morton Phibling rentra dans la boutique, son cigare éteint.

— Mon amour, ma belle, a encore plus belle allure que d'habitude, en ce jour. L'heure où chantent les oiseaux est venue et la voix de la tortue s'est fait entendre sur notre terre.

— Les tortues n'ont pas de voix, rectifia Zeinab. Nous sortons dîner au Gavroche ce soir, c'est cela? ajouta-t-elle, plus gentiment.

— Exact, ma star. Et je voudrais vous présenter mon ami Orville. Il ne se montrera que cinq minutes, le temps des présentations. Il meurt d'envie de vous connaître, mais il se remet à peine de son deuxième divorce, donc il a le moral un peu bas.

— C'est celui qui a tous ces hôtels, c'est cela?

Si Phibling avait été plus observateur, il aurait remarqué cette lueur plus brillante que d'ordinaire dans les yeux de Zeinab, mais il ne vit que les longs, très longs cheveux noirs, les lèvres rouges entrouvertes et le pull blanc neigeux.

— C'est exact, confirma-t-il, et il possède un cinq-étoiles aux Bermudes, spécialisé dans les lunes de miel. Je pensais que nous aurions pu réfléchir au…

— Pourquoi pas? lança Zeinab, toute contente, en recevant l'écrin du bijoutier des mains de Phibling.

Le samedi, pas de travail, donc, en général, Will s'accordait une grasse matinée. Il n'était pas tendu, et pas plus excité que cela non plus par la perspective de la soirée à venir, juste soucieux de bien se tenir et de faire ce que l'on attendait de lui. Il y avait longtemps de cela, quand il habitait encore dans ce foyer pour enfants, il avait vu un film à la télévision où un jeune homme qui sortait avec une fille lui apportait un bouquet de fleurs. Il était même arrivé à Will d'apporter des fleurs à Becky, car il avait su qu'elle avait offert un bouquet de jonquilles à une amie. Il faudrait peut-être qu'il achète des fleurs à Kim.

Il se leva et se prépara un petit déjeuner qui aurait été à la portée de n'importe quel enfant sans aucun talent culinaire, des corn flakes et une tranche de pain de seigle avec de la marmelade. Plusieurs tranches. Quand Becky lui avait demandé ce qui lui ferait plaisir pour Noël, il avait répondu un toaster, qu'elle ne lui avait pas offert, sans qu'il sache bien pourquoi, en revanche elle lui avait choisi une bouilloire et même un micro-ondes. Il n'avait pas vraiment espéré une cuisinière à gaz, c'était trop cher. Après le petit déjeuner, il avait lavé ses assiettes et le mug où il avait bu son lait, puis il avait fait le ménage, épousseté les surfaces et passé l'aspirateur. Il avait nettoyé l'évier et le lavabo de la salle de bains, mais pas la douche. Cela pourrait attendre qu'il en ait pris une. Becky et lui étaient sortis faire des courses, et il avait eu envie de s'acheter des rasoirs à lame, mais elle n'était pas pour, alors à la place elle lui en avait offert un électrique. Il ne se rasait pas tous les jours, du fait de sa blondeur, mais avant de sortir avec Kim, il n'oublierait pas.

La journée promettait d'être belle. Il faisait déjà beau, le ciel bleu était semé de petits nuages d'un blanc très pur, le soleil brillait et partout les fleurs pointaient – même dans Edgware Road. Le printemps était vraiment là. On en percevait encore d'autres signes au-delà du voisinage immédiat, et quand Will traversa Church Street vers Lisson Grove, avant de remonter, puis de prendre Grove End, il vit des narcisses tout éclos dans les jardins des grandes maisons, sans même connaître le nom de ces fleurs blanches à cœur jaune, et il en aperçut d'autres, rouges, qui s'ouvraient, il savait que cela s'appelait des tulipes. Les hyacinthes parfumaient l'air et, en face d'un immeuble, à hauteur du virage où Grove End Road se séparait d'Abbey Road, un arbre rose se dressait, couvert de fleurs.

Dans Saint John's Wood High Street, il entra chez un fleuriste et acheta un bouquet de violettes pour Kim, car elles sentaient si bon et elles étaient si petites. Elle pourrait les emporter au cinéma et humer leur parfum pendant le film. Will acheta aussi une pizza pour son déjeuner et un pot de glace aux pépites de chocolat, que la vendeuse lui enveloppa dans plusieurs couches de papier journal pour qu'elle ne fonde pas sur le chemin du retour à la maison.

Dans son appartement, il avait un petit frigo, pas beaucoup plus grand que le micro-ondes, mais assez pour contenir un carton de lait, deux cents grammes de beurre et une côtelette de porc ou un quartier de poulet. Will était très fort pour estimer les objets au gramme, au millilitre, au millimètre près, mais nul concernant les livres et les onces. Becky était incapable de compter en grammes, et l'une des choses qui plaisaient le plus à son neveu, dans les boutiques, c'était de lui apprendre, ça le rendait fier. Il se savait moins intelligent que certains, et il avait beau essayer, il savait aussi qu'il ne le serait jamais davantage. Quand il se découvrait capable de comprendre des choses hors de portée des autres, cela lui procurait une grande satisfaction, comme de savoir que quatorze degrés, en mars, c'était chaud, de repérer à vue de nez à quoi équivalaient cinq centimètres, et comment on assemblait les objets. Quand Becky avait commandé un placard par correspondance, livré en pièces détachées emballées dans un carton à plat, elle n'avait pas pu le monter, mais lui si. Il avait suivi les plans contenus dans le carton et, en moins d'une heure, toutes ces pièces détachées s'étaient transformées en un joli placard, avec des tiroirs et une porte, qui s'ouvrait et se fermait. Will était sans doute différent d'un gamin de dix ans plutôt habile de ses mains, et à plusieurs titres, mais c'était surtout vrai sous un aspect en particulier : il ne se vantait pas de ses talents, comme souvent les enfants. Il en faisait état une seule fois, et ensuite il n'en reparlait plus.

Après avoir pris son déjeuner et sa douche, il nettoya derrière lui et s'assit tranquillement, sans rien faire, pour réfléchir à la soirée qui l'attendait.

Elle vint le chercher dans la camionnette de son frère, qu'elle lui avait empruntée pour la soirée. *Le Trésor de la Sixième Avenue* était à l'affiche au Warner Village de Finchley Road. Il y avait un parking, donc Kim pourrait s'y garer, à cet emplacement on ne la lui enlèverait pas, on ne lui poserait pas de sabot. Will, bien habillé, en chemise blanche, cravate bleue et veste de cuir, lui avait offert les violettes et elle avait paru sincèrement ravie. Aucun garçon ne lui avait encore offert de fleurs, lui avait-elle confié. Elle portait une veste blanche sur un T-shirt violet, de la même couleur que les fleurs, et quand elle accrocha le bouquet à son revers, Will trouva que ça lui allait bien.

Dans la salle, il acheta deux grands gobelets de Coca et deux autres, encore plus grands, de pop-corn. Il ne se souvenait pas d'avoir jamais mangé de pop-corn, mais il était content d'essayer. Will n'avait jamais grand-chose à dire, mais Kim si, et il l'écoutait avec contentement parler de sa famille, de sa maman, de son frère Keith et de son autre frère, Wayne, et de son coiffeur, et des difficultés pour se rendre à son travail par les transports en commun, et du temps, et lui, où est-ce qu'il irait pour les prochaines vacances d'été? Si Will avait été plus sophistiqué ou plus expérimenté, ou simplement s'il avait eu un peu plus de bon sens, il aurait identifié dans cette dernière question le sujet cliché que tous les coiffeurs abordent avec leurs clients. Mais c'était toujours Becky qui lui coupait les cheveux, donc il lui répondit qu'il irait partout où sa tante irait – ce qui lui valut un regard perplexe de Kim – et que sa mère était morte, mais qu'il aimait bien le printemps à cause de toutes les fleurs qui sortaient. Au sujet de sa mère, elle se montra compatissante, elle n'imaginait rien de pire que sa mère morte, mais peut-être que sa tante avait un peu comblé ce vide. Will acquiesça, en effet, ils burent leur Coca et mangèrent leur pop-corn, les publicités s'achevèrent et *Le Trésor de la Sixième Avenue* commença.

Kim lui avait déjà soufflé qu'elle aimait bien Russell Crowe et Sandra Bullock, donc Will identifiait tout à fait ces deux acteurs, et il fut ravi de les voir vite réapparaître, car il les reconnut. L'histoire n'était pas compliquée à suivre. Les personnages principaux étaient un braqueur de banques, sa petite amie et un comparse, joué par un acteur dont même Kim n'avait jamais entendu parler, mais cette fois, au lieu d'une banque, ils prévoyaient de s'attaquer à une bijouterie. Pour le spectateur britannique, le lieu de l'action n'était pas très clair. Cela aurait pu aussi bien se situer à New York que dans n'importe quelle autre mégapole américaine, une forêt de tours, une ou deux rangées de devantures et les rues résidentielles qui rayonnaient à partir de ce noyau central.

Will n'apprécia guère la scène où Russell Crowe abattait un vigile devant la bijouterie, mais dans la salle personne d'autre n'en parut très affecté. Kim continua de croquer son pop-corn en toute tranquillité et l'homme assis à sa droite ne cessa pas de mâcher son chewing-gum, donc il se dit que la prochaine fois, s'il devait y avoir des blessés, il fermerait les yeux. Les trois acolytes débouchèrent dans une espèce de coffre où ils découvrirent des quantités vertigineuses de bijoux, des diamants surtout, montés sur des bracelets, des colliers et des bagues. Pour des millions, s'extasia Sandra Bullock, peut-être un milliard.

Ils s'enfuirent de la bijouterie sans que personne les surprenne et rentrèrent chez Russell Crowe, dans une vieille maison sombre et étrange, qui aurait effrayé Will s'il avait dû y mettre les pieds.

– Ça fiche la frousse, lui chuchota Kim avec un frisson exagéré.

Rassuré de ne pas être le seul, il approuva.

– J'ai la frousse aussi.

Et c'était divertissant, mais, alors qu'il était de plus en plus convaincu d'avoir saisi tout ce qui se passait à l'écran, l'affaire se compliqua. Des individus, des inconnus, firent leur apparition et découvrirent le gardien mort, et puis ce fut un essaim de policiers, la caméra s'aventura dans des lieux que l'on n'avait encore jamais vus, des clubs, des bars et des caves, le tout rempli de gens que les policiers questionnaient sur un ton dur, avec un accent incompréhensible. On s'éloignait du conte pour enfants, et Will était complètement perdu. Il s'efforça de garder le silence, car lors de précédentes sorties au cinéma Becky lui avait expliqué qu'il ne devait pas déranger les autres spectateurs autour de lui, mais il était difficile de ne pas s'agiter. Il éprouvait aussi une intense déception, il était indigné. Cette histoire était si directe et si simple. Pourquoi ne pouvait-on continuer comme on avait commencé ?

Et puis, subitement, ce fut de nouveau simple. Les trois voleurs de bijoux à bord d'une voiture fonçaient à toute allure dans la ville. Will n'avait jamais vu une vraie voiture rouler aussi vite. Les freins crissaient quand elle avalait les tournants au coin des rues, pour se débarrasser des poursuivants lancés à ses trousses. Le bolide des voleurs s'engagea dans une rue où un écriteau fixé à un réverbère indiquait «Sixième Avenue». Will put le lire sans difficulté, car c'était écrit en grosses lettres, des lettres qui s'attardèrent à l'écran, et il déchiffra leur signification en s'aidant du titre du film, *Sixième Avenue*. Le véhicule s'engouffra dans un parking et les trois voleurs en descendirent, Russell Crowe chargé d'un sac en cuir contenant les bijoux, et l'autre homme portant une pelle. Ils ne se parlaient guère. Tout se déroulait dans l'action. Ils se retrouvèrent au fond d'une arrière-cour, un lieu sordide avec des poubelles, une vieille benne en acier et un appentis en ruine. Mais tout au fond il y avait aussi des arbustes et des carrés de terre de chaque côté d'un chemin en béton fendillé et craquelé, où poussaient des mauvaises herbes. Au-dessus de leurs têtes, le ciel nuageux, tourmenté, était taché de rouge par les lumières de la ville. L'homme qui n'était pas Russell Crowe se mit à creuser un trou. Quand son copain lui hurla de venir l'aider, la fille trouva une deuxième pelle dans les ruines de l'appentis et se mit au travail. Tous leurs actes dégageaient une impression d'urgence et de désespoir, et Kim eut de nouveau un frisson. Elle agrippa la main de Will, un geste inattendu mais plutôt agréable et réconfortant. Il referma les doigts sur la sienne.

Les trois cambrioleurs enterrèrent le sac en cuir dans le trou et pelletèrent de la terre dessus. Ils la damèrent de leurs semelles et la recouvrirent avec deux ou trois briques et un morceau de planche, pour faire croire que cette terre n'avait plus été remuée depuis des années. Aussitôt après, ils entendirent des sirènes au loin et Will, avec un sursaut d'excitation, reconnut les bruits qu'il entendait dans Paddington tous les jours. Alors, en fait, tout se passait ici, à Londres! Les voleurs perçurent ces mugissements de sirènes, eux aussi, ils tendirent tous trois l'oreille, échangèrent un regard et, en l'espace de quelques secondes, escaladèrent le mur, passèrent dans la cour voisine, franchirent le mur suivant et furent de retour dans le parking. Ensuite, ce fut aussi le retour des complications et Will eut du mal à suivre, mais à cinq minutes de la fin Russell Crowe se retrouvait abattu par un policier, une balle rendait son ami infirme (il ne marcherait plus jamais) et la fille montait dans un avion qui décolla dès qu'elle eut attaché sa ceinture. Pendant ces scènes de tuerie et de mutilations, Will avait fermé les yeux, et il les avait rouverts pour voir Sandra Bullock sur une plage, avec des palmiers, une mer bleue et lumineuse, un nouvel homme à son côté, qui lui disait : « Et si j'allais nous chercher un verre, chérie ? », et cet homme s'éloignait.

La fille attendait qu'il soit hors de portée de voix, puis elle soufflait, songeuse : « J'imagine que le trésor est toujours là-bas. Mais il n'est pas pour moi, je ne pourrai jamais rentrer à la maison… »

Les lumières se rallumèrent et Kim se leva. Will l'imita. Il avait envie de lui demander : À son avis, le trésor était-il encore au même endroit ? Mais Sandra Bullock avait déjà répondu, elle en paraissait convaincue. Pourquoi ne pouvait-elle rentrer dans son pays ? Il réfléchit posément. Parce qu'elle avait fait quelque chose de mal, de si mal que la police avait abattu les hommes qui avaient agi avec elle, et si elle rentrait, ils l'abattraient, elle aussi. C'était ça ? Ce devait être ça.

– Je meurs de faim, s'écria Kim. Le pop-corn, ça ne cale pas. C'est léger.

L'excitation avait coupé l'appétit à Will, mais dès qu'il verrait de la nourriture, il risquait d'avoir faim. Il y avait des cafés dans le complexe multisalles. Ils entrèrent dans l'un d'eux, s'assirent à une table qui donnait en surplomb sur Finchley Road, Kim commanda une pizza et Will une omelette avec des chips. Il avait déjà eu une pizza au déjeuner, avertit-il la jeune fille. Pour lui, commander un plat n'avait rien d'insolite. Quand Keith et lui travaillaient à côté d'un restaurant, il sortait parfois déjeuner dehors. Ils reprirent chacun un Coca et Kim parla du film, et Will, sachant plus ou moins qu'il était inutile d'écouter, et de rien dire d'autre que oui, non, ou c'est vrai, réfléchit encore à cette histoire.

Le trésor devait être resté sur place. C'était l'avis de Sandra Bullock, et elle était forcément bien renseignée. Russell Crowe ne pouvait plus retourner le déterrer, puisqu'il était mort, et l'autre bonhomme non plus, parce qu'il était incapable de se déplacer, il ne marcherait plus jamais. Il devait donc être resté sur place. Mais où? Là où il y avait une Sixième Avenue.

– Tu veux encore autre chose à manger? lui demanda Kim.

– Une glace, je ne dirais pas non.

Il en avait déjà pris une au déjeuner, mais cela ne le gênait pas de manger beaucoup de glace, et souvent.

– Alors on en prend une chacun. Chocolat?

– C'est ce que je préfère, approuva gaiement Will.

– Moi aussi, c'est mon parfum préféré. Ce n'est pas amusant, ça, qu'on préfère tous les deux le chocolat?

Will rit à gorge déployée, parce que c'était drôle. Non seulement la glace au chocolat était leur préférée, mais ils découvrirent qu'ils détestaient tous les deux le café, ils préféraient plutôt une bonne tasse de thé. Qu'ils commandèrent aussi. Il remarqua que les violettes à sa boutonnière avaient encore l'air très fraîches. Elle suivit son regard.

– Je vais les mettre dans l'eau dès que je serai rentrée à la maison.

Will paya leur repas. Elle proposa de partager, mais il refusa, il allait payer, tout comme le faisait Becky, à chaque fois.

En sortant, elle lut le gros titre dans le journal du soir de quelqu'un : «JEUNE FILLE PORTÉE DISPARUE : LA PEUR GRANDIT. *Sa mère*: "Je suis anéantie."»

– Je suis contente de t'avoir avec moi, Will. Dehors, toute seule, j'aurais peur.

Cette fois, ce fut lui qui lui prit la main.

– Tout ira bien, lui assura-t-il, mais il dit cela machinalement.

Inez avait tenu des propos identiques. Il repensait au film, il se demandait où pouvait se trouver cette Sixième Avenue.

Kim le ramena chez lui.

– Merci d'être sortie avec moi, lui fit-il poliment, comme Becky le lui avait appris. Merci de m'avoir emmené, merci pour le thé, merci d'être venue…

Elle lui déposa un baiser sur la joue, verrouilla toutes les portières de la camionnette et démarra. Will monta au premier. Comment allait-il s'y prendre pour situer cette Sixième Avenue ?

CHAPITRE 5

Sur l'arrière de Star Antiques il y avait un petit jardin. Les Américains auraient appelé ça une arrière-cour, et c'était en effet le terme qui correspondait le mieux. Les murs qui le ceinturaient étaient tapissés d'un lierre si épais qu'on ne voyait plus la brique, alors que la partie centrale était presque recouverte en totalité par de grandes dalles de béton, peu à peu envahies par les mauvaises herbes. Mais sur le pourtour, le long des murs, il y avait aussi d'étroites bandes de terre semées de briques, de cailloux et de morceaux de poteries, et là des arbustes broussailleux luttaient pour survivre, des tiges flétries de verges d'or, de marguerites d'automne et d'épilobes à feuilles étroites s'attardaient encore. Freddy Perfect, qui ne prêtait guère d'attention au jardin quand ces plantes étaient en fleurs, observait à présent, l'air très concentré, les deux hommes qui sondaient les arbustes, soulevant les tiges mortes et scrutant l'ancienne cave à charbon qui, reléguée dans le coin le plus reculé, sur la gauche, était aussi mangée par le lierre.

75

– Ludo, fit-il à la femme qui était encore au lit. Il y a deux types dehors occupés à fouiller. Viens voir. Ils vont commencer à creuser.

– Tu peux me faire le commentaire. Je ne vais pas me lever, pas pour l'instant.

Aujourd'hui elle avait adopté l'accent du nord de Londres, avec un soupçon d'anglais de l'estuaire de la Tamise. Avec Freddy, Ludmila Gogol avait depuis longtemps cessé de jouer la comédie.

– C'est la police?

– Ils ne portent pas d'uniforme. Attends une minute, il y en a un autre qui arrive, et lui, il est de la police, avec le képi et tout. Dommage, ils ne creusent pas.

– Pourquoi c'est dommage? Tu ne voudrais pas qu'ils trouvent un corps, non?

– C'est ce qu'ils cherchent? Ce serait une idée. Qu'ils trouvent un corps, cela ne m'ennuierait pas, un peu d'émotions fortes, je ne dirais pas non. Attends une minute, ils ont fini, ça y est. Il y en a un qui a plein de terre partout sur son pantalon. Je descends voir s'ils entrent dans la boutique.

Ludmila se retourna et se rendormit vite. Elle était capable de dormir n'importe où, à toute heure. Comme un chat, aimait dire Freddy, elle s'allongeait, elle se recroquevillait, elle fermait les yeux et elle s'endormait en trente secondes. Il descendit l'escalier à pas de loup. Comme il l'avait espéré, les deux policiers qui n'étaient pas en uniforme se trouvaient dans la boutique avec Inez, Crippen et un autre type, qui n'était pas Osnabrook.

– Bonjour tout le monde! s'écria Freddy. En quoi puis-je vous être utile?

Inez l'ignora. Crippen et l'autre, un homme chez qui Freddy perçut une ressemblance avec son ami Anwar Ghosh, lui adressèrent un signe de la tête. Freddy traversa la boutique sans se presser, et il alla se poster à l'emplacement auparavant occupé pendant deux ans par l'urne décorée d'une frise du Parthénon. Une table-vitrine miniature l'avait remplacée, et la clé du couvercle en verre était glissée dans la serrure. Freddy tourna la clé, souleva le couvercle et en sortit des objets qu'il examina.

— Comme je disais, reprit Crippen sur un ton assez acide, avant d'être interrompu et en réponse à votre question, madame Ferry, en fait, à présent nous fouillons toutes les maisons du quartier, côté cour. La zone que nous couvrons s'étend de la gare de Paddington à l'ouest jusqu'à Baker Street à l'est, mais pour aujourd'hui nous nous concentrons autour d'Edgware Road.

— Que recherchez-vous ? s'enquit Freddy en agitant une lorgnette d'époque victorienne dans leur direction. Un corps ? Ou ces colifichets dont le Rottweiler déleste ces cadavres ?

— Mon rôle, c'est de poser des questions, rétorqua Crippen, pas d'y répondre.

— Oh, mon Dieu, je suis désolé d'avoir pris la parole, vraiment. Excusez-moi de vous demander pardon d'exister.

Freddy n'était pas vraiment vexé, comme en témoignait son grand sourire.

— Posez cette lorgnette, Freddy, je vous prie. Bien sûr qu'ils recherchent le corps de cette pauvre jeune fille, celle qui a disparu. Y a-t-il autre chose, inspecteur ?

— Je ne crois pas. Sauf… oui, enfin, si quelqu'un vient ici vous poser des questions du genre de celles que nous avons entendues dans la bouche de ce monsieur, si quelqu'un se montre un peu trop curieux, nous aimerions savoir son nom. Je veux dire, vous êtes en contact avec beaucoup de gens. Cela risque de nous être utile.

Comme Inez ne promettait rien, il s'adressa à son acolyte :

— Allons, Zulueta, nous avons du pain sur la planche.

— Métier déplaisant que le leur, plaisanta Freddy. Je suppose que le thé n'est pas en train d'infuser ?

— Je suis désolée, mais j'ai pris le mien et j'ai rincé les tasses.

— Les tasses, avec un s, n'est-ce pas ? À mon avis, Inez, vous avez un admirateur caché qui vient vous rendre visite aux petites heures du jour.

— C'était M. Quick, lâcha Inez, distante. Et maintenant, si c'est tout, Ludmila va se demander où vous êtes.

Avec une infinie lenteur, Freddy se dirigea en traînant des pieds vers la porte par où il était arrivé, s'arrêtant sur son chemin pour examiner un éventail en ivoire, un bateau dans sa bouteille, un primitif du jardin d'Éden dans son cadre et un heurtoir de porte, une tête de lion en cuivre. Inez sortit le présentoir de livres sur le trottoir au moment où une horloge, quelque part, sonnait neuf heures. Il faisait froid et gris aujourd'hui, une pluie fine voilait les surfaces de béton d'une pellicule d'humidité. La camionnette blanche dont le propriétaire vantait la saleté était encore garée devant la boutique.

En l'avisant le long du trottoir, M. Khoury sortit de sa bijouterie. Il la désigna du doigt.

— La voilà de retour, s'indigna-t-il. La police a aussi fouillé votre jardin, à ce que je vois. Ce que je me demande, c'est comment le meurtrier aurait pu enterrer ce corps dans le mien. En enjambant le mur, qui mesure deux mètres de hauteur ? Mais, d'abord et surtout, en franchissant tous les autres murs, qui mesurent aussi deux mètres ? À moins de traverser la boutique en le portant ? Est-ce qu'il irait jusqu'à se dédouaner en ces termes : «Bonjour, je vous prie de bien vouloir m'excuser, le temps que je transporte ce cadavre dans votre boutique pour aller l'enterrer derrière » ? Et, à ce compte-là, est-ce qu'il ne m'aurait pas emprunté une pelle ? Je me le demande.

— Vous auriez dû le leur demander, à eux. Est-ce que ma boucle d'oreille est prête ?

— Prête, et elle vous attend. Douze livres cinquante et pas de carte de crédit pour les réparations, s'il vous plaît.

— Je viendrai plus tard, le prévint Inez et elle retourna à l'intérieur, à l'abri de la pluie.

Elle songeait à Jeremy Quick. Un homme agréable, jamais le moindre tracas, le locataire idéal. S'il déménageait, elle ne trouverait jamais personne qui soit moitié aussi plaisant que lui. Certes, elle n'avait aucune raison de craindre son départ. Seulement, lorsqu'il était descendu boire son thé, une demi-heure auparavant, il avait parlé de Belinda, et surtout de sa mère, avec une franchise qu'elle ne lui avait jamais connue.

Mme Gildon souffrait d'une maladie au stade terminal, à ce qu'il semblait, sauf qu'à son âge la progression du mal était bien plus lente que chez une personne plus jeune. Même ainsi, les médecins avaient annoncé à Belinda qu'elle ne saurait survivre plus d'une année. Ils lui avaient déjà tenu de tels propos, toujours démentis par la robuste constitution de Mme Gildon et par son cœur, très sain. Jeremy lui avait paru si abattu en lui annonçant la nouvelle qu'Inez lui avait posé la main sur le bras, un geste de réconfort. Son mouvement de recul soudain l'avait surprise. On eût dit qu'il avait cru à une avance de sa part. Elle en avait eu une bouffée de chaleur. Il avait continué de lui parler, comme si de rien n'était. La maison où habitaient Belinda et sa mère, à Ealing, reviendrait à la fille, « un jour ». Quand « il serait arrivé quelque chose » à la mère, avait-il précisé, et il entendait par là – du moins Inez le comprenait-elle ainsi – qu'en ce cas Belinda et lui se marie-raient. Il n'avait pas été question de l'appartement de Star Street, mais Inez en avait déduit que, si un couple avait à sa disposition une maison de trois chambres à Ealing (jadis sur-nommé « la reine des banlieues »), il était peu probable qu'il préfère un appartement en étage à Paddington.

— Mme Gildon a-t-elle été hospitalisée ? lui avait demandé Inez, en surmontant son embarras.

— Pour le moment oui, mais ce n'est que temporaire.

— Oui, j'en suis certaine. Enfin, pour l'instant, cela doit être synonyme d'un peu plus de liberté pour Belinda. Pourquoi ne l'amèneriez-vous pas ici boire un verre, un de ces soirs ? Mardi ou mercredi ?

— J'aimerais. Elle aussi j'espère. Pourrions-nous convenir de mardi ?

Donc, elle allait enfin rencontrer Belinda. Ils risquaient de boire du vin, mais son stock d'alcool avait baissé. Afin de parer à tout, après avoir récupéré sa boucle d'oreille, elle irait au coin de la rue acheter du gin et du whisky chez le marchand de vin. Ses pensées revinrent à cet attouchement du bras et au geste réflexe de son locataire. Était-elle si repoussante ? Il était vain de s'en inquiéter. Il avait déjà oublié l'incident, c'était probable. Elle jeta un œil à l'horloge de parquet. Neuf heures vingt-cinq et aucun signe de Zeinab. Pour la première fois, Inez la considéra comme une victime potentielle du Rottweiler. Elle la voyait, jeune fille attendant un bus pour Hampstead dans l'obscurité croissante de ces soirées pas encore printanières, s'apprêtant à endurer le trajet fastidieux à effectuer, attrapant un bus, changeant pour un autre. Risquait-elle d'accepter qu'on la conduise en voiture, si quelqu'un le lui proposait ? Monterait-elle dans celle d'un inconnu ? Si son père était aussi fortuné qu'elle le prétendait, propriétaire d'une maison à West Heath et de trois véhicules, il lui en aurait prêté un, le réservant à son usage, ou alors il lui aurait acheté le sien.

À regret, Inez devait admettre qu'elle ne croyait pas tout à fait à la fabuleuse fortune du père de Zeinab, pas plus qu'à la maison ou aux trois voitures. Le plus probable, c'était une maison familiale au sein d'un modeste ensemble de pavillons mitoyens, et une famille qui se contentait d'une seule voiture ; et si ce patriarche si draconien était aisé, il n'était pas méga-fortuné. Pourtant, ce devait être une manière de monstre pour imposer à sa fille des règles si rigides, surtout que, malgré son désir paternel de la protéger, il n'aurait pas eu l'idée, disons, d'aller à sa rencontre le soir, quand elle était forcée de traverser le terrain de chasse du Rottweiler dans le noir. Neuf heures et demie. Morton Phibling allait arriver d'une minute à l'autre, en paraphrasant le Cantique des cantiques et en fumant ses cigares.

Au lieu de l'admirateur de Zeinab, c'est une femme qui entra, accompagnée d'un enfant qui montra tout de suite son caractère indiscipliné en fondant sur l'objet le plus fragile de la boutique, un plateau de verres à liqueur d'époque géorgienne. En un clin d'œil, Inez attrapa le plateau et le posa au sommet d'une bibliothèque, hors d'atteinte. L'enfant se mit à brailler.

— Oh, tais-toi, s'emporta sa mère.

— Puis-je vous aider ? s'enquit Inez.

— Je cherche un cadeau d'anniversaire. Ce pourrait être un bijou.

– Nous ne conservons pas beaucoup de pièces en magasin. Inez ouvrit un tiroir. C'est tout ce que nous avons. C'est surtout d'époque victorienne, chrysocales, yeux de tigre et médaillons avec mèches de cheveux, ce genre d'articles.

L'enfant fourra les deux mains dans le tiroir et répandit son contenu par terre. Sa mère hurla et tomba à ses genoux, à l'instant où Zeinab franchissait la porte de la rue. Inez consulta sa montre d'un geste ostensible, et Zeinab se défendit :

– Tu sais que je n'ai aucune notion de l'heure.

Un chrysocale et une bague de quartz rose, tel fut le choix de la cliente. Elle avait attrapé son enfant et l'avait calé sur sa hanche. La quasi-totalité des bracelets et des colliers restait encore éparpillée sur le sol. Après son départ, Zeinab s'agenouilla pour les ramasser, et sa chevelure noire se massa devant son visage, l'enveloppa.

– À propos de bijoux, remarqua Inez, je ne t'ai jamais vue porter aucune des parures que M. Phibling t'achète. Cette aigrette de diamants roses, par exemple. Cela ne doit pas trop l'enchanter, il s'imagine sans doute que cela t'est égal.

– Eh bien alors, il va falloir qu'il réfléchisse deux secondes. Si je portais ces diamants, si mon père savait même que j'ai des diamants, il me tuerait.

– Oh, je vois, fit Inez.

Dans la maison d'Abbey Road, Keith et Will étaient occupés à rénover la salle à manger. Tout le mobilier était empilé dans le couloir. Ils avaient posé un nouveau parquet en lattes d'acajou, construit des étagères dans les alcôves, et ils étaient maintenant en train de préparer les murs pour tendre une couche de laque coquille d'œuf. Les propriétaires de la maison étant à leur travail, et la femme qui venait faire le ménage ayant confié qu'elle aimait bien avoir un fond musical, la radio était allumée, le volume assez fort pour qu'elle puisse entendre depuis la cuisine.

Keith aurait aimé savoir comment sa sœur et Will s'étaient entendus, samedi soir. Il n'avait pas revu Kim depuis et, de toute manière, il aurait hésité à lui poser franchement la question. Il estimait que Will aurait pu lui en toucher un mot, mais le garçon ne disait rien. Il avait l'air plus préoccupé que d'habitude, comme plongé dans un rêve. Kim avait beau être rentrée chez elle tôt, information que lui avait transmise sa mère au téléphone, les choses avaient peut-être progressé plus qu'il ne s'y serait attendu. Peut-être qu'en cet instant même Will se remémorait leur sortie avec un plaisir discret. Kim avait rapporté la camionnette hier matin, elle l'avait garée devant chez lui, mais elle avait glissé les clés dans la boîte aux lettres, elle n'était pas entrée. S'ils s'étaient réellement bien entendus et si l'arrière de la camionnette avait abrité autre chose qu'une simple étreinte et un baiser en guise de bonne nuit, elle risquait de pointer le nez aujourd'hui, vers l'heure du déjeuner. Dès qu'il les aurait vus ensemble, il serait en mesure de se faire une idée.

S'il avait pu lire dans les pensées de son apprenti, il en aurait été profondément chagriné, car Will ne songeait pas du tout à Kim, il avait presque oublié son existence. Quant à son samedi soir, c'était une autre affaire. C'était en effet la chose la plus importante qui lui soit arrivée depuis des années, si ce n'est de toute sa vie. Avec un plaisir intense, il se rappelait la scène du film où Russell Crowe, Sandra Bullock et l'autre personnage creusaient ce trou pour y enterrer leur trésor. Les mots échangés entre eux lui restaient gravés dans la mémoire, comme si un appareil, dans son cerveau, les avait enregistrés avec précision :

– Tu as entendu une sirène ?

– Dans cette ville, il y a tout le temps des sirènes. Nuit et jour. Une sirène, ça ne prouve rien.

– Écoute, ça se rapproche.

– Nom de Dieu !

– Il faut qu'on sorte d'ici. Tout de suite. Là, on saute ce mur, on se tire d'ici...

Et l'homme qui venait de prononcer cette dernière phrase recevait une balle dans la colonne vertébrale et ne marcherait plus jamais – à ce stade, Will s'était imposé de garder les yeux ouverts –, tandis que Russell Crowe trouvait la mort en s'avançant vers le policier, un pistolet dans chaque main. Seule la fille était restée saine et sauve pour nous apprendre, une fois en sûreté quelque part en Amérique du Sud, que l'on n'avait jamais déterré le trésor, et qu'il devait être encore au même endroit…

Il se souvenait de tout, mais il retournerait voir ce film, juste pour être sûr. Becky viendrait-elle aussi ? Il aimait toujours bien être avec Becky, c'était avec elle que c'était le mieux, mais enfin, finit-il par admettre, y retourner tout seul, ce serait encore la meilleure solution. Ce soir, pourquoi pas, ou demain. S'il se souvenait fort bien du principal, il n'arrivait pas à se remémorer l'aspect la maison où se déroulait la scène de l'enfouissement. Et il n'avait pas davantage entendu ou repéré le numéro dans cette Sixième Avenue. D'ailleurs, il ne voyait pas non plus où se situait cette avenue, mais il trouverait. Une fois qu'il aurait mis la main sur ce trésor, tous ses problèmes seraient derrière lui, et tous ceux de Becky aussi. Parce qu'il vendrait les bijoux, il en tirerait un paquet d'argent, et il achèterait une maison assez grande pour tous les deux. La seule raison qui lui interdisait d'habiter avec elle, c'était la taille de son appartement, et le fait qu'il n'y avait qu'une seule chambre. Il allait acheter une grande maison, avec des tas de chambres et plein de place pour tous les deux.

Kim ne vint pas à l'heure du déjeuner. Keith était déçu. Il savait de source sûre qu'elle ne sortait nulle part ce soir. C'était la soirée où son amie allait la voir, elles se soignaient mutuellement les ongles et s'appliquaient des masques faciaux, mais cette fois l'amie ne pouvait pas venir, donc elle serait libre, et donc ils avaient fort bien pu convenir de ressortir ensemble. Il aurait aimé interroger Will, mais il n'y avait pas moyen. Les propriétaires de cette maison d'Abbey Road auraient trouvé le bruit de la radio assourdissant, ce rythme régulier, ce martèlement de trolls dans les entrailles de la terre, mais pas Will, qui l'entendait à peine. Cela n'interférait en rien avec ses pensées. Pas plus que manger les sandwiches à la viande de porc qu'il s'était préparés et qu'il avait apportés, ou de manier le rouleau sur le mur de la fenêtre qu'il entamait à l'instant.

Comment s'y prenait-on pour s'acheter une maison ? Les gens n'arrêtaient pas, il le savait, il voyait des camions de déménagement garés dans cette rue et dans la sienne, avec des meubles que l'on chargeait. Ils déménageaient, c'était comme ça qu'ils appelaient la chose, « déménager ». Mais faire d'une nouvelle maison la sienne, où l'on avait le droit d'emménager, se faire remettre la clé qui ouvrait la porte d'entrée, y ranger ses affaires, tout cela demeurait un mystère. Savoir comment il fallait s'y prendre, l'idée même lui faisait tourner la tête.

— Comment on s'achète une maison ?

C'était sa première phrase adressée à Keith, en plus d'une heure.

— Pardon ? hurla Keith pour couvrir le boucan de la radio.

— Comment on achète une maison ?

— Qu'est-ce que tu veux dire par « comment » ?

Pour Will, il était très difficile de s'expliquer. Il ne put que répéter : « Comment on fait ? », et : « Il faut bien la trouver, comment tu t'y prends ? »

— Tu lis les annonces ou alors tu vas dans une agence immobilière, c'est ça que tu veux dire ?

Will hocha la tête, mais cela ne le renseignait pas plus pour autant. Il valait mieux attendre qu'il déniche le trésor et alors peut-être que Becky s'occuperait d'acheter la maison. Il n'allait pas le lui annoncer tout de suite, il lui en parlerait quand il aurait mis la main sur le trésor et quand il serait en mesure de le lui dévoiler. Ce serait une surprise, la plus grosse surprise qu'on lui aurait jamais réservée.

Inez regardait *Forsyth et la Conspiration de la Couronne* quand on sonna à sa porte. Aussitôt, elle arrêta le magnétoscope. Ce devait être l'un de ses locataires, car personne d'autre n'aurait pu entrer dans l'immeuble, mais, malgré tout, elle regarda par le petit judas et, avant d'ouvrir, elle eut la vision rassurante d'un Jimmy Quick.

– Je suis tout à fait navré de vous déranger, Inez.

– Pas du tout, fit-elle, ravie de le voir, au point de l'inviter à entrer.

– Juste un petit moment alors.

Ce devait être la toute première fois qu'il pénétrait dans son appartement. Elle remarqua qu'il observait la pièce autour de lui avec un air de discrète approbation, et elle ne put s'empêcher d'opposer son attitude à celle qu'elle aurait imaginée de la part d'un Freddy – « Charmant endroit que vous avez là », et le personnage aurait fouiné un peu partout, il aurait touché à tout, en s'asseyant comme bon lui semblerait, sans attendre d'y être invité, comme Jeremy. Il était toujours si bien habillé, ses souliers cirés, luisant comme du basalte noir. Ses mains étaient-elles manucurées ? Elles en avaient l'air, et comme si la manucure avait utilisé un pinceau blanc pour le lui passer sous les bouts des ongles. Inez s'aperçut que cette idée de manucure ne la gênait pas du tout.

– Puis-je vous servir quelque chose ? Un verre de vin ? Une boisson sans alcool ?

Oh, non, je vous remercie. Je n'oserais surtout pas vous déranger. En fait, voilà pourquoi je suis venu. Je dois vous dire que je regrette vraiment, mais nous ne pourrons venir demain. Prendre un verre, vous savez. L'état de Mme Gildon a empiré et Belinda a dû se précipiter à l'hôpital.

– Je suis navrée, fit Inez. Est-ce grave ? Bien sûr, à son âge, il y a des chances.

– Eh bien, elle a quatre-vingt-huit ans et je crains fort que ce ne soit le cœur, cette fois-ci. Chez ces vieilles personnes, le cancer progresse très lentement, mais si le cœur faiblit… enfin, ce n'est pas le lieu pour vous délivrer mon pronostic.

– Non, en effet. Je suppose que Belinda va être obligée de rester à l'hôpital, avec sa mère si malade ?

– Ils lui ont installé un lit dans une chambre voisine. J'en reviens à peine. Cela m'a pris des heures, naturellement. Les bus ne respectent jamais les horaires.

– Vous n'avez pas de voiture ?

Il avait l'air plutôt aisé. Elle en avait conclu qu'il devait posséder, comme elle, une voiture garée quelque part sur les places de parking réservées aux résidents, au bout de la rue.

– Oh, Seigneur, non. Voilà, si curieux que cela puisse paraître, en réalité je ne sais pas conduire. (Il eut un rire qui lui parut un petit peu honteux.) Enfin, pour ce qui est de Mme Gildon, Belinda préférerait que l'on ne prolonge pas ses souffrances et là-dessus je suis tout à fait d'accord. Elle a bien profité de l'existence, et si sa vie se rapproche de son terme, Belinda en aura le cœur brisé, c'est entendu, mais par la suite elle finira sûrement par considérer que c'est aussi bien ainsi.

Inez acquiesça. Elle n'aimait pas se montrer indiscrète, mais il donnait l'impression d'attendre d'elle qu'elle s'intéresse aux faits et gestes de sa compagne et aux siens.

– Je suppose que Belinda est encore assez jeune pour avoir envie de construire sa vie à elle, non ?

– Je ne vois aucun inconvénient à vous apprendre, reprit Jeremy sur le ton de la confidence, qu'elle aimerait connaître cette chance, avoir un enfant, ou même plusieurs. Après tout, elle n'a que trente-six ans.

– Eh bien, comme vous le disiez, on ne saurait prolonger longtemps la vie de la pauvre Mme Gildon, n'est-ce pas ?

– Vous savez, je crois que je vais accepter ce verre.

Inez alla chercher une bouteille de vin blanc dans le frigo et servit deux verres.

– Vous êtes très aimable, la remercia Jeremy. Cela vous ennuie que je vous pose une question ? Pourquoi vous appelez-vous Inez ? Vous n'êtes pas espagnole, que je sache ?

Inez sourit.

– Mon père a pris part à la guerre civile espagnole. Je ne dis pas qu'il a combattu, mais enfin il y a pris part. À l'époque il n'était pas marié, mais, d'après ma mère, il lui aurait expliqué qu'il occupait un poste «dans une équipe sur le terrain». Cela paraît un peu étrange, je sais. Il y avait là-bas une jeune fille qu'il appréciait, cela allait peut-être au-delà, elle s'appelait Inez et elle a été tuée.

– Cela n'ennuyait pas votre mère que vous portiez son prénom ?

– Je ne crois pas. Elle l'appréciait, elle aussi. (Inez rit.) Il
est bientôt dix heures. Cela vous ennuie si j'allume, pour les
nouvelles ?

– Bien sûr que non.

– Juste pour savoir s'ils ont retrouvé cette jeune fille. Jacky
Miller, je veux dire.

Ils ne l'avaient pas retrouvée. Le corps découvert sous
une pile de briques et de débris de béton sur un chantier de
Nottingham était celui d'une jeune fille plus âgée que Jacky,
dont la mort remontait sans doute à deux années plus tôt.
Pour l'heure, elle n'était pas encore identifiée. Comme l'avait
expliqué lors d'une conférence de presse l'officier de police
judiciaire chargé de l'enquête, tant de jeunes filles figuraient
sur les listes des personnes portées disparues qu'il était impossible, à ce stade, de s'autoriser la moindre spéculation sur son
identité éventuelle. La police était incapable d'expliciter dans
quelles conditions cette jeune fille avait trouvé la mort. Entre-
temps, les recherches pour retrouver Jacky Miller se poursuivaient.

– Je ne suis jamais allé à Nottingham, observa Jeremy.

– L'un des films dans lesquels a joué mon défunt mari a été
tourné là-bas, et je l'ai accompagné sur le tournage pendant
deux semaines. Ce devait être... oh, au début des années
quatre-vingt-dix, je crois.

– Ces jeunes filles, n'ont-elles pas de parents qui s'inquiètent
de savoir où elles sont ?

– Mais j'en suis persuadée, oui, fit Inez. Nous savons que les
trois jeunes filles assassinées et Jacky Miller ont des parents qui
étaient presque fous d'angoisse à leur sujet. Mais si une jeune
fille disparaît et si on ne la retrouve pas, que peuvent-ils faire ?
Employer des détectives privés ? C'est beaucoup trop cher,
beaucoup de gens n'ont même pas les moyens de l'envisager.

– Oui, j'imagine. Je dois y aller. Merci beaucoup pour ce
verre, et de vous être montrée si compréhensive pour demain.

Inez retourna à sa vidéo. Mais *Forsyth et la Conspiration de la Couronne* ne comptait pas parmi ses préférés, peut-être – et elle avait presque honte de se l'avouer – parce qu'il y avait davantage de scènes de sexe entre Martin et la *guest star* de cet épisode que dans tous les autres de la série, et cela ressemblait à une vraie scène d'amour, au milieu d'un décor de chambre à coucher. Quand on arriva à ce passage, elle éteignit et songea à remplacer cette vidéo par celle qui se déroulait à Nottingham, *Forsyth et le Miracle*, mais au lieu de procéder à l'échange des cassettes, elle resta assise en silence, elle finit son vin et réfléchit d'abord à la jeune fille toujours portée disparue et au corps que l'on avait retrouvé dans des circonstances aussi sordides et monstrueuses. Que ressentaient des parents, surtout s'ils habitaient à proximité, en apprenant que leur fille bien-aimée – bien-aimée, elle devait forcément l'être – était restée là, gisant depuis des années, son corps pourrissant dans la terre humide, sous une pile de matériaux de chantier au rebut, auxquels on ne cessait sans aucun doute d'ajouter des monceaux de briques et de débris ? Elle revit mentalement cette image sur l'écran de télévision, la pyramide de débris que l'on finissait par évacuer, et cet éboulis de briques d'où avait surgi, comme après une avalanche… une main tendue.

Inez n'avait jamais eu d'enfant, mais elle aurait aimé en avoir, un désir que n'avait partagé aucun de ses deux maris, ce qui, dans une certaine mesure, avait adouci l'amertume de sa déception. Martin, celui qu'elle avait réellement aimé, avait déjà des enfants de son premier mariage, il n'en souhaitait plus, mais il aurait été ravi pour elle si… Subitement, elle se redressa, en tenant son verre de vin à la main. Le cours de ses pensées l'avait ramenée à ce que Jeremy venait de lui apprendre. Comment Belinda pouvait-elle n'avoir que trente-six ans si sa mère en avait quatre-vingt-huit ?

Il était certes possible qu'une femme donne naissance à un enfant à cinquante-deux ans, dans certains cas très rares, des cas dignes du *Livre Guinness des records*. Mais de telles naissances restaient sans doute de l'ordre du mythe ou de la vérité déformée. De nos jours c'était possible, avec les traitements de FIV. Mais en 1966, qui devait être l'année de naissance de Belinda? La réponse était sans doute qu'il s'agissait d'une enfant adoptée. Bien sûr. Toute autre explication placerait Jeremy Quick sous un jour plutôt défavorable...

CHAPITRE 6

À l'approche du week-end, Becky était de nouveau préoc-
cupée par Will et par la question de savoir si elle allait l'inviter
samedi ou dimanche. Elle ne lui avait plus parlé depuis vendredi
soir dernier, quand elle l'avait laissé en compagnie d'Inez, et
elle sentait grandir en elle son sentiment de culpabilité habituel. Mais quelque chose d'assez rare était arrivé à Becky, ce
dimanche. Elle avait rencontré un homme.

Cela s'était produit chez une collègue qui l'avait invitée
à dîner, une invitation que l'on aurait crue tombée du ciel.
Elle s'était laissé surprendre et, comme elle venait justement
de constater qu'elle n'avait rien de particulier à faire le jour
en question, elle avait été obligée de dire oui. L'homme était
le cousin de son hôtesse. Il avait à peu près l'âge de Becky,
belle allure, agréable et récemment divorcé. Comme il faisait
nuit lors de son départ, et sa voiture étant, comme de juste,
garée deux cents mètres dans la rue, plus loin, James l'avait
accompagnée. Tout en la laissant s'installer au volant, il lui
avait demandé s'il pouvait l'inviter à dîner le vendredi ou le

samedi suivant. Becky avait accepté sans trop hésiter, mais son oui s'appliquait au vendredi, car elle s'interrogeait déjà sur le jour du week-end où elle allait devoir inviter Will.

James lui avait téléphoné et s'était montré tout aussi charmant. Il voulait simplement entendre sa voix, lui avait-il avoué, et bavarder cinq minutes, si elle en avait le temps. Ces cinq minutes s'étaient prolongées jusqu'à vingt, et le temps que Becky raccroche, elle se prenait déjà à songer que, si la soirée de vendredi était aussi réussie qu'elle promettait de l'être, il risquait de vouloir passer le samedi avec elle – et elle avec lui. Voilà des années qu'elle ne s'était plus sentie à ce point attirée par quelqu'un, et elle croyait savoir qu'il en était de même pour James. Alors, fallait-il attendre ou prendre les devants, et inviter Will dimanche?

Et si James avait envie de passer aussi son dimanche avec elle? Si elle lui disait: «Oui, mais j'aurai mon neveu», et s'il répondait que cela lui était égal, il ferait la connaissance de son neveu, et puis après? Des sentiments affreux lui venaient à l'esprit, des sentiments qui lui inspiraient une honte profonde. Elle n'avait pas envie que James rencontre Will, qui était pour elle à la fois un très proche parent, mais aussi un banal ouvrier du bâtiment et… enfin, pas tout à fait, oh, Seigneur, comment formuler la chose sans passer à ses propres yeux pour la pire des dégueulasses?

Et pourtant, il ne se passait jamais un week-end sans qu'elle invite son neveu. Subitement, elle songea à cette jeune fille, Kim. Il n'était pas impossible que Will et elle soient sortis tous les soirs de la semaine ensemble et que, du coup, Will n'ait aucune envie de réserver une journée à sa tante. Personne, ni le Dieu auquel elle ne croyait pas, ni aucun juge de chair et d'os, ne pouvait attendre d'elle qu'elle consacre au fils de sa sœur disparue, un adulte désormais, avec un boulot et des amis, une vie bien à lui, le peu de temps libre dont elle disposait. Personne. Évidemment, se dit-elle, ce n'était pas tout à fait cela. À première vue, c'était bien de cela qu'il s'agissait, mais comme en l'occurrence il n'était pas question de généralités mais de cas individuels, les règles ordinaires ne sauraient s'appliquer. Si sa conscience, cette voix intérieure, cette idée très vieux jeu, ne cessait de lui répéter qu'il fallait inviter son neveu, elle devait y obéir. Si James l'appréciait vraiment, il reviendrait et ne serait pas rebuté par son refus, somme toute très fondé. Ce serait, elle ne l'ignorait pas, le conseil de la rédactrice du courrier du cœur à qui elle n'écrivait jamais – et pourtant, elle y songeait souvent.

Pourquoi les recommandations de ces chroniqueuses n'étaient-elles jamais très folichonnes, et finissaient-elles toujours par vous persuader d'opter pour la solution inverse ?

Si beaucoup de gens libres de toute obligation familiale ou sans enfants, lorsqu'ils veulent aller au cinéma, se contentent de consulter les horaires des séances avant de sortir, pour Will cela requérait des préparatifs méticuleux. Comment savoir à quelle heure y aller, par exemple, manger avant, après ou pendant, et quoi manger, ou quels moyens de transport utiliser ? Pareil à un enfant, il était rare qu'il ait à prendre une décision ou à assumer des responsabilités. D'autres, Becky, le foyer pour jeunes, son ami Monty, le travailleur social, Inez et Keith y veillaient à sa place. L'autre soir, Kim avait même dû fournir la camionnette pour le conduire au cinéma. Cette fois-ci, il était livré à lui-même, ce qu'un psychiatre aurait, selon toute probabilité, jugé bénéfique.

Le Trésor de la Sixième Avenue était encore à l'affiche au Warner Village. Il n'aurait pas imaginé une seconde qu'on l'en ait retiré, et il passa devant dans le bus qui le conduisait à Finchley Road, non dans l'intention de vérifier, mais pour s'entraîner à monter à bord, à acheter son ticket et s'assurer que ce bus aille dans la bonne direction. Dans le guide des films d'un quotidien, Inez lui trouva les horaires des séances. Il était à l'aise avec les chiffres, et il trouvait plus facile de retenir de tête trois heures moins dix, six heures vingt (l'heure à laquelle il était sorti avec Kim) et huit heures trente-cinq que d'éplucher ce genre de grilles horaires. Le plus compliqué, c'était de décider de l'heure. S'il choisissait la première séance, il faudrait que ce soit samedi ou dimanche, or il était certain d'être invité par Becky un de ces deux jours-là. L'idée de décliner l'invitation de Becky une deuxième fois le perturbait, car il se pourrait bien, du coup, qu'elle arrête de l'aimer, et son amour était à ses yeux la chose la plus importante de son monde.

Huit heures trente-cinq, c'était très tard et, dans son code de conduite, Will restait fortement imprégné par une règle appliquée par Monty au foyer pour enfants: les pensionnaires devaient être au lit à dix heures trente. L'autre soir, chez Inez, il s'était attardé jusqu'à onze heures moins vingt, parce qu'il s'était tellement amusé, mais il n'avait pas trop envie de rééditer ce retour tardif. Ensuite, il y avait la question de son dîner. Il le prenait toujours à sept heures, mais s'il se réglait sur l'horaire de l'autre soir, quand il était sorti avec Kim, à sept heures il serait déjà au cinéma. À cinq heures et demie il n'aurait pas assez faim, et à neuf heures, heure à laquelle il serait de retour chez lui si le premier bus voulait bien arriver, et si le deuxième, pour lequel il aurait à changer, voulait bien arriver aussi, il serait trop tard. Huit heures quinze, c'était l'heure à laquelle il avait dîné avec Kim, c'était une possibilité, mais entrer seul dans un de ces cafés le mettait mal à l'aise.

À force de se heurter à toutes ces complications, il en avait la tête qui bourdonnait, il avait très envie de se soulager de ce fardeau et, pour la décision, de s'en remettre à quelqu'un d'autre. Becky aurait pu être cet autre, mais lui poser la question aurait exigé de lui téléphoner; il était capable de recevoir des appels, mais passer un coup de fil, il n'avait jamais essayé. Bien sûr, elle allait lui téléphoner. Il faudrait bien, pour l'inviter samedi ou dimanche, et là il lui poserait la question. Il lui demanderait juste quelle séance choisir, et quand sortir manger. Elle lui répondrait peut-être: «Cette semaine, Will, viens donc dimanche, comme ça tu pourras sortir voir ton film samedi après-midi à trois heures moins dix.» Ou alors: «Viens samedi, et ensuite tu pourras aller au cinéma dimanche après-midi.»

Il se pourrait qu'elle ait envie de l'accompagner, l'après-midi où il n'irait pas chez elle. Ce serait merveilleux d'être avec Becky, comme toujours, mais il subsistait une difficulté. Une fois qu'elle serait au courant du trésor, elle aussi, elle aurait sans doute envie de l'aider à le chercher, et, du coup, quand il lui parlerait de l'argent et de la maison, il n'y aurait plus de surprise. Surprendre Becky et voir son ravissement, c'était presque aussi important aux yeux de Will que le trésor proprement dit.

Il y eut tant de clients de passage à la boutique ce jeudi matin, et de nouveau dans l'après-midi, que Zeinab dut attendre quatre heures passées avant de trouver l'occasion d'annoncer la nouvelle à Inez :

– J'ai cru que cette bonne femme n'allait jamais réussir à se décider avec ces cuillers à café en argent, pas toi ? À l'entendre discutailler, on aurait dit qu'elles étaient en platine. À propos de platine, comment tu la trouves, ma bague de fiançailles ? Morton me l'a filée au déjeuner. Elle me va pile. Il dit qu'il connaît la taille de mes petits doigts chéris comme si c'étaient les siens, ce sont ses mots, pas les miens. « Les vôtres, ce serait plutôt le genre régime de bananes », je lui ai sorti.

Inez admira la bague, enchâssée d'un solitaire, un diamant de la taille de l'ongle de Zeinab.

– Mais tu n'étais pas déjà fiancée avec Rowley Woodhouse ?

– Genre, oui. Mais ils ne se connaissent pas, aucun des deux n'est au courant que l'autre existe, il n'y a pas de risque.

Inez eut du mal à réprimer un rire.

– Tu vas les épouser tous les deux ?

– Franchement, Inez, et ça reste entre toi et moi, je prévois d'épouser personne. Tu sais ce que Rowley m'a sorti ? Il est drôlement malin. « Mon cœur, il m'a dit, les fiançailles, c'est la version moderne du mariage. »

– Oui, et la justice ne va pas te punir parce que tu as deux fiancés. Mais comment ton père va-t-il réagir, si tu lui annonces que tu ramènes deux hommes à la maison, deux fiancés ?

– Jamais je vais les ramener à la maison. (Zeinab avait l'air tout à fait choquée.) Mon père se figure que je vais épouser le fils de son cousin, au Pakistan. Je ne t'ai pas parlé, non, de ce type que Morton m'a présenté l'autre soir ? Il s'appelle Orville Pereira, pas beau à regarder, laid comme un pou et Dieu sait quel âge il peut avoir, mais Morton m'a assuré qu'il gagnait trente mille livres par semaine. Par semaine !

Inez secoua la tête. Souvent, elle ne savait pas trop comment prendre Zeinab.

– Voilà Will qui sort de la camionnette de Keith Beatty. Il a l'air très préoccupé ces derniers temps, perdu dans ses rêves.

Mais Zeinab ne manifesta pas le moindre intérêt envers Will Cobbett :

– Je vais attendre que Keith ait décollé et ensuite j'irai faire un saut au coin de la rue, pour le journal du soir.

– Histoire de voir s'ils ont retrouvé Jacky Miller. Au journal d'une heure, il n'y avait rien.

Pendant son absence, Inez s'occupa de ranger un peu la boutique. Toutes les boîtes, tous les étuis pour argenterie qu'elles avaient disposés sur les tables, grands ouverts, le couvercle de l'épinette et plusieurs supports de plantes. Elle refermait le dernier étui quand Freddy Perfect et Ludmila Gogol entrèrent par la porte de la rue. Inez détestait ces manières. Selon ses propres termes, cela la hérissait. Pour les locataires, il y avait une porte au pied de l'escalier – qu'est-ce qui les empêchait de l'utiliser ?

Aujourd'hui, Ludmila était habillée d'une robe antédiluvienne, longue jusqu'aux chevilles, en velours rose à motifs, qui ne provenait pas de Star Antiques, mais d'un bazar de Portobello Road, ce que sa propriétaire s'empressa de lui préciser. Avec son accent des steppes, ou approchant, Ludmila lui soutint qu'elle avait beau l'avoir payée quatorze livres quatre-vingt-dix-neuf, cette robe en valait au moins cent. Elle sortit une cigarette de son sac à main, qu'elle appelait un réticule, l'ajusta au bout d'un fume-cigarette noir et argent, l'alluma et relâcha un rond de fumée parfait. Comme à son habitude, Freddy s'était

lancé dans la chasse et l'examen détaillé des menus objets de
la boutique.

— Pardonnez-moi, Ludmila, fit Inez, incapable de se contenir
plus longtemps et tiraillée entre les deux remarques qu'elle
avait à lui formuler. Je ne peux tolérer que l'on fume ici. C'est
une règle, je dois malheureusement insister là-dessus.

— Oh, mais je réside en ces lieux. Freddy, lui, c'est différent,
il n'est pas résident, il n'est que mon amant, il n'habite pas ici.

— Vraiment ? Je n'aurais jamais cru. Et puis, autre chose,
n'aurais-je pas déjà vu ce fume-cigarette quelque part ? Dans
cette boutique, par exemple ?

Zeinab était de retour, mais Inez ne se laissa pas interrompre
par son arrivée :

— Je suis tout à fait persuadée de ne jamais vous l'avoir vendu,
pas plus que Zeinab.

— Exact.

Avec un haussement d'épaules très vieille Europe et un demi-
sourire, Ludmila retira de son support la cigarette encore allumée et la pinça entre ses lèvres. Elle lui répondit, et le bout de
la cigarette agitée de soubresauts resta collé comme par magie
à sa lèvre inférieure :

— Oh, je suis vraiment désolée. C'est Freddy le coupable,
Freddy est un méchant garçon. Il est tellement amoureux de
moi, vous savez, qu'il veut tout le temps m'acheter des cadeaux,
mais il n'a pas un sou. Que feriez-vous à sa place ? Je vais vous
le dire : il les emprunte dans cette boutique. Rien que pour un
jour ou deux… N'est-ce pas, Freddy ?

— Je n'ai rien entendu, avoua Freddy, complètement absorbé
par la chaînette sur laquelle il tirait, et qui faisait varier l'intensité d'une lampe de table en laiton – faible, normale, très lumineuse. Répète-moi ça.

Elle s'exécuta, répéta mot pour mot, non sans un sourire chagriné, et elle tendit le fume-cigarette à Inez. Avec une grimace,
c'est Zeinab qui le lui arracha, nettoya l'embout à l'aide d'un
mouchoir en papier et le plaça sur l'épinette, à côté d'un œuf,
une copie de Fabergé et deux minuscules chaussons de ballet.

– Ils ont identifié la fille de Nottingham, annonça la jeune fille à Inez. Ce gros titre, c'est une honte, vous trouvez pas ? Ils en ont rien à foutre, de ce qu'ils mettent dans leur journal.

– « LA FILLE DE LA DÉCHARGE : UNE PROSTITUÉE », lut Inez à voix haute. Pour ses proches, ça semble un peu dur, en effet. Elle s'appelait Gaynor Ray, et l'endroit où ils l'ont retrouvée est à un jet de pierre de l'adresse où elle habitait avec son petit ami.

– Cela dépend jusqu'où va le jet. Rowley a été champion du Grand Londres au lancer du poids, il y a deux ans. Il était capable de balancer le truc à huit cents mètres.

– Il y a pas mal de précisions sur ce qu'a raconté la mère. Apparemment, la jeune fille n'avait pas de père. Et… oh, ils relient ce meurtre à la série du Rottweiler.

– Exact. (Visiblement, Zeinab avait lu l'article en revenant de la maison de la presse.) On l'a étranglée et c'est pas ce qu'on peut appeler un meurtre ordinaire. Son sac à main était à côté d'elle, sous toutes ces saletés, avec un sac plastique, où elle devait avoir de quoi manger. Beurk, ça vous donne envie de vomir.

– Je me demande ce qu'il a emporté. Je veux dire, quel petit objet fétiche, cette fois ?

– S'il avait déjà cette manie à l'époque. Remarque, j'imagine que oui. J'imagine qu'il vivait à Nottingham, et il a dû déjà tuer plein de filles, sauf qu'on ne les a pas encore retrouvées. On finira par toutes les découvrir. En Russie, il y a un type qui a tué plus de cinquante personnes. J'ai lu ça quelque part dans un livre.

– En Russie, beaucoup de choses terribles, renchérit Ludmila, en choisissant une carambole dans le paquet que lui tendait Freddy, sans doute pour remplacer la cigarette qu'Inez avait écrasée, après qu'elle était restée posée un petit moment sur un cendrier Wedgwood. Toutes choses qui arrivent Russie sont plus grandes et pires que partout ailleurs. Moi, je sais, je suis née à Omsk.

La dernière fois que « Russie » avait été évoquée dans une conversation, elle avait situé son lieu de naissance à Kharkov. Enfin, venant de Ludmila, Inez ne s'attendait guère à autre chose que ces réflexions fantaisistes. Elle songea vaguement à Jeremy Quick, mais se contenta de l'une des formules dont elle usait avec Freddy, le matin :

– Et maintenant, si vous voulez bien nous excuser, nous avons à faire.

Le couple mit cinq bonnes minutes à flâner en direction de la porte du couloir. Inez le regarda s'éloigner, l'air impatient.

– Je me demande combien d'autres babioles de ce style elle a pu nous chiper, siffla-t-elle. Je suis persuadée que ce n'était pas Freddy.

– Quand elle est dans les parages, il faudrait tout enchaîner. Ils disent là-dedans que cette pauvre fille était morte depuis déjà un an. Sur la photo, elle a l'air jolie, plutôt séduisante, c'est pas comme ça qu'ils l'ont retrouvée, je parie.

– Je t'en prie, fit Inez.

Mme Sharif n'aurait jamais envisagé de faire du baby-sitting s'il n'y avait eu cette télévision encore plus grande et encore plus multifonctions que la sienne, la pile de cassettes vidéo, le poulet *tikka* de Marks and Spencer's dans le frigo et les chocolats Godiva sur la table basse. Grâce à toutes ces douceurs, le trajet de son domicile jusqu'à l'immeuble Dame Shirley Porter, ces deux cents mètres qu'elle parcourait en se dandinant, s'apparentait davantage à un plaisir qu'à une corvée – en tout cas, c'était là un moyen supportable d'accéder à une fin épicurienne. Elle s'y rendait aussi assez souvent dans l'après-midi, et elle restait bavarder avec Algy devant un de ces cappuccinos moussus, saupoudré de chocolat qu'il lui préparait.

Reem Sharif n'avait jamais été mariée. Le « madame » dont elle affublait son nom était un titre de complaisance qu'elle s'était octroyée, en s'inspirant de la coutume instaurée jadis par les cuisinières célibataires de la bonne société. Selon sa propre formule, le père de Zeinab avait « foutu le camp » dès qu'elle lui avait appris qu'elle était enceinte. C'était un fort bel homme, un Blanc, Ron Bocking, qu'elle appelait toujours « l'ordure » ou « la lie de l'humanité ». Reem avait été belle femme, elle aussi, et le serait encore, à quarante-cinq ans, sans les montagnes de graisse qui l'avaient engloutie. C'était surtout dû à sa ferme résolution, dès le début de la scolarité de Zeinab, de ne plus jamais rien s'imposer qui lui déplaise et de s'en tenir, dans la mesure du possible, à ce qu'elle aimait.

Elle avait donc lâché son emploi dans un atelier de confection de soutiens-gorge et de slips de Brentford, où elle était exploitée, et s'était inventé des maux de dos. Les médecins ne peuvent pas grand-chose aux douleurs dorsales, sur le plan tant du diagnostic que des remèdes. Que vous souffriez ou non, ils ne peuvent rien prouver, mais si vous vous tenez voûtée, en gémissant, ils partent du principe que le mal est bien réel. Reem était bonne comédienne. Devant les meilleurs médecins, elle se tenait donc voûtée, elle geignait et, de temps à autre, elle réussissait à tressaillir, le souffle coupé, dès qu'elle était prise d'un élancement. Les versements pour incapacité de travail sont bien supérieurs aux allocations de sécurité sociale ordinaires, et Reem, qui n'avait rien d'autre à faire qu'étudier les formulaires et se concentrer sur les brochures, s'organisait pour glaner les plus petits suppléments. L'administration communale dont elle dépendait lui payait le loyer de son appartement, et elle avait accepté de lui fournir aussi un fauteuil roulant. Pour l'heure, seule avec Carmel et Bryn, car Zeinab et Algy étaient sortis au cinéma, elle étudiait cette offre avec le plus grand sérieux, en se demandant si elle ne préférerait pas une voiture. Elle ne savait pas conduire, mais rien ne lui interdisait d'apprendre...

— On peut regarder une cassette, mamie ? s'écria Carmel. On aimerait bien *Basic Instinct*.

Leur père avait interdit ce film, ainsi que *Reservoir Dogs* et *Les Évadés*, mais Reem n'en avait cure. Elle laissait toujours les enfants libres de faire ce qu'ils voulaient, pourvu qu'ils ne viennent pas l'ennuyer, et du coup ils l'adoraient.

— Bryn veut choco.

Dès qu'il avait une envie, le petit garçon se livrait à ce numéro de parler bébé.

— Choco blanc, pas marron ! hurla-t-il, car on lui tendait un chocolat de la mauvaise couleur.

— Va donc te servir tout seul et boucle-la, lui rétorqua Reem en lui approchant la boîte.

De toute manière, c'était l'heure de son curry. Depuis sa dernière tentative de se mettre aux fourneaux, bien des années s'étaient écoulées. Elle se nourrissait exclusivement de plats à emporter de chez Banyan Tree, elle avalait les restes de *tikka* ou de *korma* de la veille au petit déjeuner, suivis d'une barre de Mars, son repas quand elle se levait à midi. De l'éducation stricte qu'elle avait reçue de ses parents musulmans, à Walworth — dès l'annonce de sa grossesse ils l'avaient mise à la porte —, elle n'avait retenu qu'un seul principe moral, une aversion pour l'alcool, et elle répétait volontiers, sur un ton vertueux, que son alcool fort, c'était le Coca, du Light. Il y en avait toujours une dizaine de boîtes dans le compartiment à glace et à boissons de l'énorme frigo de Zeinab. Elle en sortit une et alluma une de ses cigarettes extra-longues — attitude inexplicable de leur part, Zeinab et Algy avaient omis de lui en laisser. Le poulet *tikka* chauffait dans le micro-ondes, elle le versa dans une assiette et regagna son fauteuil. Tout en avalant une bouchée de son plat et en tirant une bouffée sur sa cigarette, en alternance, elle regardait, impassible, le film qu'avait choisi Carmel — un choix hautement contre-indiqué. Bryn, la figure barbouillée de chocolat, blanc et brun, grimpa sur ses cuisses imposantes et molles, et lui lova sa joue amoureuse dans le creux du cou. Reem le serra de son bras libre, d'un geste distrait, tout en avalant une gorgée de Coca.

Zeinab et Algy prirent place dans la salle du Warner Village. Grâce à Algy, très ponctuel, à l'inverse de Zeinab qui n'était jamais à l'heure, ils étaient arrivés en avance pour la séance de six heures vingt.

— Quelle heure idiote pour aller au cinéma ! marmonna Zeinab. Je ne vois pas ce qui nous empêchait de venir à la séance de huit heures trente-cinq.

— Parce que ta mère aurait refusé d'arriver à huit heures,

voilà pourquoi. Elle dit qu'elle n'aime pas trop rentrer après minuit, elle a besoin de sommeil.

— Elle quoi ? Elle n'en a plus foutu une rame depuis 1981.

— Elle dit aussi que le Rottweiler est en vadrouille, et que si tu vis dans des logements sociaux, tu deviens une cible de premier choix. Surtout la nuit. Je ne fais que répéter ce qu'elle raconte.

Jamais de méchante humeur très longtemps, Zeinab éclata de rire.

— Écoute, il va pas s'en prendre à elle, non ? C'est que des jeunes nanas qu'il mate. Les jeunes et assez jeunes. Elle se moque de qui, là ?

— Tu connais ta mère. (Algy ouvrit le gobelet de pop-corn et le lui passa.) Tu n'as pas regardé la télé aujourd'hui, hein ? Et tu n'as pas eu le *Standard* ? C'est là qu'il y a un truc sur le petit ami de Gaynor Ray et ce qu'il a déclaré.

— C'est celle de Nottingham ?

— Exact. À mon avis, la police à dû tout lui souffler, parce qu'il est allé direct dans leur chambre et il a comparé avec le contenu de son sac, qu'ils ont repêché sur ce tas de débris, et il soutient qu'il manque un truc que Gaynor gardait tout le temps avec elle. Il pouvait jamais l'en séparer. D'après lui, c'était sa mascotte porte-bonheur et son ange gardien, et pour le moment ils ne retrouvent rien.

— Qu'est-ce que c'est ?

— Une croix en argent. En temps normal, elle la portait à son cou, accrochée à une chaîne, mais jamais pour son travail, non, là elle l'avait juste sur elle. Ça risquait de rebuter les clients, une strip-teaseuse sur leurs genoux qui porte une croix.

— Je pense.

— Il leur a accordé cette interview. Je veux dire, ce type, le petit ami, et il a raconté tout ça… enfin, pas l'histoire sur les clients que ça ferait fuir… Il leur a expliqué que la croix était dans le sac de Gaynor, qu'elle devait s'y trouver. Cela ne servait à rien de fouiller la chambre, parce que la croix n'y serait pas, pas si Gaynor n'était pas là.

— Pauvre fille, fit Zeinab.

Elle regarda autour d'elle pour voir si le cinéma se remplissait. Bien entendu, personne d'un peu sain d'esprit n'allait entrer dans la salle à cette heure-ci, à moins d'y être obligé, comme Algy et elle. Elle était supposée dîner avec Morton Phibling dans une heure, avant de continuer la soirée avec lui en boîte, au Ronnie Scott, mais elle n'allait pas le faire attendre. Comme elle était une fille au grand cœur, elle sentait bien quelle merde c'était pour Algy de se retrouver seul avec les gosses, soir après soir. Elle lui devait bien ça. Elle raconterait à Morton que son père l'avait empêchée de sortir, en l'enfermant dans sa chambre, une histoire dans ce goût-là. Et ce ne fut pas la première fois qu'elle se félicita de s'être inventé un père aussi dur. Cela résolvait tous les problèmes susceptibles de se pré-senter dans sa jonglerie, entre Suzanne et Zeinab. Un coup de génie, vraiment. Tout à coup, en tournant la tête vers la gauche, elle repéra une connaissance.

— Regarde, Alge, là-bas, c'est ce Will dont je t'ai parlé, celui qui habite au-dessus de chez Inez. Il est tout seul. Quel gâchis, vraiment.

Algy se retourna.

— Où cela ? Le type qui ressemble à David Beckham ?

— Ah oui ? J'avais pas remarqué.

— Ah non ? Moi, j'aurais cru que toutes les filles flasheraient sur lui.

Les lumières baissèrent progressivement. Zeinab prit la main d'Algy.

— Oh, allez, mon chou, tu sais que je suis la femme d'un seul homme. T'es mon mec, le seul.

La seule chose qui l'intéressait au plus haut point, c'était la cachette des bijoux volés chez Tiffany. Les émeraudes étaient spécialement belles et d'un vert bleuté ravissant, une couleur qui lui convenait. Elle pourrait en toucher un mot à Morton, dans ces moments où il compatissait au sujet de ce père si cruel qui l'enfermait à clé. Elle n'y verrait aucun inconvénient, ça la changerait un peu des diamants et des saphirs. Comme beaucoup de spectateurs, elle était incapable de vraiment suivre les machinations de ces gangsters, et le sens des propos qu'échangeaient ces hommes en avalant leurs mots dans des bars bruyants en sous-sols lui échappait. Évidemment, elle fut désolée, n'importe quelle femme l'aurait été, de voir Russell Crowe se faire abattre, et elle n'aurait pu se désintéresser davantage du sort de Sandra Bullock, échouée sur une plage au Brésil.

À la sortie, ils croisèrent Will. Zeinab fit les présentations et le garçon marmonna quelques mots, il était ravi de les rencontrer, et puis il vira au rouge pivoine. Maintenant qu'Algy était rassuré par la place, ou l'absence de place, qu'occupait Will dans la vie de Zeinab, cette dernière craignait que son compagnon, toujours si sociable, ne lui propose de se joindre à eux pour aller manger un morceau, mais grâce au talon aiguille qu'elle lui planta dans la cheville il s'en abstint.

— Si je raccompagne maman à pied jusque chez elle, on n'a pas besoin de rentrer avant dix heures, dit-elle, ou même dix heures et demie.

Will attendait son bus sur le trottoir d'en face, dans Finchley Road. Il avait pu faire ce qu'il avait prévu, revoir le film, bien imprimer dans la tête l'image de cette cour-jardin et s'assurer que l'on ne montrait jamais la façade de la maison, ou de la boutique, peu importait. Il avait étudié la position, l'emplacement où étaient enfouis les bijoux, et le type de sac où ils étaient rangés, une serviette en cuir noir, et il avait une fois encore remarqué l'écriteau fixé au poteau du réverbère, indiquant la Sixième Avenue. Mais il n'était pas aussi content que d'habitude le vendredi soir. Becky n'avait pas téléphoné.

C'était pour cela qu'il venait de se décider, ce matin même : il irait au cinéma vendredi au lieu de dimanche. Becky risquait encore de l'appeler afin de convenir avec lui d'un arrangement pour les jours à venir. D'ailleurs, il se pouvait qu'elle lui téléphone pendant qu'il était sorti. C'était un cas de figure qu'il redoutait. Il s'agaçait de ne pas voir le bus arriver, qu'il puisse vite rentrer chez lui pour recevoir son appel.

La nature de Will ou son caractère étaient ainsi faits que, à l'inverse des gens ne souffrant pas de ses difficultés, il était incapable de se distraire de ses soucis en se concentrant sur autre chose. Le trésor et sa localisation auraient pu servir à cette fin, mais, pour l'heure, il avait presque oublié ces bijoux et n'avait qu'une seule question en tête, Becky et ce coup de fil qui n'était pas venu. Elle pouvait être souffrante. Et s'il lui était arrivé quelque chose ? L'imagination n'étant pas son fort, il ne voyait pas quoi, et il avait juste l'esprit encombré d'une espèce de chagrin vague et brumeux. Il était désespéré, déboussolé, comme un animal domestique dont le propriétaire est parti en lui laissant de la nourriture et de l'eau, mais privé de compagnie.

Les opérations de recherche de Jacky Miller avaient disparu des journaux du dimanche, chassées par les révélations plus croustillantes sur la personnalité de Gaynor Ray, sa façon de vivre, son métier et les hommes qu'elle avait connus. L'un de ces articles parus dans la presse à sensation la décrivait comme « travaillant dans l'industrie du sexe », un autre, dans un quotidien dit sérieux, publiait des entretiens avec trois messieurs ayant eu des relations intimes avec elle. Elle n'avait pas disparu depuis un an, mais depuis deux. Son petit ami se disait « anéanti » par ces révélations. « Malgré le genre de métier qui était le sien, affirmait-il, je ne savais pas du tout que je n'étais pas le seul homme dans sa vie. Nous allions nous fiancer à Pâques et nous avions déjà prévu de nous marier. Apprendre l'existence de ses autres fréquentations, ça m'a complètement anéanti. » D'après ce qu'ils avaient découvert, les journalistes laissaient entendre que Gaynor offrait une proie facile au Rottweiler – en dépit des protestations de la Rottweiler National Society et de l'absence de morsures, ce nom était désormais entré dans le domaine public – puisqu'elle acceptait de monter en voiture avec le premier venu.

Ces articles, parus dans la soirée de vendredi et samedi, avaient suscité chez le beau-père de Caroline Dansk une réaction de colère, pour la défense de la moralité de sa belle-fille.

Quiconque suggérait que Caroline ait pu prendre un homme en voiture ou accepter de monter dans celle d'un étranger serait coupable de porter atteinte à l'honneur d'une jeune fille qui n'avait jamais eu aucune liaison. Il était tout à fait clair que, lors de sa rencontre avec le Rottweiler à Boston Place, elle allait rendre visite à une amie et aux parents de cette amie, qui possédaient une « magnifique demeure » dans Glentworth Street. Depuis la découverte du corps, son épouse, la mère de Caroline, était restée prostrée et il craignait vraiment que ces calomnies ne finissent par la tuer. Les parents de Nicole Nimms et Rebecca Milsom n'avaient rien confié aux médias.

En lisant tout cela, Inez se sentait un peu honteuse d'avoir acheté cette presse de caniveau, et de l'avoir lue, en plus du quotidien qui lui était livré. Elle fourra les deux journaux dans la poubelle et s'assit, pour réfléchir à la manière de passer cette journée. La maison était plongée dans un complet silence, alors qu'il était déjà presque midi. Ludmila et Freddy étaient sans doute encore au lit. Ils se lèveraient vers une heure et sortiraient, comme à leur habitude, pour aller déjeuner d'une tranche de rosbif, accompagnée d'un *Yorkshire pudding*, de pommes de terre au four et de deux légumes différents, le tout chez Crocker's Folly, sur Aberdeen Place. Jeremy Quick était peut-être levé, déjà en train de s'affairer, mais il était aussi silencieux qu'une souris, sans cette tendance qu'ont les souris à creuser et à gratter. La matinée s'annonçait belle, le ciel était d'un bleu laiteux, ponctué de minuscules nuages blancs, du lait caillé à la surface d'un yaourt, le soleil brillait avec douceur, le vent de la veille avait disparu. Dans le jardin, le vieux poirier commençait à fleurir. Jeremy prenait sûrement son café en terrasse, sur le toit, à moins qu'il n'en soit déjà à déjeuner tôt. Cet après-midi, il allait sûrement rendre sa visite bihebdomadaire à l'hôpital, où Mme Gildon se languissait et où Belinda dormait quatre nuits sur sept.

Quant à Will, il était sans nul doute parti pour Gloucester Avenue, c'était sa journée avec Becky. Elle ne l'avait pas entendu sortir, mais elle dormait sur l'arrière et, de là, les bruits de pas dans l'escalier n'étaient pas toujours audibles. Becky était si gentille et si attentionnée, songea-t-elle, très au-delà des devoirs d'une tante. Will devait la considérer comme sa mère... Elle écouta encore, n'entendit que le silence, et puis une voiture passa dans Star Street, et la plainte lointaine d'une sirène de pompiers. Des sensations qu'elle tâchait en général de contenir, une impression d'isolement, de totale solitude dans un monde où tous les autres avaient quelqu'un, l'enfermèrent entre des cloisons de verre. Hier soir, elle était sortie marcher, mais la combinaison d'un vent cinglant avec la vision non moins cinglante de tous ces couples derrière des vitrines éclairées l'avait poussée à regagner son domicile, où elle avait mis une cassette vidéo de *Forsyth*, son remède infaillible. Il avait rempli son office, mais, comme cela lui arrivait parfois, dans une certaine limite. Elle s'était couchée avec ce sentiment de manque, non du fantôme de la cassette, cette entité sombre qui ressemblait à Martin et s'exprimait comme lui, mais de l'homme réel, avec ses bras, ses lèvres et sa voix d'homme réel.

Mais maintenant elle n'était pas hostile à l'idée de voir une deuxième cassette. Pourquoi pas *Forsyth et le Miracle*? C'était sa préférée, parce que dans cet épisode la jeune femme de Forsyth mourait et il la pleurait, tout comme elle, Inez, le pleurait, et du coup elle se disait non sans mélancolie que si c'était elle et non lui qui avait disparu – un souhait qu'il lui arrivait de formuler –, il aurait été accablé de la même douleur que le personnage qu'il incarnait.

Elle régla le son très bas, pour ne déranger personne, et c'est ce qui lui permit, vingt minutes plus tard, d'entendre des pas descendre l'escalier. Comme ces pas s'arrêtèrent devant sa porte, elle interrompit la cassette. Elle ne savait qui c'était, mais il devait se tenir juste derrière, à attendre. Elle écouta, n'entendit que le silence, et parce qu'elle savait qu'il devait s'agir d'un occupant de la maison, elle ouvrit la porte. C'était Will.

– Quelque chose ne va pas, Will?

Il avait pleuré. Elle le vit à ses yeux gonflés. En revanche, la

106

rougeur du visage était plutôt due au fait qu'elle l'avait surpris en train d'hésiter, avant de sonner chez elle.

Au lieu de lui répondre, il bredouilla d'une voix incertaine :
– Je sors, c'est tout, je sors.

Et il ouvrit en grand la porte de la rue, puis la claqua derrière lui, un comportement très inhabituel chez lui.

Inez ne savait comment prendre la chose. Mais elle se dit qu'il devait juste être parti un peu tard pour rejoindre Becky, ou qu'il avait oublié de lui acheter un cadeau – c'était probablement de cet ordre. Elle revint à *Forsyth et le Miracle*, à son passage préféré, celui où Forsyth se réveille, c'est le matin, et l'espace d'un bref instant il s'imagine qu'il n'a fait que rêver la mort de sa femme. Combien de fois n'avait-elle pas cédé à cette illusion depuis le décès de Martin ?

Will courait dans Star Street en direction d'Edgware Road, il entendit le claquement sonore de la porte derrière lui et craignit que cela ne lui vaille des embêtements avec Inez. Il n'avait pas envie de cela. Après Becky, c'était de l'affection d'Inez qu'il avait le plus besoin et de se sentir protégé par elle – même s'il eût été incapable de se le formuler en ces termes. L'anxiété le ralentissait, mais il ne fit pas demi-tour. Planté sur le seuil de son appartement, il avait pris son courage à deux mains pour lui demander de téléphoner à Becky à sa place. C'est bien simple, il ignorait comment on procédait. Mais Inez s'en chargerait et demanderait à Becky pourquoi elle ne lui avait pas téléphoné, où elle était, ce qui n'allait pas. En fait, sur le moment, il avait perdu courage et, à la place, il s'était mis en route pour rejoindre sa tante dans Gloucester Avenue, à pied, et c'était un long trajet. *Le Trésor de la Sixième Avenue* lui était sorti de la tête, comme s'il n'y avait jamais occupé cette place électrisante.

Arriver au pied de l'immeuble dont l'appartement de Becky occupait le premier étage lui prit une heure. Il était presque deux heures moins le quart, il avait avalé un maigre petit déjeuner et aucun déjeuner. Il avait perdu l'appétit, ce soutien fidèle de son existence. Il le retrouverait dès qu'il aurait rejoint Becky, qu'il serait avec elle, dans son appartement. Mais quand il sonna, la deuxième sonnette en partant du bas de la rangée, signalée par son nom sur une étiquette rouge, personne ne répondit. Il sonna et sonna encore. C'était impossible, elle n'était pas sortie, et pourtant si. Son imagination ne lui suffisait pas à se former une idée ou une image de l'endroit où elle pouvait être, c'était déjà bien assez qu'elle ne soit pas là où elle aurait dû être, à cet endroit d'où il s'imaginait qu'elle ne sortait jamais. Prisonnière de son amour, il fallait qu'elle demeure toujours entre ces murs, à penser à lui, à l'attendre.

Il ne lui restait plus qu'une décision à prendre. Ne plus bouger de là, jusqu'à son retour. S'asseoir sur les marches qui montaient vers la porte d'entrée, et l'attendre. S'il y avait eu un siège dans le jardin devant la maison, il s'y serait assis, mais il n'y avait que ces quelques marches. Il s'y installa, dans un rayon de soleil printanier. Une femme de l'appartement du rez-de-chaussée rentra de son déjeuner, passa devant lui et prononça un «bonjour» sur un ton incertain; un couple qui habitait tout en haut l'enjamba parce qu'il s'était assoupi; un visiteur qui se rendait à l'appartement numéro 3, pour le thé, se tint à distance respectueuse, le prenant pour un sans-abri.

À l'heure où Becky rentra chez elle, main dans la main avec James, Will était profondément endormi.

CHAPITRE 7

Pour la première fois depuis des années, Becky avait pris un jour de congé. Elle avait téléphoné pour prévenir qu'elle ne se présenterait pas au bureau. En tant qu'associée du cabinet, elle n'avait à fournir aucun motif, aucune excuse à invoquer. C'était sincère, elle se sentait mal, faible, fatiguée et toute tremblante, et c'était sans aucun doute en raison du manque de sommeil, car elle n'avait pas dormi de la nuit. Ou plutôt elle avait fini par sombrer, vers quatre heures, pour être réveillée par une alarme de voiture, à cinq heures. Elle aurait préféré ne jamais resonger à l'après-midi et à la soirée de la veille, mais c'était plus fort qu'elle, cela avait été si horrible, et ça l'était encore.

Ils avaient passé un joli moment ensemble, James et elle, au buffet organisé par la sœur de James pour le déjeuner, une réception où il l'avait emmenée. Un peu trop de vin, mais après tout la journée était belle, ils étaient surtout restés dans le jardin et il y avait des convives intéressants avec qui bavarder. La maison n'était pas loin, c'était juste dans les anciennes écuries de Regent's Park, donc il avait laissé sa voiture dans la rue de Becky, ils s'y étaient rendus à pied, et ensuite retour par le parc. Elle avait complètement oublié Will. Et s'il lui était arrivé d'y penser, c'était pour se dire qu'il était certainement sorti quelque part avec Kim. Il fallait qu'elle rompe avec cette habitude de l'inviter une fois par semaine, et il fallait peut-être commencer dès maintenant.

La journée précédente avait bien débuté. Certes, elle comprenait à présent qu'elle avait été sotte d'échafauder des projets pour le week-end (ou de ne pas en faire), de s'être imaginé que James aurait envie de passer tout son samedi et tout son dimanche avec elle, en plus de la soirée de vendredi. Il était beaucoup trop tôt pour cela. Mais ce vendredi avait été une réussite, et quand il lui avait téléphoné samedi matin, avant qu'elle ne sorte faire sa tournée des boutiques, pour lui proposer de l'accompagner chez sa sœur le lendemain, elle s'était sentie flattée.

En rentrant à pied avec lui de cette petite fête, elle était heureuse. Et elle avait failli le lui avouer.

– Je passe une jolie journée.

– Eh bien, s'était-il écrié, moi aussi !

Et il lui avait souri et lui avait pris la main. Ils avaient continué de marcher main dans la main, franchi le pont et emprunté Princess Road. À cinq heures de l'après-midi, le soleil était plus chaud et plus lumineux qu'il ne l'avait été de toute la journée.

Si elle avait vu Will plus tôt, elle aurait pu trouver un moyen d'empêcher James de continuer son chemin ou, en tout cas, elle l'aurait préparé à sa présence. Mais quand elle avait eu un regard vers sa porte d'entrée, ils étaient déjà quasiment au pied des marches. Et même alors, ce fut James, en lui demandant : « Cela vous arrive souvent, ce genre de choses ? » – manière très claire de lui signifier : « Vous avez beaucoup de ces sans-abri qui viennent faire la sieste devant votre porte ? » –, qui l'amena à baisser les yeux sur cet homme endormi. Alors elle sentit cette bouffée de chaleur lui monter au visage et dans le cou, et elle rougit.

À cet instant, Will se réveilla. D'ordinaire il était toujours propre, quand il se mettait en route en tout cas, mais il était resté au soleil, sur une marche d'escalier sale, et il avait pleuré. Il avait le visage maculé de larmes, des rigoles pâles sillonnant un voile de poussière, les mains noires et les cheveux en bataille.

— Oh, Will…, s'exclama-t-elle.

— J'attendais que tu reviennes, fit-il, l'air d'ignorer la présence de James. J'ai attendu, attendu.

Mais James, lui, n'ignorait rien de sa présence.

— Connaissez-vous cet homme, Becky ?

Tout faux-fuyant était inutile à présent.

— C'est mon neveu.

— Oh ! Je vois.

Il avait dit cela sur le ton de celui qui ne voit pas du tout, et qui n'a aucune envie de voir.

— Écoutez, je crois préférable de vous laisser avec lui. Il ne vaut mieux pas que je m'éternise.

C'était clair, il croyait Will saoul ou drogué, le prenant certainement pour un toxicomane en quête de sa prochaine piquouse. Elle ne le regarda pas s'éloigner, mais elle entendit sa voiture démarrer.

— Entre, Will, dit-elle.

Il n'expliqua pas la raison de sa présence. Il n'en avait pas besoin. Elle comprenait parfaitement. Elle ne l'avait pas invité et il s'était langui d'elle, ça l'avait tracassé, jusqu'à ce que cela devienne insupportable. Ils montaient l'escalier, un grand sourire transforma son visage crasseux, et il ne s'arrêtait pas de parler – quelle belle journée, non ? Avait-elle vu toutes les fleurs qui étaient en train de sortir ? C'était le printemps pour de bon, maintenant, hein ? Le temps de l'envoyer se laver les mains et la figure, se peigner, elle inspecta le contenu du frigo, histoire de voir ce qu'elle pouvait lui préparer Quand elle avait ouvert la porte de son appartement, il lui avait expliqué un peu tristement qu'il n'avait rien mangé de la journée.

Il y avait des œufs et un bout de pain. Dans le congélateur, elle trouva des frites qui avaient dépassé leur date de péremption, mais de vieilles frites ne pouvaient pas franchement faire de mal, non ? Elle prépara deux œufs sur le plat, réchauffa les frites au micro-ondes, grilla le pain car il était rance et se versa un gin-tonic bien tassé. Elle avait déjà bu presque une bouteille de vin entière, mais il lui fallait de quoi se calmer et gommer ses émotions. Will dévora, versa du ketchup sur un peu tout et se beurra tranche de pain sur tranche de pain. Il but son Coca et elle mit à infuser du thé pour tous les deux. Elle aurait été incapable d'avaler quoi que ce soit. L'éducation reçue dans son foyer pour enfants interdisait à Will d'allumer la télévision sans lui demander la permission au préalable, mais elle anticipa sa question. Avec les années, elle avait appris à lire les expressions fugitives qui lui traversaient le visage.

La série réservée aux moins de douze ans et l'émission de jeu des plus banales qui suivit le satisfirent amplement – à moins que ce ne soit le simple fait de les regarder chez elle, et en sa compagnie, qui suffise à le contenter –, et il riait de bon cœur en lui lançant des regards heureux et souriants. Il n'y aurait pas de récriminations, pas d'incrimination, ce n'était pas le genre de Will. Qu'elle ait été absente alors qu'elle aurait dû être présente, qu'elle ait omis de l'inviter, de lui téléphoner, à cette minute, dans cet absolu contentement qui était le sien, tout cela était oublié. Il regardait la télévision, il était assis, la tête contre les coussins, il dégustait des fruits confits qu'il piochait dans un ballotin qu'on avait offert à Becky, auquel elle n'avait jamais touché, car elle tenait à rester mince.

Tout le temps que Will était resté chez elle, elle avait cessé de cogiter. Non seulement sur ce qui s'était produit, mais aux conséquences éventuelles. Je ne dois pas y penser, se répétait-elle sans relâche, je ne dois pas y penser, pas pour le moment. Les programmes n'étaient plus trop faits pour Will, on ne donnait que des cantiques, des documentaires sur des civilisations anciennes ou une pièce policière. À tout prendre, le journal serait un moindre mal. Non sans appréhension, elle changea de chaîne et vit tout l'écran se remplir d'un portrait de Gaynor Ray, avec son amulette autour du cou, cette croix en argent

reposant sur sa peau douce et juvénile, un sourire un brin pro-
vocateur aux lèvres. Ensuite, on montra le pendentif tout seul,
assez flou car très agrandi, une croix qui de prime abord avait
paru banale, mais où l'on discernait maintenant, à la surface
du métal, un motif de feuilles repoussées. La photo avait été
prise quelques semaines avant sa disparition. Il n'y avait rien
sur Jacky Miller. Qu'on ne l'ait pas retrouvée, ou son corps, il
n'y avait pas de quoi en faire la une.

Becky raccompagna Will dans Star Street en voiture. Elle
savait qu'elle n'aurait pas dû prendre le volant, elle avait beaucoup trop bu, mais au point où elle en était, ce qu'elle voulait
éviter à tout prix, c'était de lui faire du mal, et elle n'aurait
pu se résoudre à le renvoyer chez lui, lui imposer de prendre
deux bus ou de rentrer à pied, tout ce trajet malcommode.
Il était plus de onze heures, pour Will l'heure du coucher était
dépassée depuis longtemps, mais il était trop heureux pour
s'en apercevoir.

– Comment va Kim ? lui demanda-t-elle.

Cela lui était revenu à l'esprit à la minute où ils passaient
non loin d'Abbey Road.

Il la regarda, l'air dérouté.

– C'est la sœur de Keith, lui rappela-t-il. Elle va bien.

– Tu l'as revue ?

– On est allés au cinéma – ce fut sa seule réponse.

Elle l'accompagna jusqu'à la porte et attendit dans le petit
couloir de l'entrée tandis qu'il gravissait les marches, et elle
fut si touchée de sa façon de monter sur la pointe des pieds
pour ne déranger personne, en se retournant juste une fois,
l'index sur les lèvres, qu'elle se sentit les larmes aux yeux. Mais
après qu'il eut disparu, une fois la porte de la rue refermée, si
elle avait pleuré, elle aurait pleuré toute seule. Elle ne versa
pas de larmes, elle laissa toutes ses pensées refoulées prendre
forme.

De retour dans Gloucester Avenue, il était vain d'essayer de
dormir. Se retrouver dans le noir, allongée seule dans son lit, à
fixer du regard un plafond invisible, il n'y aurait rien de pire.

Il valait mieux s'asseoir ici, dans un fauteuil profond, avec une tasse de thé. Quitte à être malheureuse, il valait toujours mieux que ce soit dans le confort. À l'évidence, elle avait perdu James. Il était parti et ne reviendrait pas. Elle ne saurait lui en vouloir. Il était préférable de mettre un terme précoce à une liaison possible, plutôt que d'aller plus avant et se retrouver engagé envers une femme étroitement liée à un fainéant, un drogué. Elle comprenait, mais si seulement il s'était montré un peu plus tolérant, un peu patient, un peu plus disposé à laisser mûrir… Enfin, maintenant, il était trop tard. Ses premières pensées auraient dû être pour Will et ce qu'il avait dû endurer. Jamais, au grand jamais, il ne fallait permettre que cela se reproduise. Désormais ce serait obligatoire, il serait son invité, ici, un jour par semaine.

Mais tout en se disant cela, elle sentit monter en elle une sensation inhabituelle, qui lui envahit tout le corps au point de provoquer des convulsions et des frissons. Elle mit un petit temps à en identifier la nature exacte : de la panique. Le sens des pensées qui venaient de lui occuper l'esprit la frappa de plein fouet. Cela n'aurait pas de fin, cette invitation faite à Will une fois par semaine, ce sacrifice d'une journée tous les huit jours, pour un être avec qui elle n'aurait guère plus de conversation qu'avec un enfant de dix ans, cela durerait jusqu'à l'âge mûr pour Will, et pour elle ce serait jusqu'à la vieillesse et la mort. Elle n'aurait plus jamais la latitude de se défiler, d'en espacer la fréquence. Il suffisait de voir ce qui se produisait dès qu'elle osait prendre ce risque. Comme un chien fidèle, il venait s'assoupir sur le pas de sa porte, il lui brisait le cœur, il se laissait mourir de faim à force de malheur.

Un amant possible – plus que possible – que l'on avait découragé en l'effarouchant. À la réflexion, elle se rappela que cela lui était déjà arrivé au moins une fois depuis que Will avait quitté la maison qu'il partageait avec d'autres anciens pensionnaires du foyer. À l'époque, elle n'avait pas compris pourquoi cet homme avait cessé de la voir et de lui téléphoner, sans autre explication, mais maintenant c'était plus clair. Ne serait-ce pas aussi le cas de tout successeur éventuel de James qui, tôt ou tard, fût-ce à un stade plus avancé de la relation, s'effraierait de cette présence indésirable, de ce spectre qui s'invitait à la fête, qui la tenait sous sa coupe, s'agrippait à elle et débitait des banalités sur le temps, la nourriture et les fleurs printanières? Elle se détestait d'avoir de telles pensées, mais, en même temps, elle savait que c'était la vérité vraie. En un sens, on pouvait affirmer que tant que Will serait là, et il serait toujours de la partie, elle n'aurait jamais personne d'autre dans sa vie, ni homme ni femme, ni ami ni amant. À son insu, il lui avait confectionné une cage, il l'avait enfermée dedans et il avait jeté la clé.

Donc, quand elle avait fini par se lever après sa nuit presque blanche, elle avait compris qu'elle serait incapable d'affronter cette journée de travail. Et pourtant, elle ne pourrait rien faire non plus chez elle. Il n'y avait plus rien à faire. Tant qu'elle vivrait et que Will vivrait, cette situation durerait une éternité. À l'évidence, il n'avait plus repensé à Kim Beatty, il la préférait, elle, Becky, de beaucoup. Et elle n'avait plus qu'à oublier James, ainsi d'ailleurs que tous les autres hommes, car tout serait vain. La panique avait ouvert la voie à un sourd désespoir.

Will aussi avait changé d'état d'esprit. Une fois oublié son épouvantable détresse, les souvenirs du trésor avaient refait surface. Et il s'agissait à présent d'en retrouver l'emplacement, ou plutôt de localiser la Sixième Avenue. Il connaissait l'existence de l'Amérique, il savait plus ou moins la situer sur une mappemonde, il savait aussi que des films et des émissions de télévision venaient de là-bas, et que les gens, en Amérique, ne parlaient pas comme Becky, Keith, Inez et lui. Les acteurs du *Trésor de la Sixième Avenue* étaient des Américains, cela s'entendait à leurs voix. Cela voulait-il dire que cette rue-là était en Amérique? Ces sirènes, elles faisaient le même bruit qu'à Londres, mais il n'était pas trop sûr. Il pourrait toujours demander à Becky, mais elle voudrait savoir pourquoi, et se posa de nouveau le problème de la surprise. Si Becky, qui était intelligente, comprenait qu'un trésor était enterré dans la cour-jardin d'une maison et qu'il s'était lancé à sa recherche, elle allait deviner tout le reste et il n'y aurait plus de surprise. Sur le chantier, à Abbey Road, il appliquait une couche de laque brillante, un coloris baptisé « Perle de culture », sur l'entourage des fenêtres de la salle à manger, et il interrogea Keith :

— Où ça se trouve, la Sixième Avenue ?

Keith avait sûrement entendu parler du film, mais il n'avait pas l'air de faire le lien.

— Je sais pas, mon pote. Je peux te dire où se trouve la Cinquième Avenue. C'est à New York.

— Oui, mais là, c'est la Sixième Avenue, insista Will, déçu.

Ils se remirent au travail, Will à sa peinture, Keith au vernis des portes de placard. Dix minutes s'écoulèrent et ce fut Keith qui reprit la parole :

— Tu l'as pas revue, ma sœur, non ?

Pourquoi tout le monde n'arrêtait-il pas de le questionner au sujet de sa sœur ?

— Non, je l'ai pas revue.

Qu'allait-il faire maintenant ? Le genre de recherches simples que la majorité des gens considéraient comme évidentes, repérer des noms dans l'annuaire, noter les horaires des spectacles, et même vérifier les points de vente et les prix sur Internet, tout cela dépassait Will.

Inez aurait pu l'aider, mais pour une raison indéfinissable il avait peur de le lui demander. Enfin, pas tout à fait indéfinissable : c'était la vague crainte qu'elle ne se mette en colère contre lui. La fois où il l'avait interrogée sur les rues, dans le film où jouait son mari, elle ne s'était pas précisément mise en colère, mais elle l'avait prié de se taire, de cesser de parler. S'il recommençait, elle ne serait pas forcément aussi gentille.

Keith achevait de dessiner des huit au vernis sur la dernière porte, il posa son bouchon d'ouate et son chiffon.

— On va pouvoir boucler ça aujourd'hui, mon pote. T'as presque fini ?

En hochant la tête, Will désigna la dernière portion de

cadre à repeindre. Cela ne lui prendrait pas plus d'une demi-heure.

– On va rentrer tôt alors, en conclut Keith. On se prend l'après-midi, d'accord? Demain, on démarre à la fraîche ces apparts de Ladbroke Grove.

Avec un soupir, Will acquiesça.

– D'accord.

– Je viens te chercher dans Star Street pour huit heures pile, OK?

Il ne pouvait demander à Becky et il n'était pas question non plus de questionner Inez. Keith n'en savait rien. Will trouvait Ludmila et Freddy impressionnants. Il ne leur adressait jamais la parole, sauf s'ils faisaient eux-mêmes le premier pas. Quant à M. Quick, Will avait peur de lui. Quelque chose, chez ce personnage, lui rappelait le médecin qui était venu un jour lui parler et lui prendre son sang pour trouver quelque chose, cela tenait peut-être au ton de sa voix, ou à ses yeux d'un gris mauve, la couleur des tulipes quand elles meurent, songea Will. Ils ne ressemblaient pas à des yeux humains, et pas non plus à des yeux d'animaux, et d'ailleurs, quand il croisait M. Quick dans l'escalier, ce qui lui arrivait quelquefois, il s'efforçait de ne pas le regarder.

Monty risquait de savoir où se trouvait la Sixième Avenue, mais cela faisait plusieurs semaines que Monty ne l'avait plus contacté pour lui proposer de sortir boire un verre. Will avait son numéro de téléphone, mais il ne l'appellerait pas, il ne téléphonait jamais à personne. De retour à la maison beaucoup plus tôt que d'habitude, il prit son courage à deux mains pour entrer chez le marchand de journaux d'Edgware Road et lui poser la question. Il acheta une barre de Mars avant de se jeter à l'eau:

– Où est-ce, la Sixième Avenue?

– La Sixième Avenue?

L'homme était arrivé à Londres de Turquie quelques années auparavant, il avait épousé une Libanaise et il habitait un appartement dans la cité de Lilestone Estate. Mis à part Antalya, le seul endroit du monde qu'il connaissait bien, c'était ce coin de Londres compris entre sa boutique et Baker Street.

– Je connais pas.

Il attrapa un exemplaire de l'*Atlas des rues de Londres* sur un rayonnage et le tendit à Will.

– Regardez là-dedans, ajouta-t-il.

Mais le garçon ne savait où regarder, ni même comment. Il tourna les pages, avec désespoir, et il rendit le guide. Entre-temps, le Turc était occupé avec un autre client, à encaisser *Vogue* et l'*Evening Standard*. Will avait l'intention de retourner dans son logement en prenant par la porte de la rue, au pied de l'escalier, mais il lui fallait passer devant la vitrine de la boutique et, à cet instant, Inez lui fit signe de la main et lui sourit. Du coup, encore indécis, il entra. Zeinab se tenait debout à côté de la caisse enregistreuse, un énorme bouquet de fleurs dans les bras, enveloppé dans du papier rose et noué avec un ruban rose.

– Tu termines tôt, Will, remarqua Inez.

Il opina sans rien dire, mais ce genre de remarques lui faisait plaisir, cela le rassérénait. C'était sincère et c'était à sa portée.

Zeinab lisait à haute voix la carte agrafée à l'emballage du bouquet :

– «À la seule femme qui, pour moi, existe au monde, Bon Anniversaire, mon cœur, avec tout mon amour, pour toujours, Rowley.»

– J'ignorais que c'était ton anniversaire, s'étonna Inez.

– Ce n'est pas mon anniversaire, mais il croit que si, lui souffla Zeinab, livrant ainsi un nouvel indice à cette fine analyste de la personnalité qu'était Inez : décidément, la jeune femme n'avait sans doute pas un amour immodéré de la vérité. Qu'est-ce que je vais faire de ces fleurs ? Je veux dire, qu'on me fiche la paix, quoi. Je vois d'ici la tête de mon père si jamais je rapporte ça à la maison.

Sans demander son avis à Will, elle lui fourra tout à coup les tulipes, les anémones, les narcisses, les hyacinthes et les freesias multicolores dans les bras.

– Voilà, tu n'auras qu'à les offrir à ta petite amie.

Elle vivait dans un monde où il était impensable qu'un jeune homme reste sans partenaire. Will bredouilla des remerciements et fonça vers la porte du fond avant qu'elle ait pu changer d'avis. Les fleurs, il aimait, mais personne ne lui en avait encore jamais offert. Tout réjoui, il consacra l'heure qui suivit à les arranger dans tous les récipients susceptibles de contenir un peu d'eau qu'il put dénicher.

À cinq heures, la camionnette blanche ornée de son écriteau priant d'éviter tout lavage refit son apparition dans Star Street. Un homme descendit de la cabine et remonta la rue en courant, si vite qu'Inez eut à peine le temps de l'entrapercevoir. Les contractuels effectuaient toujours leur navette, mais apparemment elles n'étaient jamais là quand cette camionnette était garée devant. Une Jaguar turquoise s'arrêta juste derrière.

– Voilà Morton, annonça Zeinab. Il est tôt. J'avais dit à la demie. Ah, les hommes !

Depuis une demi-heure, elle était assise sur un tabouret en acajou tapissé de velours rose, en face du miroir qu'elle avait fait sien, occupée à réparer les ravages de la journée, à se recoiffer, à se faire un raccord de maquillage en maniant des ustensiles sophistiqués, pinceau à lèvres, gel à paupières, brosse pour les cils et vernis à ongles violet irisé. D'une détente du pied elle envoya promener les sandales qu'elle portait pour travailler, enfila des escarpins à talons de dix centimètres, sortit en se tordant un peu le pied et monta dans la voiture. Quelques secondes plus tard, elle repassait la tête à la porte du magasin.

– Je peux y aller ? lança-t-elle à Inez. Morton m'attend avec du champagne frappé et il veut me parler de la date de notre mariage.

– Allez, file ! s'écria Inez en riant. Comment vas-tu te tirer de cette histoire, je n'en sais rien.

Elle posa le regard sur sa main, qui retenait la porte entrouverte, et s'aperçut que Zeinab avait troqué la bague de fiançailles de Rowley contre la pierre de Morton Phibling, de la taille d'un ongle. C'était assez risible. Restée seule, elle attendit six heures, puis elle ferma la porte de la rue à clé. Le défilé des clients n'avait pas cessé de la journée, mais depuis onze heures ce matin personne n'avait rien acheté. Elle venait à peine de retourner l'écriteau du côté *Fermé* quand elle eut la satisfaction de voir Ludmila et Freddy traverser la rue, considérer l'écriteau et échanger quelques mots, tandis que Freddy essayait en vain de tourner la poignée de la porte. Ils renoncèrent, Ludmila fouilla dans son sac à bandoulière en velours rouge, en extirpa sa clé et ils entrèrent par la porte côté rue, celle des locataires.

Malgré les efforts quotidiens de Zeinab, armée de son plumeau, Inez trouvait que la boutique avait l'air en désordre, peu soignée. Elle sortit des chiffons propres et une bombe de cire, et se mit à la tâche. Entre ces quatre murs, il devait y avoir des centaines, si ce n'est des milliers de petits objets, tout un bric-à-brac, et on eût dit que chacun d'eux attirait la poussière comme un aimant attire de la limaille de fer. Elle se mit au travail avec méthode, en commençant par soulever le moindre petit vase, toutes les pendules, les verres ballons, les cadres de photos qu'elle rangea sur un plateau, afin d'épousseter la surface où ils étaient posés, avant de tout remettre à sa place et de passer à la table, au support de plante ou à la vitrine suivants.

C'était étrange, songea-t-elle comme chaque fois qu'elle se livrait à ce petit travail, la quantité d'objets minuscules qui resurgissaient à cette occasion, et qu'elle ne se souvenait pas d'avoir jamais vus. Il fallait pourtant bien qu'ils lui soient tombés sous les yeux, car rien n'entrait dans cette boutique à son insu, et tout était numéroté et catalogué. Elle en était sûre, il y avait bien un numéro inscrit sur une petite étiquette, sous le cul de ce flacon de parfum en verre taillé d'origine qui ne lui disait absolument rien, et une autre sur ce chat égyptien, avec ses oreilles ornées d'anneaux, et pourtant elle ne gardait aucun souvenir de leur provenance ou de leur précédent propriétaire.

Elle se réservait toujours le pire pour la fin. Il faudrait qu'elle pense à réarranger les objets amassés dans ce coin sombre, désormais sous la garde de ce jaguar, où la statue en plâtre de la déesse trônant à côté mangeait presque toute la lumière. Sur la table ronde, derrière la déesse et le jaguar, il devait y avoir au moins une cinquantaine d'assiettes, de tasses et de cuillers, des petites boîtes en émail, des fruits en verre, des broches, des épingles à chapeau d'époque victorienne. Avec des gestes patients, elle les disposa un à un sur son plateau.

C'est alors qu'elle la vit, une croix en argent au bout d'une chaînette brisée, une croix travaillée d'un minuscule motif de feuilles repoussées. Au journal télévisé, la veille au soir, elle avait vu ce pendentif, fortement agrandi, remplir tout l'écran. Elle recula, la main plaquée sur la bouche. C'était impossible. Pas le bijou de Gaynor Ray, pas cette croix. Il devait y en avoir des centaines, de ces croix-là...

Elle la retourna, chercha le poinçon qui prouverait que c'était bien de l'argent. Et elle le vit, sur la face inférieure de la croix, mais sans son étiquette avec le numéro de catalogue. Était-il possible qu'elle ait abouti ici de manière tout à fait légitime, sans avoir été inscrite dans son registre? Ce serait le cas si Zeinab l'avait achetée pour la boutique, par exemple, mais cela n'arrivait presque jamais et, de toute façon, Zeinab était assez méticuleuse – sauf sur le plan de la ponctualité. Inez n'avait aucun souvenir d'avoir jamais vu cette croix. Elle abandonna sa corvée de nettoyage et sortit les catalogues, trois lourds volumes, du tiroir où ils étaient rangés. Trois heures plus tard, oubliant complètement de boire, de manger ou de regarder une cassette vidéo, elle avait épluché chaque catalogue avec grand soin, de la première page à la dernière.

La croix en argent n'y figurait pas. L'objet qui s'en rapprochait le plus était en or, monté sur un ruban de velours noir, et elle se rappelait l'avoir acheté au moins deux ans plus tôt. La croix d'argent qui avait pu appartenir à Gaynor Ray, qui lui avait appartenu, c'était presque certain, n'apparaissait nulle part dans ses listes. Inez, qui tenait encore la croix et la chaîne rompue dans sa main, la lâcha quand elle comprit cette vérité très vraisemblable: c'était l'arme du meurtre.

CHAPITRE 8

Incapable de beaucoup dormir, Inez se leva tôt et fut en bas, dans la boutique, dès huit heures. À présent, en plein mois d'avril, il faisait grand jour. Elle vit arriver la camionnette de Keith Beatty et entendit l'artisan donner un coup de Klaxon. On aurait pu l'entendre de la gare de Paddington, tellement c'était fort. Il était inutile de provoquer tout ce tapage car Will était toujours prêt, et, avant que les derniers échos soient retombés, il était dans la rue, à ouvrir la portière côté passager. Inez soupira et, une fois encore, se répéta qu'il fallait se défaire de cette habitude de soupirer.

La veille au soir, elle avait encore touché la croix en argent avant de songer qu'elle n'aurait pas dû mettre les doigts dessus. Elle l'avait alors ramassée en la tenant par la chaîne. Mais si la chaîne avait servi à ce qu'elle avait en tête, une pensée à peine supportable, avait-elle le droit de la toucher, elle aussi ? Quand Martin (ou Forsyth) trouvait ce genre de pièces à conviction, il les glissait toujours dans un sachet stérile, pour les confier à la police scientifique. Inez était montée dans sa cuisine et elle avait arraché un sac congélation d'un rouleau neuf. La croix avait passé la nuit auprès d'elle, dans ce sac, sur sa table de nuit. Quoique fort peu paranoïaque en règle générale, elle avait eu l'idée désagréable, l'objet ayant été montré à la télévision, qu'il ait pu être placé là par quelqu'un qui serait susceptible de venir récupérer cette croix dans la boutique, aux petites heures du jour.

Elle l'avait descendue au rez-de-chaussée. Dans une demi-heure à peu près, elle téléphonerait à la police et demanderait l'inspecteur Crippen. Fallait-il fouiller le reste de la boutique, explorer la partie à laquelle elle n'avait pas touché hier soir, à peu près le tiers de la superficie ? Au cas où elle trouverait un briquet en argent avec les initiales de Nicole Nimms serties en grenats, un porte-clés noir et doré avec un scotch-terrier en Inox accroché à l'anneau et une montre-gousset en or ? Non, que la police s'en charge. Inez réfléchit aux implications et au lieu même de cette découverte, et elle en déduisit que le Rottweiler ou l'un de ses complices avait dû entrer dans Star Antiques, lorsqu'un tapotement contre la porte intérieure la prévint de l'arrivée de Jeremy Quick pour sa tasse de thé. Inez alla vite allumer la bouilloire.

Il portait un nouveau costume. Sa chemise était blanche comme neige, la cravate simple, d'un bleu-vert très sombre.

– Quelle élégance ! s'écria Inez.

– Eh bien, merci. En fait, j'avais acheté ce costume dans la perspective de mon mariage, mais il semblerait que ce ne soit pas pour tout de suite, alors je me suis dit que je ferais aussi bien de le porter.

Fallait-il lui en parler ? Elle éprouvait un besoin violent de se confier à quelqu'un, et de préférence avant d'appeler la police. Oh, comme elle avait besoin de Martin ! Mais sachant que cette solution-là était impraticable, est-ce que Jeremy ne ferait pas l'affaire ?

– Comment va Mme Gildon ? s'enquit-elle.

– À peu près pareil. C'est très attentionné de votre part de vous en inquiéter. Belinda passe toujours quatre nuits par semaine à l'hôpital. Je ne l'ai pas beaucoup avec moi.

Il but son thé, et Inez était encore très tentée de tout lui raconter, puis elle se ravisa. Il y avait autre chose, qu'elle avait besoin de clarifier.

– Je suppose qu'elle est très attachée à sa mère?

– Très, confirma-t-il, et Inez perçut une tristesse soudaine dans sa voix. Quelquefois, je trouve que les enfants adoptés savent se montrer encore plus proches de leurs parents que les enfants biologiques, pas vous?

Inez ne comprenait pas pourquoi elle se sentait si soulagée. L'âge de Belinda et de sa mère l'avait tracassée depuis leur conversation là-haut, dans son appartement. La seule explication possible pour que cette femme soit la fille d'une mère de cinquante-deux ans était à l'évidence aussi la bonne.

– Oh, Belinda a été adoptée?

– Oui, je ne vous l'avais pas dit? Mme Gildon l'a adoptée quand elle avait deux mois. Son époux et elle avaient déjà adopté un garçon cinq ans plus tôt, mais celui-ci ne peut guère apporter son soutien à Belinda, car il vit en Nouvelle-Zélande.

Fallait-il lui en parler? Elle était assise à son bureau, et le sac contenant la croix était dans le tiroir. Lorsqu'elle toucha la poignée, Jeremy l'interrompit:

– Je vais devoir filer. Je veux arriver en avance, j'ai une réunion avec la direction générale à neuf heures et quart.

Inez l'accompagna jusqu'à la porte de la rue. Elle se sentait assez coupable, car elle avait failli le soupçonner de mensonge – enfin, d'inventer, de réécrire son propre passé. Ce n'était pas si grave, et pourtant, elle éprouvait le besoin de lui passer de la pommade.

– Quels sont les soirs où Belinda sera à l'hôpital, cette semaine?

– Je ne sais pas trop. Mercredi, jeudi et dimanche, c'est probable.

– Venez donc avec elle boire un verre mercredi, si vous pouvez?

– Je vous le ferai savoir. J'espère que nous y arriverons.

Maintenant qu'elle avait ouvert la porte de la rue, il était inutile de la refermer à clé. Elle retourna le panonceau du côté *Ouvert*. M. Khoury était sorti et il abaissait son store. Inez aimait cette scène, tout comme elle aimait voir les tables des cafés que l'on sortait sur le trottoir – même si elle redoutait le spectacle des couples qui s'y asseyaient. Cela signifiait que l'été approchait. M. Khoury ne lui adressait jamais de petit signe de la main, mais il inclinait la tête dans sa direction, une sorte de salut poli.

Elle rentra dans le magasin et téléphona à la police.

Autant que Will se souvienne, il n'était encore jamais descendu ici. Tout lui était étranger. Le foyer pour enfants se trouvait à Crouch End, dans le quartier londonien du Borough of Haringey. Becky habitait à Primrose Hill, et Inez à Paddington. Ces trois lieux cernaient son Londres à lui, et il n'en connaissait pas d'autre. Pour Keith aussi, c'était là une forme de sortie, car son travail le menait invariablement à Saint John's Wood, à Maida Vale et dans les environs d'Edgware Road, alors que sa famille avait son domicile dans le quartier vers lequel ils se dirigeaient ce matin. Néanmoins, ils bifurquèrent bien avant d'atteindre Harlesden.

L'immeuble où ils intervenaient n'était pas tout à fait sur Ladbroke Grove, mais dans une rue qui en partait. Keith possédait une carte de stationnement du Royal Borough de Kensington et Chelsea, donc il n'avait pas besoin d'alimenter des parcmètres ou de déplacer sans cesse la camionnette pour esquiver les contractuels. Le travail qui les attendait, peindre le salon et l'unique chambre dans trois appartements, était pour le compte d'un propriétaire qui n'occupait pas ses logements, et Keith avait reçu pour instructions, avec un clin d'œil et un coup de coude, de limiter les frais et de ne pas trop se fatiguer.

– Alors moi, je l'ai prévenu, expliqua Keith tandis qu'ils montaient l'escalier d'un pas lourd, chargés de leur matériel, je l'ai prévenu: «C'est pas dans ma nature de pas travailler le mieux possible. Si ça vous convient pas, je lui ai dit, vous feriez mieux d'aller voir ailleurs vous dégotter un cow-boy pour ce boulot. C'est comme vous voudrez », j'ai dit. Il l'a pris un peu de haut, mais il a plus ajouté un mot. Dans un endroit pareil, on se serait attendu qu'il y ait un ascenseur. Tu trouves pas ?

Pour Will, la quasi-totalité de ce que Keith venait de raconter était incompréhensible. Mais la partie sur l'ascenseur, il avait compris.

— C'est vrai, acquiesça-t-il.

— De l'avarice, voilà ce que c'est. C'est ce qui va pas avec ces types d'aujourd'hui. Regarde autour de toi, tout le monde pense qu'à se remplir les poches, c'est le mobile du crime, c'est ce qui les pousse tous à…

Keith cherchait ses mots pour terminer sa phrase et ne réussit qu'à trouver une chute sans conviction :

— … à faire ce qu'ils font. Tu diras ce que tu veux…

Il regarda par-dessus son épaule, soudain nerveux, dans cet escalier désert où régnait la liberté de parole.

— … les communistes, ils avaient du bon.

Will n'avait rien à dire pour la défense des communistes, et donc il garda le silence. Ils s'introduisirent dans le premier appartement, avec la clé du propriétaire.

— Ça sent une odeur, on dirait que c'est resté fermé depuis six mois ! s'exclama Keith. Ouvre les fenêtres, tu veux ?

À l'arrivée de Zeinab, Crippen et son acolyte étaient déjà là. Il avait amené Zulueta. Assis au bureau d'Inez, ce dernier examinait à la loupe la croix et la chaîne qu'il maniait de ses mains gantées.

— Que se passe-t-il ? demanda Zeinab en se débarrassant de ses talons aiguilles.

— J'ai trouvé ça.

Inez désigna le bureau.

— C'est la vraie ?

Zeinab l'observa par-dessus l'épaule de Zulueta, la joue tout près de ses cheveux, le gratifiant ainsi d'une bouffée de l'eau de toilette Tuberose de John Malone.

— Ça m'en a tout l'air, confirma Zulueta.

– Ça vous flanque des frissons partout, de voir ça ici. Mon am... euh, un de mes amis pense que c'est avec cette chaîne qu'il l'a étranglée. C'est juste ?

Aucun des deux officiers de police judiciaire ne répondit, mais Zulueta parut choqué d'un tel manque de discrétion, ou peut-être de la proximité de cette remarque avec la vérité.

– Bien, madame Ferry.

Crippen sentait sans doute qu'il avait perdu la maîtrise de cette petite réunion, qu'en toute justice il se devait de conserver. Il réaffirma son autorité :

– Nous allons devoir procéder à une fouille de cet endroit. Si vous vous y opposez, je n'aurai aucune difficulté à obtenir un mandat de perquisition.

Inez se leva. Elle en avait assez. Personne ne l'avait remerciée d'avoir informé la police au sujet de la croix, ils s'étaient contentés de lui reprocher de ne pas les avoir appelés à neuf heures la veille. Dès l'arrivée des deux fonctionnaires, elle s'était sentie traitée au moins comme si elle était la comparse du Rottweiler, et maintenant cela la mettait en colère.

– Je n'y vois aucune objection, lâcha-t-elle avec froideur. Je ne vois pas ce qui vous permet de supposer que je ferais obstruction en quoi que ce soit. Rien ne saurait être plus éloigné de ma façon de penser.

Leur comportement était à l'opposé de la courtoisie de Forsyth avec les témoins de bonne volonté.

– Si cela continue, j'irai déposer une plainte.

– Et je la signerai aussi, renchérit Zeinab, toujours loyale. Te traiter comme si tu étais une criminelle !

– Si je vous ai hérissée, j'en suis désolé, s'excusa Crippen, ce qui ne fit qu'aggraver les choses. Sonne donc le poste, Zulueta, et vois si tu peux m'avoir Osnabrook et Jones pour cette perquisition. Bien, madame Ferry, si vous vous êtes un peu calmée, qui donc entre dans votre boutique ? Je veux dire, je souhaite savoir qui a pu déposer ce collier ici, ce bijou, enfin, peu importe.

– Des centaines de personnes, répondit-elle.

– Au moins une vingtaine par jour. (Zeinab braqua sur Crippen le regard brillant de ses yeux noirs.) Et parfois plus.

– Vous ne réalisez pas vingt ventes par jour, non ? (La nuance d'incrédulité dans sa voix ajoutait encore à l'insulte.) Tout ce monde ne vient pas vous acheter quelque chose ?

– La moitié, si, prétendit Zeinab, ce qui n'était pas tout à fait la vérité.

– Ensuite, il y a vos locataires. J'en ai vu certains ici même.

Il en parlait comme si Inez tenait un bordel. La porte de la rue s'ouvrit et Morton Phibling entra au pas de charge.

– Et celui-là, c'est encore un locataire ou un client ?

– C'est mon fiancé. (Ayant eu la prévoyance de porter sa bague de fiançailles, Zeinab l'exhiba sous le nez de Crippen.) M. Phibling.

Même si Morton ressemblait assez à l'idée que le tout-venant peut se faire d'un chef de gang en manteau d'alpaga couleur blond platine, avec son foulard tussor et sa montre Rolex, sa richesse apparente impressionna plutôt le policier.

– Je doute que votre aide nous soit nécessaire dans notre enquête, monsieur, le rassura-t-il.

Morton l'ignora :

– Que vous est-il arrivé samedi, ma rose de Sharon, mon lys dans la vallée ?

– Vous faites bien de me poser la question, se lamenta Zeinab. Mon père a refusé de me laisser sortir. Vous savez comme il est. Il m'a enfermée à clé dans ma chambre.

– Et me voilà, la mort dans l'âme et solitaire, à vous attendre à ma table du Claridge, trop peiné pour manger, trop désappointé pour rien faire d'autre que siroter mon cognac. N'y a-t-il pas de téléphone dans la demeure de votre père ?

Quelle qu'ait pu être la réponse de Zeinab à cette dernière question, elle fut interrompue net par le hurlement d'une sirène de police. Le message envoyé à Osnabrook et Jones avait été déformé lors de sa transmission, et les deux hommes avaient conclu à un appel pour cambriolage avec voies de fait.

Une fois sur place, et dûment éclairés, ils entreprirent de fouiller la boutique, avec l'aide de Zulueta.

– Maintenant, les locataires, fit Crippen. Voulez-vous me fournir leurs noms, je vous prie ?

– M. Cobbett dans un appartement du deuxième étage, et Mme Gogol dans l'autre, et M. Quick tout en haut.

– Alors qui occupe l'appartement du premier étage ?

Crippen avait posé cette question sur un ton des plus soupçonneux, comme si Inez essayait de dissimuler un forfait.

– Eh bien, chose assez curieuse, c'est moi. À moins que vous n'imaginiez que je dormais par terre, ici, dans cette boutique ?

Ils trouvèrent la montre-gousset. Elle aussi, elle était posée sur une table, dans un autre recoin un peu sombre, dans le creux d'une assiette verte en forme de feuille de chou, et dissimulée derrière la rangée de chopes à effigie humaine. Il était alors près de midi. Crippen désirait savoir à quelle heure les occupants de l'immeuble rentraient du travail et Inez lui répondit que, comme Ludmila et Freddy ne sortaient jamais sans traverser le magasin, ils devaient être chez eux.

– Pourquoi ne l'avez-vous pas dit plus tôt, madame ?

– Vous ne me l'avez pas demandé. M. Quick devrait être de retour à six heures et M. Cobbett plus tôt que ça, vers quatre heures et demie, sans doute.

Inez n'avait pas envie de lui parler de Will, mais si elle ne l'avait pas fait, d'une manière ou d'une autre il aurait été informé de sa présence. Will était vulnérable, il aurait peur d'un homme comme Crippen, il ne saurait quoi dire, il ne comprendrait pas. Devait-elle tenter de le lui expliquer ? Il ne valait mieux pas, il valait mieux s'abstenir. Elle n'imaginait que trop la réaction de l'inspecteur en apprenant que quelqu'un, ici, était… mais enfin, comment décrire Will ? Un autiste ? Pas vraiment. Un déficient mental ? Certainement pas. Cette formule politiquement incorrecte avait une connotation profondément offensante de nos jours. Il souffrait d'un petit problème de chromosomes, c'était tout. C'était sûr, Crippen allait s'en apercevoir et rester gentil...

Elle avait eu beau leur dire qu'elle ne faisait en rien obstruction, elle les pria de sonner à l'Interphone chez Ludmila, d'en bas, au lieu de monter par la porte du couloir. Osnabrook demeura en retrait: très obstiné, il était persuadé de trouver le porte-clés et le briquet, pourvu que la fouille dure assez longtemps. Avoir la police dans les parages, ce n'était pas bon pour le commerce, estima Inez, pas plus que d'avoir une voiture de police garée devant.

Zeinab était sortie s'installer dans la voiture de Morton, où ils se disputaient, semblait-il. Elle revint, toute rouge, l'air contrarié, et s'occupa de faire une retouche à son maquillage, que leur échange animé avait amené presque au point de fusion.

— J'aurais jamais dû évoquer papa, dit-elle. Maintenant, il veut le rencontrer et lui demander ma main. C'est ce qu'il me chante. C'est ce qu'on attend de moi, il me sort. Il faudra me marcher sur le corps, je lui ai dit. S'il essaie un coup pareil, entre nous c'est fini.

— C'est ta faute à toi, lui rétorqua Inez avec vigueur.

Osnabrook avait beau ne pas être à portée de voix, elle baissa d'un ton:

— Tu t'es présentée comme une jeune fille à l'ancienne, pour ne pas dire d'époque médiévale. Je veux dire, tu n'as pas... enfin... pas couché avec lui, ni avec Rowley, n'est-ce pas?

Choquée par cette suggestion, et non sans raison, Zeinab devint écarlate sous le fond de teint et le gel pour les joues.

— Absolument pas.

— Bon, d'accord. Tu sais que de nos jours, les filles, ça leur arrive. Enfin, quand elles sont fiancées en tout cas. Tu l'as dit toi-même, Rowley t'a expliqué que les fiançailles, c'était la forme moderne du mariage. Je ne pense pas qu'il entendait par là le simple fait de porter une alliance et de publier les bans dans un journal. Ils ne se montrent jamais insistants?

— Qu'est-ce que tu crois? Tout le temps, alors la barbe.

Inez éclata de rire. L'air fâché, Zeinab changea de sujet:

— Tout de même, tu te rends compte, non, que le Rottweiler a dû entrer ici, déguisé en client normal? Il a peut-être acheté quelque chose. Il nous a causé. Et pendant tout ce temps il fouinait dans les coins, histoire de planquer les trucs de ces filles mortes dans ta boutique.

— Oh, oui, je me rends compte.

Inez transforma son inévitable soupir en petite toux.

Crippen et Jones furent de retour à cinq heures et demie. À cette heure-là, Will était chez lui depuis environ une demi-heure. Inez confia la responsabilité de la boutique à Zeinab jusqu'à la fermeture, prévue à six heures, et, dès qu'elle les vit sortir de leur véhicule, elle monta au premier. Il ne serait pas venu à l'esprit de Will, qui était en train de regarder la télévision, d'offrir à un visiteur une tasse de thé, et donc elle la lui demanda sans hésiter. Elle allait s'en charger, le rassura-t-elle. Il n'avait pas à s'inquiéter, tout irait bien, mais deux policiers allaient s'entretenir avec lui au sujet des meurtres de ces jeunes filles – voyait-il à quoi elle faisait allusion? Il hocha la tête, alors qu'en fait, non, pas vraiment. Elle serait présente, ajouta-t-elle, se sentant dans le rôle du conseil d'un suspect convoqué au poste de police, mais elle resterait dans la cuisine, au moins les premières minutes.

Will paraissait résigné, pas du tout nerveux. Sur la suggestion d'Inez, il éteignit la télévision. Dès que le son fut coupé, la sonnette de la porte de la rue retentit. Pour ça, Will savait comment procéder. Il décrocha l'Interphone, dit bonjour, puis il appuya sur le poussoir pour déverrouiller la porte. Les deux officiers de police judiciaire montèrent et Will leur dit ce que sa logeuse lui avait soufflé.

— Entrez, je vous prie.

— Monsieur Cobbett?

Il opina, même si personne ne l'appelait jamais ainsi. À l'extérieur de la pièce, dans la cuisine, Inez surveillait la bouilloire qui venait à ébullition.

— Avez-vous déjà vu ceci?

Jones tira de sa poche la croix en argent, toujours enfermée dans son sachet stérile.

Will la regarda, secoua la tête.

— Je n'ai jamais vu ça.

— Savez-vous ce que c'est?

Au milieu des bijoux bien plus somptueux du *Trésor de la Sixième Avenue*, il avait entraperçu une croix en or à peu près de la même taille. Will s'en souvenait très bien, comme de tous les détails du film.

— C'est une croix.

— C'était la propriété de Gaynor Ray, dont le corps a été retrouvé à Nottingham la semaine dernière. Vous vous en souvenez, n'est-ce pas?

Pour Inez, ce fut le signal, il fallait qu'elle manifeste sa présence ou qu'elle la leur signale en laissant échapper un bruit d'origine humaine. Elle fit s'entrechoquer les tasses de thé et, quand Crippen s'écria: «Il y a quelqu'un ici», elle sortit de la cuisine avec un sourire innocent.

— Souhaitez-vous une tasse de thé, inspecteur?

— Merci, mais non. J'avais l'impression que nous étions seuls.

— Ah oui? Et vous, monsieur Jones, un thé?

Jones consulta son supérieur du regard, détourna les yeux et, abandonnant toute prudence, répondit qu'il aimerait, oui. Qu'il aimerait beaucoup, merci. Inez eut un sourire de triomphe.

— Je bois mon thé, et puis je m'en vais, ajouta-t-elle avec une légèreté désinvolte. Hélas, je suis incapable de le boire trop chaud.

— Vous êtes certain de n'avoir jamais vu cet objet, monsieur Cobbett?

— Il vous a dit que non, intervint Inez, conservant son rôle de conseil et de soutien juridique.

— Merci, madame Ferry. Vous allez pas mal dans la boutique de Mme Ferry, non?

— J'entre jamais dans la boutique, protesta Will. J'y suis allé une fois. (Il tâcha de se remémorer quel jour de la semaine, sans y parvenir.) Un jour, oui. Hein, Inez?

– C'était la semaine dernière, et c'était la toute première fois.

À l'instant où elle prononça ces paroles, elle saisit ce que cela impliquait, mais qu'aurait-elle pu dire d'autre? Will était toujours d'une sincérité transparente. Peut-être était-il trop innocent et trop candide pour adopter une autre attitude. Il sourit, mal à l'aise.

– Admettons, monsieur Cobbett. Ça ira, pour le moment. Nous aurons besoin de vous revoir. Venez, Jones. Si vous n'êtes pas capable de boire ce thé, il va falloir le laisser.

Tout en promettant à Will qu'elle allait remonter, Inez descendit avec eux, tasse et soucoupe à la main. Brusquement, dans l'escalier, Crippen la questionna:

– Qu'est-ce qu'il a, celui-là? Un peu bizarre, non? Il lui manque une case?

Inez était scandalisée, mais elle savait qu'il était préférable de ne rien laisser transparaître.

– Will Cobbett, dit-elle avec dignité, est un jeune homme normal, mais il se trouve qu'il souffre de difficultés de lecture. Il sait lire, mais non sans mal. Je doute qu'il lui arrive de poser les yeux sur un journal, et je peux vous certifier qu'il ne regarde jamais les informations à la télévision.

– Donc, comme je disais, il lui manque une case. Ce gars, là, Quick, vous pensez qu'il sera rentré, maintenant?

– Je ne peux pas vous dire.

– On va le sonner, Jones, et s'il n'est pas chez lui, on attendra son retour, dans la voiture.

Une fois remontée, Inez alla récupérer la tasse et la soucoupe chez Will, et les rinça avec le reste de la vaisselle. Il était six heures et il regardait un jeu sur Channel Five. Il n'avait pas du tout l'air entamé par la visite de la police. Elle entendit les pas de Jeremy Quick qui grimpait l'escalier, puis la sonnette de la rue. Elle retourna en bas, et croisa Crippen et Jones, qui montaient.

– Toutes ces marches, ça finira par me tuer, se plaignit l'inspecteur.

Jeremy Quick leur fit impression, celle d'un citoyen honnête, respectable, éminemment normal. Ici, aucune «difficulté d'apprentissage», et pas d'attitude de dénégation délibérée, pas question de se réfugier dans la paresse et de se complaire dans l'ignorance de l'affaire qui captivait le pays tout entier. Assez étrangement, en ne leur proposant aucun rafraîchissement, il inspira le respect à Crippen. Aux yeux de l'inspecteur, l'empressement à faire preuve d'hospitalité envers la police n'était qu'un moyen de se faire bien voir, une tactique de dissimulation. Et cette prétention ridicule, n'être entré qu'une seule fois dans la boutique, par exemple. Ce gars-là, Cobbett, il était en termes très intimes avec Inez Ferry, ça sautait aux yeux. Pouvait-on raisonnablement supposer qu'il n'y soit entré qu'une fois, dans cette boutique? Une seule, et à un moment critique en plus. Quelques jours avant la découverte de cette croix, juste après l'exhumation du corps de Gaynor Ray et la révélation de ce qui manquait dans son sac.

Quick, en revanche, s'exprimait avec la plus totale franchise sur son amitié avec cette femme, cette Ferry. Il passait tous les matins en bas, avant de se rendre à la gare, et elle lui préparait un thé. Il lui plaisait, c'était probable. Il plairait quasiment à toutes les femmes, estimait Crippen, un type grand, élancé, bien habillé. Et quand Quick consulta sa montre et leur dit: «Si ce que je viens de vous répondre vous satisfait, j'ai à faire, vraiment...», il n'en conçut aucune animosité, et pas davantage après son: «Au revoir. Fermez la porte en sortant», sur un ton courtois. Pas de lèche ici, pas la moindre culpabilité qui le pousserait à vouloir se gagner les bonnes grâces de la force publique.

– Nous souhaiterons peut-être revenir vous voir, monsieur, prévint-il.

Pure routine. Qu'ils aient à revenir pour Jeremy, il en doutait.

Après leur départ, Jeremy suivit leurs faits et gestes par la fenêtre, jusqu'à ce qu'il aperçoive leur voiture qui disparaissait au coin de Norfolk Square. Il possédait un sens aigu de l'odorat, qui s'apparentait plus à celui d'un chien qu'à celui d'un être humain, il lui était arrivé de plaisanter à ce sujet, et, en cet instant, il renifla non sans dégoût le parfum citronné «avec une pointe d'herbes aromatiques» que Jones avait laissé derrière lui. Une eau de Cologne pour hommes d'une marque assez commune, songea-t-il, bon marché, désagréable. Un petit verre de vodka-tonic en main – certains trouvaient que la vodka n'avait aucun goût, aucune odeur, mais il n'était pas de cet avis –, il sortit sur son jardin en terrasse. On avait avancé les pendules et il restait encore une heure avant le coucher du soleil. La chaleur de cette fin d'après-midi, douce et dorée, poussait la floraison de ses tulipes, dans leurs bacs peints en vert, et de ses jonquilles jaunes. L'un des petits lauriers était en fleur, des fleurs dorées, pour la première fois depuis qu'il l'avait acheté. Sur la table était posée une jarre en poterie bleu et blanc, remplie de freesias roses, jaunes et lilas, plantes magnifiques au parfum délectable. Il l'inhala, ferma les yeux.

Au bout de quelques instants, il ouvrit le tiroir sous la table, avala une gorgée de son cocktail, et parmi les stylos et les crayons, les disquettes informatiques, les rouleaux d'adhésif et une calculette, il tira un anneau de porte-clés noir et or, avec un scotch-terrier en onyx suspendu, un briquet en argent avec les initiales NN serties en pierres rouges et une paire de boucles d'oreilles, des anneaux en argent, rehaussées de minuscules brillants.

CHAPITRE 9

Pour se débarrasser de ces menus objets, Jeremy avait écha-
faudé et écarté plusieurs plans successifs. Au début, il avait
envisagé de leur réserver à peu près le même sort qu'à la croix
en argent et à la montre-gousset, en les cachant dans le bric-à-
brac d'un magasin d'antiquités. Pas chez Inez, cette fois-ci, mais
ailleurs. Ces boutiques-là ne manquaient pas dans Church
Street, et aussi dans Westbourne Grove. Il n'aurait aucun mal.
Mais il n'avait aucune raison légitime non plus d'y entrer, si ce
n'est comme acheteur potentiel, et il risquerait de laisser un
souvenir au personnel ou au propriétaire, surtout si le briquet
et l'anneau étaient vite retrouvés. Les boucles d'oreilles, en
revanche, c'était une autre histoire. Il avait eu une idée différente, plutôt de l'ordre de la plaisanterie, en fait, qui consistait
à les déposer à proximité immédiate de l'endroit où gisaient
les filles. Mais, là encore, cette solution présentait de multiples
écueils. Boston Place, par exemple, où Caroline Dansk était
morte, serait assez exposée aux regards, même après la tombée
de la nuit. La longue enfilade de maisons sur un côté de la rue

et le mur de brique en surplomb sur l'autre, sans arbres, sans le moindre couvert, rendaient le retour de ces colifichets sur les lieux plutôt périlleux.

Le briquet qu'il avait subtilisé à Nicole Nimms était le deuxième objet de la série, et il le lui avait pris pour une raison simple. Il avait envie d'allumer une cigarette. Ces derniers temps, Jeremy fumait rarement, cela ne convenait pas à son second moi, l'autre image qu'il était alors sur le point de se forger, préférant se présenter à tous égards ou presque comme un individu relativement sobre. Il s'était déjà écoulé plusieurs semaines sans qu'il fume, mais ce soir-là, Nicole étant sa première victime depuis un an, et celle dont il n'aurait jamais cru qu'elle le deviendrait, il avait ressenti un besoin impérieux de tabac. Il avait donc trouvé les cigarettes et le briquet en argent, monogrammé aux initiales NN, dans son sac à main, et c'est ainsi qu'il avait créé un précédent pour d'autres menus larcins. En règle générale, Jeremy avait le vol en horreur. C'était le vice britannique, jugeait-il, désormais répandu dans tout le pays. On ne pouvait rien laisser dehors dans Star Street sans que quelqu'un vous le chipe dès que vous aviez le dos tourné. Un délit mesquin, répugnant. Sa manière à lui de prélever un petit colifichet sur le corps de ces filles, c'était autre chose, c'était devenu un geste quasi poétique, son signe, sa signature, le moyen de faire savoir que c'était bien lui.

Après Nicole, il avait endossé cette seconde identité, en décidant d'établir sa base dans le quartier proche de l'endroit où il l'avait tuée. Dès le début, il avait senti qu'il n'était pas cet homme qui tuait, cet étrangleur, ce Rottweiler, c'était un autre, avec une autre vie et un autre nom. Lui, c'était Alexander Gibbons, l'homme conventionnel, l'homme normal, et ce tueur était tout à fait différent, il échappait à son emprise. Jeremy Quick, tel serait son nom, et il n'élirait pas domicile dans les anciennes écuries de Kensington, mais dans cet appartement du dernier étage, au-dessus d'une boutique, à Paddington.

S'il tuait encore, ce serait sous ce nom. Alexander Gibbons, lui-même, le fils de sa mère, l'expert en informatique, le *self-*

made-man qui avait réussi et demeurerait propre et innocent, un être à part – c'était cet homme-là qui espérait que son alter ego ne tuerait plus, que cette pulsion le poussant au meurtre serait satisfaite par ces deux morts, et qu'il dormirait en paix dorénavant. Jeremy Quick, qui tenait dans ses mains les objets qu'il avait soustraits non pas à deux, mais à trois de ces femmes qu'il avait tuées sur un total de cinq, savait que rien ne l'arrê-terait. Il le savait sans angoisse, acceptant cela comme une horreur inévitable, un geste qu'il accomplissait quand il était cet autre, qui habitait cet autre lieu.

Jeremy Quick était doté d'une arrogance dont Alexander Gibbons était tout à fait exempt. Il ne l'ignorait pas, et il était fier de cette fierté. Il y avait quelque chose de magistral dans sa façon de lire dans les pensées d'autrui, par exemple lors-qu'il avait lu dans celles d'Inez Ferry, à propos de cette histoire absurde autour de l'âge de la mère de Belinda Gildon. À peine lui avait-il précisé qu'elle avait quatre-vingt-huit ans, ou plutôt juste après le lui avoir dit, et dès qu'il eut évoqué les trente-six ans de Belinda, il avait vu, à l'expression du visage d'Inez, qu'il venait de commettre une erreur. Une femme dotée d'un peu de cervelle relèverait forcément ce genre de détails. Et de sa part à lui, le coup de génie avait consisté à devancer les pen-sées de sa logeuse, et à anticiper ses questions soupçonneuses en glissant cette allusion indirecte au statut d'enfant adopté de Belinda. Cette invention de Belinda était nécessaire, pour donner l'impression d'un homme accompagné, d'un homme normal, pas de ceux qui passaient leurs soirées à se morfondre dans la solitude. Doté d'une imagination plus pauvre, il l'au-rait baptisée autrement, Jane Venables ou Anne Tremayne, des noms de romans, d'auteur de romans de quatre sous. Cela donnerait un article intéressant, dans le cadre d'une thèse de doctorat, pourquoi pas, sur le thème des noms que les auteurs attribuent à leurs personnages. Vous pourriez les grouper en catégories, depuis le goût des onomatopées chez Trollope, avec son Dr Omicron Pie, et le Sir Leicester Dedlock de Dickens, jusqu'aux Carruther et Winstanley des romans d'espionnage, dont les épouses se prénomment invariablement Mary. Sa réponse à la police n'avait pas été moins habile : raconter qu'il aurait vu cet homme ou cette femme courir, et qu'il le ou la croyait sans doute en route pour sa séance de gymnastique du soir. Ils se fiaient à lui, et même ils l'admiraient. Il le sentait bien.

Il avait terminé sa vodka et ne s'en verserait pas une deuxième. Il ne fumerait pas non plus de cigarette. C'était Alexander qui fumait, pas lui. Tout dans la vie de Jeremy était organisé, réglé jusque dans les moindres détails. Alexander était plus décontracté. À dix-neuf heures vingt, Jeremy descendrait frapper à la porte d'Inez. Entre-temps, quoique tenté de réfléchir encore à des moyens spectaculaires, lourds de sens, choquants, de se défaire de ce porte-clés et de ce briquet, il réprima ces pensées brouillonnes, s'assit dans un fauteuil entre les lauriers et attrapa sur la table la *Critique de la raison pure* de Kant. L'endroit où il avait suspendu sa lecture était marqué d'un signet en cuir vert doré à la feuille. C'était plus difficile que Nietzsche, mais aussi plus substantiel. Depuis longtemps déjà, il avait appris à se concentrer sur le sujet du moment, quel qu'il soit, et en l'occurrence il s'agissait du point de rencontre entre son esprit et celui d'Alexander.

À sept heures dix-sept, une demi-heure après avoir allumé la lumière, il remit en place le signet, cette fois dix pages plus loin, rapporta son verre à la cuisine et le posa sur l'égouttoir, laissa une seule lampe allumée, et une autre dans sa petite entrée, prit ses clés et descendit au rez-de-chaussée. Il sonna chez Inez et, après une courte attente, elle ouvrit sa porte en laissant la chaînette de sécurité engagée. Très sage. D'ordinaire, il se contentait d'un léger tapotement. Elle s'était attendue à ce que son visiteur soit un autre de ses locataires, qu'elle ne laisserait pas entrer, à qui elle adresserait la parole sur le pas de la porte, et puis elle n'avait pas éteint la télévision. Elle retira la chaînette, se retourna et alla vite le faire.

Il comprit aussitôt à quoi elle était occupée. À l'écran, le temps d'un éclair, il n'avait surpris qu'une quelconque poursuite de voitures, mais il entrevit le boîtier de la cassette sur l'étagère, avec sur le dos une photographie de son défunt mari. Martin Ferry – Jeremy n'avait jamais regardé plus de cinq minutes l'une des productions dans lesquelles il avait joué, mais il le reconnut d'après des photographies parues dans les journaux. Inez rougit. Quelle sotte elle devait être, pathétique et sentimentale, à divaguer de si ridicule manière sur un homme qui était mort depuis trois ans !

– Je suis tout à fait navré de vous déranger, Inez, dit-il d'une voix peut-être un peu trop compatissante, car elle lui lança un regard vaguement suspicieux.

– Ce n'est rien, Jeremy. Que puis-je pour vous ?

– C'est un peu singulier. Mais je suis descendu dans l'intention de m'expliquer, et je vais le faire.

– Voulez-vous un verre ?

Il secoua la tête.

– Puis-je m'asseoir ?

– Bien entendu. Vous ne venez pas mercredi, c'est cela ? Belinda n'a pas réussi à s'échapper ?

Il avait préparé son histoire et ce n'était pas plus mal. Inez avait l'air contrariée – enfin, impatiente. C'était le bon moment.

– J'irai droit au but. Belinda et moi, nous avons… enfin, pas rompu, ce n'est pas tout à fait cela, mais c'est ce qui finira par se produire, je n'en doute pas. Nous avons décidé que nous avions tous deux besoin… (il fallait qu'il formule cette phrase ridicule le mieux possible) de prendre un peu de recul, poursuivit-il. Il nous faut un peu de temps pour réfléchir à notre situation. Le fait est… je peux aussi bien vous le dire… elle considère que je prends ombrage du temps qu'elle consacre à sa mère, et je ne saurais le nier. Je lui ai répondu que je ne souhaitais pas épouser quelqu'un qui placerait en permanence sa mère avant son mari.

Inez hocha la tête.

– Alors sa mère va vivre ?

– Cela y ressemble fort. Des années, c'est probable. Et qu'est-ce que cela signifie, pour Belinda et moi ? Au sein du mariage, je crois en l'absolue loyauté des partenaires, pas vous ?

– Si, j'imagine.

– Une femme doit accorder à son mari la première place.

– Et un mari doit agir de même avec sa femme, n'est-ce pas?

– Cela va sans dire, acquiesça Jeremy.

– Eh bien, j'en suis désolée. J'espère que vous trouverez un moyen de vous remettre ensemble. D'après ce que vous m'avez dit, vous semblez si bien vous convenir.

Inez était convaincue – l'était-elle vraiment? Elle avait peut-être juste envie de se replonger dans tout ce sentimentalisme, de retourner revivre le passé, enfin, ça ou autre chose, en regardant une médiocre cassette vidéo, un homme qui était mort.

– Enfin, si je pouvais venir tout seul, mercredi, j'en serais ravi.

– Je ne pense pas, Jeremy. Je vais profiter de cette occasion pour aller rendre visite à ma sœur. Elle n'a pas été très bien et je ne l'ai pas revue depuis des semaines.

Elle ne sourit pas, ne leva même pas les yeux vers lui. Peut-être était-elle simplement fatiguée, ou alors ces événements l'avaient effrayée. Il s'était attendu à ce qu'elle ait envie de lui en parler, de discuter de la suite, qu'elle lui demande ce qu'avait raconté la police, et qu'elle puisse, entre autres choses, lui rapporter ce qu'ils avaient demandé à Cobbett et à cette fille au nom indien. Mais elle se leva de son siège, le geste le plus clair qui soit devant un invité dont on souhaite prendre congé. Il n'avait guère d'autres choix que partir, or ne pas avoir le choix ne faisait pas partie de son programme de vie. Choisir tenait toujours une grande place dans sa philosophie de l'existence. N'avait-il pas choisi sa seconde identité comme une soupape de sécurité pour sa santé mentale? Il n'était privé de choix que dans un seul domaine…

À présent, dehors la nuit était tombée, mais nulle part, à proximité immédiate, il n'y avait d'espace ou d'endroit qui ne soit éclairé. Jeremy appréciait l'obscurité absolue. Même Hyde Park, qui n'était pas trop loin, conservait à cette heure-ci des réverbères allumés, mais la plupart des places londoniennes

141

possédaient en leur centre un square qui s'étendait sous un manteau de noirceur. Pas Norfolk Square, qui était trop exigu, songea-t-il en y arrivant, et il tourna vers le sud, traversa Sussex Gardens à hauteur du pub, le Monkey Puzzle. Pas de lune, ce soir. Les étoiles demeuraient invisibles, là-haut, dans ce ciel morne, d'un noir rougeâtre.

Sussex Street formait un côté de Gloucester Square. Cette rue n'était certes pas très éclairée. Sans doute ses riverains, une élite, s'opposaient-ils aux éclairages à iode sur leurs grands poteaux en béton. C'était réservé aux pauvres, c'était réservé aux ensembles de logements sociaux. Jeremy longea les grilles au centre de la place, jusqu'à ce qu'il atteigne un portail. Il était fermé, comme de juste, il le fallait bien, et tous les riverains possédaient la clé. En choisissant l'angle le plus éloigné des fenêtres en surplomb des hautes maisons individuelles, il piqua son imperméable sur les pointes, au sommet de la grille, et il escalada.

À l'intérieur, des buissons et des arbres, un chemin qui contournait un carré de gazon. Ces squares étaient tous identiques. Il y avait un siège quelque part, c'était vraisemblable. Ses yeux s'accoutumaient à l'obscurité, il emprunta ce chemin, trouva un siège, en effet, et s'assit. Un froid glacial monta de la pierre, lui saisit les fesses et le dos, le fit frissonner. C'était presque de la douleur. Le plaisir d'être là éclipsa cette douleur. Il était très peu probable que quelqu'un entre dans ce jardin à cette heure-ci. Ce n'était que dans ces squares tranquilles, sous les arbres, dans le noir inodore et silencieux, qu'il se sentait réellement seul et en paix.

Ses pensées revinrent au porte-clés et au briquet. Il pouvait se contenter de les envoyer à la police. C'était ce qu'un individu plus simple aurait fait. En enfilant des gants de latex très fins, il les aurait nettoyés, les aurait fourrés dans une pochette matelassée qu'il n'aurait encore jamais touchée, il créerait l'étiquette de l'enveloppe sur ordinateur et il enverrait le tout au commissariat de police de Paddington Green. Jadis, cela aurait été facile. Plus aujourd'hui, avec toutes ces méthodes de détection. De nos jours, ils devaient être capables de retrouver le vendeur de l'enveloppe matelassée, et aussi celui de l'étiquette, et quelle sorte de gants il avait portée, et certainement le bureau de poste qui s'était chargé de la distribution du pli. Mais pas le type d'ordinateur. En sa qualité de consultant informatique, dans son bureau des anciennes écuries de Kensington, Alexander consacrait une bonne partie de son temps à travailler à une méthode qui permettrait aux experts de la police scientifique d'identifier les systèmes informatiques et, à partir de là, la main qui s'en était servie. Une fortune attendait l'inventeur de ce système – si une telle invention était possible. Il ne manquerait plus que cet inventeur, ce soit lui, là, maintenant...

Quoi qu'il en soit, il n'enverrait pas ces objets à la police, et il ne les déposerait pas dans d'autres boutiques d'antiquités. Certes, il avait toujours la possibilité de les jeter dans une bouche d'égout ou même, sans craindre de se faire voir, dans une poubelle. Mais cela ne lui aurait pas permis de satisfaire un certain sens artistique qui l'habitait – et puis, enfin, il était évident que c'était moins risqué. Il frissonna, et ce ne fut pas de froid. Les introduire chez quelqu'un? Cet idiot de Freddy Perfect ou l'imbécile de l'appartement voisin du sien? Amusant, mais excessivement périlleux. Il allait devoir emprunter le deuxième jeu de clés dans le bureau d'Inez, derrière la boutique, et l'y remettre. Il en était capable, mais cela en valait-il la peine?

Jeremy se leva et contourna le jardin, dans le sens inverse des aiguilles d'une montre. Ensuite, il revint sur ses pas, dans le sens des aiguilles d'une montre. Le square était très tranquille. Un véhicule s'engagea sur un côté, un autre dans Sussex Street, mais c'étaient de grosses voitures coûteuses, conduites à modeste allure. Il escalada de nouveau la grille et se remit en chemin, en suivant un itinéraire très détourné qui le conduisit dans Bryanston Square, avant de déboucher sur Seymour Place. C'était au fond d'une ruelle derrière York Street qu'il avait étranglé Nicole Nimms, avant de sortir une cigarette du sac à main de la jeune femme, et son briquet. Elle rentrait chez elle, la toute petite maisonnette qu'elle occupait dans cette ruelle avec deux autres filles. C'était là, enfin, là-bas, au bout, sous l'arcade en pierre. Il remarqua un bouquet de jonquilles enveloppées dans leur Cellophane, sur les pavés. Naturellement ! Hier, c'était le premier anniversaire de sa mort. Il n'avait pas oublié, mais à ses yeux cela ne signifiait pas grand-chose.

Il lui sembla que la nuit fraîchissait de minute en minute. Le ciel s'était dégagé, la lune avait surgi. Il allait geler. Il marcha d'un pas vif vers Seymour Place, tourna à gauche et prit Old Marylebone Road. Une fille toute seule sortit de Harcourt Place, elle n'avait pas l'air tendue, elle marchait d'un pas rapide en direction d'Edgware Road. Il suivit sa progression, et quand elle regarda deux fois par-dessus son épaule autour d'elle, il sourit, mais pas à elle, non, tout seul. Avec lui elle n'avait rien à craindre – et elle n'en savait rien. Elle était dépourvue de ce que possédaient ses victimes, et qui l'attirait vers elles ; même tout près d'elle et dans le noir, il en avait la certitude. Ce devait être curieux, inconfortable, d'être une femme et d'avoir peur de sortir dès que la lumière du jour s'était effacée. Mais il ne pouvait s'imaginer en femme. Il se serait plus facilement représenté en bel animal, un chien de noble pedigree ou une bête de proie. Le jaguar, dans la boutique d'Inez, quand il était encore chasseur, encore vivant, fier de sa force. Ou un rottweiler, pourquoi pas ?

Dix heures approchaient quand il traversa Sussex Gardens et tourna dans Southwick Street. Personne dans les parages, pas âme qui vive. Edgware Road était restée animée, des lumières vives, des foules d'adolescents un peu partout, des hommes, des Moyen-Orientaux, assis devant les cafés dans le froid, occupés à fumer leurs narguilés, et les restaurants libanais bondés, et les petites boutiques au commerce florissant. Star Street, c'était l'opposé, dans le silence. Il préférait, car ici tout était paisible. Il avait toujours aimé le silence et le calme. Voyez ce qui s'était passé quand il était sorti dans un night-club, ce qui ne lui ressemblait guère, un endroit si bruyant, impensable, ce bruit. S'il n'y était pas entré, peut-être le cycle des morts n'aurait-il jamais débuté…

Un garçon, qui devait avoir seize ans, tourna devant lui dans Star Street, mais sur le trottoir d'en face. Ses origines se situaient quelque part sur le continent asiatique, c'était évident, plutôt vers le sud, c'était probable, car il avait la peau couleur bronze foncé, et les cheveux noirs longs jusqu'aux épaules. Il portait un costume à rayures tennis, ce qui, en soi, était bizarre. Juste avant d'arriver au tournant qui le conduirait dans Saint Michael's Street, il traversa la rue et resta au coin, sous le réverbère, comme s'il attendait quelqu'un. En arrivant devant la porte sur la rue de la maison d'Inez, Jeremy lui lança un bref regard et s'aperçut que le visage finement ciselé avait des traits de type européen, plus européen que nature, la bouche aux lèvres fines, les pommettes saillantes, le nez long, droit et aquilin. Leurs yeux se croisèrent, yeux noirs contre yeux gris-mauve. Jeremy détourna le regard et entra.

Comme Nathan Leopold et Richard Loeb, les deux jeunes protagonistes de la pièce *La Corde*, auteurs d'un meurtre conçu comme un jeu, il se dit que Jeremy tuait par curiosité, pour voir l'effet que cela faisait. Mais *La Corde* avait été écrite avant que les travaux d'investigation sur la psychologie de l'esprit humain n'aient exercé un quelconque impact sur la littérature, et il était douteux qu'un tel mobile suffise à convaincre le spectateur d'aujourd'hui. Alexander en était conscient, et s'il continuait d'avancer cette raison dans ses soliloques, il supposait aussi qu'il devait y avoir autre chose. Mais quoi ? Naturellement, s'il souffrait du syndrome de la mémoire refoulée, si un tel mal existait, il ne le saurait jamais. Il faudrait aller le chercher en lui, l'en extraire. Et pourtant, dans l'hypothèse où un parent de sexe masculin lui aurait infligé, disons, des sévices sexuels dans sa prime enfance (une éventualité hautement improbable dans la mesure où sa mère ne le quittait jamais du regard et où elle avait réussi à retarder le début de sa scolarité jusqu'à ce qu'il ait sept ans), ou même que sa mère l'ait négligé

145

une fois devenue veuve (or elle l'adorait, et plus encore après la mort de son père), il pensait qu'il finirait par comprendre, en creusant profond. Il avait beaucoup creusé, et cela n'avait rien révélé.

Il ne conservait aucun souvenir de sa petite enfance, et ses lectures approfondies en matière de psychiatrie lui avaient appris que c'était dans l'enfance que survenaient les traumatismes. Ses lectures lui avaient aussi appris que peu de gens étaient très conscients d'événements survenus avant l'âge de trois ans. Mais quel événement aurait pu survenir avec une mère qui veillait tout le temps sur lui ? Quand, plus tard, il était allé à l'école, il n'avait pas subi de brimades, et ses enseignants n'appliquaient pas de méthodes draconiennes.

Fallait-il rechercher des épisodes malheureux avec des femmes ? Il n'en avait vécu aucun, à moins de compter son mariage. Cela remontait à l'époque où cette jeune fille et lui étaient tous deux étudiants à l'université de Nottingham. Elle lui avait annoncé qu'elle était enceinte et, à l'époque, de telles circonstances rendaient encore le mariage obligatoire. Aucun bébé n'était arrivé. Au bout de deux mois, elle prétendit avoir fait une fausse couche. Alexander était si ignorant qu'il l'avait crue, mais bientôt il s'était mis à douter, car il n'avait vu aucun signe de grossesse, et aucun signe non plus d'un terme prématuré. Pour autant qu'il puisse en juger, leurs rapports sexuels avaient toujours été satisfaisants, et il se serait tout à fait contenté de l'évolution des choses, même s'il devait admettre qu'au fond il n'appréciait pas beaucoup son épouse et ne se plaisait guère en sa compagnie. Mais c'était sur le plan du sexe qu'elle commença de se plaindre, de manière insultante et déplaisante, en lui hurlant que ce qui s'était produit ne visait que son seul plaisir à lui, et qu'en fait il restait indifférent à ses sentiments. Leurs querelles étaient devenues de plus en plus fréquentes et, au bout de deux ans, ils s'étaient séparés.

Alexander était retourné vivre avec sa mère. Il avait enchaîné une série de postes, tous dans l'informatique, en grimpant lentement l'échelle sociale, et, dans le cadre d'un cours, il avait rencontré une femme qui était devenue sa petite amie. Elle avait un appartement, il s'était installé avec elle et, pendant un temps, ils avaient vécu heureux. Sa petite amie était à la fois plus expérimentée que sa femme et moins exigeante. Mais c'est aussi avec elle qu'il avait fait une découverte sur lui-même. Il n'appréciait ni de toucher ni d'être touché. Sans aucun doute, c'était cette phobie, ce défaut, cette particularité, peu importait le nom, qui avait contribué à la rupture de son mariage. Et il se trouvait confronté à une autre découverte : il s'était aperçu qu'il était possible de faire l'amour avec une femme sans la toucher de ses mains. Il était incapable d'aborder le sujet avec sa petite amie. Il n'avait pas été franchement surpris qu'elle finisse par préférer le garçon qu'elle avait quitté pour lui, et il s'était retrouvé de nouveau seul. Et il s'était rendu compte que cela ne le gênait pas du tout. Il aimait la liberté et la paix de la solitude, et si le confort du foyer que lui offrait sa mère lui manquait, il avait compris qu'il ne pouvait s'enterrer dans un village à la campagne pour le restant de ses jours. Il était parti s'installer à Londres, dans un appartement, à Hendon.

Il avait une aptitude toute particulière pour les ordinateurs et leur complexité, et, à trente ans, il retourna fréquenter l'université (pas à Nottingham) pour obtenir un diplôme d'informatique, un cursus relativement inédit à cette époque. Après qu'il eut obtenu son diplôme, c'était un bien meilleur emploi qui l'attendait, et il commença à gagner de l'argent. Il avait le chic pour savoir se montrer avenant et agréable, ce qui lui valait d'être assez apprécié, et on l'invitait à des dîners. Des connaissances lui téléphonaient et le conviaient à des réceptions de charité et à des collectes de fonds. Sous un dehors chaleureux, il restait froid, un reclus, et cela, se disait-il, c'était par choix. Il acheta un appartement beaucoup plus vaste, à Chelsea cette fois.

Un jour, après avoir rendu visite à sa mère, il traversa Nottingham en voiture. C'était la première fois qu'il y retournait depuis sa rupture avec sa petite amie, survenue des années auparavant. Il était juste curieux de voir en quoi la ville avait changé. Sortir dans des clubs à Londres ne l'avait jamais vraiment intéressé. Sa vie était tranquille, solitaire, ses divertissements le conduisaient au théâtre, à l'opéra, à des choix sélectifs concernant la télévision, la lecture et les boutiques, où il achetait les objets coûteux qu'il lui fallait pour sa nouvelle maison dans une ancienne allée d'écuries, qu'il avait achetée un peu au sud de Kensington Gardens. Mais alors qu'il était juste curieux de revoir cette ville qui lui avait tenu lieu de métropole dans sa jeunesse, à présent les lumières vives et le bruit, tout en le rebutant, exerçaient aussi sur lui une attraction étrange. Visiter ce que l'on devait appeler, croyait-il, une « boîte de nuit » ne lui ferait aucun mal.

C'était à peu près deux ans plus tôt. Il se retrouva dans un club en sous-sol, un endroit sordide et tapageur, où les filles se livraient à des strip-teases plus ou moins émoustillants et s'asseyaient sur les genoux des hommes. Il signifia avec netteté qu'il ne désirait pas subir d'avances de la part de cette jeune femme, Gaynor Ray, dont il ferait plus tard la connaissance. La nuit traînait en longueur, il s'ennuyait, il était fatigué, et pourtant il resta. Son propre comportement lui devenait incompréhensible.

À minuit il se mit à boire pour de bon, un penchant auquel il n'avait jamais vraiment cédé, même pas quand il était étudiant. Il partit juste avant trois heures du matin, regagna sa Mercedes, qu'il avait garée sur un parking de fortune jouxtant le site d'un chantier, et il sortit une couverture du coffre, avec l'intention de dormir sur place. Il resta planté là un moment, sur le trottoir, croyant que l'air nocturne dissiperait ses vertiges et la migraine qu'il commençait de ressentir. Trois filles sortirent du club. C'étaient les danseuses qui rentraient chez elles. Une, une seule sur les trois, lui était destinée. Pourquoi ? Comment le savait-il ? Elles étaient toutes trois jeunes, assez jolies, provocantes dans l'enceinte du club et, à la minute présente, plutôt lasses. Celle qui se tenait le plus près de lui, celle-là lui était destinée, c'était la seule possibilité, une fille qui devait porter sur elle un signe invisible, une cicatrice, une étiquette, un symbole, une marque

que personne n'était capable de voir. Même lui, il se croyait incapable de déceler cette marque, il n'en était pas sûr, mais il pouvait le sentir, il le savait.

Une fièvre terrible s'empara de lui. Il sentit sa pression sanguine monter en flèche, distendre ses veines et cogner dans son crâne. De la sueur lui perla sur la poitrine et lui rendit les mains moites. Si quelqu'un, n'importe qui – enfin, un médecin, un psychiatre –, lui avait demandé de décrire ce qu'il ressentait, il aurait expliqué qu'il se croyait sur le point d'exploser. Il observait les filles. Non, il l'observait, elle.

Elle dit bonsoir aux deux autres et vint dans sa direction, seule. Elle s'arrêta, lui sourit.

— Vous dormez dans un hôtel sympa ?

— Qui sait ? répondit-il.

— Alors vous avez peut-être envie de m'emmener avec vous.

— Montez, fit-il.

Elle s'installa côté passager, dans un geste assez élégant, assez rodé, exhibant de longues jambes et des chaussures à talons hauts. Elle sortit de son sac une croix en argent montée sur une chaînette, qu'elle s'attacha autour du cou, comme s'il s'agissait d'une amulette, d'une breloque protectrice. Il se pencha devant elle, comme pour refermer la portière, au lieu de quoi il se dressa au-dessus d'elle, empoigna la chaînette et serra les deux extrémités, en croisant les mains et en tirant aussi fort que possible. Même à cet instant, ses doigts ne touchèrent pas la peau de la jeune femme. Il ne lui était même pas venu à l'esprit que la chaîne puisse se rompre, ce qu'elle ne fit qu'après la mort de la fille, quand ses yeux bleus à fleur de tête, un peu plus proéminents maintenant, le fixaient avec désespoir. Son visage avait viré au bleu, comme expliqué dans les livres. Il glissa la chaîne brisée dans sa poche, tira la fille de la voiture, jeta son corps sur le site du chantier, et, en se servant d'une pelle que les ouvriers avaient laissée là, il la recouvrit de pelletées de briques et de gravats, de poussière de béton. Il n'y avait personne aux alentours. Son véhicule était le dernier garé sur l'aire de stationnement.

Il aurait probablement pu rester là sans risque, toute la nuit, mais il s'en abstint. Ivre comme il l'était, il roula un peu moins de deux kilomètres, aboutit dans une rue silencieuse de la banlieue et s'arrêta pour y dormir, jusqu'à huit heures. Un bruit de pas, un gamin qui livrait les journaux, le réveilla. Il s'acheta une bouteille d'eau dans une épicerie de quartier et retourna sur le chantier, pour vérifier. Les ouvriers avaient commencé de déverser des débris d'un camion-benne sur le monticule qu'il avait lui-même entamé. Quelle chance ! Il rentra à Londres. Ce fut seulement à son retour dans son appartement de Chelsea qu'il considéra la chaîne avec sa croix en argent, mais sans arrêter aucune résolution, aucun plan.

Avec Nicole Nimms le résultat avait été identique, issu d'une autre pulsion inexplicable, comme un soulèvement tempétueux de tout son corps – du corps de Jeremy – dirigé de façon spécifique vers cette personne-là, et aucune autre. Quand il repensait à ces morts exécutées de sa main, quand il analysait ce qu'il avait commis, cela le mettait en nage et il était obligé de se retenir de crier fort. C'était pour échapper à tout cela qu'il était devenu Jeremy Quick. D'être baptisé le Rottweiler par les journaux, et par l'opinion publique qui suivait leur exemple, cela le mettait en colère. Il n'avait jamais mordu personne. Il doutait d'être physiquement capable de mordre de la chair humaine, car ce serait là un attouchement de la pire espèce. Il en vomirait avant même d'essayer. Cette idée de lui-même en sadique fou qui mordait ses victimes était encore aggravée par le fait qu'il n'avait pas envie de tuer, il n'en avait pas l'intention. Pourquoi avait-il tué ? Et, autre question non moins déroutante, pourquoi cela lui était-il arrivé, somme toute, si tard dans sa vie ? Pourquoi « cela » avait-il attendu qu'il atteigne la quarantaine ?

Tant qu'il ne recevrait pas de réponses, il continuerait, car le savoir constituait le seul moyen de s'arrêter.

CHAPITRE 10

À faire ce que je fais, affirma Freddy Perfect, on apprend beaucoup. Je veux dire, à traîner dans des boutiques comme celle-ci. Vous remarquerez, Inez, que je n'ai jamais parlé de « bric-à-brac ». Les boutiques d'antiquités. Oui, comme je disais, on apprend beaucoup, rien qu'à examiner en silence de petites pièces, des bibelots. Ce vase, par exemple, et cette petite boîte.

– Oui ?

Inez lisait le *Guardian*, les articles sur Jacky Miller, ou son cadavre, ces recherches qui se poursuivaient.

– Reposez cette boîte, s'il vous plaît, Freddy. Elle est fragile.

– Je ne vais pas l'abîmer. J'ai des doigts très délicats, Ludo me le répète tout le temps. J'envisage de devenir commissaire-priseur, je pense avoir un talent pour ça.

– Possible.

La police suivait une théorie, et les parents de Jacky une autre. Il s'avérait qu'elle était une passionnée d'Internet, qu'elle avait échangé des e-mails, contenant des photos, avec un homme que la police avait essayé de contacter, sans succès. Lui aussi, il avait disparu de son domicile. Était-il possible qu'elle soit partie de son propre chef, quelque part, pour retrouver cet homme ? Dans ce cas, estimait le père de la jeune femme, pourquoi ne pas prévenir sa mère, qui n'aurait rien tenté pour l'en empêcher, elle avait dix-huit ans révolus, elle était libre de ses actes. Sa théorie, et celle de sa femme, c'est qu'elle était partie en voyage dans une station balnéaire de la mer Rouge. Une hypothèse beaucoup moins tirée par les cheveux qu'il n'y paraissait à première vue. Une amie avait voulu partir avec elle et deux autres jeunes filles en voyage organisé, mais dans ce cas précis la mère de Jacky avait fait de son mieux pour l'en empêcher. Avec la situation actuelle en Israël, visiter cette région serait trop dangereux. Sur cette question Jacky s'était montrée rebelle, soutenant même que de toute manière elle partirait, et pourtant ses parents n'en avaient plus entendu parler.

Malgré tout, le journal publiait plusieurs articles sur le thème des tueurs en série, des jeunes femmes prises pour victimes, des parallèles entre le Rottweiler, Jack l'Éventreur et l'Éventreur du Yorkshire, sous des titres comme « Que peut-on faire ? », et l'éventuelle réintroduction de la peine de mort. Précédemment, Jeremy Quick, en buvant son thé, avait instillé dans l'esprit d'Inez d'autres doutes quant à sa nature véritable, en lui confiant qu'il était favorable à la peine de mort pour les individus coupables de meurtre.

Zeinab arriva au moment où le téléphone sonna. C'était l'inspecteur Crippen qui l'avisait de la venue de Zulueta et Jones pour dix heures ce matin, qui relèveraient les noms et adresses complets de sa vendeuse, de ceux de ses locataires que la police n'avait pas encore interrogés et de tous les clients réguliers de la boutique.

– Je n'ai rien à cacher, proclama Freddy quand elle le lui annonça.

Zeinab portait un nouveau clou de nez. Visiblement, c'était un authentique diamant. Quand elle remuait la tête, rejetant en arrière sa longue chevelure noire, les rais de lumière reflétés par la pierre ricochaient sur les murs.

– Je n'en dirais pas autant de Morton. Il n'aura pas trop envie de les voir débarquer chez lui, à Eaton Square.

– C'est considéré comme la meilleure adresse de Londres. C'est là que vous allez habiter, quand vous serez devenue Mme Phibling?

– Si je deviens Mme Phibling, reprit Zeinab, et c'est un grand « si ». Vous avez pas intérêt à ce qu'Inez vous voit secouer cette assiette de Meissen dans tous les sens, elle a deux cents ans.

Inez reposa son journal.

– Ça suffit, Freddy. Bon, demain soir je serai chez ma sœur, donc, si vous sortez, Ludmila et vous, je vais vous donner le code de l'alarme. Je vais vous le noter.

– C'est un nouveau départ! s'écria Freddy sur le ton de celui qui est sur le point d'entamer une intéressante conversation.

Il prit le bout de papier où était noté ce code de la main d'Inez.

– Depuis toutes ces années, depuis que je... je veux dire, depuis que Ludo habite ici... je ne m'étais jamais aperçu que vous branchiez cette alarme.

– Toutes ces années? Moins de deux ans, en réalité. Allez, filez maintenant, Ludmila va se demander où vous êtes.

Il avança d'un pas tranquille vers le fond de la boutique, et il n'était encore qu'à mi-chemin lorsque Zulueta et Jones arrivèrent. De toutes les personnes présentes, c'était lui qui avait l'air le moins respectable, et Zulueta, avec son visage en lame de couteau, lui fondit dessus.

– Et vous êtes?

– M. Perfect, lança Freddy en attrapant une pièce en porcelaine japonaise, qu'il étudia d'un air rêveur.

– Vous essayez de faire de l'humour?

Réprimant un rire, Inez intervint:

– Je vous assure, c'est son vrai nom.

Mais à peine eut-elle prononcé ces mots qu'elle se demanda si elle pouvait en être si certaine. Comment savoir s'ils étaient vraiment ce qu'ils prétendaient être, tous – toujours à l'exception de Will.

– Eh bien, monsieur Perfect… (Zulueta chargea son nom d'une forte dose d'ironie.) Bon. (Il se reporta au carnet qu'il tenait en main.) Et quel serait votre patronyme complet?

– Frederick James Windlesham Perfect.

– Vous habitez au deuxième étage, si je ne me trompe?

– Non, vous ne vous trompez pas, confirma Freddy. C'est là que vit ma dame. Naturellement, je suis un visiteur fréquent.

– Alors, où habitez-vous?

– 27, Roughton Road, dans le quartier de Hackney, à Londres, E9.

C'était la première fois qu'Inez en entendait parler. Qui sait s'il n'avait pas inventé cette adresse à l'instant, sur un coup de tête? S'il indiquait une fausse adresse à la police, il risquait sûrement une amende. Maintenant, c'était le tour de Zeinab, qui avait l'air manifestement mal à l'aise. Jones pressa le départ de Freddy en lui ouvrant la porte de communication avec le couloir, et il la lui tint, le temps qu'il franchisse le seuil d'un pas lent.

– Votre nom complet, je vous prie?

– Zeinab Suzanne Munro Sharif.

D'où venait le «Suzanne Munro», Inez se le demanda. Encore une invention, qui sait? Mais quand Jones lui demanda l'adresse de son domicile, elle prit un air de défi.

– Je vois pas pourquoi vous voulez le savoir. Tout ça n'a rien à voir avec moi, rien. J'ai pas étranglé des filles avec des chaînes en argent.

– Vous n'êtes accusée de rien, mademoiselle Sharif. C'est juste de la pure routine.

– Si je vous le dis, vous n'irez pas traîner là-bas, à embêter mon père? Si vous faites ça, il me tuera.

– C'est pour nos dossiers, et cela reste tout à fait confidentiel.

Inez avait déjà l'adresse de Zeinab, dans ses livres. Dans l'éventualité où elle produirait une autre version, elle écouta avec intérêt Zeinab lui communiquer un numéro dans Redington Road, à Hampstead. C'était bien celui que son employée lui avait fourni à son arrivée, quand elle avait commencé de travailler pour elle. Une jolie adresse, près du côté ouest de

Hampstead Heath – même si ce n'était pas du niveau d'Eaton Square.

– Alors, concernant le monsieur dont vous disiez qu'il était votre fiancé…

– C'est mon fiancé. Et je ne vous dirai pas où il habite. Il faudra lui demander.

Elle avait l'air écarlate et plutôt décoiffée, à force de se passer les mains dans les cheveux. Pendant qu'Inez déclinait à Zulueta les identités de quelques clients réguliers, en refusant d'aller jusqu'à lui communiquer leurs adresses, Zeinab prit le temps de se recoiffer et d'une retouche de maquillage devant le miroir au cadre doré. Cette jeune fille cachait quelque chose, c'était quasi certain, sans qu'Inez sache trop quoi. Est-ce que tous les gens qu'elle fréquentait – toujours à l'exception de Will, de sa sœur à Highgate et de quelques amis – pratiquaient la tromperie ? Jeremy Quick, c'était probable. Zeinab et Freddy, c'était sûr. Ludmila, avec son accent variable et sa revendication d'une ascendance russe, c'était très vraisemblable. Et Rowley Woodhouse ? Un jour, Zeinab avait pointé un homme du doigt, sur le trottoir d'en face, et lui avait dit de qui il s'agissait. Mais il n'avait pas traversé la rue pour venir lui adresser la parole, et d'ailleurs il ne l'avait absolument pas remarquée. Cela signifiait-il qu'il fallait être… enfin, souffrir de difficultés d'apprentissage pour pouvoir prétendre à l'honnêteté et à la transparence ? Et elle, était-elle coupable de tromperie ?

Absolument pas, trancha-t-elle en refermant la porte de la rue, que Zulueta et Jones avaient laissée béante après leur départ. Ensuite, elle songea aux cassettes vidéo, dissimulées à la vue de tous ses visiteurs, à la télévision qu'elle éteignait dès que quelqu'un arrivait et aux mensonges derrière lesquels elle s'était réfugiée, à une ou deux reprises, pour cacher ce qu'elle regardait, quand Jeremy ou Becky lui rendaient visite. Ce n'est qu'avec Will qu'elle restait honnête…

Il avait passé le vendredi soir chez Becky, et tout son dimanche. Elle était si démoralisée et si lasse, lorsqu'il lui avait demandé, en avalant son dîner devant la télévision, le vendredi soir s'il pouvait revenir pour le déjeuner dominical, et il est vrai que la force de lui refuser ce plaisir lui avait manqué. De toute manière, il était peu probable que James lui téléphone, qu'il la rappelle jamais, mais une parcelle d'espoir subsistait et elle s'y raccrochait, tout en anticipant déjà l'embarras où cela la plongerait, à cause de la présence de Will, et les faux-fuyants, les mauvais prétextes, s'il l'appelait.

Dans une certaine mesure, le plaisir que Will avait d'être avec elle, et surtout la permission de revenir dans deux jours, finissait par la consoler. Dimanche, dans le courant de l'après-midi, elle était passée dans la cuisine pour préparer le thé et, là, debout, en attendant que l'eau frémisse dans la bouilloire, elle avait vu Will sortir du salon et s'arrêter dans le couloir, en chemin vers les toilettes. Il avait ouvert la porte du bureau et il avait jeté un œil à l'intérieur. Bien entendu, il lui était souvent arrivé de ne pas se contenter d'un regard, d'entrer, et pourtant il lui semblait cette fois-ci que sa manière d'inspecter la pièce était différente. Elle était sûre qu'il étudiait le volume des lieux, en se disant qu'on pourrait aisément y loger un lit d'une personne sans que l'on ait trop à déplacer le reste du mobilier. Pourquoi cela ne deviendrait-il pas sa chambre ?

Elle versa l'eau chaude sur les sachets de thé, sortit le grand gâteau au chocolat du frigo et se répéta en silence la réponse qu'elle lui ferait s'il lui posait la question. J'ai besoin de travailler dans cette pièce, Will, parfois très tard, jusqu'à minuit, j'ai des choses à y faire. Tu sais que je dois gagner ma vie, n'est-ce pas, Will, tout comme toi, tu le sais. Cela lui paraissait creux. Cela donnait l'exacte impression de ce que c'était, celle de quelqu'un qui cherchait à se raccrocher à la moindre excuse.

En fait, c'était bien à tout cela que Will avait songé. Mais Becky se trompait quand elle s'attendait à ce qu'il lui réclame cette pièce, ou même à ce qu'il se formule cette éventualité. La présence du bureau, des fauteuils, de l'ordinateur avec ses périphériques, du photocopieur et du broyeur signalait clairement qu'à ses yeux il n'y avait pas de place pour lui. En plus, elle le lui avait clairement signifié, et ce que disait Becky, c'était parole d'Évangile. La pauvre Becky ne gagnait pas assez d'argent pour partager son toit avec lui.

Deux semaines auparavant, il s'était dit qu'avec le trésor, une fois qu'il l'aurait récupéré, tout changerait, ils pourraient se partager cet argent tous les deux, s'acheter leur maison, vivre ensemble pour l'éternité. Il avait noté « Sixième Avenue » au dos d'une enveloppe qui contenait une publicité pour une pizzeria. Pour noter le nom, il avait demandé à Inez de le lui épeler, et il avait méticuleusement inscrit ces deux mots en lettres d'imprimerie au stylo-bille. C'était pour le montrer aux gens, au cas où ils ne comprendraient pas.

Mais maintenant il avait presque perdu tout espoir de retrouver cet endroit. Il avait interrogé toutes ses connaissances, il leur avait montré l'enveloppe, et tout le monde lui avait répondu que la Sixième Avenue se situait à New York, ou « quelque part en Amérique ». Au début, il n'avait pas accepté cette idée. Will ne possédait pas de véritable capacité de raisonner. La cause et l'effet, cela le dépassait, et il ne s'était jamais aventuré dans les arcanes d'un processus de déduction. Si un individu comme Jeremy Quick lui avait expliqué que toutes les avenues numérotées se trouvaient en Amérique, et que, par conséquent, la Sixième Avenue était en Amérique, il aurait probablement ri et admis le fait, mais il n'aurait pas compris pour autant de quoi il retournait. Toutes ces arguties étant inutiles à ses yeux, il s'y était plus ou moins résigné, avec tristesse et à contrecœur. Un élément entretenait le doute dans son esprit. C'était le bruit des sirènes de police. C'était forcément quelque part, par ici, car ces sirènes étaient bien celles qu'il entendait, allongé dans son lit, la nuit. Il les entendait faire tout ce bruit, braire et iodler, quand les véhicules de police, les ambulances ou les camions des pompiers fonçaient dans Edgware Road ou montaient à la charge dans Sussex Gardens.

La difficulté, c'était qu'aucune de ces personnes qu'il avait interrogées n'avait vu le film. Il avait essayé de convaincre Keith d'aller le voir aussi, et il avait réessayé lundi, quand ils s'étaient installés par terre, dans cet appartement de Ladbroke Grove, pour avaler leurs sandwiches.

– Le soir je peux pas sortir, Will, je peux pas laisser la mère seule avec les gosses, parce qu'elle les a déjà eus toute la journée.

– Ils pourraient aller au cinéma avec vous, avait insisté Will.

– Non, ils peuvent pas. Tu sais pas ce que c'est, les gamins de deux et trois ans. Et on peut pas tout le temps demander à Kim de les garder.

Il s'était tu un instant, pour voir si Will manifestait une gêne quelconque en entendant prononcer le nom de sa sœur, mais il était resté sans réaction.

– Je crois qu'elle est un peu déçue de plus avoir eu de tes nouvelles, depuis que vous êtes allés tous les deux au cinéma.

Keith avait pris le silence et la mine concentrée de Will sur la barre de Kit-Kat qu'il avait apportée dans la boîte en plastique de son déjeuner comme un signe de honte et d'embarras. Il surestimait toujours les capacités mentales de son compagnon. Affligé d'une peur presque superstitieuse de tout ce qui se rapportait aux lésions cérébrales, jamais il n'aurait encouragé sa sœur à sortir avec Will s'il avait eu la véritable perception de ses limites.

– Bon, si ça te chiffonne, si tu penses que tu l'as blessée, passe-lui juste un coup de bigophone et à mon avis tu es bon pour une surprise.

Ils plièrent bagage à quatre heures. La pluie s'était mise à tomber et, dès que Keith fit démarrer la camionnette, les gouttes giflèrent le pare-brise. Dans Harrow Road, il se souvint d'une course à faire, qui lui était sortie de la tête.

– J'ai dit à la mère que je rapportais du pain en tranches et une livre de tomates. Si j'arrive à me faufiler dans une place, je te charge de la bouger si la contractuelle se pointe. C'est double zone bleue ici.

Will avait passé son permis de conduire sans trop de mal, cinq ans plus tôt. Peu de temps après, on avait introduit l'examen écrit, une mesure qui lui aurait interdit d'obtenir son permis. C'était un conducteur chevronné, qui aurait aimé avoir plus souvent l'occasion de prendre le volant. Pour l'heure, il espérait plus ou moins que la contractuelle se présente, comme ça il aurait la chance de faire le tour du pâté de maisons, en attendant Keith.

La camionnette était garée au coin de Harrow Road et d'une rue résidentielle. Après être resté assis dans son siège un petit moment, Will descendit de la cabine et, la pluie ayant faibli, il essuya les rétroviseurs extérieurs avec un chiffon. Il leva la tête, et son regard tomba sur une plaque, apposée sur le mur d'en face, qui portait le nom de la rue de traverse où ils étaient stationnés. Sixième Avenue. Il détourna les yeux, car il devait rêver, mais quand il les leva de nouveau, le nom était toujours là, Sixième Avenue, facile à reconnaître d'après le modèle en lettres d'imprimerie de l'enveloppe. *Sixième Avenue.* Ce n'était pas un écriteau fixé à un poteau de réverbère comme dans le film, car il était accroché au mur, et en hauteur. Ils avaient dû le déplacer depuis le tournage, ce devait être la raison.

Will aurait volontiers traversé, histoire d'aller observer cet écriteau de plus près, mais Keith fut de retour juste à cet instant, avec sa miche de pain et ses tomates.

– J'étais en train d'essuyer les rétroviseurs.

– Un bon gars, ça. La mère me répète tout le temps que les prix crèvent tous les plafonds, mais on y croit pas tant qu'on l'a pas constaté par soi-même.

– Il faut constater par soi-même, répéta Will en hochant la tête, mais ce n'était pas du tout au pain et aux tomates qu'il faisait allusion.

Convaincu d'avoir fait bonne impression aux policiers, Jeremy ne craignait guère qu'ils reviennent inspecter les lieux. S'ils revenaient, il pouvait exiger qu'ils lui présentent un mandat, bien entendu, mais il savait l'effet que cela aurait sur un homme comme Crippen, ou sur n'importe quel officier de police judiciaire, d'ailleurs. On en conclurait aussitôt qu'il avait quelque chose à cacher. Ce qui en l'occurrence n'était pas faux.

En tout état de cause, il ne fallait plus laisser ces pièces à conviction dans ce tiroir. Dans le placard du salon, il avait un coffre-fort, le genre dont les hôtels équipent les chambres des voyageurs, de fonctionnement très simple, sur le principe d'un code à quatre chiffres que l'on tape. Il ne s'en était encore jamais servi, mais il avait déjà décidé que, le moment venu, il éviterait les codes qui avaient la préférence d'à peu près tout le monde, la date de naissance ou sa forme abrégée – donc, en ce qui le concernait, la date de naissance d'Alexander étant un 4 juillet, cela donnerait un chiffre du type 4755. C'était trop transparent. N'importe quel policier, même doté d'un QI fort bas, pigerait assez vite. Jeremy aurait-il la même date de naissance qu'Alexander? Peut-être pas. Dans sa maison, celle de la ruelle des anciennes écuries, à Kensington, il avait utilisé son année de naissance comme code d'alarme, 1955, mais il en fallait un aussi pour ici, et il avait opté pour la combinaison du jour où Jeremy avait tué Gaynor Ray, sa première victime – 14 avril 2000 –, autrement dit: 1440. Recourrait-il encore à ce chiffre? Non. Sans qu'il sache trop comment, ils risquaient d'établir la date de ce meurtre.

Il sortit le briquet, la montre-gousset et les boucles d'oreilles du tiroir de la table du jardin sur le toit et les enferma dans le coffre-fort. Avant qu'il ne referme la porte de ce coffre, il s'écoula un bon moment. N'était-il pas téméraire de les conserver tous là? Mais il fallait qu'il coure certains risques, se dit-il. *Il fallait bien qu'il retire quelque chose de tout cela.* Il ne s'agissait pas de « s'amuser », ce serait ridicule, et puis cela n'exprimerait pas ce qu'il ressentait. Puisqu'il s'était enlisé dans cette compulsion, cette quasi-maladie, il était bien obligé d'y introduire une dimension de jeu, de puzzle, d'énigme. Sans quoi, songeait-il parfois non sans gravité, pourquoi ne pas se donner la mort? Il avait souvent envisagé cette issue, quand il connaissait des baisses de moral, jugeant qu'un tel acte débarrasserait le monde et ses femmes de cette menace mortelle. Mais Alexander n'avait aucune envie de mourir, pas encore, ce qui ne l'empêchait pas de souvent tenir cette option pour la seule porte de sortie. Tout ce qu'il désirait, c'était que Jeremy meure.

Un chiffre pour le coffre-fort, une combinaison. Ni l'anniversaire de sa mère, ni le numéro de sa rue augmenté de son code postal. Il n'avait pas retenu l'anniversaire de son épouse, et celui de ses petites amies non plus. Il vaudrait mieux une date qui ne signifierait rien, sauf pour lui, ou qu'il choisirait au petit bonheur la chance. 1986 : une bonne année pour lui, celle où il avait décroché son diplôme, où il avait déménagé de Hendon pour sa première adresse dans Chelsea, celle de King's Road, l'année aussi où il s'était séparé de sa vieille Austin pour s'acheter sa première voiture neuve, une VW bleue. C'était en mars, il s'en souvenait, mais impossible de retenir le jour. Cela n'avait pas d'importance. Allons-y pour le 3, ça irait. Il tapa 3386 sur le clavier du coffre-fort, puis il ouvrit son carnet d'adresses à la deuxième page. Là, il écrivit, « King », « Austin », et ce qui ressemblerait à un numéro de téléphone : 0207 636 3386. Pour rendre la chose encore plus convaincante, il ajouta une adresse *e-mail* fictive : kinga@fitzroy.co.uk.

Avec l'argent qu'Alexander avait commencé de gagner à l'époque, il aurait pu se permettre n'importe quoi, aller n'importe où, s'acheter pratiquement tout ce dont il avait envie. Et il ne s'en était pas privé. De merveilleuses vacances à l'étranger, les places de théâtre les plus chères, ses appartements superbement meublés, les vêtements les mieux coupés, le début d'une collection d'éditions originales. Ensuite, il s'était projeté dans Jeremy, qui tuait des filles. Au milieu de toutes ces satisfactions et de cette abondance, il s'était mis à tuer des filles. Il en avait tué cinq. L'énormité du chiffre le frappa, cela lui arrivait parfois. C'était si dangereux, si énorme, si éloigné du tout-venant des activités humaines. En des temps pas si reculés que cela, des hommes avaient été pendus pour de tels actes. Des hommes et des femmes que l'on pendait encore, que l'on gazait, que l'on électrocutait ou que l'on fusillait, aux États-Unis. Mais quand il repensait aux meurtres de ces filles, quand il considérait chacun de ces cas, il n'éprouvait plus le frisson qu'il avait connu sur le moment, avant, pendant ou après. Ce n'était qu'un numéro que Jeremy avait besoin d'exécuter, et il comprit une vérité qui ne lui était encore jamais venue à l'esprit: la sensation ressentie après coup était précisément la même que celle qu'il avait eue après le sexe. Du soulagement. Rien de plus, un simple soulagement. Et puis il ne perdait jamais le contact avec la réalité, pas au point de croire qu'il serait réellement deux personnes, l'une qui tuait et l'autre qui était innocente. Non, les deux ne faisaient qu'un.

Finlay Zulueta était un ambitieux. Jusqu'à ce jour, il avait plutôt réussi sa carrière et visait à devenir inspecteur avant de passer le cap de la trentaine. La réponse, lui répétait sans cesse Crippen, tenait à l'âpreté au travail, à ne jamais laisser filer le moindre petit doute susceptible de le tenailler, tel le sealyham qui ne lâche jamais son os. (Apparemment, l'épouse de l'inspecteur élevait des sealyhams, et Zulueta, qui était originaire de Goa, avait appris qu'il s'agissait de petits terriers blancs.) À son avis, et de l'avis de tout homme de tempérament, Zeinab Sharif était une femme ravissante, ce qui ne l'empêchait pas d'être une menteuse. Plus encore qu'une pourvoyeuse de doutes tenaces, une fieffée menteuse. Quelque chose dans sa manière d'être. Pourquoi fallait-il qu'elle mente à la police, si ce n'est parce qu'elle mijotait un mauvais coup? Il était évident qu'elle mentait aussi à son employeur.

En fait, Zulueta commençait à trouver qu'il se dégageait de toute cette maison une atmosphère un peu louche, y compris cette boutique, Star Antiques. Ce type, ce Perfect, par exemple, sans cesse à fourrer son nez là où l'on n'avait pas besoin de lui, et l'ouvrier du bâtiment qui prétendait jouer les simples d'esprit, et même cette Inez Ferry, d'ailleurs. L'inspecteur jugeait très improbable qu'elle ait repêché cette croix en argent et ce porte-clés en époussetant son local. Le plus probable, c'était qu'on les lui avait revendus, et elle avait eu l'intention de les revendre à son tour, avant de finir par reculer. Et qu'est-ce qu'un ouvrier du bâtiment fabriquait là? Il était convaincu, ainsi que Crippen et leurs supérieurs, que quelqu'un, dans cette maison, ou un individu en rapport avec la boutique était impliqué dans ces meurtres jusqu'au cou. Quant à la fille… Il se comporterait en vrai sealyham et il rongerait cet os. Il irait dans Redington Road vérifier si elle habitait vraiment là-bas. Téléphoner ne lui avait servi à rien. Il n'avait obtenu que le service de messagerie si impersonnel de British Telecom.

La maison était immense, un palais à part entière, un de ces endroits qui ne sont mis sur le marché que dans un ordre de prix de cinq à six millions de livres. Zulueta s'attendait à un accès compliqué côté portail, à devoir taper un code, décliner son nom et sa raison sociale à une voix désincarnée, mais il ouvrit sans difficulté, d'une simple poussée. Les fenêtres du rez-de-chaussée étaient protégées par des barreaux, sans aucun autre dispositif de sécurité, pas de caméras de télévision en circuit fermé, pas de chiens et pas d'écriteaux pour avertir de la présence de molosses. Zulucta, qui n'aimait guère les chiens dès qu'ils étaient plus gros qu'un sealyham, en fut soulagé. Il sonna à la porte d'entrée.

Si une domestique en uniforme lui avait ouvert, il n'en aurait pas été autrement surpris, mais l'homme qui se présenta était banalement le propriétaire. Il était très fort, grand et costaud, le visage écarlate, en chemise à col ouvert et en jean.

– Monsieur Sharif? s'enquit Zulueta en exhibant sa carte de policier.

– Ai-je l'air d'un M. Sharif?

Zulueta jugea cette remarque raciste et se demanda si cela ne méritait pas au moins une réaction de sa part. Mais il était obligé d'admettre qu'avec son nez retroussé, ses yeux bleu clair et un reste de cheveux blonds, on ne saurait confondre ce propriétaire rougeaud avec un quidam né quelque part à l'est d'Athènes.

– Il n'y a personne de ce nom-là dans cette maison ?

Sa manière d'exprimer sa requête, par une question appelant une réponse en forme de « non », fut sans doute ce qui contribua quelque peu à radoucir le ton du personnage.

– Absolument pas. Je m'appelle Jennings et, mis à part moi, il n'y a que ma femme et mon fils qui vivent ici. Ils s'appellent

Margaret et Michael Jennings. Puis-je vous demander ce qui vous portait à croire qu'un M. Sharif habiterait ici ?

Il pouvait toujours lui poser la question, il n'obtiendrait pas grand-chose en guise de réponse.

– Une information qui nous est parvenue, monsieur. À l'évidence, une fausse information.

– À l'évidence. Bonsoir.

– Bonsoir, fit Zulueta.

Crippen était enchanté, mais il remarqua qu'il aurait pu tout aussi facilement dégotter cette information dans les registres électoraux.

– Je tenais à ce qu'on en ait doublement l'assurance, chef.

– Tout à fait.

Les deux hommes passèrent dans Star Street en début de matinée. Il était neuf heures vingt et Zeinab n'était pas là.

– Elle n'aurait pas mis les voiles, non ? lança Crippen à Inez.

– Pour elle il n'est pas particulièrement tard, observa-t-elle d'un ton patient. Si à dix heures elle n'est pas arrivée, alors là vous pourrez vous faire du souci.

Inez était seule. Jeremy Quick était passé et reparti, Freddy et Ludmila avaient traversé la boutique une demi-heure plus tôt, en route vers leur arrêt de bus, direction Saint Paul, pour se rendre sur l'autre rive de la Tamise, franchir le Millenium Bridge récemment ouvert et rejoindre le théâtre de Shakespeare, le Globe, que l'on venait d'inaugurer. Ils avaient beau tous deux habiter Londres depuis des années, ils se comportaient encore en touristes, soucieux de ne rien manquer des dernières attractions de la capitale.

Crippen s'assit dans le fauteuil en velours gris, mais Zulueta, lui, déambula dans la boutique, en se comportant comme Freddy, à une différence près, une différence de taille. Il attrapa un collier d'ambre et de chrysocale d'époque victorienne, franchement hideux, qu'Inez avait toujours détesté, et il lui demanda non pas le prix, mais combien elle en voulait. La nuance, subtile, ne lui échappa pas.

– Quarante-huit livres, répondit-elle.

– Quarante, rétorqua Zulueta.

– Je suis navrée, mais je n'accepte pas le marchandage. C'est le prix.

Zulueta semblait sur le point de discuter, mais à cet instant Zeinab arriva. À peine franchi le seuil, elle s'arrêta, incapable de dissimuler son trouble à la vue des deux hommes. Crippen se leva, et ses yeux incrédules se fixèrent sur ses boucles d'oreilles.

– Qui tu crois qu'tu regardes, là? s'exclama Zeinab, sur le ton à l'honneur dans le monde de la rue, celui du jeune client de pub qui cherche la bagarre.

– La question, ce n'est pas « qui », mais « quoi ». Où avez-vous eu ces boucles d'oreilles, mademoiselle Sharif?

– Ça ne vous regarde pas, mais c'est mon fiancé qui me les a données.

Lequel? avait envie de lui demander Inez, mais elle s'en abstint.

– Ces boucles d'oreilles, intervint Zulueta, qui avait oublié le collier d'ambre, ressemblent fort à la paire que Jacky Miller portait quand elle a disparu.

– Vous voulez rire. C'est des vrais diamants.

– Eh bien, mademoiselle Sharif, fit Crippen, peut-être aurez-vous la bonté de les retirer et de nous permettre de les comparer à une photographie des boucles de la disparue. Et, tant que vous y êtes, à propos de votre domicile, expliquez-nous un peu pourquoi vous nous avez fourni une fausse adresse.

Sans motif bien clair, Zeinab, soudain plus enjouée, s'avança vers le centre de la boutique, quitta ses chaussures et glissa les pieds dans des sandales à lanières, étroites, à hauts talons.

– D'accord, mon père habitait là-bas, mais il a bougé. Ma mère et lui, maintenant, ils habitent au 22, Minicom House, à Lisson Grove.

Pour ce qui était de sa mère, c'était la vérité. Crippen faillit remarquer que sa famille, n'est-ce pas, était descendue beaucoup plus bas dans l'échelle sociale, mais il se ravisa.

– Si vous voulez savoir d'où viennent mes boucles d'oreilles,

165

vous pouvez aller questionner M. Khoury, la porte à côté. C'est là que mon fiancé les a achetées.

Crippen hocha la tête et ils sortirent tous trois en formation serrée. Ce devait être le cadeau de Rowley Woodhouse, en déduisit Inez. Morton Phibling n'aurait pas envisagé une seconde d'aller se fournir chez un bijoutier au pedigree relativement modeste, comme l'était ce M. Khoury. Pendant leur absence, la camionnette de Keith Beatty s'arrêta juste devant et Will en descendit. Oublié quelque chose, supposa-t-elle. Il entra par la porte latérale, comme d'habitude, et réapparut avec un paquet qui pouvait fort bien être son déjeuner, juste à l'instant où Crippen, Zulueta et Zeinab sortaient de chez Khoury. Sans trop savoir pourquoi, Inez ouvrit la porte de la rue et resta là. Avec un air de triomphe, car elle avait visiblement réussi à prouver la provenance de ses boucles d'oreilles, et peut-être leur qualité supérieure à celle de la paire disparue, c'est une Zeinab très aimable qui lança un : « Salut, Will. Comment ça va ? Ça fait des siècles que je t'ai pas vu. »

Le garçon avait l'air effrayé. Il avait toujours cet air quand Zeinab lui adressait la parole. Marmonnant quelque chose en regardant par-dessus son épaule, il courut presque pour contourner la camionnette vers la portière côté passager. Zulueta le dévisagea d'un œil soupçonneux, et Inez dut reconnaître que son comportement avait de quoi le faire passer pour coupable de quelque méfait – le dernier terme que l'on puisse appliquer à Will, si simple, si innocent. La camionnette démarra.

Au grand soulagement d'Inez, et pourtant elle venait de manquer une vente, au lieu de rentrer dans la boutique, les deux officiers de police repartirent vers leur véhicule. Dès qu'elle fut à l'intérieur, Zeinab éclata de rire. Elle alla se poster en face de son miroir pour une retouche de maquillage, afin de se préparer à l'arrivée de Morton Phibling.

CHAPITRE 11

Peu coutumier de la sournoiserie, Will n'aimait pas trop l'idée de demander à Keith de le déposer dans la Sixième Avenue, sur le chemin du retour de Ladbroke Grove, à quatre heures et quart. Il aurait été incapable de lui expliquer pourquoi il avait envie de se retrouver là-bas, par crainte que Keith n'en devine la raison et d'être forcé d'inventer un prétexte, de raconter des choses fausses. En plus d'être faux, c'était trop compliqué et trop difficile. Will ne possédait peut-être pas un intellect de première, ni même de quatrième catégorie, mais, un peu comme un enfant grave et sincère, il avait un sens moral assez développé. Un sens moral qui englobait le mensonge et le fait de dire ou non la vérité, d'être poli et aimable, mais pas celui de spéculer sur l'identité du véritable propriétaire de ce trésor, les individus qui l'avaient enterré, la collectivité, ou les bijoutiers auxquels on l'aurait dérobé. Ces questions étaient bien trop complexes pour lui. En outre (mais cela, il n'aurait pas su se le formuler), ce trésor appartenait en réalité au monde des contes de fées, où les règles de la propriété, ne

167

pas voler les autres et ne pas considérer que tout ce que l'on trouve est à soi, cessaient de s'appliquer.

Donc il ne dit rien à Keith, si ce n'est qu'il le reverrait le matin où ils entameraient un nouveau chantier. En revenant chercher ses sandwiches, qu'il avait oubliés, il avait eu la désagréable surprise de tomber sur ces policiers qu'il n'aimait guère et sur Zeinab qui l'intimidait. Enfin, maintenant ils étaient tous partis. Sans se faire remarquer, il monta au premier, se prépara une tasse de thé et avala un pain aux raisins. Et puis les pendules avaient changé d'heure – Will ne savait pas si on les avait avancées ou reculées, c'était Inez qui avait réglé ses deux pendules et la montre du garçon – et à sept heures et demie il ferait encore jour. Fallait-il que la nuit soit tombée pour entreprendre ce qu'il avait à faire ? Pas vraiment, même si dans le film il faisait nuit.

Il décida de prendre son repas du soir avant de se mettre en route. Vers cinq heures et demie, Freddy et Ludmila rentrèrent de leur journée de promenade sur la South Bank et mirent de la musique sur leur lecteur de CD. C'était presque toujours du Chostakovitch que choisissait Ludmila, et Will ne connaissait pas. Il savait en revanche que cela faisait beaucoup de bruit, ce qui ne l'ennuyait pas, mais il aurait préféré un joli morceau ou une voix chantante. Il n'entendit pas Jeremy Quick entrer, car ce dernier avait toujours le pied léger, et de toute façon l'écho de ses pas aurait été noyé par la 7e symphonie *Leningrad*. Will battit trois œufs à la fourchette et, comme il trouvait que ça ne suffisait pas, il en ajouta un quatrième. Il se fit griller des toasts et les beurra, ouvrit un paquet de chips et un nouveau flacon de ketchup, et il s'assit pour manger. En guise de dessert, Becky lui avait offert une tourte de Bakewell, et il en croqua deux tranches, avec de la crème fraîche épaisse. La lumière commençait de décliner et les ombres de ramper sur le rebord des fenêtres.

Après avoir lavé sa vaisselle et laissé une lampe allumée afin de tenir les cambrioleurs en respect, suivant le conseil de Becky, Will enfila son épais duffel-coat et, une fois sa porte refermée à double tour, il descendit l'escalier. Il n'emporta rien. Ce serait pour plus tard. Il remarqua ce policier aux cheveux noirs, avec son drôle de nom, dans la voiture en stationnement le long du trottoir, et cela le décontenança. Mais il se souvint de l'avoir vu, lui et l'autre, le plus important des deux, sortir de la bijouterie de M. Khoury ce matin, et il en conclut que M. Khoury avait dû recevoir la visite de cambrioleurs. Y avoir pensé, cela le rendit très fier. Le policier au nom bizarre était là pour prévenir le retour éventuel des voleurs.

Will marcha jusqu'au bout de Star Street, traversa Norfolk Square, dépassa la gare de Paddington et s'engagea dans Eastbourne Terrace. Il franchit le Bishop's Bridge, qui enjambe la ligne Great Western, emprunta le passage souterrain et déboucha dans Harrow Road. Les nouveaux bâtiments de Paddington Basin, des tours encore inachevées, structures de verre et de béton, des formes, des courbes et des arches fantastiques, toutes en surplomb de l'ancien canal, trônaient au-dessus de la nuit scintillante en contrebas. Apercevoir l'écriteau *Sixième Avenue* lui procura autant de plaisir, si ce n'est autant de surprise, que la première fois. Dans le film, rien n'indiquait le numéro de la maison, le jardin où l'on avait enterré le trésor, mais il pensait pouvoir reconnaître l'endroit d'après son aspect extérieur et sa proximité avec le parking.

La Sixième Avenue était une rue bordée de longues rangées de maisons identiques. Pour presque toutes, il était presque impossible de voir à quoi ressemblait l'arrière. Toutefois, à l'endroit où une rangée s'achevait et où une autre débutait, l'espace compris entre la dernière bâtisse de la série et la première de la suivante lui laissait entrevoir un carré d'herbe, des buissons, un bout d'appentis. Dans le film, il y avait un appentis, peut-être de l'herbe et sûrement des buissons. On accédait à certaines de ces maisons situées en fin de rangée par des portillons latéraux. Will savait que s'il s'approchait il pourrait ouvrir ces portillons et jeter un œil sur l'arrière, mais des gens habitaient dans ces maisons – il y avait des lumières allumées derrière les rideaux tirés, quelques fenêtres étaient éclairées, les rideaux encore ouverts – et on allait le prendre pour un cambrioleur.

Il n'y avait pas d'aire de stationnement. C'était quelque chose qu'il ne parvenait pas à comprendre. Mais il savait qu'il existait certaines choses dans la vie qu'il était incapable de comprendre, et qu'il ne comprendrait jamais. Il avait besoin de Becky pour les lui expliquer, et il essayait de penser à ce qu'elle aurait pu lui dire sur cette absence de parking. Pour lui, c'était là une méthode de réflexion toujours très ardue. S'il avait été capable de deviner ce qu'elle lui aurait soufflé, il n'aurait pas eu besoin d'elle, or, à la minute présente, il avait le plus grand besoin d'elle. Tout ce qu'il pouvait faire, c'était s'imaginer avec elle, Becky lui expliquant la situation et lui rendant toute cette réalité très limpide, mais il n'empêche qu'il restait incapable d'imaginer ce qu'auraient été ses explications.

Dépité, il secoua la tête et poursuivit vers le bout de la rue, tout en se demandant maintenant comment il allait surmonter la difficulté, réussir à inspecter du regard le fond de ces jardins sans se faire voir des riverains. Il avait traversé, il avait pris le trottoir d'en face, et il était déjà revenu un petit peu sur ses pas quand il arriva à hauteur d'une maison qu'il n'avait pas remarquée auparavant. Elle n'avait pas de lumières allumées. Il n'y avait pas non plus de rideaux aux fenêtres, et elle semblait vide de tout mobilier. Mais ce qui intéressait Will, ce qu'il avait surtout l'impression de reconnaître, c'était le tas de matériaux de construction dans le jardin donnant sur la rue, qui barrait l'allée latérale et d'où l'on avait retiré le portillon. Des ouvriers travaillaient dans cette maison vide, qu'ils étaient peut-être occupés à agrandir. Pour l'heure, bien entendu, ils étaient repartis, en laissant derrière eux des monceaux de briques, des tas de sable et leur bétonneuse.

En s'avançant dans la rue et en faisant demi-tour à mi-chemin, il n'avait croisé personne. À première vue, il n'y avait pas âme qui vive. L'homme qui le suivait était trop rompu à ce genre d'exercices et trop prudent pour se faire repérer. Mais quand

Will escalada le tas de sable et contourna la bétonneuse, l'autre se faufila à sa suite, en demeurant dans la profondeur de la pénombre. Oubliant l'absence de parking, le garçon était à présent trop surexcité pour considérer autre chose que le bout de terrain qui s'ouvrait à partir de cette allée latérale. C'était difficile à déterminer dans le noir, mais le béton fendillé, les bandes de terre nue d'où surgissaient des touffes d'herbe, l'appentis délabré, tout paraissait identique. Une fenêtre de la maison voisine diffusait sa lumière, mais elle éclairait une petite pelouse et ne filtrait pas jusque-là. L'autre partie du jardin était plongée dans l'obscurité, excepté le halo faiblard d'une bougie qui brûlait dans une pièce à l'étage.

Will s'aventura vers le fond du jardin à l'abandon. Il essaya d'ouvrir la porte de l'appentis, mais elle était fermée, et il n'y avait pas de clé visible. En général, les pelles et les bêches élisaient domicile dans les appentis, et il avait espéré en dénicher une. En scrutant à l'intérieur par le carreau cassé, il ne vit rien, à part deux sacs en plastique remplis d'une matière épaisse et, à côté, ce qui ressemblait à un tas de vieux vêtements. Il reviendrait demain.

Il marchait à pas lents dans Harrow Road en réfléchissant au moyen de se procurer un outil pour creuser. Keith avait des pelles, mais, évidemment, ils ne s'en servaient qu'à l'extérieur, pour des chantiers, et il était hors de question de lui en emprunter une, parce que son patron voudrait savoir pourquoi. Will ne possédait pas de jardin, et Becky non plus, et Keith était au courant. Il allait devoir s'en acheter une, trancha-t-il. Demain, après le travail.

De l'avis de Zulueta, la visite de Will Cobbett dans la maison de la Sixième Avenue et ses tentatives pour pénétrer dans l'appentis de la cour-jardin scellaient sa culpabilité. Après le départ du jeune homme, Zulueta avait essayé à son tour d'ouvrir l'appentis, mais, si compétent qu'il fût dans ses autres missions policières – filer quelqu'un sans se faire détecter, entre autres –, l'ouverture d'une serrure sans la clé n'avait jamais été son fort, et là encore ce fut l'échec. La fenêtre était trop petite pour laisser passer même un homme très mince. Pourtant armé d'une torche, le policier y voyait à peine. Il aurait donné cher pour savoir ce que contenaient ces sacs et ce qu'il y avait sous cette pile de vieux anoraks, de vieilles salopettes sales et d'autres vêtements indéfinissables. Le corps de Jacky Miller ? D'autres pièces à conviction, comme les boucles d'oreilles de Jacky ou un autre vêtement de la jeune femme ? Une autre fille dont la police ignorerait même la disparition, parce qu'elle était seule au monde ?

Convaincu que Will avait abandonné la Sixième Avenue et qu'il était en route vers chez lui, Zulueta alla chercher sa voiture, qu'il avait laissée garée dans Star Street. Il marcha dans les rues presque désertes, sous l'éclairage scialytique et surnaturel, jusqu'à Paddington Green, en passant sous la passerelle. Will avait disparu, il avait sans doute emprunté un chemin détourné ou un raccourci. Et ensuite, quoi ? se demandait le policier.

Depuis que la croix en argent de Gaynor Ray était réapparue chez Star Antiques, il nourrissait des soupçons sur la personne de Will. Ce n'était pas seulement cela, mais les manières furtives de l'individu et ses tentatives pas très convaincantes de se présenter comme un simple d'esprit, un innocent. Zulueta, qui était titulaire d'un diplôme en psychologie, voyait clair dans son comportement. Ensuite, il y avait eu cet échange de regards entre lui et la fille, cette Sharif, et Cobbett avait eu l'air estomaqué quand elle lui avait demandé comment il allait, en ajoutant qu'elle ne l'avait pas vu depuis des siècles. Une histoire ô combien vraisemblable – ça n'avait même pas les accents de la sincérité. Pour abuser un Zulueta, il fallait s'y prendre un petit peu mieux.

Alors, étaient-ils tous deux impliqués là-dedans, à un titre ou un autre ? Crippen avait essayé de coincer Sharif, à cause de cette fausse adresse qu'elle avait déclarée. Cet après-midi-là, Osnabrook avait fait un saut à Minicom House, l'un de ces immeubles de logements sociaux, couleur arc-en-ciel, propriété de la ville de Westminster, dans le quartier de Lisson Grove, et il avait constaté qu'elle avait dit la vérité au sujet du domicile de ses parents, qui habitaient bien au numéro 22. Enfin, la moitié de la vérité. Sa mère habitait bien là, mais quand Osnabrook avait demandé à voir le père de la jeune fille, cette dame lui avait répondu : « Il a foutu le camp il y a vingt-cinq ans », et elle avait rigolé. Mais Crippen lui-même changerait de discours quand il apprendrait l'existence de la maison de la Sixième Avenue et de l'appentis.

Si Cobbett et Sharif étaient tous deux impliqués, le cerveau, c'était le garçon. Qu'ils soient tous deux d'une beauté exceptionnelle suffisait à conclure à leur culpabilité. Zulueta avait formulé une théorie, développée jadis dans un mémoire dont il était l'auteur, sur la psychologie et les films hollywoodiens, selon laquelle les gens beaux s'attiraient mutuellement. On avait aussi la preuve que le Rottweiler était dans le bâtiment. Cobbett était aussi dans le bâtiment et il ne faisait aucun doute qu'il avait travaillé sur ce chantier. C'était ce qui lui avait inspiré l'idée de dissimuler le corps de Jacky Miller à cet endroit. Il avait caché celui de Gaynor Ray sous un tas de débris, alors pourquoi pas celui-ci ?

Il était malin. Seul un individu très malin pourrait prendre cet air idiot d'innocent, et s'y tenir. Zulueta se demandait où se trouvait le corps de Jacky Miller désormais. La tête pleine de conjectures sur les emplacements où Cobbett aurait pu le cacher, il refit le long et morne trajet jusqu'à la place où il avait laissé sa voiture en stationnement.

C'est tout à fait par hasard que Jeremy Quick les avait aperçus, l'un et l'autre. Presque tous les soirs, il avait pris l'habitude de sortir marcher. Au début, alors qu'il venait de tuer Nicole Nimms, et sachant qu'après cette première récidive il risquait fort de recommencer, il avait résolu de ne plus jamais ressortir après la tombée de la nuit, de crainte que cette pulsion ne vienne le submerger. À cette pensée en succéda une autre, qui partait du point de vue opposé. Il n'allait pas se condamner à vivre sous un éternel couvre-feu, non, il sortirait et, quand la tentation resurgirait, il résisterait. La fois d'après, dans un crépuscule naissant, il avait lutté contre lui-même, pour maîtriser cette pulsion, et il y était parvenu, mais au prix de tremblements et de suées, avant de finalement vomir dans le caniveau. Après cet épisode, il appliqua de nouveau le couvre-feu. L'étranglement de Rebecca Milsom y mit un terme, dans Regent's Park, si ce n'était en plein jour, en tout cas bien avant la tombée de la nuit. Par conséquent, il était capable de tuer à toute heure, l'obscurité n'était pas de règle, et il était ressorti marcher quand l'envie lui en venait.

Ce soir-là, ses pas l'avaient conduit vers Paddington Basin et le vaste complexe de nouveaux bâtiments. Même sans la fantasmatique Belinda Gildon, sa future épouse, il fallait qu'il songe à déménager, dès cette année. Les appartements de Paddington Basin déjà proposés à la vente avaient l'air agréables, et ils seraient neufs. Ses deux domiciles actuels étaient anciens, et donc leur nettoyage et leur entretien nécessitaient davantage de temps et d'argent.

Pourtant, entrer dans le périmètre du complexe était impossible. L'accès était encore interdit, sauf aux entrepreneurs qui travaillaient sur le site. Jeremy était déçu. Il faudrait certainement prendre un rendez-vous avec un agent immobilier qui aurait accès à l'ensemble pour visiter un appartement témoin. À moins qu'il ne soit plus sage de s'éloigner encore davantage, pourquoi pas vers le sud de Londres ? En essayant de traverser entre la gare de Paddington et Bishop's Bridge, il aboutit dans une rue de traverse qui donnait sur un rond-point, et faillit rentrer en plein dans ce lourdaud de Will Cobbett.

Le garçon dévisagea Jeremy comme s'il ne l'avait jamais vu, et ce qu'il voyait n'avait pas l'air de lui plaire. Nom d'un chien, il avait l'air terrorisé. Amusé, Jeremy s'étonna que l'autre ne vît point qu'il n'était ni d'un sexe ni d'une taille tels qu'il dût avoir peur de le croiser par une nuit noire. Quoi qu'il en soit, pour le destinataire de ce regard, se faire dévisager de la sorte n'avait rien de plaisant, et Jeremy sentit la colère sourdre en lui. Il le salua d'un « bonsoir » cassant, presque une réprimande.

Cobbett ne répondit pas. Il le planta à hauteur de l'arrêt de bus, se mit à courir en jetant un regard par-dessus son épaule, en direction d'Edgware Road. Jeremy était furieux. Le gaillard l'avait traité comme un garçon bien élevé, un garçon de dix ans, aurait pu traiter un pédophile. D'un pas lent, il se détourna et, décidé à poursuivre sa promenade, il se dirigea vers un passage souterrain. Cela le ramena à la jonction entre Warwick Avenue et Harrow Road. Et là, il tomba sur une autre connaissance de Star Street, l'inspecteur Zulueta, qui venait à sa rencontre.

Tous deux se souhaitèrent le bonsoir. Si Jeremy avait invoqué une quelconque excuse pour expliquer sa présence dans cet endroit plutôt désert, peu fréquenté après la tombée du jour, cela aurait pu éveiller les soupçons de Zulueta, mais il se contenta d'un commentaire, sur le ton le plus conventionnel qui soit :

– Une soirée plutôt douce pour un mois d'avril.

La tête pleine des activités mystérieuses et sans nul doute criminelles de Will Cobbett, Zulueta opina, ajoutant qu'il ne pouvait s'attarder. Ils prirent congé au coin de la rue, Jeremy choisissant le trajet le plus court vers Edgware Road. Il avait l'intention de poursuivre sa promenade par une exploration de Maida Vale, mais il n'avait pas envie de rester en compagnie de M. Zulueta plus longtemps que nécessaire. Il regarda le policier traverser le pont sur le canal et disparaître dans Blomfield Road.

CHAPITRE 12

Jamais, de toute son existence, Jeremy Quick, ou son alter ego, Alexander Gibbons, n'était sorti acheter des vêtements ou des bijoux pour une femme. À l'époque de son mariage, il était trop pauvre pour envisager l'achat d'une bague de fiançailles, même si cela lui était venu à l'esprit et, tant qu'il vivait avec sa petite amie, il n'avait eu aucune raison de changer d'avis. Depuis lors, il n'avait plus eu l'occasion d'entrer dans les boutiques pour femmes. Aujourd'hui, l'heure était venue.

De prime abord il avait eu la ferme intention d'intégrer les boucles d'oreilles de Jacky Miller dans son jeu, mais, de manière assez incompréhensible, il ne s'en était pas senti capable. Tôt dans la matinée, il les avait sorties du coffre-fort, ainsi que le porte-clés et le briquet, et il avait éprouvé une forte réticence à l'idée de s'en séparer. Tout à coup, c'était comme si ces objets revêtaient une valeur énorme, le genre de bijoux précieux dont, en réalité, le propriétaire, pour les porter, aurait fait réaliser des copies en argent et en strass. Ils étaient probablement en plaqué argent et sertis de brillants, et devaient valoir au

176

maximum une quinzaine de livres. Des copies, songea-t-il, et voilà! Lui, il ne les aurait pas fait copier, il les aurait achetés tels quels. Rien de plus facile, car à l'évidence c'étaient des bijoux à la mode, puisque cette fille, Zeinab, en portait une paire quasi identique – mais en or.

Veillant à ne pas trop conserver de coupures de presse sur l'affaire, il en avait tout de même deux ou trois, qu'il jugeait essentielles. L'une d'elles était un croquis d'illustrateur, à leur taille réelle, des boucles que Jacky portait lors de sa disparition. Jeremy examina ce dessin. Elles mesuraient un peu moins de trois centimètres de diamètre, c'était de l'argent, ou cela y ressemblait, ponctué de... combien de brillants? À peu près une vingtaine, à ce qu'il semblait.

Où irait-il faire ses courses? Pas dans son quartier, c'était bien évident. Jouer avec le feu, c'était parfait, mais point trop n'en fallait. Dès qu'il s'agissait d'acheter des bijoux d'imitation, il perdait un peu pied. Il ne connaissait que les quartiers chic et chers, notamment Savile Row et Burlington Arcade, où il se procurait ses propres vêtements. Knightsbridge, cela n'irait pas, et Bond Street non plus. En fin de compte, après avoir mémorisé l'aspect et les dimensions de ces boucles d'oreilles, il opta pour Kensington High Street. Mais, tout d'abord, il fit un saut chez Inez. Comme l'après-midi était ensoleillé, cela promettait une journée exceptionnellement chaude pour la saison, et il avait passé son nouveau costume gris anthracite, avec son filet bleu discret, à peine visible, une chemise immaculée, tout juste revenue du pressing de Star Street, et une cravate bleue à chevrons violets. Alexander, lui, préférait des tenues beaucoup plus décontractées, quoique griffées Armani.

Inez lui adressa un regard approbateur. Ce fut tout au moins sa première impression, peut-être parce qu'il avait l'habitude de la percevoir ainsi. Longtemps, avec une satisfaction sereine mais non sans une certaine dose de mépris, il avait senti qu'elle avait des vues sur lui – il y en a que l'espoir fait vivre! Comme si elle avait pu lui attirer l'œil! Mais quand elle s'éclipsa dans la minuscule kitchenette pour allumer la bouilloire, il repensa à ce regard qu'elle lui avait lancé. Ce regard qu'il lui avait vu, depuis quelques jours, avec ce ton de voix un peu sec, et ses manières fort peu accueillantes quand il lui rendait sa visite habituelle pour sa tasse de thé. Il était en mesure de dater ces changements. Ce regard, ce ton et cette attitude étaient apparus le lendemain du jour où il lui avait fait part de sa rupture avec Belinda. Il avait dû lui annoncer cette séparation avec moins de finesse qu'à son habitude.

L'admettre, fût-ce en silence, c'était inacceptable, comme l'était toute critique, qu'elle émane de lui ou des autres. Quand il lui avait évoqué son attente patiente du choix que Belinda finirait par faire entre sa mère et lui, c'était avec tout son art habituel, et il s'était peut-être même surpassé, car il avait consenti à un effort volontaire pour être sûr que ce soit parfait. Le plus probable, c'était qu'Inez ait pris ombrage du refus de ses deux invitations. Quelle vanité de sa part, s'imaginer qu'un homme comme lui aurait envie de gâcher une soirée en sa compagnie !

Le jaguar l'observait de ses yeux dorés et menaçants. Pour la première fois, il remarqua ses moustaches broussailleuses, et elles le firent frissonner. Elle revint avec le thé, mais sans le sourire. Ces derniers temps, elle avait pris l'habitude de lui parler de la dernière visite de la police ou des conjectures des gens avec qui elle évoquait le sort de Jacky Miller. Ce matin, rien de tout cela. En fait, il n'y eut que le silence, jusqu'à ce qu'enfin, relevant la tête du registre qu'elle étudiait, elle lui demande quels projets il avait pour ce lundi de mai, jour de la fête du Printemps, qui était férié.

Jeremy avait oublié que cela tombait le lundi de la semaine du 4 mai. Il n'avait aucun projet, mais elle attendait sa réponse en buvant son thé, et c'est à Alexander que vint l'idée d'aller rendre visite à sa mère. Parmi toute la population du Royaume-Uni, voire de la terre entière, s'il était une personne qu'Alexander Gibbons adorait, c'était Dorothy Margaret Gibbons. Il ne l'avait plus revue depuis plusieurs semaines maintenant. Il calcula, pas exactement avec un serrement au cœur ou un remords de conscience, mais non sans une certaine surprise, qu'il ne s'était plus rendu à Oxton, où elle habitait, depuis le mois de mars.

— Je vais aller voir ma mère, répondit-il.

— Oh, oui, elle habite quelque part dans les Midlands, c'est cela ?

— Market Harborough, précisa Jeremy, ce qui était un mensonge, mais pas un très gros.

Sa mère vivait dans le comté voisin du Nottinghamshire. Qu'elle s'imagine donc que la mère de Jeremy Quick vivait autre part. Elle ne découvrirait jamais où.

— Et vous ?

— Ce lundi-là, je pars toujours chez ma sœur et son mari. Ils sont juste à Highgate.

Mis à part s'enquérir des projets de Zeinab Sharif, Will Cobbett et sa tante, Ludmila Gogol et Freddy Perfect, Morton Phibling, Rowley Woodhouse et M. Khoury pour la fête du Printemps, il n'y avait apparemment plus rien à ajouter. Jeremy termina son thé, remercia Inez et se mit en route pour la station de métro de Paddington, la Circle Line qui le conduirait à Kensington High Street.

Sa première intuition au sujet du changement d'humeur d'Inez à son égard était la bonne. Le soupçonner de ne pas être celui qu'il était en réalité, non, cela n'avait rien à voir. Loin d'elle une telle idée, mais elle était tout de même certaine qu'il lui avait menti au sujet de Belinda et sa mère, et elle craignait qu'il ne soit aussi affabulateur que Zeinab, et que ce ne soit franchement pire que chez Ludmila. Il est vrai que, pendant un temps, elle avait nourri les prémices de sentiments romantiques à son égard. Elle avait pensé, et pensait encore, qu'il lui avait témoigné davantage de chaleur qu'elle ne l'avait vu en exprimer à d'autres, et elle se rappelait l'intérêt qu'il avait manifesté pour son nom de baptême. Peut-être avait-elle mal interprété ces signes. Mais plus simplement, pour recourir à une expression démodée, elle l'avait pris pour un honnête homme et elle était désappointée.

Cela ne méritait ni regrets ni récriminations. Elle emporta les tasses dans la cuisine et les lava, sortit le présentoir des livres et les livres sur le trottoir. Hier, elle en avait vendu quatre, pas moins – un record ? Elle espérait qu'aujourd'hui la police ne viendrait pas, elle était lasse de les voir, fatiguée de l'impudence de Zulueta, des manières grossières de Crippen.

En l'occurrence, personne ne se présenta, pas même Zeinab. Inez aperçut Freddy dans la rue, qui marchait en compagnie de son ami, cet Anwar quelque chose – un tandem déplacé s'il en était. Elle ne doutait pas une seconde que leur relation soit tout à fait innocente, Freddy remplissant le rôle de la figure paternelle auprès d'Anwar, qui devait avoir quinze ou seize ans. Comment s'étaient-ils rencontrés et qu'est-ce qui les avait attirés l'un vers l'autre ? C'était évident, ils appartenaient tous deux à ce que l'on appelait avec un tel manque de tact des « minorités ethniques », mais dans un quartier où prédominaient les adultes ou les enfants de parents originaires du sous-continent indien, des Caraïbes ou du Moyen-Orient, cela ne suffisait guère à les réunir. De tels rapprochements relevaient souvent du mystère.

Juste après dix heures, alors que Zeinab n'avait toujours pas fait son apparition, Inez composa son numéro de portable. Il était éteint. Elle attendit encore quelques minutes. Alors, se remémorant l'adresse que Zeinab avait fournie à la police, elle chercha la famille Sharif dans l'annuaire. Une femme lui répondit. Inez la prit à juste titre pour la mère de Zeinab et lui demanda où était sa fille.

Reem Sharif était encore au lit.

– D'après eux c'est un virus, expliqua-t-elle, la bouche pleine d'un œuf au chocolat fourré de crème, un reste de Pâques.

– Vous voulez dire qu'elle est malade et qu'elle ne vient pas travailler ?

– Vous avez tout compris. Je vais passer faire un saut plus tard. Ce sera tout ?

– Peut-être pourriez-vous lui demander de téléphoner à Inez.

– Ouais. Allez, à plus.

Qu'est-ce que cela signifiait, «Je vais passer faire un saut plus tard»? Un saut où? Était-il possible que, en l'espace de ces deux journées, depuis qu'elle avait indiqué à Crippen que ses parents habitaient à Minicom House, Zeinab ait déménagé et se soit installée avec Rowley Woodhouse ou Morton Phibling? Inez envisageait de téléphoner à Morton, chez lui, à Eaton Square, s'il n'était pas sur liste rouge, quand il arriva, conduit par son chauffeur dans sa Peugeot couleur citron vert. En hommage à ce beau temps chaud – Inez avait laissé la porte de la rue grande ouverte –, il portait un costume blanc avec une chemise en lin noir, au col ouvert, révélant sa gorge en forme de gésier de poulet.

– Où est celle que mon âme aime d'amour?

– J'aimerais le savoir, probablement au lit avec un virus, fit Inez en présentant volontairement l'état de Zeinab comme la conséquence d'un week-end passé dans les parcs à attractions de Clacton.

D'ordinaire, elle n'était pas du genre rosse, mais les événements de la matinée avaient vite mis son humeur à rude épreuve. Enfin, elle se limita à un conseil : Morton avait intérêt à parler avec Mme Sharif.

– Zeinab va me contacter, je n'en doute pas. J'étais fin prêt, ajouta-t-il, chagriné, pour l'emmener à Knightsbridge, à un essayage de sa robe de mariée.

En prenant sur le temps qu'elle me doit, songea Inez, indignée, pendant ses heures de travail.

– Eh bien, j'ai peur que l'essayage ne doive être reporté à plus tard.

Il avait l'air si abattu qu'elle eut pitié de lui :

– Je suis persuadée que sa maladie n'a rien de grave, ajouta-t-elle.

– Vous êtes très aimable, la remercia Morton. Je ne vais pas vous ennuyer plus longtemps, acheva-t-il.

C'était probablement la première fois de sa vie qu'il s'excusait de la sorte.

La voiture citron vert s'éloigna, et Will Cobbett, qui avait dû prendre un jour de congé, passa devant la boutique en direction de la porte de l'immeuble, avec ce qui ressemblait à une pelle à moitié enveloppée dans deux sacs en plastique. Elle l'entendit monter l'escalier. Ce ne devait pas être une pelle – à quoi lui aurait-elle servi ? Certainement pas à creuser le sol de glaise, dur comme du fer, de son semblant de jardin. Il n'était pas exclu que Becky ait un jardin… À l'instant où Inez se demandait quel était l'intérêt de rester là, assise, un client potentiel se présenta. Ce client n'acheta rien, mais le suivant lui versa un acompte pour une horloge de parquet, en lui signifiant qu'il allait revenir plus tard avec une camionnette.

Freddy reparut, sans Anwar Ghosh. Comme à son habitude, quand il arrivait à cette heure-ci, sans aucun préambule, sans la moindre salutation, il se lança dans le compte rendu de ses occupations du matin, depuis son réveil dans une chambre baignée de soleil, rappel de l'époque heureuse de Bridgetown, à la Barbade, jusqu'à son verre d'agrumes pressés, avec Anwar, au Ranoush Juice.

Ensuite, il examina le panneau *Vendu* sur l'horloge de parquet et ouvrit la porte de la relique pour en apprécier le travail intérieur.

– Où est la jeune Zeinab ? s'exclama-t-il.

– Je vous en prie, Freddy, ne touchez pas à cette horloge. Elle est absente, malade. Une espèce de virus.

– Oh, mon Dieu ! Vous voilà toute seule, alors ?

Inez le voyait venir. Impuissante, elle le laissa poursuivre.

– Je vais vous dire, je vais vous donner un coup de main, prendre sa place.

Il avait dû surprendre son air de désarroi, mais l'interpréta de travers :

– Ne vous inquiétez pas, je ne vous demanderai pas d'argent.

Il regarda par-dessus son épaule, pour le cas où les espions du ministère des Affaires sociales auraient été en embuscade sur le trottoir, tapis, les oreilles collées contre l'interstice de la porte.

– Entre vous et moi, il ne faut pas me payer, sinon je vais perdre mes allocations. À moins, ajouta-t-il avec une note d'espoir, qu'on puisse réfléchir, vous et moi, à un moyen de se montrer plus malins qu'eux.

– Je sais me débrouiller toute seule, Freddy, vraiment, essaya-t-elle de répondre, sans conviction.

– Mais non, pas du tout.

Cette discussion était vouée à dégénérer en joute oratoire inutile, sur le mode mais-non-vous-ne-pouvez-pas-mais-si-je-peux, et Inez céda.

– Je vais juste foncer à l'étage prévenir Ludo, reprit Freddy, un propos aussitôt contredit par sa façon de se mouvoir.

C'est d'un pas nonchalant qu'il se dirigea vers la porte du couloir, avec une extrême lenteur, en étudiant quelques bibelots au passage.

Inez éprouvait le besoin de respirer un bol d'air, et elle sortit un petit moment au soleil. M. Khoury, qui avait eu la même envie, s'y trouvait déjà et fumait un gros cigare au bouquet capiteux, chargé de senteurs d'épices orientales. Tubéreuse et nard indien, songea-t-elle en toussant, cardamome et coriandre. Les tics de langage de Morton Phibling se révélaient contagieux.

– Vous remarquerez, madame, que la camionnette qui était blanche naguère est devenue noire, observa M. Khoury, cette camionnette qui est sale et interdite de lavage pour cause d'expériences scientifiques.

À présent elle était si sale qu'Inez n'aurait jamais su qu'elle était blanche si elle ne l'avait pas déjà vue auparavant.

– À qui appartient-elle?

M. Khoury haussa les épaules en relâchant des volutes de tubéreuse.

– Il a une vignette «PR», mais l'affiche-t-il derrière son pare-brise? Non, il se croit très malin. Quand la contractuelle va passer, il lui montrera sa vignette et il déchirera son PV. Ça, je l'ai déjà vu faire.

Par «PR» Inez comprenait *Parking Résidents*, «PV» signifiant évidemment « procès-verbal », et elle en conclut que le propriétaire de la camionnette était un fou.

— Ce sont souvent, très souvent des fous, releva M. Khoury sur un ton chagrin. Tenez, regardez, encore, renchérit-il.

Une autre camionnette blanche, voulait-il dire, pas un autre fou. C'était l'acheteur de l'horloge de parquet qui était de retour, tout sourires. Inez l'accueillit, avec l'espoir que Freddy n'ait pas endommagé l'horloge.

Will n'avait pas pris son jour de congé, mais il rejoignait son poste un peu tard, car Keith l'avait envoyé commander des fournitures chez un grossiste du bâtiment. Là-bas, il en avait profité pour acheter une pelle, qu'il avait rapportée chez lui avant de se rendre à pied sur le nouveau chantier qu'ils entamaient dans Kendal Street. Il avait réservé sa soirée pour débuter ses opérations d'excavation.

La radio était naturellement le fond sonore indispensable pour bien travailler et tendre un enduit, une palpitation sourde, avec à l'occasion une voix humaine, expression d'une mélopée du malheur ou d'une félicité mécanique, que Will ne remarquait même plus tant il avait l'habitude. Mais le bulletin météo de la mi-journée ne lui échappa pas et il monta le son. Tout ce qui se disait là ne lui était pas tout à fait intelligible.

— Est-ce qu'il veut dire qu'il va pleuvoir par ici ? demanda-t-il à Keith.

— J'en ai pas la moindre idée. Le Sud-Est, c'est ici, je suppose. Ils disent jamais rien pour Londres, hein ? Norwich, le Kent, Bristol, et je sais trop où encore, mais ils parlent jamais de l'endroit où il y a un maximum de gens qui habitent. Il a dit que cette nuit il allait pleuvoir dans le Sud-Est.

— Beaucoup de pluie, ou pas trop ?

— Pourquoi tu as besoin de le savoir, de toute manière ? Tu vas quelque part, un endroit amusant ?

Will espérait se rendre en effet quelque part dans un endroit amusant, le quelque part le plus amusant de toute son existence. Mais il ne fallait pas dire à Keith où, ni ce qu'il allait faire. Cela devait rester une surprise pour tout le monde. Il ne répondit pas à la question, il termina ses sandwiches en silence, et pendant que son patron passait son coup de téléphone quotidien à sa femme, qui quotidiennement s'éternisait, il se remit à la tâche, poncer des portes.

Comme d'habitude, ils rentrèrent à quatre heures. En rentrant, Will devait passer devant la vitrine de la boutique d'Inez. Ni Inez ni Zeinab n'étaient visibles, et Freddy Perfect, habillé d'une salopette marron, était assis derrière le bureau. Will ne s'en étonna pas trop, il y prêta d'ailleurs à peine attention. Chez ceux qu'il considérait comme les «adultes», beaucoup de façons de faire lui paraissaient étranges, et il les acceptait comme le font les enfants, sans vouloir approfondir davantage.

Ayant une fois encore regagné son petit domaine, il se prépara un thé et ouvrit un paquet de tartelettes au citron. Manger, en particulier des sucreries, c'était l'une des grandes joies de son existence, et manger en compagnie de Becky constituait son plaisir principal. Même s'il avait les moyens de suivre un régime totalement équilibré, il savait qu'il souffrait de certains manques que la découverte du trésor pourrait combler. Pour l'heure, il n'avait pas les moyens d'acheter des chocolats belges ou de vrais gâteaux à la crème (en tout cas, pas tous les jours), et pas non plus ces *cheese-cakes* entiers ou ces tartes à la framboise avec leur glaçage, comme celles qu'il voyait aux devantures des pâtisseries chic. Will avait du mal à passer devant ces vitrines sans s'arrêter et sans plaquer le nez dessus, plein d'envie. Quand il aurait récupéré le trésor, il n'aurait plus à s'imposer cela, il aurait de quoi entrer, de quoi se les acheter.

Tout son butin ne serait pas consacré à la maison de Becky. Désormais, quand il y pensait, c'était «la maison de Becky». Il lui en resterait assez pour s'offrir les gâteries qu'il adorait. Il était occupé à soigneusement laver sa tasse et son assiette, et tel était le cours de ses pensées lorsque le téléphone sonna. Personne ou presque ne lui téléphonait, sauf Becky. S'il avait cru à l'appel de quelqu'un d'autre, c'est non sans appréhension qu'il se serait approché de l'appareil, mais, en l'occurrence, il était sûr que c'était Becky qui l'appelait pour lui indiquer le jour, ou même, s'il avait beaucoup de chance, quels *deux* jours elle l'attendait ce week-end. Il décrocha.

— Allô, Becky ?

Une voix de femme lui répliqua :

— Ce n'est pas Becky, je ne sais pas qui est Becky, en tout cas, ici, c'est Kim. Tu te souviens de moi ?

Il se souvenait d'elle. C'était la sœur de Keith. Elle était avec lui la première fois, quand il avait découvert l'existence de ce trésor.

— Oui, admit-il.

— Eh bien, je me suis dit… (Quiconque, l'entendant, aurait perçu combien elle était troublée, à quel point elle avait besoin d'un encouragement.) Je me suis… désolée, je trouve ça assez dur, mais est-ce que tu… enfin, tu aimerais m'accompagner, je vais à une soirée ? Je veux dire, c'est une amie à moi, elle va avoir vingt et un ans, et elle m'a proposé d'amener quelqu'un, alors je me suis dit : pourquoi pas toi ? C'est samedi soir.

— Samedi, je serai chez Becky.

Il était possible qu'il n'y soit pas, cela risquait d'être dimanche ou même vendredi, mais il ne pouvait se permettre de courir le risque de lui dire qu'il allait quelque part samedi.

— Samedi, je ne peux pas sortir.

Cela rappelait à Kim certains souvenirs d'enfance. Will lui parlait comme sa petite copine, sa voisine, des années et des années auparavant, quand elle lui répondait qu'elle ne pouvait pas sortir jouer. Qu'est-ce qui lui prenait ?

— Une autre fois alors, soupira-t-elle, et la déception perçait vraiment dans le ton de sa voix.

— Je t'aime bien, lui assura Will avec sincérité car il sentait qu'il l'avait blessée. Mais les samedis, je ne dois pas sortir.

Il se remémorait cette terrible journée où Becky ne l'avait pas invité du tout – justement parce qu'il était sorti, ce samedi-là ? – et cela risquerait de se reproduire. Il dit au revoir à Kim, non sans tristesse, car il lui était reconnaissant. Si elle ne le lui avait pas proposé, il ne serait jamais allé au cinéma et n'aurait pas appris où se trouvait ce trésor. Dès qu'il eut raccroché ou presque, le téléphone sonna. Cette fois, c'était Monty, il voulait savoir si ça lui plairait de sortir boire un verre au Monkey Puzzle un soir de cette semaine.

— Cette semaine je ne peux pas sortir, fit Will. Je suis occupé.

— Une autre fois alors, suggéra Monty, employant les mêmes termes que Kim un instant auparavant.

N'importe qui, à la place de Will, aurait perçu le soulagement dans sa voix.

Quand ce fut enfin le tour de Becky de l'appeler, à peu près une heure plus tard, il était occupé à examiner sa nouvelle pelle et il regardait par la fenêtre la pluie fine qui tombait désormais.

— Est-ce que tu aimerais venir vendredi soir, Will ?

Les vendredis il n'aimait pas, car cela ne durait pas très longtemps, et il ne pouvait pas non plus déjeuner, mais il accepta pour ne pas gâcher ses chances.

— Je peux venir aussi dimanche ? ajouta-t-il, non sans audace.

Il y eut un silence. Une sorte de discret soupir le conduisit à se dire que la pauvre Becky devait être très fatiguée.

— Bien sûr que tu peux.

Donc tout allait bien. Mieux que bien. Si le trésor était enseveli profondément ou s'il ne parvenait pas à le localiser tout de suite, il pourrait retourner à trois reprises dans la Sixième Avenue, pour le déterrer. Ce serait pour ce soir, et mercredi et jeudi, autrement dit il serait en mesure de tout révéler à Becky dès vendredi. Will s'approcha de la fenêtre. Il pleuvait encore.

Il ne pouvait pas commencer par ce temps. Un jour, Keith et lui avaient travaillé sur un chantier en extérieur, ils avaient creusé un tout-à-l'égout chez quelqu'un, mais comme il pleuvait fort, ils avaient été forcés de s'arrêter. Dès qu'on creusait quelque part, l'eau envahissait tout et le sol se transformait en boue, que leurs pelles étaient impuissantes à déplacer. Mais il descendit au rez-de-chaussée pour vérifier, en prenant la sienne avec lui, il ouvrit la porte de la rue réservée aux locataires, et il tendit la main pour sentir la fréquence des gouttes.

Tout ce manège eut pour témoin Finlay Zulueta, assis dans sa voiture, depuis le trottoir d'en face de Star Street. Un Crippen tout à fait ravi, tout sourires et très approbateur, lui avait donné pour instructions de le surveiller, le cas échéant en se faisant seconder par Osnabrook. Il avait vu Will Cobbett acheter cet outil, et il l'avait regardé marcher dans Kendal Street. La camionnette de Keith, garée devant, justifiait l'activité de Cobbett sur les lieux. Mais l'achat d'une pelle, nullement. Keith Beatty devait en posséder assez pour tous leurs travaux courants. Et voilà maintenant Cobbett qui sortait sous la pluie, la pelle à la main. Enfin, le gaillard ne pourrait pas tenter grand-chose ce soir, pas avec ce qui tombait. Les vitres de sa voiture s'embuaient à l'intérieur, et la pluie qui dégoulinait les rendait opaques côté extérieur.

Et Will dut admettre bien malgré lui, avec une amère déception, que l'averse avait gagné en intensité, rien que dans le bref laps de temps où il était resté là, debout sur le pas de la porte. Elle tombait maintenant dru et droit, comme des baguettes de verre, martelant le trottoir et mettant le caniveau au défi de la contenir. Une voiture envoya au passage une gerbe d'eau qui le fit reculer à l'intérieur. Pour ce soir il allait devoir renoncer ; en fait, il ne commencerait que demain. Après avoir observé la situation un petit moment depuis son abri de l'entrée, il remarqua Zulueta dans sa voiture, mais sa présence ne lui inspira rien de particulier, et il remonta se préparer son repas du soir.

Il était rare que Jeremy Quick rentre du bureau en traversant la boutique, mais cela n'avait rien d'une nouveauté non plus. Ce soir ce n'était pas du tout dans son intention, surtout parce qu'il arrivait plus tard que d'habitude, après avoir dû travailler une heure de plus à cause du temps perdu dans la matinée à ses achats de boucles d'oreilles. Mais Inez était encore là et les lumières étaient restées allumées, donc Jeremy entra, sachant qu'il serait sage de veiller à remonter dans son estime. Cependant il avait aussi un autre but en tête. S'il avait su que Freddy

Perfect serait présent, à s'agiter en tous sens, préférant épousseter les bibelots armé d'un plumeau au lieu de les manipuler,
il serait resté à l'écart et aurait emprunté l'entrée des locataires. Freddy portait une salopette marron, dans le style qu'af-
fectionnaient les quincailliers à l'ancienne.

Inez ne comprenait pas d'où sortait cette salopette. Est-ce
que Freddy Perfect l'avait gardée à portée de la main pour
le cas où il aurait une chance de travailler dans la boutique?
Possédait-il aussi l'uniforme *ad hoc* dans l'hypothèse où on lui
proposerait un poste de portier, ou un frac si un emploi
de majordome se libérait? Elle n'était pas trop ravie de voir
M. Quick et se dit que, s'il espérait se faire servir un thé à cette
heure-ci, il pouvait toujours compter dessus. Ce qu'elle aurait
surtout apprécié, ce serait de rester seule, pour surveiller
Zulueta qui apparemment surveillait la maison. Pour quoi faire?
Si seulement Zeinab n'avait pas eu la stupidité de fournir une
fausse adresse…

— Vous avez vu, Jeremy, je me suis dégotté un boulot! s'écria
Freddy. Sous-directeur. Je n'y vois pas d'objection, je n'ai aucun
amour-propre.

Jeremy détestait que ce voyou de Freddy Perfect l'appelle
par son prénom — ou par son prénom d'emprunt —, mais il
n'allait pas se couvrir de ridicule en protestant.

— Vous restez ouverts tard.

— Nous ne sommes pas vraiment ouverts, rectifia Inez. Freddy,
je vous ai prié voici au moins une demi-heure de retourner cet
écriteau du côté *Fermé*, ajouta-t-elle avec un de ces soupirs
qu'elle avait presque réussi à proscrire.

— Je sais, Inez, mais nous venions de recevoir ces deux char-
mantes dames qui ont acheté cette boule de verre, la tempête
de neige sur Big Ben, et le petit vase en verre. En ces temps
difficiles, je veille à ne pas décourager les acheteurs.

Les temps n'avaient jamais été aussi faciles, mais Inez redoutait de déclencher une dispute.

— Eh bien, maintenant retournez-le, voulez-vous? Et ensuite
vous feriez mieux de rentrer… euh, de remonter.

189

Cette platitude trop souvent répétée, manière de lui rappeler que Ludmila allait se demander ce qu'il fabriquait, avait perdu son impact.

Cherchant à tout prix le propos plaisant qui tombe juste, Jeremy proposa d'acheter une assiette Crown Derby. Elle ferait bel effet sur le mur de son salon.

– Je vous en prie, ne prenez pas la peine de me l'emballer.

Inez se retourna pour lui remplir son reçu, et Freddy se dirigea bien malgré lui vers la porte du couloir. Jeremy en profita pour sortir les boucles d'oreilles de sa poche arrière de pantalon et les déposa en silence sur la feutrine verte de la table des bijoux.

CHAPITRE 13

Ce fut Freddy qui les retrouva, le lendemain matin. Il était descendu à la boutique bien plus tôt que nécessaire, juste après huit heures, longtemps avant l'arrivée de Jeremy Quick pour son thé matinal, et à peu près au moment où Will partait dans la camionnette de Keith Beatty. Inez devait admettre, somme toute, qu'avoir Freddy présentait quelques avantages. Si Zeinab avait été là, il se serait sans doute écoulé des semaines avant que quelqu'un ne les découvre. En revanche, recevoir de nouveau la visite de Crippen et Zulueta dans sa boutique, c'était épouvantable.

— Les choses commencent à prendre un tour très grave, remarqua Crippen, l'air sombre.

— Je suis tout à fait d'accord, acquiesça-t-elle.

Le regard qu'il lui lança ne lui plut pas trop.

— Cela fait trois de ces objets disparus que l'on retrouve dans votre commerce, madame Ferry.

— Que voudriez-vous que je fasse ? Ce n'est pas moi qui les ai mis là.

– Quatre en fait, releva Freddy. Vu qu'il y a deux boucles d'oreilles.

On ignora sa remarque. Osnabrook arriva à son tour, et Zulueta et lui se livrèrent à une nouvelle fouille des lieux.

– Il n'est pas impossible que nous soyons amenés à fermer votre enseigne.

Crippen secouait la tête, un geste qu'il avait répété par intermittence depuis son arrivée, cinq minutes plus tôt.

– Il sera peut-être nécessaire de se faire délivrer un mandat. Quel genre de mandat, ce ne fut pas spécifié.

– Quel intérêt cela aurait-il ? demanda-t-elle. Celui qui s'amuse à ça se contentera d'aller déposer ces trophées ailleurs.

– C'est vrai.

Zulueta, qui resurgit du fond de la boutique où il avait inspecté des tiroirs de bijoux, chuchota quelques mots à Crippen.

– Je crois saisir ce que vous voulez dire, fit Crippen, s'animant soudain. Voyons ce que la journée nous réserve.

Ils vidèrent les lieux aussi sec, en abandonnant leurs recherches.

– Qu'est-ce que cela signifie ?

La question d'Inez n'appelait pas nécessairement de réponse, Freddy lui répondit néanmoins :

– Ils sont sur la piste de quelqu'un. Et qui habite dans le quartier, ça ne fait pas de doute. C'est l'individu qui a fourré cela chez vous, Inez. Et je ne serais pas surpris que ce soit Jeremy.

– Ne soyez pas ridicule.

– Je ne serais pas autrement surpris.

– Alors pourquoi n'avez-vous rien dit à l'inspecteur Crippen ?

– Trahir un autre locataire, un de mes semblables ? Je ne suis quand même pas tombé aussi bas, j'espère.

Inez s'aperçut qu'elle l'avait froissé, et c'était certainement la première fois. Un exploit qu'elle aurait cru impossible. Mais Freddy avait filé vers la porte de la rue et il était sorti saluer Anwar Ghosh, qui passait à l'instant. Ils restèrent plantés là, à bavarder, Freddy fumant une cigarette, histoire de se remonter le moral. C'était sidérant de constater à quel point les gens pouvaient se vexer pour les motifs les plus improbables. Elle ne savait combien de fois elle lui avait répété d'arrêter de jouer les idiots, de ne pas tripoter des articles dans la boutique, et elle avait failli, une fois au moins, l'accuser de vol. Rien de tout cela ne l'avait jamais mis en boule, mais suggérer qu'il puisse balancer Jeremy Quick, un homme qu'il connaissait à peine et qui ne lui avait jamais témoigné la plus élémentaire politesse, avait suffi à le hérisser. En tout cas, c'était complètement absurde, tant cette hypothèse de Freddy que sa réaction de contrariété.

La journée était lumineuse et sèche, et là où il y avait de l'herbe et du feuillage, cette végétation exhalait la fraîcheur, après toutes ces heures de pluie ininterrompue. Étant à proximité de Hyde Park, Kendal Street comptait bien plus de pelouses et d'arbres que tous les coins situés plus loin vers Edgware Road. Will, qui aimait l'air frais et qui aurait été heureux à la campagne, sortit une demi-heure au moment du déjeuner marcher dans le parc, qu'il traversa jusqu'à la statue de Peter Pan, dans Kensington Gardens. Il aimait cette statue, avec ses animaux et ses personnages de conte de fées, et il resta cinq bonnes minutes devant. Ensuite, il dut se dépêcher de rentrer pour éviter d'être en retard. Pendant tout ce temps, sauf lorsqu'il s'était retrouvé en face de Peter Pan, la maison de Becky ne lui était plus sortie de la tête : il faudrait peut-être que ce soit une maison à la campagne, sauf qu'alors elle ne pourrait plus aller travailler. Mais une fois qu'il aurait le trésor, elle n'aurait plus besoin de travailler. Aujourd'hui on voyait bien qu'il ne pleuvrait pas, le ciel attestait le contraire, et il arriverait dans la Sixième Avenue à huit heures, dès que le soleil aurait disparu.

Il avait complètement oublié Kim Beatty, jusqu'à ce que Keith la lui remette en tête :

— Alors, t'as laissé tomber, avec ma sœur ?

Keith n'avait pas l'air spécialement ravi. Toute la matinée il était resté plus silencieux que d'ordinaire.

— Je veux dire : tu vas plus sortir avec elle ?

— Je ne sais pas.

Will ne savait pas quoi répondre d'autre.

— Là, tu te goures, tu sais, Will. Tu commets une grosse erreur, et je ne dis pas ça uniquement parce que Kim est ma sœur. (Keith baissa la radio.) Écoute, je suis plus vieux que toi, et je suis père de famille et tout, alors il faut que tu saches que c'est pour ton bien, sinon je te dirais rien. Tu es pas mal fait de ta personne, mais tu n'es pas non plus la tasse de thé de toutes les filles, je crois que ça, tu es au courant. Kim, elle t'aime vraiment bien et c'est une brave gamine, c'est pas une de ces frôleuses qui courent après tout ce qui porte un pantalon, ou après tout ce qui en sort, si j'ose dire. (Il sourit de son bon mot et, à dire vrai, de sa sagesse d'homme d'expérience.) Alors, pourquoi tu y réfléchirais pas encore un petit coup ? Une chance comme celle-là, ça se représentera peut-être pas.

Will n'avait pas compris un traître mot de ce laïus. La tasse de thé et les métaphores autour du pantalon, cela lui échappait de bout en bout. Ce genre de circonlocutions le dépassait toujours. Il ne savait que répondre.

— D'accord, dit-il alors.

— Bon. C'est ce que j'avais envie d'entendre. Tu sais, je t'aurais pas fait la remarque si je me souciais pas de ton bien-être. Et maintenant que je me suis déchargé de ce que j'avais sur le cœur, je ferais mieux de sonner ma dame. Regarde l'heure.

Will ne repensa guère à tout cela. Il comprenait vaguement que Keith avait su, pour son refus de sortir avec Kim samedi, c'était impossible parce qu'il allait chez Becky et que, sans trop saisir pourquoi, il sentait que Keith n'avait pas apprécié, alors qu'en fait il aurait très bien pu sortir avec elle, puisque maintenant ses visites chez Becky étaient organisées pour vendredi et dimanche. Cela le dérangeait un peu d'avoir répondu quelque chose qui n'était pas vrai. Était-ce parce que Keith, au début, avait l'air en rogne contre lui ? Cette inquiétude ne dura pas longtemps, car il avait en tête d'autres sujets plus importants.

Quand il rentra chez lui, la fin de la journée se présentait tout autrement que la veille. Le soleil brillait, le ciel était paisible, il faisait aussi chaud qu'en plein été, et il y avait une atmosphère de temps stable. Will mourait d'envie de ressortir et de se mettre enfin à la tâche. Mais, pour le moment, ce n'était pas l'heure d'aller creuser dans ce jardin. Il y aurait du monde un peu partout, des gens qui travaillaient dehors, d'autres assis dans des chaises longues ou sur les perrons, et personne ne devait connaître son secret, pas avant que Becky ne sache. Il fallait attendre. Repousser jusqu'à huit heures, au moins. Il se prépara son thé, disposa dans une assiette un croissant au chocolat et un financier aux amandes, et se laissa aller à rêver au week-end qui l'attendait. S'il faisait encore beau, peut-être que Becky et lui iraient à Primrose Hill, ou même jusqu'au Heath, cela leur était déjà arrivé une fois, un jour d'été, à pied de Kenwood à Highgate, et quand ils seraient arrivés là-bas, il lui révélerait tout, le trésor et sa maison, qu'elle allait lâcher son métier et vivre à la campagne, rien qu'eux deux, pour toujours.

Il était trop surexcité pour avaler son dîner, et se contenta d'un œuf brouillé sur un toast. Le soleil se couchait, à l'ouest, au-dessus du parc, le ciel virait à des tons d'un léger rose orangé. Il enveloppa la pelle dans des sacs de courses qu'il attacha avec des élastiques. La voiture de Zulueta n'était pas là, mais il y en avait une autre, qu'il reconnut parce que Crippen était installé dans le siège côté passager, garée un peu plus loin dans la rue. Will n'y prêta pas plus attention. Il se mit en route pour la Sixième Avenue, à pied, en savourant le calme de cette soirée et la chaleur qui s'attardait.

Pour enfourner le trésor, un ou deux sacs suffiraient. Il n'aurait plus besoin de cette pelle, il n'en aurait plus l'usage, et si jamais il en voulait une autre, par exemple pour travailler dans leur jardin, il aurait tellement d'argent qu'il pourrait s'acheter tous les outils qu'il voudrait. Mais il ne fallait pas aller si vite en besogne. Repérer le trésor et le déterrer lui réclamerait sans doute plus d'une soirée. Il essayait de contenir son excitation, sans y parvenir. Comme un enfant, il était incapable de se discipliner, donc, le temps qu'il atteigne la maison où les maçons avaient travaillé, tout son corps était habité d'une tension extrême, il en avait les mains qui tremblaient et, quand il se retrouva dans ce jardin, sur l'arrière, il ne tenait plus en place.

Il avait du pain sur la planche. Il fallait qu'il essaie de se remémorer l'endroit exact où le trésor avait été enfoui, et il puisa dans ses souvenirs du film. L'appentis était par là-bas – depuis le tournage, quelqu'un l'avait un peu retapé – et, en face, il y avait un tas de dalles, sauf que celles-ci étaient davantage cassées et fendues, et là, sur la gauche de l'appentis, il y avait la bande de terre nue, et juste ici, un peu en retrait, près du mur de la maison d'à côté, c'était là qu'ils avaient creusé pour faire ce trou. Ensuite, il remarqua quelque chose qu'il n'avait pas vu la première fois. Un morceau de planche et une demi-douzaine de briques sur la terre nue, plus de briques que dans le film, croyait-il, mais cela n'avait pas d'importance.

On s'approchait de neuf heures et la lumière avait presque reflué. Will avait apporté une lampe, du type lanterne, et, en s'assurant que personne dans la maison ne soit là pour l'observer et apparemment personne non plus chez les voisins pour le surveiller, il l'alluma et la posa sur l'avant-toit de l'appentis, en la dirigeant vers le bas. Ensuite, il déballa sa pelle, mit les deux sacs de côté et les aplatit soigneusement. Ils lui serviraient à rapporter le trésor chez lui. Non sans un nouveau rapide coup d'œil sur la maison, puis vers les deux autres, sur sa gauche et sur sa droite, il planta la pelle dans l'épais sol argileux et commença à creuser.

À ce même moment, Crippen et Zulueta étaient à l'intérieur de la maison, où ils étaient entrés en retirant juste une barre en bois branlante, mollement clouée sur la porte de derrière. Ils n'avaient allumé aucune lumière. En fait, ils n'auraient pas pu. L'électricité était coupée. Comme ils veillaient à ne pas utiliser de lampes torches, l'obscurité leur parut d'abord impénétrable, mais au bout d'une ou deux minutes leurs yeux s'y habituèrent. La source de lumière de Will suffisait à leur fournir une vue parfaite sur les faits et gestes du garçon. Jeune, très fort, il eut bientôt creusé une tranchée d'un mètre de long, et profonde d'une trentaine de centimètres. Ensuite, il se tourna vers l'appentis et, s'armant de sa lampe, à genoux sur le sol, il la braqua dans la cavité qu'il avait creusée. C'est à ce moment-là que Crippen adressa un hochement de tête à Zulueta. Ils prirent par la porte de derrière, allumèrent leurs torches surpuissantes et s'avancèrent vers Will.

Le jeune homme était préoccupé, il s'étonnait, après avoir creusé si profond, de n'apercevoir aucune trace de trésor, pas le moindre bijou, pas le plus petit reflet d'or. Deux faisceaux lumineux aveuglants surgirent de nulle part, dirigés d'abord sur sa tranchée, puis ils le cueillirent en pleine figure dès qu'il se retourna en se relevant dans un geste lent.

– William Charles Cobbett, s'écria Crippen d'une voix forte et effrayante, je vous arrête pour avoir pénétré sur ces lieux dans une intention criminelle et pour y avoir dissimulé un corps!

S'il avait découvert le cadavre de la jeune fille, si seulement il avait su de quel côté chercher, il aurait directement prononcé une accusation de meurtre.

– Vous n'êtes pas obligé de répondre…

Cette sommation s'acheva sur des paroles plus menaçantes, et Will se tint coi. C'était surtout parce qu'il ne voyait pas quoi dire, car il n'avait aucune notion de ce qui se passait. Totalement abasourdi, il laissa son regard osciller d'un policier à l'autre, et, toujours agrippé à sa pelle, il décida de décamper. En fait, ce ne fut pas vraiment une décision, plus une réaction instinctive, et le seul parti à prendre. Il comprenait plus ou moins que ces hommes souhaitaient le punir et, dans la mesure du possible, on se débrouillait toujours pour échapper aux punitions. On courait. Il courut, en longeant le flanc de la maison, se faufila, dépassa la bétonneuse et tomba pile dans les bras des renforts appelés par Crippen, trois agents de police en uniforme qui venaient de sortir de leur véhicule.

Il n'opposa plus aucune résistance. Ils le conduisirent sans ménagement vers l'une des voitures, il était coincé entre Zulueta et un agent en uniforme de la police métropolitaine du Grand Londres, qui l'avait toujours impressionné depuis qu'il était petit. Quand une dame du foyer emmenait un groupe d'enfants pour une sortie, elle avait l'habitude de leur répéter que, s'ils n'étaient pas gentils, le policier, là-bas, viendrait les chercher. Un jour, en toute innocence, Will avait répété cette menace à Monty. Après quoi, pour une raison inconnue, ils ne revirent plus jamais cette dame, mais il était trop tard et il en avait conservé une peur éternelle des hommes vêtus d'un uniforme bleu marine à boutons argentés, et coiffés d'une casquette à damier bleu et blanc. L'homme dans la voiture, à côté de lui, portait cette tenue-là, et Will ne tarda pas à en être raide de peur.

Dans une pièce lugubre du poste de police ils l'assirent à une table en métal, et celui qui s'appelait Zulueta, qui ne pouvait pas être un policier puisqu'il ne portait pas d'uniforme, lui offrit une cigarette. Will n'avait jamais fumé et il avait envie de refuser, non, merci, mais il était incapable de sortir un mot. Crippen entra, Zulueta appuya sur un bouton, un appareil qui ressemblait un peu à la radio de Keith, et il dit : « Interrogatoire entamé à vingt-deux heures trente. Présents : William Charles Cobbett, l'inspecteur Brian Crippen, l'inspecteur en second Finlay Zulueta et le brigadier Mark Heneghan. »

Will ne trouva pas cela si effrayant, parce qu'il n'y avait personne d'autre dans la pièce, mais quand il regarda par-dessus son épaule, il vit un policier debout, juste avant la porte. Il n'était pas coiffé d'un képi, mais il était en uniforme et il avait aussi un truc qui ressemblait à un gros bâton assez lourd, qui pendait à sa ceinture. Cette vision le fit trembler, et pourtant il se sentait le corps tout raide et tout tendu.

– Où est-elle ? lui demanda Crippen.

Il venait de prononcer ces trois mots avec un soupir, comme s'il était très fatigué.

Will ne savait pas qui était cette « elle ». Quand il essaya de le lui demander, les mots refusèrent de sortir de sa bouche. Celui qui était en uniforme lui apporta un verre d'eau et il en but un peu, mais sans retrouver sa voix pour autant.

Crippen lui reposa la question, en prononçant la même phrase.

– Où est Jacky Miller ? ajouta-t-il ensuite. Qu'en avez-vous fait ?

Tout ce dont Will fut capable, ce fut de secouer la tête. Zulueta lui demanda ce qu'il avait fait du corps de la fille, et puis il voulait savoir où elle se trouvait quand il lui avait retiré ses boucles d'oreilles, si elle était morte ou encore vivante. Et le jour où il avait introduit ces boucles dans la boutique ? Est-ce que le corps se trouvait sous l'appentis de la Sixième Avenue ? (Ils savaient qu'il n'y était pas, car ils l'avaient fouillé avant l'arrivée du garçon.) Il était incapable de répondre à tout cela, pas seulement parce qu'il était sans voix, mais aussi parce qu'il ne comprenait rien à ce que cela signifiait. Il resta assis, silencieux, sans regarder ces hommes, en gardant les yeux fixés sur un trou dans une plinthe. Cela ressemblait à un trou de souris. Will aimait bien les souris, en fait il n'en avait vu qu'à la télévision, et, à l'instant où il observait ce trou, il aurait aimé qu'un de ces petits rongeurs pointe la tête. S'il continuait, s'il n'en détachait pas les yeux et s'il pensait très fort à cette souris, peut-être le laisseraient-ils rentrer à la maison.

– Vous taire comme vous le faites, le prévint Crippen, ça ne va pas vous rendre service, vous savez.

Pourquoi ce garçon ne demandait-il pas au moins à être défendu par un avocat ? Enfin, s'il ne réclamait rien, ce n'était tout de même pas à l'inspecteur de lui signaler qu'il y avait droit, ainsi qu'à un unique coup de fil.

– Vous ne faites qu'aggraver votre cas.

Zulueta voulut savoir si Will avait creusé une tombe. Pour qui était cette tombe ? Si ce n'était pas pour Jacky Miller, quelle en était l'utilité ?

Si Will avait été capable de parler, il leur aurait mentionné le trésor. Même si cela l'obligeait à le partager avec eux. Mais il ne parvenait plus à proférer un mot. Ça valait peut-être mieux, c'était sans doute le plus sûr moyen de tout garder pour lui et pour Becky. Il continua de fixer le trou du regard, mais sans plus du tout penser à la souris, en ne songeant qu'au trésor. Pourquoi ne l'avait-il pas retrouvé? Où était-il? Est-ce que quelqu'un d'autre avait pu se rendre sur place, creuser, le sortir de terre? Il n'y croyait pas, la terre était dure comme du fer, intacte, pas vu un coup de pelle depuis des années…

Deux heures s'écoulèrent. Ils prirent du thé et des biscuits. Tout en mangeant et en buvant, ils le bombardèrent de questions. Lui, il n'avait le droit de rien boire, de rien manger. Il était plus d'une heure du matin quand Zulueta annonça à la machine qui avait un peu l'air d'une radio que l'interrogatoire était terminé. Tout tremblant, parce qu'on le remettait entre les mains d'un vrai policier, celui qui se tenait devant la porte, Will fut conduit dans une cellule munie d'un lit, d'une table et d'un seau avec un couvercle. Content d'être seul, il s'assit sur le lit, puis s'allongea.

Il faisait assez froid. Il remonta la couverture sur lui. Des larmes perlèrent de ses yeux fermés et il serra les paupières encore plus fort. Il était trop grand pour pleurer. Au foyer, on le lui répétait tout le temps. Un grand gaillard comme toi, pleurer, on peut pas tolérer ça, ils le lui répétaient sans arrêt. Les larmes séchèrent sur ses joues et il s'endormit, en pensant à Becky, en sachant qu'elle allait venir et, s'il te plaît, bientôt, Becky. Pourvu qu'il se réveille et qu'il la trouve ici, prête à le ramener chez elle, et s'il vous plaît, s'il vous plaît, ne laissez pas ce policier revenir.

CHAPITRE 14

Ils étaient quatre dans la chambre d'Anwar, sur Saint Michael's Street, à discuter du cambriolage prévu et à faire tourner un pétard roulé par Keefer Latouche. Keefer était considéré comme le plus doué de la bande pour remplir et rouler les joints, au motif qu'il était plus âgé et que l'inspecteur principal Jones l'avait menacé de la prison, «la prochaine fois», pour possession d'une poudre blanche. Pendant à peu près cinq minutes, Jones avait pris la poudre de Keefer pour de la cocaïne, mais finalement ce n'était qu'un produit à dissoudre dans l'eau pour traiter les ongles fendus, propriété de sa petite amie du moment. Les deux autres étaient un garçon noir, un nommé Flint Edwards, et la fille, l'ancienne petite amie de Keefer, la «manucurophile», devenue depuis lors celle de Flint. Elle s'appelait Julitta O'Managhan, et son nom se prononçait «O'Moïne». Du haut de ses dix-huit ans, Keefer était donc le plus âgé, et de fait les autres l'avaient surnommé «Papy».

– Donc je considère le 6 mai comme le *B Day*, conclut Anwar, qui ne fumait jamais rien.

Keefer et Flint le regardèrent, sans comprendre, mais Julitta leur expliqua :

— Ben oui, ma tantine a un *bi-det* dans sa salle de bains.

Déjà assez pétés par la mixture de Keefer, Flint et le rouleur de joints basculèrent en arrière de rigolade, et Julitta se joignit à eux en se roulant par terre. Keefer se mit à la chatouiller sous les bras et autour de la taille.

— Retire tes sales pattes de Blanc ! s'exclama Flint, qui ne rigolait plus.

Anwar les considéra d'un air désespéré, mais il n'était pas du genre à laisser les choses partir à la dérive.

— Vous allez la boucler, merde, là, tous ? Ou il faut qu'on vous ferme vos gueules ?

— Qui ça ? Toi et ta bande ? ironisa Flint, mais c'était dit sans trop de conviction et, en se rasseyant, il tira une longue bouffée du joint.

— J'appelle ça le *B Day*, reprit Anwar, en président de conseil d'administration déjà très accompli, du haut de ses seize ans, parce que c'est le jour où on se met au boulot, le jour du brigandage. *B* comme brigandage, vous saisissez, parce que, à mon avis, pas un de vous, bande de crétins, ne sait orthographier les mots. Tout le monde sera sorti, ce jour-là. C'est ce qu'on appelle la fête du Printemps, d'accord ? Venez par ici.

Il s'était approché de la fenêtre. Il baissa la guillotine, laissa pénétrer le doux air printanier, et Keefer toussa jusqu'à se plier en deux.

— On va entrer par-derrière, pourvu que Papy tienne jusque-là. J'ai dessiné un plan, que je vais vous montrer d'ici une minute. Le code de l'alarme, c'est le 2647, et je veux que vous le mémorisiez… si le shit de Papy ne vous a pas carbonisé la cervelle.

Ils contemplèrent tous l'arrière des maisons de la rue parallèle à la leur. De grands et vieux arbres, des sycomores et des platanes, s'interposaient à la vue, leurs frondaisons créant des grappes d'obscurité entre cette fenêtre et les grands rectangles de couleur ambre de ce vaste espace ceint de murs de brique.

Ceux qui étaient capables d'interpréter ce qu'ils avaient devant les yeux auraient détecté, en se fiant aux paires de points jaunes et farouches piqués dans cette masse de feuillage en contrebas, une dizaine de chats tapis en observation.

— On va entrer par un de ces f'nêts ? demanda Flint.

— D'ici là, j'aurai une clé de la porte de derrière.

Anwar ne précisa pas comment il allait se la procurer, et personne ne le questionna à ce sujet.

— Ju et moi, on s'occupe du dernier étage, Flint se tape celui du milieu... et n'oubliez pas, rien dans l'appartement 2... et Papy et moi, appartement 1. Quand j'aurai terminé au dernier étage, je viendrai vous donner un coup de main.

Il se retourna vers Julitta et lui beugla dessus :

— C'est quoi, le code de l'alarme ?

— J'en ai rien à sonner, toutes les alarmes, c'est de la roupie de sansonnet, répliqua Julitta, une repartie qui souleva des hurlements de rire, comme toujours ses rimailles et ses calembours.

— Ah, et pour quoi faire ?

Anwar rabattit la fenêtre avec un claquement, et le bruit mit les chats en fuite.

— Putain de matous, grinça-t-il. Il vaudrait peut-être mieux que vous le reteniez pas. Ça suffira que je le sache, moi. D'ici au 6, il reste une semaine. Les passe-montagnes ou les bas noirs, ça pourra le faire. Et des baskets, évidemment.

Il zyeuta d'un œil désapprobateur les talons de dix centimètres des bottes de cow-boy de Julitta et se tourna avec non moins de répugnance vers les mains de Keefer, affairées à rouler un nouveau mélange.

— On se retrouve ici dimanche soir. Le 6, on se pointe là-bas à midi pile, donc ce serait pas plus mal que vous laissiez tomber l'herbe pour la matinée. Et la gnôle. (La remarque s'adressait à Flint, un connaisseur en matière de vodka, dont la réputation n'était plus à faire.) Maintenant vous pouvez tous dégager d'ici. Moi, je vais me mettre au lit.

Estomaquée, au point d'en oublier ses reparties de comédienne, Julitta le questionna :

– Qu'est-ce qui t'prend, An ? Il est même pas minuit.

– Je suis plus jeune que vous, t'as pas oublié ? Je suis un garçon en pleine croissance, j'ai besoin de sommeil.

Il bâilla, un bâillement énorme, pour souligner le propos, les bouscula vers la porte, repoussant l'air de ses mains comme s'il chassait une cohorte de poules. Ils dévalèrent avec fracas l'escalier en bois sans moquette, rongé par les vers, en lâchant des hurlements et des cris perçants, réveillant les occupants des autres chambres au passage et soufflant des nuages de cannabis sous les portes. Ils déboulèrent dans la rue et s'entassèrent dans la camionnette blanche et sale de Keefer, sans son écriteau priant d'éviter tout lavage plaqué derrière la lunette arrière. Avant de démarrer, Keefer alluma la radio à plein volume sur une chaîne de *garage music*, et il baissa toutes les vitres.

Anwar referma sa porte en silence. D'abord, il se prépara une tasse de cacao avec du lait entier, sa boisson préférée. Il le laissa un peu refroidir, retira le costume gris foncé à rayures tennis qu'il avait encore sur le dos et le suspendit à un cintre dans la penderie. Sa chemise blanche, il la laissa choir par terre, pour demain, pour le pressing. Il ne portait jamais de jeans, jamais de T-shirts, de blousons en cuir ou de boots.

Âgé de seize ans mais l'air plus jeune, il était le fils unique d'un médecin arrivé à Londres de Bombay quand il était encore petit garçon, avec son épouse, une enseignante de première au lycée. Ils avaient aussi trois filles et, étant assez aisés, ils habitaient dans une grande maison individuelle à Brondesbury Park, non loin des locaux du cabinet où le Dr Ghosh consultait. Anwar, avait-on annoncé à ses parents, possédait un QI phénoménal qui le destinait probablement à des études à Oxford, il obtiendrait sûrement un 10 au brevet, et il entrerait en classe terminale pour préparer son diplôme de fin d'études secondaires avec un an d'avance.

Mais cela remontait à dix-huit mois, et il n'avait pas passé son brevet. Il était difficile de savoir si c'étaient les amis avec lesquels il s'était acoquiné qui avaient corrompu Anwar, ou lui qui avait

exercé sur eux son influence délétère. Ses parents ne cher-
chèrent pas à comprendre, car les différentes facettes de la vie
qu'il menait leur demeuraient à peu près inconnues. Bien
entendu, ils étaient au courant de son absentéisme, car l'établissement les en avait informés, et ils savaient qu'il était
impossible de juger s'il avait du retard dans son travail, puisqu'il faisait rarement acte de présence. Mais ils ignoraient tout
de la chambre qu'il avait louée dans Saint Michael's Street,
à Paddington, et des délits qu'ils commettaient, ses copains
et lui, non sans une certaine réussite. Il était si poli avec ses
parents, si propre sur lui, si malin et si talentueux qu'à part ses
rares journées de présence au lycée il n'y avait apparemment
pas le moindre reproche à lui faire, ce qui n'empêchait pas
son père et sa mère de revenir en permanence sur l'échec qui
le menaçait.

Il était indispensable qu'il entre à l'université. Il serait
absurde que lui, le plus naturellement doué de tous les jeunes
gens de son âge pour suivre un cursus à Oxford ou Cambridge,
manque cette étape vitale de son éducation, alors que les
élèves les plus bouchés, ceux qui végétaient avec des notes
moyennes, étaient admis dans le premier institut de techno-
logie venu. Il y avait eu même une période où le Dr Ghosh le
conduisait au lycée en voiture et se garait devant le portail
pour vérifier si son fils n'en ressortait pas aussitôt. Comme
de juste, Anwar s'éclipsait en fait par le gymnase, traversait le
parking et s'échappait par le jardin d'un voisin en se baissant
au ras du sol. Tout cela, c'était un an plus tôt. Depuis, il avait
eu seize ans révolus, et personne ne pouvait le contraindre à
suivre des cours au lycée. Il n'avait même pas à habiter chez
ses parents et il avait toute latitude de se marier si ça lui faisait
envie – mais, à l'évidence, cela ne lui faisait pas envie. La seule
liberté qui lui restait inaccessible ou presque, c'était de voter,
mais ça intéressait qui, de voter ?

Au début, il avait expliqué ses absences nocturnes en racon-
tant qu'il restait dormir chez un ami. Peut-être ses parents ne
le croyaient-ils que parce qu'ils en avaient envie. Ils avaient

envie de croire qu'il menait une vie ordinaire et normale, celle que menaient tous les autres jeunes gens. D'ailleurs, il ne s'était pas totalement éloigné de la maison familiale. Il lui arrivait souvent d'y revenir, pour une nuit ou deux, ce grand dadais si mince, impeccable dans ses costumes sombres, qui sentait le savon à la noix de coco avec lequel il se lavait sous la douche. Mena Ghosh lui aurait volontiers lavé ses chemises et ses sous-vêtements s'il les lui avait rapportés, mais il les confiait tous au pressing d'Edgware Road. Ses parents étaient des gens sociables, et quand ils sortaient à une soirée ou dans un dîner, il les accompagnait fréquemment, s'adressait d'un ton courtois aux membres de la famille, tous plus âgés, en les appelant « tante » ou « oncle ». Il aidait ses sœurs dans leurs devoirs à la maison et, si elles sortaient la nuit tombée, il les escortait jusqu'au domicile de leurs amies. Et il avait toujours plein d'argent sur lui.

Le Dr Ghosh trouvait son fils raisonnable, assez apte à gérer la modeste rente qu'il lui versait. Mais les souliers fabriqués à la main le laissaient perplexe, tout comme sa chevalière sertie d'un diamant, qui lui paraissait authentique. À présent, on avait renoncé à Oxford, et quand Anwar passait au domicile familial, son père consacrait pas mal de temps à le houspiller, au moins pour qu'il se lance dans une « formation professionnelle ». Devenir plombier ou électricien, ce serait déjà un moyen de gagner sa vie. Au bout d'un jour ou deux, Anwar repartait toujours. Il avait « quelques amis » à Bayswater, à ce qu'il disait. C'était tout à fait vrai, car Julitta et Flint louaient une chambre dans Sussex Gardens, du côté de Spring Street. Son chez-soi, ainsi qu'il le présentait à ses copains, il le louait à un Turc, un immeuble qu'il partageait avec une dizaine d'autres personnes, chacun disposant de sa chambre individuelle. M. Sheket dirigeait un atelier de misère installé au sous-sol, où une quinzaine de femmes travaillaient sur des machines à coudre dans la pénombre, douze heures par jour.

Elle n'avait plus reçu de nouvelles de James. Les premiers jours après son départ, ce samedi après-midi, quand il l'avait laissée en bas de chez elle avec Will, elle n'en avait éprouvé qu'un amer ressentiment. Quel homme conventionnel et superficiel ce devait être pour l'abandonner ainsi, sous prétexte que son neveu avait l'air d'un sans-abri, sans que ce soit de sa faute ! Et, pire encore, sans attendre la moindre explication et sans du tout promettre de lui faire signe. Il avait eu peur de Will, en conclut-elle. Et cela ne s'arrêtait pas là. C'était l'idée de nouer une relation plus intime avec elle qui le mettait sur ses gardes, il redoutait que le moindre rapprochement ne le contraigne à s'occuper de Will, à l'aider, peut-être même à dépenser de l'argent pour lui. Pour un temps, elle avait fini par mépriser un individu capable de se révéler si égoïste et si lâche.

Les jours passant sans aucun signe de sa part, ses sentiments à son égard auraient dû encore se durcir, jusqu'à ce qu'elle arrive à s'en détacher totalement. Après tout, ce n'était pas une histoire d'amour parvenue à pleine maturité. Elle avait bavardé avec lui au téléphone à quelques reprises, et elle était sortie deux fois en sa compagnie. Elle avait beau être blessée dans sa fierté, cela n'allait pas plus loin, et elle aurait dû être déjà bien partie pour l'oublier. Elle en était incapable. Il s'était montré si gentil, si charmant lors de leurs deux sorties, drôle, sensible, s'intéressant à elle, avec une admiration évidente. Et elle s'était sentie attirée par lui, un peu, puis plus fortement. À ce niveau d'intimité encore sommaire qui était le leur – c'était le moment où ils rentraient de cette réception pour l'accompagner chez elle –, elle aurait juré qu'il eût été le dernier homme au monde à se conduire de la sorte. À l'évidence, elle ne le connaissait pas. À moins que quelque chose ne lui ait échappé ? Se pouvait-il que la quitter de la sorte n'ait pas été de la part de James le signe d'un manque de sensibilité, mais la preuve même de cette sensibilité, et la cause de sa réaction ? À cette minute où il lui fallait s'occuper de Will, il aurait compris qu'elle ne souhaitait la présence de personne auprès d'elle et, du coup, toujours si plein de tact, il se serait éclipsé ?

En ce cas, pourquoi ne lui avait-il pas téléphoné le soir même ou dès le lendemain ? Et depuis ce moment il n'arrêtait pas de hanter ses pensées, elle le condamnait, elle lui trouvait des excuses, avant de conclure finalement que le seul moyen de mettre un terme à ces spéculations serait de lui téléphoner. En lui téléphonant, elle n'avait rien à perdre. Il risquait de raccrocher aussitôt, dès qu'il entendrait le son de sa voix, il pouvait lui dire qu'il n'avait plus aucune envie de la revoir, et dans ce cas elle serait confortée dans ses sentiments initiaux, elle saurait qu'il était inutile de se mettre martel en tête à son sujet. Ou alors il lui offrirait une seconde chance, il accepterait de passer lui rendre visite et de discuter du problème Will.

Pourtant, à l'idée du week-end qui l'attendait, son cœur se serra. Fatiguée, trop lasse pour tout ce micmac avec son neveu et trop pleine d'affection envers lui pour résister, elle avait accepté de le recevoir à la fois vendredi soir et dimanche. Dimanche toute la journée. Si elle téléphonait à James et si cela marchait, il aurait envie de la voir, de convenir d'un rendez-vous, et elle allait devoir lui proposer samedi comme seule possibilité. Pourquoi pas ? Elle n'avait plus besoin de sa tournée des boutiques du samedi matin. De toute manière, c'était trivial et presque honteux, et cela finissait par lui donner mauvaise conscience.

Elle allait lui téléphoner. Elle s'était enfin décidée, dans sa voiture, en rentrant du bureau, mercredi soir. Mais arriver à prendre une décision, c'était une chose, passer à l'acte, c'était tout à fait différent. Elle fit marche arrière, elle recula devant l'idée de téléphoner à cet homme qu'elle avait fréquenté si peu de temps et de l'inviter à sortir avec elle, car cela revenait à ça. Elle s'approcha plusieurs fois du téléphone, posa la main dessus, battit en retraite. Enfin, alors qu'il était presque neuf heures, elle se versa un gin bien tassé, le laissa faire effet avant de soulever le combiné, puis de vite composer son numéro.

Il était sorti, bien sûr. Sa voix sur le répondeur suffit à l'incarner devant ses yeux, avec sa belle allure, ses manières plaisantes et affables. Elle ne laissa pas de message, mais réessaya cinq minutes plus tard. Lui avait-elle confié son numéro de téléphone portable ou son numéro de bureau? Elle était incapable de s'en souvenir. Quoi qu'il en soit, il était peu probable qu'il l'ait conservé. Supposons qu'il ait oublié jusqu'à son nom…

Après le long bip, elle prononça ces quelques mots: «James, c'est Becky Cobbett. Rappelez-moi, s'il vous plaît. J'aimerais que nous parlions.» Elle lui laissa son numéro chez elle, puis son portable et la ligne du bureau. L'effet du gin avait été stimulant, il lui avait redonné confiance, et elle s'en était servi un autre, ce qu'elle regretta aussitôt.

Tôt ce matin-là, elle se réveilla avec une migraine. Deux aspirines y remédièrent, non sans l'abrutir. Elle aurait aimé se remettre au lit et dormir des heures, mais c'était impossible, il fallait qu'elle soit au bureau de bonne heure. Il n'y avait pas de messages sur son service de messagerie. Que s'était-elle imaginé? Qu'il mourait d'envie de lui parler, au point de la rappeler aux petites heures du jour?

À huit heures et demie elle était à son bureau et à neuf heures moins le quart elle participait à la réunion qui avait requis son arrivée si matinale. Becky était trop compétente dans sa profession pour se laisser distraire des affaires importantes en cours par une éventuelle relation amoureuse aussi vague qu'improbable. De retour dans son bureau, elle résista à l'envie de composer le numéro de son domicile pour consulter les messages éventuels, mais elle but le café que lui apporta sa secrétaire, passa une demi-douzaine de coups de téléphone indispensables et en reçut deux fois autant – avec l'espoir, chaque fois, que ce soit James –, se concentra sur le premier jet du plan de marketing qu'elle préparait et, à une heure, descendit dans la rue pour aller déjeuner au petit bistrot du coin.

Elle fut incapable d'avaler quoi que ce soit. C'était franchement ridicule de perdre l'appétit à force de tension intérieure, sur le mode va-t-il-téléphoner-oui-ou-non. À son âge, elle aurait dû faire preuve de plus de bon sens. Elle mourait d'envie d'une boisson corsée, mais elle savait que c'était le seuil d'une pente glissante. Depuis sa majorité, Becky avait dû résister à l'attrait des alcools forts, et il lui était arrivé d'y céder, sans jamais verser dans l'excès, mais sans complète abstinence non plus, car elle buvait un peu tous les jours, et parfois même beaucoup. Elle était victime depuis longtemps de cette fragilité qui, avant de se lancer dans une entreprise d'envergure, d'être confrontée à un défi ou d'être perturbée par des situations inquiétantes, anormales, l'obligeait à boire un verre. Elle refusait souvent de céder à cette tentation, mais ce combat l'épuisait, la vidait. À la minute présente, elle était résolue à se battre, mais elle était si fatiguée, la migraine n'avait pas entièrement disparu, elle sentit que cette bataille la dépassait, et elle finit par céder.

Les bouteilles de gin, de vodka et de whisky rangées dans le placard de son bureau n'avaient jamais été un secret. Avec celles de tonic et d'eau gazeuse, elles étaient souvent sorties quand un visiteur ou un collègue venaient aborder tel ou tel sujet – pourvu que ce soit après cinq heures et demie. Sa secrétaire était au courant, et Becky et elle s'accordaient parfois un verre, toutes les deux, à la fin d'une rude journée. À la minute présente, elle sortait le cognac et s'en versait un doigt, enfin un peu plus. Cela lui servirait de remontant et aussi de remède à sa gueule de bois. Elle l'avala en vitesse, s'en versa un autre, qu'elle absorberait sans se presser et, en tâchant de se vider l'esprit de toute émotion, elle appela chez elle afin de consulter ses messages.

Il n'y en avait qu'un, et il n'émanait pas de James mais d'Inez Ferry. À l'inverse de la majorité des correspondants, elle avait indiqué la date et l'heure de son appel, qui ne remontait pas à plus d'une demi-heure. Becky écouta, et elle dut s'asseoir, c'était un tel choc.

« Becky, c'est Inez. C'est urgent. Nous sommes jeudi, le 25 avril, et il est une heure quarante-cinq. Je savais que vous ne seriez pas chez vous, mais je n'ai pas votre numéro de bureau, et pas votre portable non plus. Écoutez, Becky, Will a été arrêté, ils le tiennent en garde à vue depuis hier soir. La police est venue ici et c'est l'inspecteur principal qui me l'a annoncé. Rappelez-moi dès que possible. »

Inez avait essayé d'expliquer à Crippen que Will n'était pas tout à fait... enfin, évidemment, ce n'était pas un attardé, on n'utilisait plus ce genre de termes. Il devait bien le savoir, insista-t-elle, indignée, en le fixant d'un regard plein de ressentiment.

— Très bien, très bien, gardez votre calme, s'était défendu Crippen. En réalité, il m'a l'air tout à fait normal. Il ne parle pas, mais rien de très nouveau là-dedans. Il y en a un tas, de ces gaillards-là, qui ont su faire du silence un art.

— Will est incapable de faire de quoi que ce soit un art, comme vous dites. De quoi est-il accusé ? Lui avez-vous proposé un avocat ?

— Ce n'est pas la peine de vous énerver, madame Ferry. Je ne vois pas pourquoi vous êtes si remontée. Cobbett n'a pas demandé d'avocat et il n'a pas exigé non plus de téléphoner. Vous devriez vous estimer heureuse qu'en ce qui nous concerne, nous ayons su nous montrer si... euh, très, quel est le mot, déjà, je cherche...

— Stupides ? glissa Freddy. Ignorants ? Fanatisés ?

Malgré son désarroi, Inez ne put s'empêcher de rire, et elle sentit croître sa sympathie envers Freddy.

— Je suppose que vous vouliez dire « magnanimes », hasarda-t-elle. En tout cas, je ne suis pas d'accord. Vous n'avez pas l'air de vous rendre compte que vous retenez en détention un homme qui possède l'âge mental d'un petit garçon et vous le traitez comme un... comme un vieux cheval de retour. Enfin, quel crime est-il censé avoir commis ?

— Cela, nous ne pouvons pas vous le révéler, intervint l'inspecteur de police Jones, qui accompagnait Crippen. Qu'il vous suffise de savoir que nous procédons à l'heure actuelle à une fouille minutieuse du quartier de Queens Park et Harrow Road. Nous sommes à la recherche de pièces à conviction.

– Quelles pièces à conviction?

Aucun des deux policiers ne lui répondit, mais Freddy eut ce commentaire lugubre :

– Le corps d'une pauvre fille, j'imagine.

La sonnerie du téléphone coupa court à toute espèce d'acquiescement ou de dénégation. C'était Becky Cobbett. Inez lui parla, puis recouvrit le micro du combiné en s'adressant à Crippen :

– Sa tante veut venir au poste de police, et elle souhaite que je l'accompagne. Je suppose que vous n'y voyez pas d'inconvénient?

Jones haussa les épaules, les laissa retomber. Crippen eut une réponse laconique :

– S'il le faut.

La visite au poste de police s'avéra tout à fait inutile. Elles ne furent pas autorisées à voir Will, on ne leur apprit rien, en somme on les ignora. Un brigadier en uniforme, plutôt aimable, les prit en pitié et leur apporta du thé avec des biscuits aux pépites de chocolat. Inez était au supplice, car elle ne cessait de flairer l'haleine d'alcool de Becky, à un mètre de distance. Elle était passée la prendre à la boutique et l'avait conduite jusqu'ici et, sur tout le trajet, Inez avait craint qu'on ne les arrête et qu'on ne soumette Becky à un Alcootest. Tôt ou tard, et ce ne serait peut-être pas avant ce soir, Becky allait devoir les ramener – plaise à Dieu que ce soit avec Will –, et là, à coup sûr, la police allait détecter ce qu'elle avait elle-même décelé dès le départ. Et elle avait beau être assez joliment éméchée au cognac (en tout cas, cela y ressemblait), elle avait passé au moins une demi-douzaine de coups de fil sur son portable, avec son bureau.

Inez pensait à Freddy, à qui elle avait confié la boutique. Tout se passerait sûrement au mieux, mais elle aurait été plus rassurée par la présence de Zeinab. Freddy était honnête, elle en était convaincue, mais, sans être stupide, il était profondément sot. Si on l'avait priée de s'expliquer là-dessus – après tout, les deux termes ne signifiaient-ils pas la même chose? –, toute tentative de définition l'aurait laissée désarmée. Peut-être entendait-elle par là qu'il faisait trop confiance aux gens et qu'il considérait le monde du point de vue d'un innocent qui se prend pour un être sophistiqué – une illusion dangereuse. Becky s'était rendue au comptoir d'accueil, tenu par ce brigadier, pour lui demander s'ils avaient reçu une réponse à sa question concernant l'avocat auquel Will avait droit. Ne pouvait-elle lui en procurer un? À cet instant, Zulueta fit son apparition. Puisque Will n'avait pas prononcé un mot, il n'avait aucun besoin d'un avocat, argumenta le policier, et, prenant le temps de s'asseoir à côté d'elles, il les interrogea sur la nature du lien entre Will et la Sixième Avenue, dans le quartier de Queens Park. Pourquoi avait-il emporté une pelle avec lui? Pourquoi avait-il creusé dans le jardin d'une maison vide?

Cette information laissa Becky totalement abasourdie. À sa connaissance, Will n'avait jamais mis les pieds dans Queens Park, à moins qu'il n'y soit allé travailler avec Keith Beatty.

– Écoutez, combien de temps avez-vous le droit de le garder ici? s'enquit-elle. Cela doit faire vingt-quatre heures maintenant. C'est scandaleux.

– En fait, rectifia Zulueta en consultant sa montre, cela en fait tout juste vingt. Il peut être maintenu en garde à vue jusqu'à trente-six heures et ensuite… vous pouvez compter là-dessus… nous aurions toute latitude d'obtenir une prolongation. Et dans ce cas précis, sans difficulté aucune.

S'ennuyant toute seule et n'étant pas le genre de femme à aimer circuler sans compagnie masculine, Ludmila était descendue à la boutique peu de temps après le départ d'Inez. Elle était fière de sa blondeur sans faille, qui, jurait-elle, n'était pas factice, et de sa maigreur, et elle s'arrangeait en général pour faire étalage de ces deux avantages. Dans sa robe moulante portée à même la peau (ou plutôt à même les os), longue jusqu'aux chevilles, en soie vert foncé, une écharpe en pashmina mauve jetée en drapé sur les épaules et les bras, elle se renversa dans le fauteuil en velours gris, les jambes croisées et la chevelure déployée sur le dossier, comme une sorte de têtière. Quant à l'écharpe en pashmina, elle venait à peine de la repasser en laissant une brûlure sur l'ourlet, tout près de la frange, mais, toujours ingénieuse, elle avait rentré au-dessus du coude le rebord d'étoffe avec cette marque brune. Sa pose n'était nullement conçue pour prendre un homme au piège et l'inciter à la faute, puisque Freddy était déjà pris au piège. Toutefois, quand Anwar Ghosh entra d'un pas nonchalant pour échanger un mot avec son copain, elle s'étira avec une grâce plus ondoyante.

Anwar ne lui prêta aucune attention.

– Où elle est passée, la vieille ?

Il regarda autour de lui, comme si Inez avait pu se cacher quelque part, derrière une des vitrines.

– Elle avait à faire avec la police, expliqua Freddy en prenant un air important. J'ai pris la suite.

– Quel genre d'affaire ?

Voilà qui ne plaisait pas trop à Anwar. Il avait plutôt intérêt à ce que la police s'intéresse un minimum à Star Antiques.

– Cela concerne ce garçon attardé qui habite à côté de chez moi, intervint Ludmila avec un curieux accent d'origine balte.

Désireux de justifier son existence en réussissant à vendre quelque chose en l'absence d'Inez, Freddy le rassura :

– Rien à voir avec nous. Maintenant que tu es là, tu vas m'acheter quelque chose, hein, An ? Les affaires sont un peu ramollies, cet après-midi.

Anwar n'avait pas du tout l'air emballé.

– Quelque chose comme quoi ?

– Pourquoi pas ce joli buste de la reine Victoria ? Enfin, pourquoi appelle-t-on ça un « buste », je ne vois pas. C'est plus une tête et un cou, dirais-je. Ou alors ce charmant chat en verre ? Il ferait de l'effet dans ton studio, ah, ça oui.

– Je suis un minimaliste, objecta Anwar en secouant la tête. Je reviens dans une seconde. Faut que je me trouve des toilettes, j'ai besoin d'aller pisser un coup.

Il disparut dans la direction d'Edgware Road.

– Il va aux toilettes de l'hôtel Metropole, commenta Freddy, admiratif. Ce jeune homme ne tolère que ce qu'il y a de meilleur.

– Il est gay?

Ludmila posait la question uniquement parce qu'elle avait du mal à croire qu'un hétérosexuel puisse être imperméable à ses charmes.

– Il est trop jeune pour ça, décréta Freddy, un argument peu compréhensible, mais il est vrai qu'il prononçait souvent des jugements qui semblaient dénués de toute logique et n'être fondés sur aucune expérience.

– D'ailleurs, pourquoi es-tu allé chez lui?

– Je ne suis jamais allé chez lui, Ludo. (Percevant quelque chose de menaçant dans l'expression de son visage, il s'empressa d'ajouter ce serment:) Je le jure sur la tête de ma mère!

– Tu n'as pas de mère, espèce d'idiot.

Freddy était sur le point de répliquer que, comme tout le monde, il avait eu une mère, jadis, et qu'il avait formulé ces conseils au sujet du buste et du chat uniquement parce que ces bibelots feraient bel effet n'importe où.

– Es-tu allé récupérer nos billets pour ce week-end? lui demanda Ludmila sur le ton de la réprimande.

– Je file tout de suite chez le type de l'agence de voyages. Tu vas surveiller la boutique, hein, mon cœur?

– Eh bien, je suis là, non, me semble-t-il.

L'agence de voyages qui se chargeait de tout organiser pour leur escapade de ce week-end se trouvait juste au coin d'Edgware Road. Freddy était parti depuis une minute à peine que Ludmila se levait déjà; elle s'étira et le pashmina retomba de son bras, révélant la marque de brûlure, bien en vue. Cela lui rappela qu'elle avait laissé son fer allumé. Après un coup d'œil furtif aux deux extrémités de la rue, pour s'assurer que personne ne se dirigeait vers la boutique, elle sortit par la porte intérieure et monta l'escalier.

Anwar, qui n'était pas allé au Metropole tout proche, mais qui surveillait depuis la ruelle d'en face, rentra dans la boutique d'un air dégagé et, soudain bien plus agile, se faufila dans le fond. Il prit la clé de la porte de derrière et ressortit par celle de la rue, la porte des locataires. Le meilleur endroit pour mener à bien dans la plus grande célérité la tâche qu'il s'était assignée, c'était la galerie souterraine au bout d'Edgware Road, à hauteur de la passerelle est-ouest. Pour les riverains, surtout les femmes, cette galerie souterraine était source à la fois de sécurité et de danger, de sécurité en raison du trafic incessant qui se déversait de l'autoroute A5, mais aussi de danger à cause des personnages douteux qui se retrouvaient là et des rôdeurs occasionnels, avec leur allure toujours menaçante. Plus commode, franchement, de traverser en pleine lumière, par la voie aérienne. Mais Anwar ne craignait pas de fréquenter cette galerie. C'étaient les autres qui avaient peur de lui.

L'homme qui tenait l'échoppe où l'on réparait les souliers, où l'on gravait les plaques des colliers pour chiens et dupliquait les clés, était toujours aimable et plaisant, mais Anwar le soupçonnait d'être d'une honnêteté foncière. Cela suffisait à le rendre suspect. Pourtant il ne posait jamais de questions, ne voulait jamais savoir pourquoi Anwar souhaitait faire dupliquer telle ou telle clé, et, en l'occurrence, il n'en posa aucune.

– Dans une demi-heure ? demanda le jeune homme en posant celle d'Inez sur le comptoir.

– Ah, allons, fiston. Il me faut une heure.

– Trois quarts d'heure ?

– OK. Mais pas une minute de moins.

Il était juste six heures passées quand Crippen fit son apparition et s'adressa à Becky d'une voix maussade :

– Nous allons laisser Cobbett rentrer chez lui.

Elle se leva d'un bond.

– Où est-il ?

– Il arrive. Je l'ai fait examiner par un médecin.

Crippen s'exprimait sur le ton sentencieux de l'individu responsable, fier d'accomplir son devoir.

– Le médecin est incapable d'avancer la moindre explication à son refus de parler.

Becky se détourna. En de semblables circonstances, comme l'attitude de Forsyth aurait été différente, songea Inez. L'espace d'un instant, elle revit le visage de Martin, une vision très nette et distincte, un visage empreint d'une compréhension pleine de tendresse envers la tante du pauvre garçon que ses hommes auraient arrêté à tort. Ce soir, quand elle serait enfin de retour chez elle, elle laisserait tout cela, elle regarderait *Forsyth et le Vain Espoir,* elle oublierait Will, Becky, Freddy et Zeinab, et s'accorderait une séance de thérapie...

Ils amenèrent Will. Comme un zombie, il entra d'un pas mécanique, les jambes raides, la tête pendante. Becky courut vers lui et jeta ses bras autour de son cou. Il se laissa embrasser, le regard fixe et vide, flottant au-dessus de la tête de sa tante, vers la fenêtre et les longs rayons de soleil obliques de cette fin d'après-midi. Ensuite, avec une lenteur étonnante, comme s'il apprenait ce geste pour la première fois, il ramena les mains vers le haut et les plaqua dans le dos de Becky.

Quand ils furent dans la voiture, il ne proféra pas un mot. Inez était à l'arrière, et le jeune homme installé côté passager, à gauche de sa tante. Une bonne chose, se dit-elle, car à présent l'organisme de Becky avait dû éliminer tout cet alcool qu'elle avait dans le sang. Apparemment, la police ne s'était aperçue de rien. La circulation était dense, pare-chocs contre pare-chocs, de Maida Vale jusqu'à Marble Arch, et ensuite ce n'était guère mieux.

— Jeudi soir, commenta Inez. Dernières courses dans Oxford Street.

— Je vais emmener Will chez moi, bien entendu, fit Becky. Il ne peut pas rester seul.

À sa grande honte, Inez en éprouva un immense soulagement. Au lieu de s'abandonner pendant deux heures avec délices à la compagnie de Martin, elle s'était imaginée montant et descendant l'escalier, pour aller s'enquérir de Will, le nourrir, et être en permanence obligée de téléphoner à Becky.

— Je suppose qu'il va devoir prendre un peu de congés?

— Lui? Je dirais plutôt que c'est le cadet de mes soucis. Et moi alors?

– Becky, je suis vraiment navrée. Avez-vous compris de quoi ils le soupçonnaient ? Qu'est-ce qu'il aurait fait ? Pourquoi s'est-il rendu… je ne sais plus trop… dans ce coin de Queen's Park ?

– Ils m'ont prévenue qu'ils souhaiteraient le revoir, mais à mon avis c'est ce qu'ils racontent à tout le monde. Ils l'ont surpris en train de creuser dans un jardin et, quand ils l'ont questionné, il a refusé de répondre. Bien entendu, la vérité, c'est qu'il était incapable de leur répondre. Il est incapable de parler. Évidemment, il a perdu la faculté de s'exprimer. Ils y sont allés en force, ils ont creusé dans tous les jardins des environs, ils ont fouillé les appentis et les garages. C'est ce qu'ils m'ont dit, mais ils ne m'ont pas précisé pourquoi. Ils cherchaient le corps de Jacky Miller, je suppose.

Will demeurait silencieux, le visage non pas tant impénétrable que vide. La dernière vision qu'Inez eut d'eux, quand Becky démarra dans Star Street, ce furent la tête et les épaules de Will, de profil, dénué de toute expression, raide et inanimé, à l'image du buste de marbre que Freddy avait tenté de vendre à Anwar Ghosh.

Comme de juste à cette heure-ci, la boutique était fermée. Elle entra et trouva sur le bureau un mot de Freddy, écrit au feutre, couvert de traînées et de marques de doigts : *Clians qui a achter l'orloge de parquet dit qu'elle ne marche pas, pendule déraille, va la rapporter demin. Biz, Freddy.*

Le responsable de cette panne d'horloge, c'était certainement Freddy lui-même. Ce soir, elle ne pouvait rien y faire. Elle s'assura encore une fois que la porte de la rue soit fermée à clé, laissa le mot où il était et sortit par le couloir du fond. Il fallait mettre dehors la poubelle à roulettes qui élisait domicile dans l'arrière-cour, pour le ramassage des ordures avant huit heures du matin. Inez était lasse, mais elle savait qu'il fallait s'en occuper. La porte de derrière était fermée à clé, et la clé insérée dans la serrure, comme d'habitude. Sauf que ce n'était pas tout à fait comme d'habitude. On pouvait tourner cette clé, avec sa tête asymétrique, une fois pour juste fermer, ou une fois et demie pour verrouiller la porte. Par habitude

ou par obligation, elle donnait toujours un tour et demi. Avec
un tour, le creux de la tête de clé, avec sa face inégale, devait
être en bas ; avec un tour et demi, en haut. Freddy avait dû sortir faire quelque chose, voilà tout. Ce serait donc deux questions qu'elle aurait à lui poser demain...

CHAPITRE 15

Ne s'étant pas attendue au pire, Becky n'avait pas préparé son bureau pour accueillir Will. Il était resté tel qu'elle l'avait laissé deux jours auparavant, avec son écran d'ordinateur portable ouvert, des livres et des papiers éparpillés dans tous les sens, et une corbeille à moitié pleine. Elle se dit qu'il fallait rester optimiste. Ce traumatisme et ses effets allaient passer, il récupérerait la faculté de parler et, d'ici quelques jours, il retournerait chez lui, dans Star Street. Il n'était pas nécessaire de retirer toutes ses affaires de la pièce et de la remeubler. Becky le savait, on avait beau préserver son intimité, si l'on vivait à Londres, il fallait avoir un endroit pour coucher un ami en cas d'urgence, et le sofa était prévu pour se convertir en lit confortable. Après avoir précédé Will dans l'escalier et dans l'appartement, après lui avoir servi un thé avec des gâteaux, elle s'occupa d'ouvrir le lit. C'était une tâche plus difficile, elle ne souvenait pas que cela réclamait autant de force physique, et quand ce fut terminé, elle se dit qu'elle n'aimerait pas avoir à recommencer trop souvent.

Le bureau et la station de travail, avec l'ordinateur et l'imprimante, pouvaient rester à leur place. Ainsi que le photocopieur, les dictionnaires, le broyeur et la grande corbeille à papier en rotin. S'il fallait sortir les fauteuils et la table, elle allait devoir trouver un endroit où les mettre. Où? Dans le reste de l'appartement, il n'y avait vraiment pas de place.

Will était assis en silence dans le salon. Il avait mangé la meringue, mais il avait laissé la tranche de cake aux fruits – cela ne lui ressemblait guère. Il ne lui souriait pas, il ne levait même pas les yeux. Sans retenue aucune, elle maudissait intérieurement ces officiers de police qui avaient infligé ce traitement à son neveu. Au bout d'un moment, quelques minutes désespérantes, elle alluma la télévision, et ce fut un de ces jeux bruyants de questions-réponses qu'il appréciait tant d'ordinaire. Cette fois il leva bien la tête, il fixa l'écran du regard, mais elle eut l'impression que les voix assourdissantes et les chansons tapageuses du groupe chargé toutes les deux ou trois minutes de divertir le téléspectateur de ses efforts intellectuels le faisaient un peu sursauter. Elle se demanda, supposition pénible, si ces gens ne lui remettaient pas en mémoire les demandes de renseignements aboyées par Crippen et Jones.

Au moins, il était occupé. Elle se leva pour se servir un verre – en avait-elle jamais eu autant besoin? – et, en traversant le cabinet de travail, elle remarqua le témoin lumineux du téléphone. Au milieu de ces horreurs, elle avait oublié son motif de tension précédent, et le message qu'elle avait laissé à James. Et maintenant, elle redoutait presque ce qui l'attendait. Mais elle souleva le combiné et écouta ses messages. L'un d'eux émanait d'Inez, un autre de Keith Beatty qui voulait savoir où était Will. Le troisième était de James.

«Becky, c'est James. Vous m'avez prié de vous rappeler, mais j'ai essayé sur votre portable et la ligne sonne sans arrêt occupé. (Ce devait être dans le courant de l'après-midi, quand elle passait tous ces appels au bureau depuis le commissariat.) Je suis désolé d'être parti, l'autre jour. Cela m'est resté sur la conscience et ensuite, quand je me suis décidé à vous téléphoner, je me suis dit que vous seriez trop en colère pour me parler. Je vous rappellerai ce soir vers neuf heures, nous sommes jeudi 25, et nous pourrions peut-être nous retrouver. »

Absolument plausible, tout à fait rationnel. Elle aurait dû être aux anges, et s'il l'avait appelée avant l'heure du déjeuner, elle aurait été ravie. Un deuxième verre en main, car elle avait avalé le premier en écoutant le message, elle retourna s'asseoir à côté de Will. Il porta la main à ses lèvres et elle comprit, il essayait de lui expliquer qu'il était incapable de parler, il ne savait pas pourquoi, les mots refusaient de venir.

– Ce n'est pas grave, le rassura-t-elle gaiement. Tu arriveras bien à parler de nouveau. Demain, je pense. Ne t'inquiète pas pour cela. Écoute, il y a ce monsieur à la télé, celui que tu aimes bien.

Horrifiée, elle vit qu'il avait les yeux remplis de larmes. Elle lui prit la main, la serra, resta assise là, songeant à son triste état, mais aussi au sien. James était oublié. Si Will ne recouvrait pas l'usage de la parole, ou s'il ne la récupérait pas avant plusieurs semaines, qu'allait-elle faire ? Elle ne pouvait pas partir travailler en le laissant seul ici. Pourrait-elle même sortir faire ses courses dans les magasins ? Un travailleur social ? Mais Will détesterait avoir un travailleur social avec lui, la présence d'une autre personne qu'elle, ce serait encore pire.

Elle téléphona à Keith Beatty, lui expliqua que Will n'allait pas bien et qu'il ne serait pas de retour avant lundi. Elle entendit son neveu se rendre aux toilettes et revenir quelques minutes plus tard d'un pas traînant. Son verre posé sur le comptoir de la cuisine, elle était devant le frigo, elle cherchait quoi lui servir à dîner. Des œufs, du bacon, des champignons, sans doute, et puis il y avait toujours des frites, qu'elle pouvait décongeler. Une boîte de fruits au sirop, de la glace, encore du gâteau, s'il en avait envie. Par chance, elle avait déjà acheté les gâteaux en prévision de sa visite, convenue pour le lendemain. Ce n'était pas seulement James qu'elle avait oublié, mais aussi son appel de neuf heures. Elle empila de quoi manger sur le plateau, pour Will. Quant à elle, rien ne lui faisait envie, mais elle s'assit avec lui, et l'écran dégoulinait de ce que la télévision avait à proposer de pire.

À neuf heures pile le téléphone sonna, elle se leva pour aller répondre, en se demandant qui ce pouvait être, avant d'entendre la voix de James.

Après une maladie, personne ne revient travailler un vendredi. Zeinab, si. Comme elle était en retard d'une demi-heure, selon son habitude, on ne l'attendait plus, et Freddy occupait sa place. Une heure avant, Jeremy Quick était venu prendre sa tasse de thé, et Inez, en la lui tendant, lui avait demandé s'il était sorti dans le jardin avant qu'elle ne rentre, la veille au soir.

— Je croyais que les locataires n'étaient pas autorisés à profiter de votre jardin, Inez.

— Il est certaines personnes qui ont d'étranges manières, par ici.

— J'ose espérer que vous ne me rangez pas parmi ces gens-là, s'indigna Jeremy, l'air sincèrement choqué.

Elle n'aimait pas vraiment devoir lui répondre que si – quoi de plus étrange que de s'inventer une petite amie avec une mère âgée ? –, car se quereller avec un locataire ne serait pas la manière la plus gaie d'entamer la journée. L'espace d'une seconde, elle se demanda s'il se dérobait au contact de toutes les femmes, ou si cela lui était réservé.

— Quelqu'un est entré dans ce jardin.

Elle n'allait pas lui révéler comment elle le savait. Chez une femme dans sa situation, quelques armes secrètes se révélaient toujours indispensables.

— Quelqu'un est passé dans le jardin entre trois heures et six heures et demie, à mon retour en fin d'après-midi.

— Est-ce important ?

Il lui posa cette question sur un ton aimable, néanmoins Inez n'apprécia pas. Évidemment, pour lui cela n'avait aucune importance.

— Peut-être pas. Si nous changions de sujet ?

– Avec joie.

– Je suppose que vous avez entendu parler des boucles d'oreilles de Jacky Miller, que la police a découvertes ici ?

Son changement d'expression fut imperceptible, mais, en femme observatrice, elle le remarqua, un infime tressaillement des lèvres, la pointe d'une lueur dans chaque œil.

– Jacky Miller ? fit-il.

– La jeune fille qui a disparu, celle qu'ils recherchent.

– Ah, oui, dit-il. Je vais devoir y aller. Merci pour le thé.

Freddy arriva tout de suite après son départ.

– Encore une journée superbe, Inez. (Il se frotta les mains.) De quoi vous rendre heureux d'être en vie.

– Possible. Êtes-vous sorti dans le jardin hier après-midi, Freddy ?

– Oh non, répliqua-t-il sur un ton révérencieux. Les locataires ne sont pas admis.

– Mais comme vous n'êtes pas locataire, ces règles ne s'appliquent pas à vous, peut-être ?

– Comme vous dites, Inez.

Freddy s'assit sur l'accoudoir du fauteuil en velours gris et agita le doigt, comme le balancier d'un métronome.

– Comme vous dites, je ne suis pas locataire. La locataire, c'est Ludo. Je suis domicilié à Walthamstow.

Inez le scruta du regard, l'air soupçonneux, presque certaine que la dernière fois c'était à Hackney.

– Mais enfin, je me considère ici comme le représentant de Ludo, si j'ose dire. Ou comme son agent, pourquoi pas ? En d'autres termes, si elle était dans la nécessité urgente de sortir dans le jardin, sans avoir ni le désir ni la faculté de le faire, il ne serait pas impossible que je m'en charge à sa place. J'espère m'être exprimé clairement. Enfin, d'un autre côté, hier je ne suis pas sorti dans ce jardin, et je n'en aurais pas eu la…

– Très bien, Freddy, c'est parfait. Vous auriez dû vous inscrire au barreau. Ouvrez la porte, voulez-vous, et retournez l'écriteau.

Si Inez avait posé à Ludmila la question qu'elle venait de poser à Freddy, elle aurait sans doute entendu parler d'Anwar

Ghosh. Ludmila détestait Anwar pour diverses raisons, le dédain qu'il professait à son égard et le fait qu'il était un rival susceptible de la priver de l'affection de Freddy, et puis aussi parce qu'il la traitait comme une boutiquière. Elle lui aurait volontiers créé des ennuis. Mais Inez ressentait une certaine aversion envers Ludmila et ne lui adressait jamais la parole, sauf nécessité. Elle renvoya à plus tard sa question à Freddy au sujet de l'horloge comtoise. Non pas en raison d'une quelconque méfiance, mais pour s'épargner d'avoir à entendre d'autres laïus, d'autres explications tortueuses. Et elle réfléchit à la meilleure décision, se montrer conciliante et la reprendre, ou refuser de rembourser la somme versée par le client.

Quelques minutes après neuf heures, elle téléphona à Becky pour s'enquérir de Will.

— Je ne vous remercierai jamais assez d'être venue avec moi hier, Inez. C'était très gentil à vous, et je vous en suis très reconnaissante.

— Comment va-t-il aujourd'hui ?

— Eh bien, il est levé et il a pris son petit déjeuner. Il ne parle toujours pas.

— Vous allez vous en sortir ?

— J'espère. Dans une minute, je vais appeler au bureau, leur annoncer que je prends ma semaine. J'espère que huit jours suffiront, Inez.

Elle l'écouta, elle avait l'air moins désespérée. Ensuite, Inez prévoyait de téléphoner à Mme Sharif pour savoir quand Zeinab serait de retour, au lieu de quoi elle prit le temps de réfléchir aux bizarreries des gens qu'elle croisait tous les jours et se demanda en particulier ce que Will était allé réellement faire, à creuser dans un jardin de Queen's Park. Il était impossible, même dans son cas, d'envisager que ce soit pour un motif justifiable. Vous aviez beau être quelque peu... enfin, affligé d'un handicap intellectuel, vous n'alliez sûrement pas dans une maison vide après la tombée de la nuit, dans un quartier inconnu de vous, et où personne ne vous connaissait non plus, creuser un grand trou... un mètre de profondeur, lui avait précisé l'un des officiers de police… si vous étiez quelqu'un d'honnête. Et comme vous n'aviez pas d'économies, vous n'achetiez pas une pelle dans ce seul but. Et qu'avait-il espéré exhumer de ce trou, ou plutôt, pour serrer la vérité de plus près, qu'avait-il eu l'intention d'y enterrer ? Elle frémit un peu et les agissements de Will la ramenèrent à son propre jardin, à cette porte de derrière et à la clé.

Quelqu'un était sorti par là et, en tout cas, il ne pouvait s'agir de Will. La dernière fois qu'elle y était sortie elle-même, sans doute la semaine précédente, se pouvait-il qu'elle n'ait donné qu'un seul tour de clé, au lieu d'un et demi ? Elle se posait la question, elle sondait sa mémoire, quand la porte de la rue s'ouvrit à la volée et Zeinab entra, escortée de Morton Phibling.

— Voici mon aimée, déclama Morton, tel le chiendent, on ne peut se déprendre d'elle, mais avouons que c'est aller contre nature que d'associer le chiendent à une telle beauté.

Zeinab lui lâcha un regard qui aurait pu trahir, au choix, le dégoût ou la résignation pure et simple face à un destin inévitable. Elle semblait aller fort bien, rayonnante de santé dans une nouvelle jupe en daim noir, presque trente centimètres au-dessus du genou, et un nouveau chemisier en soie blanc, les paupières peintes en doré et son clou serti d'un diamant enfoncé bien en place. Ses cheveux, lavés et parfumés à la tubéreuse, flottaient librement dans son dos comme une cape de satin noir.

— Que pensez-vous de mon cadeau de fiançailles ?

Morton posa un doigt épais comme une saucisse sur un diamant à peu près de la taille du fameux Koh-i-Noor, pendu en sautoir à une chaîne en or au cou de Zeinab.

— Magnifique, hein ?

— Tout à fait magnifique, reconnut Inez. Je ne voudrais pas jouer les rabat-joie, mais je ne pense pas qu'il soit judicieux de porter ça par ici, dans la rue.

— Oh, non, jamais de la vie. Dans la caisse de Mort, c'était *cool*. Inez, Mort m'a emmenée pour un essayage de ma robe de mariée hier.

— Vraiment? Je croyais que tu avais attrapé un virus.

— Hier le pire était déjà passé.

Zeinab déposa un baiser dans le vide, à trois centimètres du visage de Morton.

— Maintenant filez, mon chéri. Je vous revois ce soir.

— C'est la première fois que je te vois porter un de ses cadeaux, observa Inez, à part ta bague de fiançailles. Dis-moi une chose. Quand j'ai téléphoné à ta mère, tu n'étais apparemment pas là, et elle m'a dit qu'elle passerait faire un saut chez toi plus tard. Qu'entendait-elle par là?

Mais Zeinab avait enfin aperçu Freddy, et elle ne manqua pas de remarquer sa blouse marron. Il se tenait debout derrière Inez, il étudiait le livre des dépenses.

— Qu'est-ce qu'il fabrique ici?

Freddy leva les yeux et s'expliqua avec dignité, mais en recourant à un mélange de métaphores malheureuses:

— Se faire porter pâle comme ça... Vous avez laissé Inez dans la mouise et voilà, je me suis présenté.

Réprimant un rire, non sans mal, Inez décoda:

— Freddy m'a aidée pendant ton absence, voilà tout.

— Voilà tout! Moi, j'ai l'impression qu'il y en a qui ont fricoté pour piquer le boulot des autres. J'appelle ça un coup en traître, un vrai coup bas.

Depuis son arrivée de la Barbade, quand il était encore adolescent, Freddy n'avait probablement jamais eu la vie aussi facile qu'aujourd'hui. Dès son entrée sur le territoire britannique, il était accablé par une quasi-pénurie, les insultes racistes, la solitude, plusieurs fois licencié sans ménagement et en butte au plus total manque de respect. Cela n'avait pas entamé pour autant sa nature d'une bonté foncière, mais il avait appris à se battre et à rendre coup pour coup — les bons comme les mauvais.

— Et il y a des gens, s'indigna-t-il, qui vendraient leur grand-père pour un mandat postal. Ils ont franchement pas besoin de bosser, puisqu'ils fourguent les cadeaux du grand-père, et ça leur rapporte plus de pognon qu'une journée de boulot.

— Je vous interdis de me parler comme ça!

– Vous êtes une poule, et même pas une poule honnête, en plus.

– Du calme ! s'écria Inez d'un ton qui ne souffrait pas de réplique. Du calme, tous les deux. Je refuse que vous vous querelliez chez moi.

Ils la dévisagèrent d'un air rebelle, mais ils n'en furent pas moins réduits au silence.

– Merci beaucoup de votre aide, Freddy, mais maintenant Zeinab est de retour, et vous ne deviez travailler ici que le temps de son absence, vous le savez. Je suis persuadée que Ludmila sera enchantée de vous avoir à nouveau avec elle.

À gestes lents, Freddy retira sa blouse et la plia.

– Je vais d'abord aller au bout de la rue m'offrir un verre réparateur avec mon ami, au Ranoush Juice. J'espère que vous ne regretterez pas d'avoir repris cet oiseau, Inez. Ludo et moi, nous n'aimerions pas qu'il arrive malheur à votre commerce à cause d'une employée qui n'est qu'une criminelle.

– Si on me laissait faire, je vous mettrais à la rue, toi et ta vache russe ! hurla Zeinab alors que la porte se refermait derrière lui. Pas étonnant que tu sois si bien renseigné sur les criminels, espèce de fraudeur du chômage !

Inez, à qui cela n'était plus arrivé depuis des semaines, lâcha un soupir. Avant cette altercation avec Freddy, elle avait eu l'intention de demander à Zeinab où elle habitait au juste, et avec qui, mais la perspective d'entendre encore davantage de mensonges et de faux-fuyants avait de quoi la décourager.

– Il faut que je te rappelle (comme si la jeune femme avait besoin qu'on le lui remémore) que lundi, c'est la fête du Printemps. Demain, évidemment, nous serons ouverts, comme d'habitude. Donc, je t'en prie, ajouta-t-elle, incapable de résister, pas question de reprendre un congé pour des essayages de robe de mariée.

– Oh, Inez, tu trouves ça juste ? (Zeinab réussit à faire croire qu'elle était au bord des larmes.) J'ai toujours fait ce genre de choses sur mon temps libre, ou quand j'étais en congé de maladie, non ?

Inez renonça. Elle comprit vite qu'elle allait devoir faire face à d'autres sujets de dispute. La porte de la rue s'était ouverte et le client mécontent de son horloge fit son entrée, avec deux amis qui portaient l'objet, qu'ils posèrent devant le bureau avec un cognement sourd, et le meuble émit un tintement de carillon retentissant. Pour la forme, Inez discuta un peu avec lui, mais en fin de compte il était plus simple de lui rendre son argent. Elle réglerait cela avec Freddy la semaine prochaine.

Zeinab était devant son miroir préféré, occupée à se repeindre les paupières.

– Je te promets de ne pas sortir plus d'une heure, Inez, mais je t'ai prévenue que j'allais déjeuner avec Rowley. On va juste au café Uno, c'est promis.

– Tu n'as pas intérêt à ce qu'il voie le cadeau de Morton.

– Non, non, il ne le verra pas. Dommage, d'ailleurs, parce que moi, je l'adore.

Elles eurent une matinée chargée, et quand Inez posa de nouveau un regard sur elle, elle avait retiré le pendentif.

Becky lui avait évoqué sa relation avec Will. Tout ce qu'elle désirait, c'était quelqu'un à qui se confier au sujet de son neveu, de son enfance, de la culpabilité qu'elle éprouvait, une oreille attentive, même si, au bout de cinq minutes, l'ennui reprenait le dessus. Elle se serait encore plus vite attendue à une pointe d'impatience dans la voix de James.

– Il est ici avec moi, acheva-t-elle, et je ne vois pas où il pourrait aller. Et puis rien que d'avoir ce genre de pensées, je me sens déjà assez mal à l'aise. Je l'aime vraiment, vous savez, et j'ai tant de peine pour lui, en un sens, j'estime que tout ça, c'est ma faute. Je sais que je ne devrais pas vous embarquer là-dedans, donc si vous préférez me répondre que vous refusez de me revoir, je comprendrai.

– Je me disais que je pourrais éventuellement passer vous rendre visite demain, lui dit-il. Pourquoi pas dans l'après-midi, vers trois heures ?

C'était la veille au soir. Cela lui avait beaucoup remonté le moral. Même si la compagnie de Will devait finir par effaroucher James, son coup de téléphone, et ce qu'il lui avait dit, aurait suffi à la réconforter. Des mots qu'elle avait lus quelque part lui revinrent en tête : *Être deux, ce n'est pas être deux fois un, être à deux, c'est être deux mille fois un...* Et la suite évoquait tout ce qui ramènerait sans cesse le monde vers la monogamie. Elle n'éprouvait pas un tel désir de monogamie, et encore moins de mariage, mais la perspective d'être à deux juste le temps d'un samedi après-midi était si tentante qu'elle dormit sans se réveiller de la nuit.

— Ta dame et toi, vous allez dans un endroit sympa, ce week-end ? s'enquit Anwar, au bar, le corps léger, perché sur un haut tabouret.

À côté de lui, Freddy, qui pesait à peu près deux fois le poids de son ami, était en équilibre plus instable.

— On se fait une virée dans un cinq-étoiles à Torquay. Hyper-relaxant, Torquay, à ce qu'on m'a raconté.

— Ça dépend de ce que tu entends par relaxant. (Anwar prit un air sérieux.) Moi, j'ai entendu dire, ajouta-t-il d'un ton vertueux, que c'était la capitale de la cocaïne pour toute l'Europe de l'Ouest. Vous revenez quand ?

— Lundi soir. Inez part chez sa sœur pour la journée, le schnock de luxe du dernier étage sera chez sa mère et le pauvre William chez sa tante.

Anwar n'avait pas posé la question, il était trop subtil pour cela, mais Freddy venait de lui apporter la réponse qu'il attendait.

— Pourquoi « pauvre » ?

Freddy eut cette mimique surannée, ce geste de se tapoter la tempe du bout de l'index.

— La flicaille lui a tapé sur le ciboulot, et maintenant il cause plus.

— C'est sûr, ça ?

La nouvelle n'avait guère l'air de passionner Anwar.

— Alors, et toi, tu as prévu quoi pour ce week-end ?

— Le train-train habituel, fit Anwar. Je vais aller au temple avec ma mère et mon père, fit-il avec componction, ensuite il y a un mariage dans la famille, à Neasden. Ça n'arrête pas.

— Cette camionnette blanche qu'il faut pas nettoyer pour raisons scientifiques… Tu vois laquelle je veux dire ?

Anwar, qui voyait très bien, prétendit n'avoir rien remarqué. Freddy voulait-il un autre jus de mangue ?

— Oui, merci. Très rafraîchissant. Elle est encore devant Star Antiques, cette camionnette, et je me demandais… Tu sais c'que j'me posais comme question ?

Anwar secoua la tête et commanda deux autres jus.

— Eh bien, je me demandais, s'il y avait n'importe quel coup fourré, disons une agression, ou une fille se faisant chourer son portable, il y aurait forcément un témoin pour déclarer qu'il aurait vu cette camionnette sale garée, avec une affichette à l'arrière, pour avertir qu'on ne la lave pas, et la flicaille se ramènerait avant que t'aies pu prononcer la formule magique : « Lavage auto ! »

Freddy gloussa de son propre bon mot.

— Peut-être, admit Anwar. J'en sais rien. (Il consulta sa Rolex.) Faut que j'y aille. Dire deux mots à un type au sujet d'une camionnette.

Freddy rigola.

— Tu veux pas de ton jus de mangue ?

— Tu n'as qu'à le boire, fit Anwar, et Freddy s'exécuta.

Anwar retourna dans Star Street et sonna à la porte du rez-de-chaussée d'une maison, un squat bien connu depuis les années quatre-vingt. Keefer était encore au lit, lui dit la femme négligée qui lui ouvrit.

— Conduisez-moi jusqu'à lui, exigea Anwar sur un ton théâtral.

Il tira Keefer de son lit, un matelas à même le sol au milieu d'une demi-douzaine d'autres matelas.

— Debout, mon pote ! s'écria-t-il. Un boulot pour toi. Emmène ton espèce de guimbarde au lavage auto de Kilburn… non, celui de Hendon, ce sera mieux, et ensuite tu te débarrasses de cette merde, sur la lunette arrière. C'était marrant cinq minutes.

– Laver ma camionnette ? protesta Keefer, comme si Anwar venait de lui suggérer un truc aussi sérieux que prendre un bain ou se dégotter un emploi rémunéré.

– C'est ce que je viens de dire. Et tu ferais bien de t'en occuper tout de suite, et de la repasser deux fois au lavage.

Anwar lui fourra dans la main un billet de dix livres.

CHAPITRE 16

Alexander se trouvait dans Oxford Street, il achetait des cadeaux pour sa mère, il avait laissé Jeremy dans Star Street. La semaine prochaine, ce serait son anniversaire, mais, quoi qu'il arrive, il lui achetait toujours des cadeaux, chaque fois qu'il allait lui rendre visite. Le principal, ce serait un lecteur de CD et une cinquantaine de disques de son style de musique préféré. Il pourrait faire livrer l'appareil et les CD, c'était beaucoup trop encombrant pour lui, impossible de les porter, à moins de prendre la voiture pour se rendre à Paddington. Se garer à l'extérieur un lundi férié serait faisable, les interdictions de stationner étant suspendues, mais jusqu'ici il avait évité de montrer sa voiture à ses colocataires, et il jugeait préférable de s'en tenir à cette ligne de conduite. Une fois l'achat du cadeau principal terminé, il choisit une grande boîte de truffes au chocolat, une bouteille de champagne Krug, une orchidée verte en pot de céramique et une bouteille de parfum Bulgari.

Quand il se livrait à son travail d'autoanalyse, tâchant de

comprendre pourquoi Jeremy tuait des jeunes filles, cela l'amusait, c'était son côté pince-sans-rire, que les spécialistes supposent une vengeance par procuration vis-à-vis d'une mère qui l'aurait malmené et dominé. Il aimait tendrement sa mère. Elle était sans doute la seule personne qu'il ait jamais aimée. Le mariage de ses parents avait été heureux, mais ni l'un ni l'autre n'étaient dotés d'un fort caractère. Enfant unique, à onze ans toute la maisonnée faisait ses quatre volontés, surtout après les résultats spectaculaires à l'examen qui lui avaient valu d'être admis, moyennant des frais de scolarité réduits, dans une école privée. Avant cela ses parents l'aimaient déjà sans réserves, mais après ce fut de l'adoration. S'ils avaient eu un autre genre de fils, la mort de son père aurait bien failli tuer sa mère, mais il lui restait cet enfant modèle, ce génie tendre et aimant qui la déchargeait de toutes ses responsabi-lités, qui veillait à tout et même, depuis qu'il ne vivait plus avec elle, qui la dirigeait à distance.

Les imperfections de sa carrière et de son mode de vie – elle avait peine à admettre qu'il s'agisse là d'imperfections – ne firent rien pour transformer ses pieds de véritable petit dieu en pieds d'argile. Elle lui trouvait de meilleures excuses qu'il n'aurait pu s'en inventer lui-même, et ensuite elle n'y revenait jamais, ni sur les défauts, ni sur les excuses. Sa réussite dans les affaires, en particulier dans son travail personnel, lui valait des encouragements permanents, des louanges sans fin. Elle ne s'était entendue ni avec sa femme, ni avec son ex-petite amie, car à l'évidence elles n'étaient pas assez bien pour lui, et à présent elle avait cessé de lui demander quand il allait se ranger et se marier.

Elle ne rêvait que de ses visites et elle acceptait ses présents avec un ravissement outrancier, lui répétant, à sa façon char-mante, que vraiment il n'aurait pas dû, mais c'était si joli, et qu'elle était contente. Elle avait cette habitude gratifiante, peu commune, de revenir sans cesse sur ses fleurs, ses chocolats ou ses parfums, avec ce style de commentaires : « Elles ne sont pas superbes ? », et : « Quel bon goût tu as ! » De toute sa vie elle ne lui avait adressé que deux fois la parole sur un ton qui lui avait déplu, lorsque, se remémorant avec tendresse ses années d'adolescence, avec un doux sourire, elle avait eu cette remarque sur l'appareil dentaire qu'il avait été obligé de porter à un âge plus avancé que la majorité des autres enfants. Cela avait ravivé en lui une terreur sans grand rapport avec le simple souvenir de ce qu'enduraient quantité d'enfants, sa honte, sa haine de ce traitement. Sur un ton comminatoire, il lui avait enjoint de ne jamais plus en parler. Elle avait rougi et s'était excusée. Plus jamais ils n'avaient abordé le sujet.

Parfois, elle lui faisait des observations sur son mode de vie supposé, le grand bureau spacieux, la secrétaire, les soirées, les réceptions et les sorties au théâtre, ses visites chez son tailleur, le champ de courses d'Ascot et (pour une raison obscure) le Chelsea Flower Show. Cela le faisait sourire, un sourire affectueux, d'opposer la réalité à ce qu'imaginait sa mère, ses marches dans les rues, dans l'attente que ce désir redoutable revienne le posséder…

Quand il était avec elle, dans sa jolie maisonnette, au milieu d'un de ces clos tranquilles en bordure du village, à écouter ses gentils babillages sur les activités locales, son esprit se focalisait encore davantage sur les filles qu'il avait tuées et sur celles qu'il allait tuer. Pourquoi ? Sa mère avait une sainte horreur de toute idée de meurtre, elle ne regardait jamais de pièces policières, pas de reportages sur les crimes de sang, et n'aurait jamais eu de romans policiers à la maison. Et s'il y songeait en sa présence, ce qui était inévitable, il n'aurait pas dit un mot non plus de cette histoire qui serait sur toutes les lèvres ce week-end, un peu partout dans le pays, fût-ce le temps d'une allusion, la disparition de Jacky Miller dont on était incapable de retrouver la trace à ce jour. À peine eût-il prononcé le nom de cette fille que sa mère aurait blêmi et se serait mise à trembler. Alors pourquoi fallait-il que le souvenir de l'avoir tuée lui mette la cervelle en ébullition ? Pourquoi les avait-il tuées, elle et les autres ? Qu'est-ce qu'il y puisait ?

Peut-être ne correspondaient-elles pas à son type de femmes, peut-être n'étaient-elles pas à la hauteur. Mais sa mère avait soixante-huit ans, et ces filles étaient jeunes. Et si cette insuffisance s'appliquait à toutes les femmes, il n'éprouvait pourtant aucune pulsion de meurtre envers Inez Ferry ou sa voisine de son domicile des anciennes écuries, qu'il avait aperçue sans jamais lui adresser la parole. Un jour, il avait demandé à sa mère si, petit enfant, il n'avait pas eu une nourrice ou une jeune fille pour veiller sur lui quand ses parents sortaient.

– Oh non, mon chou, s'était-elle récriée, très choquée. Je ne t'aurais jamais confié à qui que ce soit d'autre. Je n'aurais fait confiance à personne. Ton père et moi, nous ne sommes jamais sortis le soir, pas avant tes seize ans. Je me dis parfois que c'est ce qui m'a empêchée d'avoir un autre bébé. Car j'aurais dû entrer en maternité, y rester plusieurs jours, qui peut savoir, et toi, c'est une inconnue qui se serait occupée de toi.

Chargé de ses paquets, certains enveloppés dans un papier cadeau bleu et argent, le pot d'orchidée au creux du bras, il prit le bus pour rentrer à Kensington High Street et marcha vers le sud. Et si c'était une jeune surveillante générale qui assurait la discipline des garçons dans son école ? Mais non, il était externe – sa mère n'aurait jamais accepté qu'il soit pensionnaire. Ou la jeune et jolie maman d'un de ses amis qui, au lieu de se laisser séduire, l'aurait dédaigné ? Il conservait le souvenir très net de tous les amis qu'il avait eus – ils étaient rares – et tous avaient des mères d'une hideur invraisemblable. L'une d'elles, il s'en souvenait, marchait les pieds écartés, comme un canard, et l'autre avait un visage à la Mao Tsé-toung. Alors, qu'était-il arrivé pour instiller en lui ce besoin fiévreux, passionné, triomphateur, dès qu'il apercevait la jeune femme idéale, à la nuit tombée ou dans un lieu solitaire ?

Il était d'ailleurs incapable de dire ce qui la rendait idéale à ses yeux, comment il savait, dès qu'il la voyait, que ce serait la prochaine. Elles ne se ressemblaient guère. Gaynor Ray était menue et jolie, le cheveu roux et bouclé, Nicole Nimms était blonde et très mince, Rebecca Milsom très brune, pour ainsi dire presque basanée, Caroline Dansk brune aussi, mais avec un visage très différent, et puis elle était bien plus mince, en revanche Jacky Miller avait des kilos en trop, le cheveu blond très clair, la peau très rose affligée d'une perpétuelle rougeur. Tout ce qu'il pouvait avancer, pour les classer en catégorie, c'était qu'elles étaient toutes jeunes et qu'aucune n'était d'origine asiatique ou africaine. Ce qui ne revenait pas à dire qu'aucune femme de cette origine ne lui conviendrait. Il n'était pas raciste, songea-t-il non sans acidité, et il rit froidement de ce trait d'esprit, se félicitant d'avoir su conserver son sens de l'humour.

Il entra dans la maison et se rendit droit à son bureau. Il n'appréciait guère de travailler le samedi, mais il n'avait pas le choix s'il voulait prendre son lundi. Il dormirait sûrement ici dimanche soir, afin de partir tôt. Mais il avait du mal à se mettre au travail. Cela lui était toujours difficile quand il avait repensé à ces filles et surtout à leur apparence, en dehors de cette seule et unique obsession tout était difficile. C'est sans doute pour cela qu'il en avait la tête remplie lorsqu'il était avec sa mère, sans rien d'autre pour lui occuper l'esprit. Et pourtant ce n'était pas cela qui lui donnait l'envie de tuer. Pas cela qui, dès qu'il voyait la prochaine, celle qu'il lui fallait absolument, le transformait en un éclair en une machine gorgée d'adrénaline, avec une seule et unique fonction. Non, pas tout à fait une machine, car même dans ces moments-là il demeurait conscient du sang qui lui courait dans les veines, de ce battement dans sa tête et de ce bourdonnement dans ses oreilles, de sa peau qui le démangeait, la salive sèche, et d'un serrement dans la poitrine, d'une boule dans la gorge. Ensuite son corps tout entier se faisait léger, un corps flottant mais maîtrisé, comme celui d'un danseur.

Cela n'avait rien de sexuel. Dans le sexe il n'avait jamais éprouvé de sensations de cette magnitude. En plus, ce qu'il ressentait quand il était sur le point de tuer était d'une nature et d'un degré différents du désir. D'ailleurs, au moment de l'acte, il ne touchait que la peau du cou et, s'il le fallait, l'endroit où se trouvait le fétiche qu'il éprouvait le besoin d'emporter. Ce n'est qu'avec Jacky Miller qu'il avait été obligé de toucher sa chair. Quant à la croix en argent de Gaynor Ray, elle pendait sur le haut en soie qu'elle portait. Le souvenir de ce geste, comparable aux sensations qu'aurait éprouvées un autre homme en touchant des abats en décomposition, lui resterait à jamais…

Alors, pourquoi les tuait-il? Pourquoi éprouvait-il le besoin de les tuer? Et pourquoi cette pulsion n'était-elle apparue que deux ans plus tôt? Elles défilaient devant ses yeux, de vagues silhouettes en procession, mais toutes gravées dans sa mémoire comme s'il s'agissait de ses maîtresses. Leurs visages n'avaient rien d'accusateur, rien que des minauderies espiègles – comme si elles avaient gagné. Dans ce concours, il avait échoué et elles avaient triomphé de lui car il ignorait le pourquoi de son geste. Dans une rage soudaine il frappa du poing sur son bureau, ce qui fit sauter son ordinateur portable et s'entrechoquer les stylos dans leur pot.

Quand James arriva, Will regardait un film anglais des années trente. De plus en plus nerveuse à cause de cette visite à venir, Becky avait fait de son mieux pour au moins le convaincre de changer de chaîne, mais en dépit de ses lacunes dans d'autres domaines il était très doué avec la télécommande et, dès qu'elle avait les yeux tournés, il revenait au programme de son choix. James arriva avec des fleurs et une bouteille de vin, et on fit les présentations, Will se leva et lui serra la main comme une personne normale, toujours sans prononcer un mot, naturellement. Becky mourait d'envie que ces deux-là s'entendent. Elle était fière de l'allure de son neveu, surtout par rapport à la dernière fois, de sa chemise blanche qu'elle lui avait repassée, de sa cravate bleue. Sa tenue était tout à fait appropriée, et maintenant qu'il avait avalé plusieurs vrais repas, après s'être accordé quelques nuits de sommeil, il avait l'air particulièrement bel homme. Elle se demandait encore s'il fallait ou non parler à James de l'épisode avec la police, de ses soupçons et de la détention de Will – mais quelle autre raison pourrait-elle lui fournir de son mutisme et de sa présence à demeure dans son appartement ?

— Dans une minute c'est le rugby, annonça James. Ça te va si on change ?

Will n'avait pas l'air convaincu, mais il opina, on changea de chaîne et il n'essaya pas de revenir en arrière. Ils restèrent assis en silence, pendant que Becky préparait une tasse de thé. Elle avait espéré pouvoir souffler un mot à James pendant que Will se concentrait sur son film, elle avait tant à expliquer, mais elle vit bien que James s'efforçait ainsi d'établir le contact avec son neveu, et elle lui en savait gré. Le thé fut bu, les gâteaux mangés, tout au moins par Will, et il s'était écoulé une heure lorsque James passa enfin dans la cuisine, prit Becky dans ses bras et la serra contre lui.

Elle était tendue, et c'est à contrecœur qu'elle s'arracha à son étreinte. Supposons que Will arrive du salon et tombe sur eux deux enlacés – que ferait-il ? Cela l'ennuierait-il ? Il ne l'avait jamais vue en compagnie d'un homme jusqu'à ce jour où il s'était endormi sur les marches de son perron.

— Il faut que je vous parle de lui, lui annonça-t-elle enfin, malgré l'épisode de l'autre jour. Il faut que je vous parle de lui, et de la raison de sa présence ici.

— Ce n'est pas la peine. Disons, pas aujourd'hui. Mais je serais ravi de vous entendre.

— Je préférerais aller au fait, insista-t-elle.

Elle commença par sa sœur et la naissance de Bill, mais dès qu'elle aborda l'accident, tout ressortit, ce qu'elle appelait son refus de faire face aux responsabilités, sa culpabilité, l'amour de son neveu et le tout dernier événement de sa vie, si triste.

— Mais que faisait-il dans ce jardin ?

— Je ne sais pas. Je pense que lui, il le sait, il doit avoir une explication logique… je veux dire, une explication qui paraîtrait logique à un garçon possédant son âge mental. Mais qu'il ait ou non cette explication, cela importe peu, puisqu'il ne peut pas parler.

— Il est muet ?

– Oh, non, non. Il a perdu la faculté de s'exprimer quand il était avec la police. Ils l'ont terrorisé. C'est horrible, n'est-ce pas ?

– Oui, en effet, admit James, l'air très grave.

Il lui prit la main, l'attira à lui, la retint entre les siennes. C'est ainsi que Will les découvrit à son entrée dans la cuisine. Le rugby, c'était fini, et il venait chercher de la compagnie. Il découvrit sa tante le dos contre le comptoir, James retenant la main levée de Becky tout près de son visage, et les deux se regardant droit dans les yeux. Le borborygme qu'il proféra n'était pas le premier depuis son installation chez elle, il y avait bien eu quelques manifestations sonores de ce genre, mais celle-ci fut de loin la plus expressive. Quant à l'expression de son regard, elle ne lui en avait jamais vu de pareille, et cela lui glaça le corps. Will n'avait pas l'air malheureux, désarmé ou blessé. Il avait l'air en colère.

– Retournons tous dans le salon, fit-elle avec entrain.

Pour quoi faire ?

Il trouva la réponse. Il ralluma la télévision, regarda l'image à l'écran et tapota le coussin du canapé à côté de sa place. James s'assit dans un fauteuil, à l'autre bout de la pièce. Un dessin animé très bruyant aux couleurs criardes jaillit de l'écran, ce fut une explosion d'animaux inconnus, qui n'appartenaient à aucune ère identifiable, des bêtes vertes et violettes, écailleuses, cornues et ailées, s'abattaient les unes sur les autres dans un combat furieux. Will était tout sourires. Des bêtes fabuleuses qui bataillaient, cela ne le dérangeait nullement. Peut-être demeuraient-elles irréelles, même pour lui. C'était curieux, songea Becky, en remarquant qu'il tournait le dos à James pour se placer de trois quarts face à elle. Elle avait craint que James ne juge son attitude inacceptable, mais jamais qu'il ne se montre désagréable envers son neveu. De désespoir, elle s'affala dans les coussins. James avait pris le journal, trouvé un stylo sur la table et entamé la grille de mots croisés.

En route pour leur échappée du week-end, Freddy et Ludmila traversèrent la boutique à l'heure du déjeuner, ce samedi. Il portait deux énormes valises, qu'elle jugeait indispensables pour deux nuits dans une station balnéaire de la côte anglaise. Ludmila se chargeait de son carton à chapeau et de sa trousse de toilette. Par-dessus sa robe en mousseline de soie bleu ciel, elle avait choisi un manteau de fourrure, du chinchilla, apparemment très vieux, avec des auréoles mangées aux mites mal dissimulées par un pashmina orange. Tous deux embrassèrent Inez, une première, comme s'ils partaient pour toujours, et non juste le temps d'un week-end. Zeinab, qui entrait par la porte de communication intérieure, les dévisagea et leur tourna le dos, en faisant mine d'examiner l'horloge comtoise abîmée.

— Nous serons de retour lundi, avant vous, Inez, lança Freddy, donc vous pouvez compter sur moi pour éteindre l'alarme antivol. 2-6-4-7, c'est la combinaison, c'est bien ça ?

— Pourquoi vous ne le hurleriez pas dans la rue ? s'emporta Zeinab en se retournant. Histoire de filer le code à tous les voyous qui traînent par ici ? Vous n'avez qu'à leur donner la clé, tant que vous y êtes.

— Ça ira comme ça, Zeinab.

Inez coupa court à une nouvelle dispute en règle, avant que Freddy et Ludmila n'aillent attraper leur autocar à la gare de Victoria.

— Mais ce n'est pas une bonne idée de diffuser ce numéro à tout le monde, Freddy.

— Jamais je ne ferais une chose pareille, Inez, se défendit Freddy sur un ton vertueux. D'ailleurs, j'y pense, j'ai peut-être tort de considérer que tout le monde ici serait au-dessus de tout reproche. Je suis trop confiant, c'est mon problème.

— Et ça veut dire quoi, ça ?

Zeinab avança de quelques pas vers lui.

Il s'écoulerait encore un long moment avant qu'Inez ne saisisse toute la vérité de la remarque de Freddy.

— Je t'en prie, Zeinab, fit-elle. Filez, vous deux, conseilla-t-elle à Ludmila qui venait d'allumer une cigarette. Je ne sais pas à quelle heure est le départ de votre car, mais je suis convaincue que vous n'avez sûrement pas de temps à perdre si vous ne voulez pas le manquer.

Freddy ouvrit la porte avec un grand geste du bras et empoigna les valises. Sur le seuil, Ludmila se retourna pour décocher sa flèche du Parthe :

— Dommage que vous ne veniez pas avec nous, mademoiselle Sharif. Vous auriez pu amener grand-père dans son fauteuil roulant.

En fait, Zeinab avait l'intention de passer son dimanche avec Rowley Woodhouse et son lundi avec Morton Phibling. Dès qu'elle se fut remise du sarcasme de Ludmila, elle confia tout à Inez. Rowley voulait qu'elle parte ce soir avec lui pour Paris, et Morton avait suggéré un week-end à Positano.

— Tout ça, c'est *niet.* Je sais que c'est vieux jeu, Inez, mais ma virginité, pour moi, c'est précieux, et c'est vachement précieux pour mon père. Si je cède avant les deux mariages, ils ne me respecteraient plus.

Inez fit de son mieux pour digérer ce raisonnement quelque peu suranné.

— Mais, en fait, il n'y aura pas de mariage, n'est-ce pas ? lui demanda-t-elle.

— Absolument pas, mais ils en savent rien, d'accord ? Rowley et moi, nous allons à Brighton pour la journée et Morton m'a promis de m'emmener sur le fleuve, un bateau de luxe qu'il a loué pour le déjeuner et le dîner.

Inez se souvenait de ces deux mêmes sorties en compagnie de Martin, sauf que ce n'était pas un bateau de luxe – ce qui n'était pas plus mal. Ce soir, elle allait regarder *Forsyth et le Scarabée,* c'était l'un de ses préférés. Sa sœur aussi avait toutes les vidéos de la série *Forsyth,* elle ne l'ignorait pas, mais ce lundi elle les aurait cachées quelque part. Miriam avait trop de tact pour les laisser sous les yeux d'Inez. Elle soupira – un soupir qui se transforma en toux –, non pas tant à cause de ces souvenirs, ou même de la perte et du manque, que de ces malentendus. Même sa sœur, si gentille, si délicate et attentionnée, n'avait jamais compris son désir de souvenirs, son envie de voir son image, de parler de lui, par crainte d'oublier ou que sa mémoire ne les estompe.

Jeremy Quick et elle se retrouvèrent seuls dans la maison toute la journée de dimanche et, surtout, la nuit de ce dimanche. Ce n'était encore jamais arrivé. Cela mettait Inez mal à l'aise. Elle n'avait jamais perçu tout ce que la présence de Will Cobbett, de Freddy et Ludmila entre elle et Quick avait de rassurant. Il est vrai que, la dernière fois que cela lui avait traversé l'esprit, elle n'avait aucune raison de se méfier de Jeremy. D'aucuns diraient qu'elle accordait à cette histoire une importance démesurée. Après tout, il n'avait rien fait d'autre que s'inventer une petite amie et la mère de cette dernière, en étoffant son invention de quelques précisions biographiques et autres menus événements, et puis, quand elle lui avait touché le bras, il s'était rétracté. Formulé en ces termes, cela se résumait à fort peu de chose. Ces femmes, ne les avait-il pas inventées par simple souci de ne pas avoir à accepter ses invitations? Pourtant, se dit-elle en s'apprêtant à se mettre au lit, les hommes normaux autour de la quarantaine ne fantasmaient pas de la sorte et ne présentaient pas leurs fantasmes comme si c'était la réalité. S'il lui en parlait, à elle, qui n'était qu'une simple connaissance, c'est qu'il avait dû en parler à d'autres. Et s'il pouvait s'inventer une Belinda et sa mère, qu'en était-il du reste de son existence, quelle en était la part contrefaite, la part du mensonge?

Il était expert-comptable, disait-il, et il se rendait sur son lieu de travail en prenant son métro à Paddington. Il avait une mère, il n'avait jamais été marié, il ne possédait pas de voiture. Une part de tout cela devait être véridique, et pas le reste, mais elle n'avait aucun moyen d'en savoir davantage. Assise dans son lit, elle se sentait incapable de se concentrer sur le roman en format poche qu'elle avait acheté. Jeremy était là-haut – elle l'avait entendu rentrer de sa promenade vespérale une demi-heure plus tôt –, mais elle n'avait perçu aucun autre bruit en provenance de son étage. Il se pouvait aussi que le nom sous lequel il se présentait ne soit pas le sien. Pour la première fois elle se demanda si elle devait ou non attacher une quelconque importance au fait que Ludmila lui verse son loyer par chèque, tout comme celui de Will par l'intermédiaire de Becky, tandis que Jeremy lui remettait toujours des espèces, en billets de cinquante et vingt livres. Ce pouvait être dans le seul but d'échapper au fisc – elle ne s'y était jamais risquée –, mais il existait aussi une autre hypothèse, qu'il la règle ainsi parce que «Jeremy Quick» n'était pas le nom figurant sur son compte en banque.

Elle eut une nuit agitée. Entre le sommeil et elle s'interposait l'idée qu'il ne dormait pas, qu'il attendait, qu'il écoutait, cinq mètres au-dessus de son lit. Comme de juste, elle savait fort bien que les terreurs nocturnes et les autres fruits d'une imagination exacerbée disparaissaient presque tous le matin venu, mais le savoir ne suffisait jamais à faire disparaître la peur et ne la fit pas disparaître en cet instant. Heureusement, à cette période de l'année, l'obscurité ne durait que quelques heures: il faisait jour à quatre heures et demie, et elle put dormir un peu. En se préparant un café, à huit heures, elle avala deux aspirines, et elle entendit Jeremy descendre l'escalier et le léger cliquetis de la porte de la rue qu'il refermait en silence, par égard pour elle.

Jamais auparavant elle n'avait surveillé un de ses locataires depuis sa fenêtre, mais à la minute présente, son mug de café à la main, elle observait Jeremy. Elle fut surprise de ne pas le voir se diriger vers la station de métro de Paddington ou d'Edgware Road, mais de remonter vers Bridgnorth Street. Il avait sa veste sport vert foncé et portait une valise, et pourtant il avait déclaré aller chez sa mère pour la journée. Elle habitait dans le Leicestershire, donc Inez se serait attendue à ce qu'il aille prendre le métro de la Circle Line ou, à défaut, un taxi jusqu'à la gare de King's Cross. Un taxi avec son témoin lumineux en position haute, spectacle très inhabituel à cette heure-ci, venait dans sa direction dans Bridgnorth Street, mais il ne le héla pas. Il avait sans doute l'intention de poursuivre à pied jusqu'à King's Cross, un long trajet si l'on était chargé d'une valise qui semblait lourde.

Maintenant tout cela intéressait fort Inez, mais il était probable que ses questions demeurent sans réponses, car d'un instant à l'autre il aurait atteint le bout de la rue. Pourtant non, elle était sur le point de s'éloigner de sa fenêtre lorsqu'il tourna sur sa gauche, dans Lyon Street. Allait-il rendre visite à quelqu'un? Une véritable amie de cœur? Une amie de cœur qui allait elle aussi rendre visite à la mère de Jeremy? Il était sorti de son champ de vision, et elle ne le saurait jamais. Mais elle demeura là, debout, à boire son café à petites gorgées, réconfortée par la vacuité et le silence du matin. Le ciel était bleu pâle, saupoudré de minuscules flocons de nuages, le soleil faible et distant. Un chien traversa la rue sans un bruit, se dressa sur ses maigres pattes de derrière pour fouiner dans le contenu d'une poubelle. Le vendeur de journaux émergea de Bridgnorth Street, en poussant son chariot chargé de quotidiens, quand une voiture sortit de Bridgnorth Street et se dirigea vers Edgware Road. Elle fut suivie d'une autre, venue cette fois du côté opposé, qui tourna plus loin dans Star Street, plutôt à la hauteur de Norfolk Square, et s'éloigna lentement dans la même direction. Jeremy Quick était au volant.

Après coup, Inez dut admettre qu'elle n'aurait pu jurer devant un tribunal que c'était lui, et pourtant elle savait qu'elle ne se trompait pas. L'homme qui conduisait cette voiture portait une veste verte, il avait le profil de Jeremy et le cheveu lisse et gris souris du personnage. C'était entendu, on ne lui demanderait jamais de prêter serment nulle part. Elle ne le quitta pas du regard jusqu'à ce que sa voiture se soit engagée dans Edgware Road, et puis elle retourna dans sa cuisine, pensive. À onze heures elle était prête à partir chez sa sœur, après avoir passé l'essentiel de son temps, en prenant son bain et en s'habillant, à réfléchir à ce que manigançait Jeremy. Il était à peu près concevable qu'un homme se dise propriétaire d'une voiture quand il n'en possédait pas, mais il était à peu près inconcevable de l'entendre raconter qu'il n'en avait pas quand il en possédait une – une grosse et puissante Mercedes, avec ça. Quant à prétendre qu'il ne savait pas conduire…

Était-ce Jeremy qui se serait introduit dans le jardin en son absence et qui, en en ressortant, aurait donné non pas un tour et demi, mais juste un tour de clé? Il avait nié, mais cela ne voulait rien dire, c'était l'évidence. Elle vérifia la porte de derrière, et la clé, une fois encore, avant d'activer l'alarme. Tandis que le mugissement déclinait, elle traversa la rue vers la voiture dont elle était propriétaire sans en faire mystère, et elle partit en direction de Highgate.

CHAPITRE 17

Fastoche, se dit Anwar en escaladant le mur entre le jardin de la maison où se trouvait sa chambre et celui d'Inez. Ses gestes n'avaient rien de furtif, il s'en serait bien gardé. Par-dessus le pantalon de son costume et sa chemise, il avait enfilé une combinaison d'ouvrier maculée de taches – il avait passé une heure divertissante à se barbouiller de peinture –, il était armé d'un seau couvert d'enduit séché et d'un rouleau de peintre, et il s'aida d'une échelle. Si quelqu'un lui posait des questions, il tenait toute prête son histoire d'une visite sur les lieux destinée à évaluer les travaux à effectuer, avant un contrat de décoration. Mais personne n'allait le questionner. À l'heure qu'il était, en ce lundi après-midi férié, tout le monde regardait le football et, malgré le grand soleil, derrière certaines fenêtres, là où était installée la télévision, on avait tiré les rideaux.

Toujours artiste, Anwar resta un moment là, debout, tenant fermement son rouleau, et il contemplait l'arrière de la maison d'Inez, pour le cas où un voisin un peu fouineur ne considérerait justement pas le football comme l'ingrédient essentiel d'une vie britannique et jetterait un œil dehors. Personne ne se montra. Il introduisit sa clé dans la serrure de la porte de derrière et ouvrit. Une vilaine idée lui était venue, que, dans l'intervalle entre la restitution de la clé d'Inez et aujourd'hui, un empêcheur de tourner en rond trop prudent ait fait fixer des verrous en haut et en bas de cette porte. La serrure céda si facilement qu'il fut vite rassuré. La clé d'Inez n'était même pas insérée de l'autre côté, et il n'eut donc pas à l'en déloger.

À l'instant où la porte s'ouvrit et où il posa le pied sur le seuil, l'alarme se mit à sonner. Elle était fixée au mur, tout près de la porte de la rue. Anwar tapa 2-6-4-7 et la sirène cessa. Il tendit l'oreille. L'immeuble faisant partie d'une suite de maisons attenantes, les voisins, de part et d'autre, avaient pu entendre l'alarme, mais si oui, le bruit ayant peu duré, ils se figureraient juste qu'un des locataires l'avait déclenchée en rentrant avant de l'éteindre presque aussitôt. Il n'y avait pas non plus de clé engagée dans la serrure de la porte de communication intérieure de la boutique. Anwar entra, ouvrit le bureau d'Inez et en sortit ce qu'il n'aurait guère espéré trouver avec une telle facilité, une clé de chaque appartement de l'immeuble.

Les membres de son équipe devaient le rejoindre séparément, et il resta là, à attendre. Julitta sonna. Anwar la fit entrer et, deux minutes plus tard, Keefer. Flint arriva le dernier, un quart d'heure plus tard, c'était juste au cas où quelqu'un aurait suivi la scène et se serait demandé pourquoi Inez recevait subitement tous ces jeunes gens.

Ils s'étaient organisés à l'avance, Anwar devait s'occuper personnellement du dernier étage, où habitait le schnock de luxe, Julitta de l'appartement d'Inez, Flint de la boutique et Keefer des deux appartements de l'étage du milieu. Ces deux-là comptaient moins. Anwar fut écœuré de renifler sur Keefer l'odeur interdite du cannabis, on ne pouvait se fier à lui pour rien d'important. S'il avait dû se confier à Freddy, Anwar avait prévu de leur promettre, à Ludmila et lui, que leur logement demeurerait inviolé, mais cela s'était avéré inutile, il n'avait eu qu'à tendre le bras, et la clé de la porte de derrière lui était pour ainsi dire tombée dans le creux de la main. Du coup, Freddy était aussi vulnérable que les autres locataires. Il ne possédait sûrement rien qui mérite d'être dérobé, mais Ludmila si. Anwar proféra une remarque peu aimable, lui lança qu'il faisait plus que son âge, cela laissa Keefer la cervelle fumante, et il le pria d'enfiler ses gants et de se mettre au travail.

Également ganté, Anwar monta l'escalier. Ce type, Quick, il devait être riche, mais à première vue il n'avait pas l'air de posséder grand-chose qui mérite le détour. Les hauts rayonnages en teck étaient remplis de CD, mais ce n'était pas la musique préférée d'Anwar et son équipe. Il n'y toucha pas. Les tiroirs furent plutôt décevants, malgré le permis de conduire rangé dans l'un d'eux, au nom d'Alexander Gibbons. Il l'empocha, tout comme la montre en or qu'il trouva dans la commode de la chambre. Pas trace d'argent liquide, nulle part. Ensuite, il ouvrit le grand placard de la cuisine, tout en hauteur, il cherchait la bête boîte en fer, avec de la monnaie dedans, le genre d'argent qu'on garde sous la main pour payer le laitier. Au lieu de quoi il trouva le coffre-fort de Jeremy. Il fallait vraiment être fort en devinettes pour ouvrir un coffre comme celui-là sans le fracturer, une tâche compliquée, à peu près impossible. La combinaison devait correspondre à la date de naissance du bonhomme – en général, c'était le genre –, ou alors c'étaient les quatre derniers chiffres de son numéro de téléphone. Ou non. La seule chose à faire, c'était de raisonner : ce coffre ne serait pas là, fermé, s'il ne contenait aucun objet de valeur. Seigneur, c'était d'un lourd ! Le sac de commissions qu'il trouva pour le glisser dedans se déchira dès qu'il le souleva du sol, alors il attrapa le sac à dos en toile dans la chambre à coucher, y glissa le coffre et le descendit au rez-de-chaussée, en prenant soin de refermer la porte à clé derrière lui. Il ne laissa aucune trace de désordre. Cela allait de soi.

En revanche, dans la chambre de Ludmila c'était le chaos.

— C'était comme ça, je le jure, marmonna Keefer. C'est pas

moi du tout. Y a des gens qui vivent comme des porcs, tu le sais bien.

— Toi compris. T'as quoi?

Un collier lourd et très travaillé, peut-être des rubis montés sur or, d'après Keefer.

— Ça, c'est du verre, lâcha Anwar d'un ton méprisant, et cette merde-là s'appelle du chrysocale. Sur le marché de Church Street, on t'en donnerait pas un bifton de cinq. Par contre, on va emporter ces alliances… La vache, elle a été mariée combien de fois?

— Peut-être qu'elles étaient à sa mère ou à sa tante, et qu'elles sont mortes.

— Ouais, ça se peut. Prends aussi les perles et on se barre.

Dans la boutique, Julitta, qui aurait dû s'occuper de son étage, était postée devant un long miroir au cadre doré, et elle tenait dans la lumière une chaîne d'où pendait un énorme diamant.

— C'est un diamant, hein, An?

Anwar examina le pendentif que Morton Phibling avait offert à Zeinab. Il était en effet composé d'une grosse pierre de taille émeraude, suspendue à une fine chaîne en or.

— Ça doit valoir des milliers et des milliers de livres, fit-il. (Mais c'était dit sur le ton de l'excitation, très loin de sa décontraction habituelle.) Peut-être cinquante mille.

Et puis cet air émerveillé, une expression qui lui avait brièvement redonné son visage enfantin, se transforma en moue dubitative.

— C'est pas possible. Qui laisserait un truc pareil ici, à la portée de n'importe qui?

— Ouais, s'écria Flint, c'est peut-être un piège.

— Qu'est-ce que ça veut dire, bordel? lui rétorqua Anwar. Une aiguille qui va sortir, j'imagine, et je vais prendre une injection de cyanure, c'est ça? Ou alors une puce qui envoie direct un code aux flics de Paddington Green?

Déjà pas très rapide au meilleur de sa forme, Flint fut incapable de trouver une réponse. Anwar enveloppa le pendentif dans une des pièces de dentelle de Valenciennes qu'Inez vendait parfois aux connaisseurs de robes anciennes et la glissa dans son sac, avec le coffre-fort.

— Pourquoi t'es pas en haut, comme je t'ai demandé? lança-t-il à Julitta.

— J'ai fait son appart. Côté bijoux, y a rien, rien que de la fantaisie, mais tu m'as dit de pas m'encombrer avec la verroterie. Oh, et puis il y a des centaines de cassettes vidéo, des conneries, des séries policières.

— Pas de cash?

Sa réponse – « Oh, non ! » – jaillit si vite qu'Anwar, soutenant son regard de manière très intimidante, la pria d'un ton sec :

— Allez, donne-moi ça.

Quatre billets de vingt livres et deux de dix, qu'elle lui posa dans la main, non sans mauvaise volonté. Si elle ne les lui avait pas remis d'elle-même, il l'aurait fouillée en lui faisant le plus de mal possible.

— Voleuse, lâcha-t-il. Tu sais bien que tu auras ta part en temps et en heure, non? C'est tout? ajouta-t-il.

— Je te jure, An.

Un serment qui ne valait pas grand-chose, mais si elle tenait à garder un bifton de cinq et quelques pièces de monnaie, quelle importance? Certains individus étaient des filous impénitents, incapables de même respecter le code de l'honneur des voleurs.

— C'est l'heure, on se casse, décida Anwar à la seconde où Keefer se montrait à la porte de communication intérieure. Vous partez comme vous êtes arrivés. Un par un. Sans rien emporter, d'accord?

Ils n'emportaient rien. Il les regarda sortir, en respectant un intervalle de dix minutes entre le départ de Julitta et celui de Keefer. Ensuite, il fourra le sac à dos, qui maintenant contenait aussi les alliances de Ludmila, dans le seau couvert de ciment et les billets de banque dans la poche de sa combinaison, il tapa 2-6-4-7 sur le clavier de l'alarme et s'éclipsa par la porte de derrière. Au moment où il la refermait, la sirène se remit à mugir. Anwar ferma à clé, mais au lieu d'emporter la clé qu'il avait fait dupliquer, il la glissa prudemment sous la porte. Qu'avait-elle fait de l'original, il n'en savait rien, elle l'avait pris avec elle, supposa-t-il. Laisser la sienne derrière lui, ce n'était pas seulement la touche de l'artiste, mais aussi un bon geste. Une propriétaire aurait toujours l'usage d'une clé de secours, surtout si elle n'avait pas dû payer pour.

Il écouta, jusqu'à ce que l'alarme s'arrête, puis il repartit par où il était venu, en escaladant le mur. S'il se dépêchait, il arriverait à temps pour le mariage de son cousin, à Neasden.

CHAPITRE 18

Au retour d'Inez, une camionnette était garée devant la boutique. C'était encore un de ces véhicules blancs qu'avaient l'air de tant affectionner les jeunes messieurs d'un certain genre, mais celle-ci était sûrement nouvelle venue dans le quartier. Voilà plusieurs jours qu'elle n'avait plus revu l'autre, sale, maculée de traces de doigts et constellée de graffitis, avec ce mot sur la lunette arrière, qui avait pu être amusant un temps.

Elle inséra sa clé dans la serrure de la porte de la rue et entra. L'alarme retentit, et elle comprit qu'elle était la première de la maisonnée à rentrer, car si l'un de ses locataires était là, il ne l'aurait certainement pas réactivée. Après un coup d'œil dans la boutique, pour s'assurer que rien ne manquait, elle monta dans son appartement. Elle avait l'intention de s'installer devant la télévision avec un verre de vin et un épisode de *Forsyth* – elle en avait bien besoin après une journée chez sa sœur et son beau-frère, qui se comportaient comme s'ils n'étaient pas mariés, tant ils faisaient preuve de tact l'un envers l'autre –, mais elle s'arrêta au milieu de la pièce, le regard interdit devant la pile de cassettes en désordre sur la table basse. Jamais elle ne les aurait laissées comme ça, elle était ordonnée, méthodique. Au moins, elles étaient toutes là et intactes, à part cela…

Se pouvait-il en fait que Freddy soit de retour et qu'il soit déjà monté chez elle ? Il savait qu'il y avait une clé de son appartement dans le bureau. Mais pourquoi serait-il monté, et pourquoi aurait-il touché à ses cassettes ? En plus, Freddy était un honnête garçon, elle en était convaincue. Il était un peu sot, et trop confiant, mais honnête. Elle n'alluma pas le magnétoscope, mais elle se versa son verre de blanc, le rapporta dans le salon et regarda tout autour d'elle. Apparemment, on n'avait touché à rien d'autre. Dans la chambre, le peu de bijoux sans valeur qu'elle possédait, mis à part sa bague de fiançailles et son alliance qu'elle portait à son annulaire, étaient tous à leur place. Il y avait de l'argent dans la boîte en fer de la cuisine, qu'elle gardait pour les courses de la maison, le pressing et ainsi de suite. Dès qu'elle l'eut prise, rien qu'au poids, elle sentit qu'elle était vide. Même la petite monnaie avait disparu, en plus, naturellement, d'une centaine de livres.

Oubliant l'alarme, Inez se remémora l'incident de la clé. À ce souvenir, elle fut parcourue d'un frisson glacial, et elle avala le reste de son verre d'une seule gorgée. Elle avait toujours été persuadée de ne pas avoir donné un simple tour de clé. Cette clé se trouvait encore dans son sac à main, où elle l'avait rangée ce matin, après avoir vérifié que la porte de derrière était fermée. Certaine à présent qu'il n'y avait personne d'autre dans la maison, elle redescendit au rez-de-chaussée et se sentit un peu soulagée à la vue de la porte verrouillée, sans clé dans la serrure. Mais non, une minute… Une clé, comme la sienne, mais plus brillante, de couleur plus claire, était posée par terre, entre le bas de la porte et le rebord du paillasson. Elle la ramassa, l'examina, bien que ce ne fût pas très utile. En son absence, un visiteur, pour la boutique, avait dû… Enfin, si celui-là lui avait fait faux bond, il s'était éclipsé de manière

certes un peu cavalière, mais qu'en était-il des autres locataires?

Justement, l'un d'eux était de retour, à l'instant. Inez passa
dans le petit corridor qui menait à la porte de la rue. C'était
Jeremy Quick.

– Je suis désolée d'avoir à vous dire ça, mais il semblerait
que nous ayons eu un cambriolage, lui annonça-t-elle.

– Quoi, la boutique, vous voulez dire?

Si cela ne valait pas la médaille de l'égoïsme, elle se demanda
ce qu'il faudrait de plus pour la mériter. Et c'était dit sur un
ton de franche impatience.

– Non, pas juste la boutique, assez bizarrement. Ils sont entrés
dans mon appartement, ils ont raflé l'argent dans la boîte en
fer de ma cuisine. J'imagine qu'ils ont fait toute la maison.

Il avait blêmi. Il n'avait pas juste pâli, son visage était d'un
blanc quasi verdâtre, maladif, les os de la face étaient saillants,
les yeux figés. Il y avait sûrement quelque chose là-haut que
personne, absolument personne, ne devait voir. De la pornographie très chaude? De la pornographie de pédophile? Des
objets volés? Subitement, elle comprit ce qu'elle ressentait : il
était capable de tout.

– Si j'étais vous, je monterais tout de suite vérifier, lui
conseilla-t-elle.

Et puis elle se rappela qu'elle allait devoir appeler la police.
En composant le numéro, elle se demanda lequel des deux
inspecteurs allait se présenter – à moins que ce ne soit un nouveau?

Jeremy monta les marches quatre à quatre. L'intérieur de
son appartement paraissait intact. Il ferma les yeux, respira à
fond et ouvrit le placard, espérant, contre toute raison, que
le poids du coffre les aurait découragés. Nullement. Il avait eu
beau s'attendre à découvrir cet espace vide sur l'étagère, ce fut
quand même un choc, un choc tel qu'il dut s'asseoir. Y avait-il
une chance qu'ils l'aient trouvé trop compliqué à ouvrir, et
qu'ils l'aient abandonné, qu'ils l'aient jeté? Qu'ils l'aient lâché
dans la Tamise du haut d'un pont? Pas beaucoup de chances,

se dit-il, regardant la réalité en face. Ils devaient être convaincus qu'un coffre aussi protégé contiendrait des objets de valeur.

Une sensation inconnue l'envahit. Il n'avait pas envie d'être seul, il avait envie d'avoir la compagnie de ses semblables, ceux de l'immeuble. Il serait amené à révéler à Inez et à toutes les personnes présentes ce que les voleurs lui avaient dérobé, il serait plus sage de ne rien leur dire, et à la police encore moins, si jamais la police se déplaçait, surtout ne pas expliquer que son coffre avait disparu. Il valait mieux parler d'argent et de bijoux, de boutons de manchettes, d'une montre, ce genre de choses. Il avait laissé son autre montre sur sa coiffeuse, dans la chambre, maintenant cela lui revenait, et il se précipita. La montre avait disparu. Il descendit au rez-de-chaussée.

Ludmila arpentait la boutique au pas de charge, elle faisait toute une scène à cause de ce cambriolage et du désordre dans lequel on avait laissé son logement.

— Ils ont saccagé l'appartement, hurlait-elle, et ils m'ont volé toutes mes alliances! Toutes! La bague de Jan, celle de Waldemar, les alliances auxquelles je tenais le plus, toutes disparues!

— Je n'aurais jamais imaginé, fit Freddy, l'air troublé, que tu avais été mariée autant de fois, Ludo. Cela donne aux choses un tour un petit peu différent.

Elle ne lui prêta aucune attention, elle se mit à se tirer les cheveux, comme pour se les arracher par les racines. Inez s'approcha de sa vitrine, elle guettait l'arrivée de l'officier de police qui avait promis de venir «dans la demi-heure».

— On vous a chipé beaucoup de trucs? lança Freddy à Jeremy à l'entrée de ce dernier.

— Pas grand-chose. Une montre que j'aimais assez. Un peu de liquide.

— J'ai eu de la chance, fit Freddy alors qu'il était bien clair que Jeremy n'allait pas lui poser la question. Tous mes objets de valeur sont chez moi, à Stoke Newington.

— Alors vous avez encore déménagé, Freddy?

Juste comme Inez se tournait vers lui pour lui poser cette question à laquelle il lui avait été impossible de résister, une voiture s'arrêta devant la boutique et l'inspecteur divisionnaire Jones en sortit, suivi d'un policier en uniforme. Supposons qu'ils aient déjà retrouvé le coffre, songea Jeremy, supposons qu'ils l'aient retrouvé, jeté quelque part, vide…

Au lieu du déjeuner prévu à une table en plein air sur le bord de la Tamise, on se rabattit au contraire sur la salle d'un restaurant où le patron avait dû allumer le chauffage. Dans l'ensemble c'était une belle journée, mais de temps en temps de la grêle tombait du ciel en martelant les trottoirs au pavage chic. James semblait mal à l'aise et Becky avait beau faire son possible pour se relaxer, elle demeurait tendue. Will était resté à la maison. Ils lui avaient laissé un repas froid, un pâté en croûte, une quiche et des pickles, en lui promettant de rentrer au plus tard à trois heures et demie. C'était Becky qui lui avait préparé son déjeuner, sachant qu'il refuserait de manger une salade et craignant de lui laisser quelque chose de chaud, et pendant ce temps-là James s'était chargé de lui faire toutes sortes de promesses.

Sur ce plan il était très bon, du moins en était-il convaincu, mais Becky savait que promettre à Will qu'il n'allait pas le priver de sa tante et que c'était une bonne chose de sortir de temps en temps de chez elle ne serait pas le meilleur moyen de le convaincre. Will se figurait justement que la plus grande joie de Becky, c'était encore de rester chez elle, en sa compagnie. À son grand désarroi, elle avait compris qu'il n'appréciait pas trop James. Certes, il ne prononçait toujours pas un mot et, malgré son côté enfantin, il était assez loin de l'enfance pour savoir maîtriser les expressions de son visage. Jamais il n'aurait fait la moue ou froncé le sourcil comme un vrai gamin de neuf ans, car, côté signe de tête affable et sourire, il faisait preuve d'une grande maîtrise.

Elle savait déchiffrer ce visage en experte – elle le pratiquait depuis si longtemps –, et elle avait perçu son malaise vis-à-vis de James à sa manière de suivre tous ses faits et gestes, avec son air malheureux, en ne la quittant des yeux que pour poser sur

James un regard dur et implacable. La deuxième fois qu'elle avait surpris ce regard, cette fois dans le dos de son ami, elle avait failli dire à James qu'elle renonçait à sortir, ce n'était pas la jolie journée qu'on avait annoncée, et ils seraient aussi bien à la maison. Mais elle craignait, si elle faisait cela, qu'il ne s'écoule peut-être des semaines avant qu'elle ne puisse ressortir sans Will, en tout cas tant qu'il n'aurait pas recouvré l'usage de la parole, retrouvé sa confiance en lui et regagné Star Street. C'était à tout cela qu'elle songeait dans ce restaurant, en mangeant ses asperges et en buvant du sauvignon.

– Il faut que l'on se parle, commença James, des mots qui la cueillirent à froid.

– Ah oui?

– Je vous apprécie vraiment, Becky. Je suis très attiré par vous, et je suis plus navré que je ne saurais le dire de vous avoir délaissée plusieurs semaines, sans raison valable.

– Maintenant cela n'a aucune importance, fit-elle.

Il ne releva pas.

– Si je vous connaissais depuis longtemps, si nous avions vraiment appris à nous connaître, je comprendrais peut-être et j'accepterais plus volontiers de vous partager avec un… un neveu un peu dépendant. Si c'était cela, et s'il se trouvait que Will doive s'installer chez vous un certain temps, je l'accepterais et… je patienterais. Mais, si je ne me trompe, ce n'est pas le cas? Je n'ai encore jamais eu l'occasion de me trouver seul deux heures avec vous, chez vous ou chez moi. Quant à y passer la nuit…

Elle se sentit rougir – c'était ridicule à son âge. Elle le dévisagea, l'adjurant en son for intérieur de s'arrêter là. Il ne s'arrêta pas là:

– Quant à rester passer la nuit chez vous, à mon avis vous m'expliqueriez que c'est impossible en présence de Will. C'est ce que vous me répondriez, je le sais.

– Oui, c'est vrai. (Elle dut s'extirper ces mots de la bouche, non sans répugnance.) J'ignore comment il réagirait.

Leur plat principal arriva. Elle se sentait sans appétit, mais elle savait que, d'une manière ou d'une autre, c'était à elle d'arranger les choses, de transformer cette formule, « Il faut que l'on se parle », en un exercice qui ne soit pas négatif, mais bénéfique.

– James, fit-elle sans la moindre confiance en ce qu'elle allait dire, cela ne va pas durer. Seulement, il est malheureux que nous nous soyons rencontrés, vous et moi, au moment où la police infligeait à Will… enfin, tout ce qu'ils lui ont fait endurer. Il va aller mieux. Il va rentrer chez lui et je n'aurai plus à le voir qu'une fois par semaine au maximum.

Durant toutes ces années de culpabilité, s'était-elle jamais sentie aussi coupable qu'à cette minute ? Cela avait-il jamais autant pesé sur elle, au point qu'elle avait le sentiment de trahir Will, plus encore que le jour où elle l'avait laissé partir dans ce foyer ?

– Je le… (Elle allait dire qu'elle l'aimait d'amour, mais elle se reprit.) J'ai de l'affection pour lui. Il relève de ma responsabilité, surtout en ce moment.

– Pas de la mienne, fit observer James avec une rudesse qui la frappa.

Elle crut qu'elle allait se lever de table, sortir et vomir. Elle finit par se ressaisir, au prix d'un effort surhumain.

– Accordez-moi deux semaines, lui demanda-t-elle. Je vous en prie, ajouta-t-elle. (Elle détestait supplier, mais elle le suppliait quand même.) Rien que deux semaines, et les choses seront tout à fait différentes.

– D'accord, lui répondit-il. D'accord. Au moins, maintenant, tout est clair entre nous.

Oh, ça, vous n'en savez rien, songea-t-elle, vous n'en savez rien.

– Parlons d'autre chose.

Son déjeuner était gâché, mais elle n'en avait pas espéré grand-chose. Le temps pressait, elle le sentait, et tout en bavardant, l'esprit absent, elle pensait à Will seul à la maison, peut-être à son déjeuner qui s'était transformé en déception, à la télévision qui refusait d'obéir à la télécommande – est-ce que la pile était encore bonne ? –, et au téléphone qui aurait sonné en son absence. James avait l'air fort peu désireux de rentrer. Ils pourraient marcher le long de la South Bank, jusqu'à Westminster Bridge, lui proposa-t-il. Avait-elle déjà visité l'aquarium ? Ils pourraient s'offrir cela.

– Nous avons promis d'être de retour pour trois heures et demie.

– Ah, exact. Il vaut mieux y aller, alors.

Will allait bien. Il avait mangé ce qu'elle lui avait préparé, et il avait même fait la vaisselle. La télévision était allumée et il avait l'air réjoui de voir un vieux film en noir et blanc. Becky mit le thé à infuser, sortit les pâtisseries préférées de Will, et James suivit la scène comme si elle venait de lui servir une assiette d'asticots. Il attrapa le journal, pour les mots croisés du jour, mais soit que cette grille dépasse ses capacités, soit qu'il n'ait pas le cœur à s'y essayer vraiment, il resta assis à regarder fixement par la fenêtre, comme plongé dans les profondeurs de réflexions plutôt ennuyeuses. Bien malheureuse, Becky songea que si cela continuait ainsi ces deux prochaines semaines – à supposer que James maintienne cette attitude –, elle risquait de finir par le prendre en grippe et de ne jamais le revoir. Voilà qui résoudrait tous leurs problèmes.

À six heures, la télévision était allumée depuis trois bonnes heures, il se leva et la prévint qu'il devait s'en aller. Il avait promis de passer rendre visite à sa sœur, mais il lui ferait signe, il l'appellerait. Un sourire de soulagement et de véritable plaisir épanouit le visage de Will, et, après le départ de James, il s'affala dans les coussins, éclata de rire devant l'écran sans la moindre retenue, en lançant à Becky des regards de conspirateur. Il lui adressa même un clin d'œil, chose qu'elle ne l'avait jamais vu faire.

Au dîner elle avait été incapable de rien avaler, mais Will si. Alors qu'il avait paressé sur le canapé toute la journée, il avait un appétit vorace, c'était son plat favori, des œufs, du bacon, des chips et des tomates qu'elle avait fait revenir à la poêle, exprès pour lui. À huit heures, quand on sonna à la porte, elle se dit que c'était peut-être James qui revenait, qu'il était désolé de l'avoir boudée et de s'être montré si peu aimable, mais tout serait différent à l'avenir… Ce n'était pas James, mais l'inspecteur de police Jones, dont l'apparition dans le salon fit vibrer chez Will une corde sensible, cela devait lui rappeler l'expérience de sa nuit en cellule ou le mettre tout simplement en état de choc.

En tout cas il en retrouva l'usage de la parole, et du coup il éclata, en se levant d'un bond :

– Non, je ne viens pas ! Je ne viendrai pas, je reste ici !

– C'est pas que je les aime pas à mourir, mon chéri, fit Zeinab à Morton Phibling. Mais vous savez ce que m'a dit Inez. « Ne les porte pas dans la rue », voilà ce qu'elle m'a dit. Ce n'est pas comme si vous passiez me prendre avec votre Lincoln, hein, vous saisissez ?

– Je serais venu avec si vous m'aviez laissé m'approcher de chez vous.

– Je vous ai répété un million de fois que mon père me tuerait. Et vous avec.

Au lieu de la sortie en bateau, ils étaient à Kew Gardens. Morton s'était souvenu qu'il avait le mal de mer. Zeinab n'avait pas envie d'aller à Kew. Elle aimait bien les fleurs, surtout les orchidées et les arums, mais les jardins la laissaient froide. Morton avait très envie de cette visite car, quand il était étudiant, il avait appris un poème évoquant une sortie à Kew, à la saison du lilas, et ce n'était pas loin de Londres. Zeinab trouvait que c'était déjà bien trop loin de Londres, et le lui avait redit à plusieurs reprises. Elle ne s'inquiétait pas pour le pendentif au diamant, qu'elle croyait se souvenir d'avoir laissé sur une tablette du placard de la salle de bains, dans l'appartement de Dame Shirley Porter. Sa bague de fiançailles (la grosse, pas le machin plus modeste de Rowley) était à son doigt, et elle l'exhibait fièrement dès qu'il y avait quelqu'un pour regarder. Qu'aurait-elle pu trouver d'autre à faire ici ?

Morton se mit en quatre pour sauver cette journée en l'emmenant prendre le thé au Ritz. Zeinab, qui ne prenait jamais de poids, mangea deux éclairs au chocolat et une grosse part de tarte à la framboise et à la crème. Malgré tout, elle songeait sérieusement à rompre avec Morton. Il était grand temps, avant que cette histoire de robe de mariée, de date à fixer et de faire-part à envoyer aux invités ne rende les choses irréversibles. Elle avait quand même envie de lui soutirer encore un gros cadeau. La Jaguar les conduisit à Hampstead, où le chauffeur de Morton reçut l'ordre impérieux de s'arrêter au coin et de la laisser descendre, pour le cas où M. Sharif père ferait le guet.

Morton, lui, se fit reconduire à Eaton Square, comme de juste, et Zeinab en fut réduite à prendre deux bus jusqu'à Lisson Grove. Algy et les enfants regardaient *Mary Poppins* à la télévision. Convive inattendue, car personne ne l'avait invitée, Mme Sharif mère était installée dans un fauteuil confortable, occupée à croquer des chocolats Godiva.

– J'ai eu une de ces journées ! soupira Zeinab en espérant faire croire à sa mère qu'elle serait la seule femme dans tout Marylebone à travailler en ce lundi férié. Ça n'a pas arrêté.

L'opinion de sa mère lui importait peu, mais si elle manifestait sa désapprobation concernant ces manigances avec Morton et Rowley, elle risquait aussi de refuser de faire la baby-sitter. Repenser à Morton lui rappela le pendentif au diamant. Elle passa dans la salle de bains et jeta un œil dans le placard. Le bijou n'était pas sur la tablette. Elle avait dû le reprendre et le mettre dans sa chambre. Elle traversa le couloir et fut retardée dans sa recherche par Algy, qui lui annonça qu'il avait quelque chose à lui dire, et il préférerait que Mme Sharif n'entende pas.

– Si c'est au sujet de mes sorties avec Morton et Rowley, le rassura Zeinab, t'en fais pas. Ça n'a rien d'amusant pour moi non plus et c'est du vachement gros boulot. Je te ferai savoir que l'ami de Morton, Orville Pereira, qui est milliardaire, m'a invitée à sortir avec lui, mais j'ai refusé. À cause de toi. Alors voilà.

– Ce n'est pas pour ça. C'est au sujet de l'échange.

– Qu'est-ce que tu veux dire, l'échange ?

– Il y a ce couple qui a téléphoné. Ils ont vu mon annonce et ils ont un appart à Pimlico qu'ils lâchent parce qu'ils en veulent un par ici. C'est sans histoires, Suzanne, c'est la même municipalité, ça irait vite.

– Je ne sais pas trop, Algy. C'est une sacrée décision. Je ne sais même pas où c'est, Pimlico.

– Moi, si. Je pourrais te montrer. Ta maman resterait avec Bryn et Carmel, et on pourrait aller faire un saut, histoire de jeter un œil. Au moins, on pourrait déjà regarder l'extérieur.

– OK, fit Zeinab. Ça m'est égal. Mais, tant qu'on y est, allons manger un bout quelque part, et même, pourquoi on ne se ferait pas une petite soirée ? D'abord, il faut que je retrouve ce collier que Morton m'a filé. (Le regard noir d'Algy la fit glousser.) Pour le fourguer, faut bien que je le retrouve, non ?

Le pendentif n'était pas sur la coiffeuse, ni dedans, il n'était pas non plus dans le tiroir où Zeinab rangeait ses bijoux, et il n'était pas au milieu de ses produits cosmétiques – deux gros tiroirs pleins. Qu'est-ce qu'elle portait, vendredi dernier ? Sa tenue habituelle, pull blanc moulant et minijupe noire, sans doute. C'est ce qu'elle mettait tout le temps, et c'est ce qu'elle avait à l'instant. Sa veste en cuir, elle ne la portait que s'il faisait très froid, et Zeinab aurait préféré attraper une pneumonie plutôt que de se couvrir d'un manteau. Elle fouilla dans les poches de cette veste. Le pendentif n'y était pas, guère surprenant puisqu'elle ne l'avait plus porté depuis ce vendredi, non, en fait plus depuis mars.

Qu'avait-elle fabriqué ce jour-là ? Elle était allée au travail avec Morton, elle avait montré le pendentif, elle avait eu sa dispute avec Freddy, il l'avait traitée de poule et elle avait traité Ludmila de grosse vache russe, ensuite il y avait eu des clients, et puis – subitement, elle se souvint – elle avait dit à Inez qu'elle sortait déjeuner avec Rowley, et Inez lui avait conseillé de retirer le pendentif, et elle l'avait écoutée. Mais qu'en avait-elle fait ? Rien, cela ne lui revenait pas en mémoire. Elle l'avait juste posé sur la table, et le plateau de cette table rejoignait la base du miroir, le temps de se faire un raccord de maquillage. Elle avait dû le laisser là-bas. Elle l'avait totalement oublié et l'avait laissé dans la boutique…

Bon, il devait toujours y être. Elle irait le récupérer demain. De retour dans le salon, elle vit Reem Sharif accepter la proposition d'Algy, non sans une certaine mauvaise volonté :

— Si ces gosses mangent encore mes chocolats, ils vont être malades comme des chiens. Et si je reste ici la moitié de la soirée, il va me falloir un plat de quelque chose. Où est-ce que vous sortez manger ?

— Au chinois, fit Algy.

— Alors vous pourriez me rapporter un poulet au citron et du riz cantonais… Ah, et puis un toast de crevette au sésame, en entrée. Dix heures sans faute, pas une minute de plus. D'ici là, je serai déjà morte de faim.

La police n'avait pas emmené Will, mais elle l'avait interrogé en long et en large à propos d'un cambriolage, Becky avait tout expliqué à Inez au téléphone. Y avait-il eu effraction à la boutique ?

Inez lui raconta.

— Mais quelle idée grotesque, s'imaginer que Will puisse avoir le moindre rapport avec tout ça. Cela fait une semaine qu'il n'est plus venu ici.

— Je ne sais pas s'ils y ont vraiment cru, fit Becky, mais c'était un peu le sens de leurs questions. Ils ont voulu fouiller mon appartement, mais j'y ai mis le holà, je leur ai répondu qu'il n'en était absolument pas question, ils sont repartis, et cet inspecteur Jones m'a prévenue qu'il allait se procurer un mandat, enfin c'était hier soir et depuis personne n'est revenu.

— Je connais Jones, reprit Inez. Pas aussi bien que Zulueta et Osnabrook, sans parler de Crippen, mais je le connais quand même.

Becky lui dit qu'elle était désolée, elle aurait dû demander à Inez si on lui avait dérobé quelque chose. Elle l'écouta dresser la liste des affaires qui lui manquaient, et elle la fit rire en lui mentionnant les alliances de Ludmila.

— Will a retrouvé la parole, ajouta Becky. Hier soir. Le choc de revoir Jones, je pense.

— Alors il sera bientôt de retour par ici.

— J'espère, Inez, fit-elle, et Inez décela une note de mélancolie dans sa voix.

Ce coup de téléphone était survenu alors qu'Inez attendait l'arrivée de Zeinab. Elle était en retard, comme toujours, ni plus ni moins. Pour la première fois un matin d'un jour de semaine, depuis le mois d'octobre, quand il était resté au lit avec un mauvais rhume, Jeremy n'était pas entré dans la boutique pour son thé. Entre eux ce n'était pas formellement convenu, mais tout de même, il aurait pu lui passer un coup de fil, lui éviter de mettre un sachet de plus dans la théière. À son avis, il n'avait pas dû aller travailler. Cette vision de lui au volant de sa voiture, hier matin, lui revint à l'esprit. Ces derniers temps, dans la vie d'Inez, les exemples d'incongruités de comportement se multipliaient. Il avait bien dû lui répéter à trois reprises qu'il n'avait pas de voiture, qu'à Londres il refusait d'en avoir une, qu'il considérait comme une attitude peu civique de polluer l'atmosphère avec ses gaz d'échappement. Bien entendu, il était possible que la berline qu'elle avait aperçue ne lui appartienne pas, qu'il l'ait louée pour se rendre chez sa mère. Mais il avait aussi prétendu ne pas savoir conduire. À force de fréquenter la police, cela avait dû déteindre sur sa façon de penser, car elle finit par se demander pourquoi elle n'avait pas relevé son numéro de plaque minéralogique. Enfin, elle savait à quoi ressemblait cette voiture, une Mercedes gris clair métallisé.

À dix heures moins le quart, Zeinab entra en trombe. Inez avait remarqué que les retardataires invétérés étaient tout le temps pressés, toujours fébriles et essoufflés à leur arrivée. Avec à peine un regard, sans un mot à sa patronne, la jeune femme se précipita vers ce que tout le monde avait fini par appeler son miroir, et la console qui lui servait de support.

Inez vit son visage dans la glace, atterré, incrédule, et ses mains qui farfouillaient au milieu des petits colifichets sur les tables-vitrines voisines. Elle se retourna en levant les mains en l'air, comme en prière.

– Il a disparu !

– Qu'est-ce qui a disparu ?

– Le pendentif que Morton m'a offert. Je l'avais laissé ici vendredi, quand je suis sortie déjeuner avec Rowley et... et je l'ai oublié !

Inez savait, même si c'était tentant, qu'il était inutile de souffler à une personne dans la situation de Zeinab qu'elle aurait dû se montrer plus attentive. Enfin, cette fois elle aurait compris, sans quoi elle ne comprendrait jamais. Maintenant, elle allait lui apprendre la nouvelle, mais avec ménagements :

– J'ai bien peur que nous n'ayons eu un souci hier.

Elle s'interrompit : que cette allusion prépare déjà un peu le terrain.

– Un cambriolage, je suis désolée d'avoir à te l'apprendre. Ils ont volé tout le monde. Je suppose que... enfin, apparemment, ils ont dû emporter ton pendentif.

– Oh, mon Dieu, oh, mon Dieu, qu'est-ce que je vais faire ? Qu'est-ce que je vais dire à Morton ?

Il se trouve qu'Inez, à l'exemple de Martin, jugeait toujours préférable de dire la vérité. Pas de tergiversations, pas de mensonges pieux, et pas question de remettre à plus tard le moment fatidique.

– Tu n'auras peut-être pas besoin de le lui révéler tout de suite, suggéra-t-elle, même si cela allait à l'encontre de ses principes. La police a une chance de le retrouver.

– Et s'il me le demande, qu'est-ce que je fais ?

– Pour ses autres cadeaux, il ne t'a jamais rien demandé, non ?

– Il y a toujours une première fois à tout, objecta Zeinab. La police doit pas être au courant, hein ? Je ferais mieux d'aller les prévenir.

– Téléphone-leur, suggéra Inez, soucieuse d'éviter que Zeinab ne s'enfuie encore une heure ou deux de son lieu de travail.

Demande l'inspecteur Jones. Et j'aimerais assez lui dire un mot, moi aussi. Je voudrais lui parler de cette camionnette blanche crasseuse, avec le mot sur la lunette arrière, qui était tout le temps garée dehors. Cela pourrait avoir une certaine importance.

Pour Becky, la fouille de son appartement fut encore pire que ne l'aurait été un véritable cambriolage. Jones et un policier en uniforme passèrent toutes les pièces au crible, inspectèrent les tiroirs, les vidèrent de tout leur contenu, sondèrent les penderies, tâtèrent les poches des manteaux, sortirent les livres un à un pour aller scruter ce qu'il y aurait derrière. Jones ouvrait tous les volumes particulièrement épais, à la recherche du fameux compartiment secret. On examina de près ses propres bijoux, on s'attarda spécialement sur la vieille alliance de sa mère, toute patinée et éraflée. Dans le bureau, devenu la chambre de Will, ils trouvèrent au fond d'un tiroir de la table d'ordinateur une paire de gants en laine. C'étaient les siens, rouge vif, et presque trop petits pour que Will puisse les enfiler, mais Jones avait l'air de considérer cette trouvaille avec le plus grand sérieux, car il soutenait que le garçon aurait pu porter ces gants lors de sa razzia dans la maison d'Inez.

Ils ne trouvèrent rien d'autre qui soit susceptible d'étayer cette théorie, mais, toujours méthodiques, ils poursuivirent leur fouille, pour ainsi dire inspirés, galvanisés par la découverte de ces gants – pourquoi les avait-elle donc rangés là, et quand? –, et puis ils passèrent au salon, où ils retournèrent tout autour de Will, qui était resté assis, apeuré, blotti dans un coin du sofa. Quand ils s'attaquèrent aux livres et aux jaquettes des cassettes vidéo, il émit un geignement et sortit de la pièce en courant pour aller se réfugier non pas dans le bureau, mais dans la chambre de Becky. Là il resta étendu, le visage enfoui dans les oreillers, et c'est là que Jones le vit quand il passa la tête par la porte, alors qu'il cherchait sa tante. Jones ne dit rien, mais il fit la moue en haussant les sourcils, une grimace que personne ne remarqua.

Une demi-heure plus tard, leur perquisition terminée et n'ayant rien déniché d'autre que ces gants, l'alliance et une montre d'homme qu'elle portait de temps à autre parce qu'elle avait un cadran lumineux et de grand diamètre, Jones demanda à Becky si Will et elle étaient réellement neveu et tante.

— Que voulez-vous insinuer?

— Il m'a l'air de bien connaître votre chambre à coucher.

Becky aurait peut-être dû le prier de se mêler de ses affaires. Elle s'en abstint.

— Si vous souhaitez voir mon certificat de naissance, celui de sa mère et le sien, je peux le prouver. Votre allusion m'indigne profondément.

— OK, madame Cobbett, gardez votre calme. Ce sera tout pour le moment. Nous risquons fort de revenir.

Will était encore sur le lit, un doigt enfoncé dans chaque oreille, et pourtant aucun des deux policiers n'avait fait beaucoup de bruit. Supposons qu'il refuse de bouger de toute la journée? Supposons qu'il veuille rester là toute la nuit? Si James et elle avaient eu une vraie liaison, si c'était devenu une histoire d'amour, elle aurait pu lui téléphoner et lui demander son avis ou son soutien. Les termes dans lesquels ils étaient pour le moment demeuraient trop fragiles pour cela. En réalité, elle n'avait personne auprès de qui aller rechercher ce soutien. Vers la fin de la matinée, elle se rendit compte que, pour la première fois depuis qu'elle avait accueilli Will chez elle, elle n'avait plus repris contact avec le bureau, elle n'avait pas envoyé d'*e-mails* ou de télécopies. Or, la semaine suivante, elle devait retourner travailler.

Elle regagna sa chambre. Il s'était endormi là où il était, mais d'un sommeil agité, et il murmurait, il tressaillait, il ouvrait les mains, il les refermait, comme lorsqu'on veut retrouver ses sensations dans ses doigts engourdis. Cette manifestation de panique la submergea. Elle se rendit dans le salon et se versa un grand whisky.

CHAPITRE 19

Ouvrir ce coffre-fort s'avéra encore plus difficile qu'Anwar ne l'aurait cru. Il commença par l'emporter chez un de ses amis mécanicien, qui possédait apparemment les outils nécessaires, mais l'ami tenta tout et la porte resta close. Il allait falloir recourir à des moyens plus subtils. Mais Anwar savait très bien qu'il était quasi impossible d'essayer tous les chiffres susceptibles de correspondre à une combinaison. Cela réclamerait des millions d'essais, des milliards, avant de réussir.

Anwar et Keefer retournèrent dans Saint Michael's Street, à l'intérieur de la camionnette de ce dernier, désormais impeccable. Anwar sortit le pendentif de Zeinab de sous son oreiller et le glissa dans sa poche. Plus tard, il le porterait à un bijoutier de sa connaissance, un Indien, mais pas un parent – jamais il ne courrait le risque de se lancer dans quoi que ce soit avec un parent –, le type n'était pas exactement malhonnête, même pas véreux, mais juste un peu « tordu », aurait dit son père Fatigué au point de pouvoir à peine garder les yeux ouverts, un filet de salive lui dégoulinant de la commissure des lèvres,

Keefer était assis par terre, dans un coin, occupé à se faire une ligne de cocaïne pour se réveiller. Anwar l'aurait volontiers jeté dehors, seulement il connaissait son ami quand il était dans cet état. Il était capable de rester planté sur le palier, à tambouriner contre la porte en beuglant. Depuis qu'il était en fonds, les gâteries que s'offrait Keefer en matière de stupéfiants figurant au tableau 1 ne connaissaient plus de bornes.

Anwar était assis sur le lit, avec le coffre-fort. Il avait essayé le code d'alarme d'Inez, la date de naissance d'Alexander Gibbons – qui que soit ce Gibbons, c'était manifestement quelqu'un d'important dans la vie de Quick, peut-être même son pseudonyme –, qu'il avait repérée sur son permis de conduire : 7 juillet 1955. Un homme à peu près de l'âge de Quick, donc. Intéressant – mais les quatre chiffres ne formaient pas le bon code. Ensuite, le numéro de téléphone de Quick, celui d'Inez et le numéro de Star Antiques. Rien ne marchait. Il valait peut-être mieux laisser tomber pour le moment et suivre une autre piste. Il allait envoyer Flint filer le train à ce Jeremy Quick, le suivre à son départ le matin, voir où il se rendait. Si Alexander Gibbons et lui ne faisaient qu'une seule et même personne, il devait sûrement réintégrer le personnage Gibbons de temps à autre, redevenir ce Gibbons. Gibbons serait alors son vrai nom, et Quick le pseudonyme. Lui, Anwar, s'il avait eu envie d'un permis, il aurait trouvé un moyen de se le procurer sous un autre nom, mais ce Jeremy n'était pas aussi malin que lui. Ils étaient rares, ceux qui étaient aussi malins que lui.

Keefer tressaillit, il était tétanisé, les jambes secouées de mouvements réflexes et les pieds martelant le sol.

– Voilà ce qui arrive quand on prend un cocktail de cette merde, le prévint Anwar. Tu ferais mieux de rester ici. Je sors avec la camionnette.

Il était trop jeune pour prendre le volant, mais il savait conduire. La camionnette n'était pas assurée, et il n'avait aucune couverture personnelle. Impeccable dans son costume rayé, il roula jusqu'à Brondesbury Park et la maison de ses parents. Sa sœur Arjuna était là, elle séchait l'école, elle aussi, supposa-t-il, mais leurs parents travaillaient tous les deux, « pour vous offrir, à vous les enfants, un style de vie que nous n'avons jamais connu », selon la formule de son père.

— Hello, étranger ! s'écria Arjuna, plus comme une vieille tante que sur le ton normal d'une adolescente de quatorze ans.

— Salut.

Anwar n'allait pas perdre son temps avec elle. Il monta au premier, dans sa chambre, où il avait un ordinateur avec accès Internet. Là, il saisit en vitesse l'adresse du site des registres électoraux de Londres, sachant que cela risquait de lui prendre des heures, mais déterminé à être patient. Il s'écoula presque deux heures avant qu'il ne trouve ce qu'il voulait. Par chance, l'endroit où le type habitait, où il était censé habiter, était presque aussi central que Star Street, mais situé dans le Royal Borough de Kensington et Chelsea. Chetwynd Mews, 14, Gibbons, Alexander P. Nul besoin maintenant de filer Jeremy Quick. Il allait se rendre sur place lui-même, reconnaître le terrain.

Entre-temps, Uma et Nilima étaient arrivées à leur tour.

— Maman a demandé où tu étais, fit Nilima sur un ton accusateur.

— Tu pouvais lui dire que j'étais là, non ?

— J'imagine que tu retournes chez ta copine, à Bayswater. C'est bien une fille, non ?

— Tu aimerais le savoir, hein, Nilima la fouineuse ? lança Anwar, et il partit en claquant la porte derrière lui.

À quelle fréquence Quick rentrait-il chez lui pour redevenir Alexander Gibbons ? Peut-être tous les jours, ou alors seulement de temps à autre. Et pourquoi ça ? Une chose était sûre, s'il avait les moyens d'entretenir deux maisons, dont une dans les anciennes écuries de Kensington Mews, c'était vraiment le schnock de luxe dont parlait Freddy. Par conséquent, il ne fallait plus trop perdre de temps avant d'ouvrir ce coffre-fort. Il pouvait tout à fait contenir d'autres objets d'une valeur comparable à ce pendentif. Imaginons qu'il n'arrive pas à l'ouvrir, irait-il alors faire pression sur Quick-Gibbons pour le contraindre à l'ouvrir lui-même ? À Kensington alors, pas ici.

Anwar gara la camionnette dans Saint Michael's Street et revint à pied vers Edgware Road, où il s'acheta un *Guide des rues de Londres de A à Z* en livre de poche chez un marchand de journaux. Dans sa chambre, Keefer avait replongé dans son état somnolent et gisait par terre dans la position du fœtus. Anwar lui flanqua un coup de pied dans les côtes, sans aucun autre motif que son plaisir personnel. Keefer ne broncha pas. J'espère qu'il n'est pas mort, songea-t-il, non par affection pour son ami, mais parce qu'il s'imaginait forcé de se débrouiller pour descendre le corps par l'escalier et le sortir de la maison sans se faire voir.

D'après son plan des rues de Londres, Chetwynd Mews partait de Launceston Place, W8. Trajet en voiture ou en métro jusqu'à Kensington High Street. Fastoche. Maintenant, encore une tentative sur le coffre-fort. Au bout de deux heures d'efforts infructueux, Julitta et Flint firent leur apparition. Ils posèrent sur Keefer un regard dépourvu d'émotion, car ils l'avaient déjà vu dans cet état-là.

— Ça t'étonne, que je lui aie dit d'aller se faire foutre ? s'exclama Julitta. On n'a pas besoin de ça dans la maison ! Tu l'as pas encore ouvert, ce machin ?

Ce n'était pas une façon de s'adresser à Anwar.

— Eh bien, essaie-toi même, pouffiasse. Tu serais pas capable d'ouvrir une boîte de haricots, alors un coffre…

— OK, je demandais juste.

— Tu voulais quelque chose ? Sinon tu peux dégager et emmener l'autre, là, avec toi.

Pour remettre Keefer debout, ils durent s'y prendre à trois. Julitta le prit sous un bras et Flint sous l'autre. Anwar les entendit descendre lourdement l'escalier, avec le claquement des talons de Julitta, les grommellements et les jurons de Keefer, ses pieds bottés amplifiant chaque pas. Retour au coffre-fort. Apparemment, il allait devoir obtenir de Gibbons-Quick qu'il s'en charge lui-même. Le torturer un peu – ah oui, fastoche, il pourrait l'ouvrir, mais à la minute où ils seraient repartis, il irait fournir à la police leur signalement à tous. Il était important qu'Anwar conserve son casier vierge et intacte une réputation uniquement entachée, jusqu'à présent, par son absentéisme scolaire.

Au point où il en était, il essaya n'importe quelle combinaison. 1-2-3-4 et 5-6-7-8. Les quatre chiffres identiques, 6-6-6-6, 8-8-8-8. Rien ne fonctionnait. Juste pour s'amuser, rien que pour le plaisir de le voir s'inscrire, parce que c'était sa date de naissance à lui, le nombre qu'il n'aurait jamais utilisé comme code secret, c'était trop évident, et puis c'était une combinaison que Gibbons-Quick n'aurait certainement aucune raison de choisir : 3-3-8-6. Sa propre date de naissance, le jour, le mois, l'année, le 3 mars 1986. Une perte de temps, se dit-il en manière de réprimande, mais il le tapa quand même.

Le coffre-fort émit un grognement feutré, puis il y eut deux cliquetis et la porte s'ouvrit en douceur.

— J'y crois pas, fit Anwar et il ferma les yeux.

Quand il les rouvrit, la porte était toujours entrouverte.

— Allons, réveille-toi. Tu y es arrivé.

Mais qu'est-ce que c'était que ça ? Une paire de boucles d'oreilles à deux balles, un briquet et le genre de montre pour fille qu'on portait en broche. Dès qu'il commença à comprendre, la déception qui l'envahit s'estompa tout de suite. C'étaient *les* boucles d'oreilles, celles de Jacky Miller, ce briquet appartenait à l'une des autres filles, et la montre à la troisième. C'était tous les jours dans le journal, et à la télé. Deux filles assassinées et une troisième qui avait probablement subi le même sort. Et Gibbons-Quick conservait – enfin, avait conservé – ces effets qui leur avaient appartenu. Cela devait vouloir dire qu'il les avait tuées. Le Rottweiler, c'était lui. Quelle autre explication possible ?

Anwar Ghosh possédait de l'ancienneté dans l'infamie, mais il n'avait encore que seize ans. Il était issu de ce que son professeur principal appelait une « bonne famille », et il avait grandi dans la tradition de la petite bourgeoisie indienne, celle du travail acharné, des longues études, d'une gestion prudente et de l'importance accordée à la vie familiale – une vie de famille démesurément élargie. L'idée que lui, fils de gens qui exerçaient une profession indépendante, destiné à réaliser de grandes choses, se soit introduit par effraction dans l'appartement d'un tueur en série pour le dévaliser le laissait interdit. C'était comme s'il s'était fait cueillir sous la pluie glaciale d'une pomme de douche ne dispensant que de l'eau froide, le laissant saisi, sous le choc. L'espace d'un instant, mais d'un instant seulement, il envisagea de se débarrasser du coffre-fort et de son contenu, de raconter aux autres qu'il ne renfermait que des bijoux fantaisie à deux balles et quelques billets de banque, avant de le balancer dans le canal, du haut d'un des ponts.

Mais ce coffre-fort était une source d'argent potentielle. Et pas qu'un peu. Cela pourrait représenter des milliers, des dizaines de milliers de livres. Souviens-toi que Gibbons-Quick est bourré aux as, se répéta-t-il. Souviens-toi qu'il a deux domiciles. C'est un schnock de luxe. Alors, que faire ? S'asseoir ici, au calme, et réfléchir. Réfléchir à la prochaine étape. Et ne jamais oublier que le type est très dangereux.

Juste avant cinq heures, Anwar se trouvait dans la ruelle des anciennes écuries, à bord de la camionnette blanche. Il n'osait pas la laisser là, de peur qu'une contractuelle en maraude, s'éloignant à son arrivée, ne revienne par ici. Il s'était garé à hauteur du numéro 9, mais en face, devant un mur de brique recouvert de lierre, d'où l'on pouvait aisément garder le numéro 14 en ligne de mire. La maison comportait un garage et, quand Anwar regarda par la petite vitre, il entrevit une Mercedes gris clair métallisé. À l'inverse d'Inez en pareilles circonstances, il nota le numéro de la plaque.

Il n'avait pas encore pris toute la mesure de sa découverte, cela ne relevait pas de la pure routine, ce n'était pas un truc comme un autre. Chaque fois qu'il repensait à ces objets enfermés là-dedans, il en avait les paumes et le front tout moites, et il finissait par se demander s'il ne rêvait pas – non, c'était impossible. Mais si, ça se pouvait. Et maintenant, il allait capitaliser là-dessus. Accroche-toi, se disait-il chaque fois que lui revenait cette impression de rêver, accroche-toi.

Gibbons-Quick était dans cette maison. Anwar ne l'avait pas vu entrer, mais il l'avait aperçu à une fenêtre. Il était facilement reconnaissable, même quand on ne l'avait croisé que deux fois, une première quand le type rentrait chez lui – enfin, alors qu'il regagnait un de ses deux chez-lui –, après une virée, l'autre soir, et une deuxième fois quand il remontait Edgware Road, et Freddy et lui sortaient du Ranoush Juice. À cet instant, « G-Q » se montra à une fenêtre de l'étage, il regarda en bas, dans la ruelle, et il tira les rideaux. Et c'était lui, le type qui avait tué toutes ces filles, qui leur avait serré un garrot autour du cou en tirant dessus jusqu'à ce que mort s'ensuive ! C'était incroyable. Arrête avec ça, se morigéna Anwar avec sévérité. C'est vraiment arrivé, compris ? C'est lui.

Et le voilà qui sortait de la maison, juste au moment où la contractuelle refaisait son apparition à l'autre bout de la ruelle des écuries. Où allait-il ? Retour à Star Street, par la station de métro de Kensington High Street, à ce qu'il lui sembla. Anwar le suivit une partie du trajet, jusqu'à ce que cela devienne impossible, il y avait trop de circulation et tout le monde voulait avancer au plus vite. Sans permis de conduire et sans assurance, Anwar savait qu'attirer l'attention sur lui au volant de la camionnette de Keefer serait une sottise.

Sur le chemin du retour jusque chez lui, il repensa à ses recherches sur la vie de Gibbons-Quick. Une double vie, c'était évident, et c'est pourquoi l'un des deux personnages avait besoin de se cacher – ou les deux, qui sait ? Un homme qui pouvait disparaître d'une vie et reparaître dans l'autre, et doté d'un bizarre sens de l'humour. Depuis deux jours il devait savoir que son coffre-fort s'était envolé et que les voleurs parviendraient à l'ouvrir s'ils s'y mettaient vraiment – ou s'ils avaient sa chance ahurissante. Seuls des individus d'une stupidité hors du commun se seraient lassés et auraient pu se débarrasser du coffre sans l'ouvrir. Donc, le Rottweiler devait s'attendre à ce qu'on l'approche, d'un côté ou de l'autre, ne serait-ce même que côté forces de l'ordre.

L'étape suivante, jugea Anwar, ce serait de combler ses attentes – mais non sans avoir préparé le terrain avec soin.

Will était un enfant apeuré. Tout se passait comme si le mince vernis de l'âge adulte, masquant son moi profond grâce aux encouragements de ses amis, de Becky, de Monty et Keith, avait subi un décapage à cause de la police. Il lui arrivait quelquefois de s'allonger sur le lit de Becky, le visage dans le creux des oreillers, ou alors il se blottissait dans un coin du sofa, le regard perdu dans le vide ou fixant le ciel par la grande baie vitrée. La télévision le distrayait encore, pourvu que ce soient des jeux de questions-réponses totalement lénifiants et gentillets, conçus exprès pour les QI les plus bas, enfin c'était l'avis de Becky, ou alors des dessins animés, des films comiques en costumes. Mais ils contenaient souvent des scènes de violence, des duels, avec des images de prisonniers maltraités, de châtiment et de mort, autant de visions qui faisaient gémir Will, et il s'enfouissait la tête dans les coussins. Les séries policières, les films de guerre, les émissions d'informations, tout cela, c'était hors de question. Le spectacle d'un policier en uniforme, ou même d'un civil en imperméable et chapeau mou, lui tirait des vagissements et il s'échappait de la pièce en courant, vers le sanctuaire de la chambre de sa tante. Elle avait renoncé à y dormir, elle la lui avait laissée, la nuit elle s'installait dans le bureau.

Fidèle à sa promesse de bien vouloir tenter l'expérience, James n'avait pas suspendu ses visites. N'était l'intimité qui existait entre lui et Becky, il aurait aussi bien pu être un de ces travailleurs sociaux venus se documenter sur un cas. À son arrivée, il l'embrassait à peu près de la manière qu'elle avait d'embrasser Will, il l'aidait à préparer le thé, il lui parlait des événements survenus à son travail, et il lui avait proposé une deuxième télévision, rien que pour elle, dans son bureau.

– Merci beaucoup, mais ça n'en vaut pas la peine, lui avait-elle expliqué, sans doute avec un optimisme un peu forcé. D'ici une semaine ou deux, Will doit rentrer chez lui. J'ai pris deux semaines de congés et il m'en reste encore une. Après ça, si je veux conserver mon poste, il faut que je retourne travailler.

James était devenu un aficionado des mots croisés du *Times*. À chacune de ses visites chez Becky, il remplissait une grille, et quand elle y jetait un œil en vitesse avant de fourrer le journal dans la corbeille, elle constatait toute l'aisance qu'il avait acquise. Il était rare qu'il subsiste encore des cases vierges, là où il n'avait pas su déchiffrer une définition et trouver le mot voulu. Quand il repartait, il l'embrassait sur la joue en lui promettant de « repasser » d'ici un jour ou deux. Avant son arrivée et immédiatement après son départ, elle avalait une gorgée de whisky, ou même deux, directement de sa bouteille secrète, qu'elle rangeait dans un placard caché de la cuisine.

Son autre visiteur, c'était Keith Beatty. L'expression choquée du maçon quand il revit Will plongea Becky en plein désarroi, et elle se rendit compte qu'elle s'était habituée à la dégradation de son état. L'espace de quelques minutes Keith ne sut que dire, mais il se ressaisit, fit un effort dont elle le félicita en silence et parla de son chantier de décoration du moment, de sa femme, de ses enfants et de sa sœur :

– Kim, tu lui manques vraiment, Will. Elle arrête pas de demander comment tu vas, elle m'a dit que vous deviez vous contacter et fixer un autre rendez-vous, et puis voilà. Après ça, elle porte pas trop la police dans son cœur, je peux t'assurer.

Becky était sidérée, car il semblait considérer Will – depuis sa rencontre avec son neveu, il l'avait toujours considéré ainsi – comme une personne normale qui se trouvait juste être un peu réservée et qui, pour une raison quelconque, n'aurait pas reçu d'instruction élémentaire. Était-ce aussi l'attitude de la sœur ?

– Je pourrais te l'amener ici, qu'elle te voie, si ça dérange pas Mme Cobbett, enfin je veux dire Becky.

– Non, bien sûr.

Qu'aurait-elle pu répondre d'autre ? Et Will, qui était toujours soupçonneux envers James, progressait visiblement en présence de Keith, il parlait un peu, il répondait à ses questions et il souriait, à peu près le sourire qui était le sien avant que la police ne le surprenne en train de creuser dans cette cour-jardin. Peut-être en serait-il de même en compagnie de Kim. Elle voyait cela comme une espèce de thérapie. Ce serait le moyen éventuel d'aider Will à retrouver son ancienne personnalité.

À l'évidence, Keith se figurait être juste tombé sur un individu souffrant d'une affection physique, qui aurait attrapé la grippe ou quelque autre virus. Elle devait savoir gré à Inez d'avoir alimenté cette croyance dans l'entourage de Will. Quant à elle, pour la première fois ou presque depuis la naissance de son neveu, elle avait cessé de se sentir coupable. En renonçant pour lui à sa vie, à son avenir et à son moi propre, elle s'était débarrassée de sa culpabilité, mais uniquement à son égard. Dans une large mesure, cette culpabilité subsistait par rapport à son métier, à son incapacité de travailler depuis chez elle comme elle en avait eu l'intention, à sa carrière et à son ex-amant potentiel. Cela faisait sans aucun doute partie de sa nature, et si elle réussissait à la bannir à un certain niveau, elle resurgissait à un autre. La boisson était devenue une part essentielle de son existence, et de la pire des façons, secrète, clandestine, la manière des conspirateurs, et ces conspirateurs étaient son ego et son inconscient.

Rien, dans toute cette introspection, ne résolvait la terrible difficulté, savoir quoi faire quand viendrait la date de son retour au bureau. Si elle voulait conserver son emploi, il fallait qu'elle y retourne. Elle était à vingt ans de la retraite et, de toute façon, elle avait l'intention de ne jamais la prendre.

Au bord du désespoir, elle écoutait Keith causer de son fils cadet qui entrait à la crèche, et Will opinait, il souriait et il avait des réflexions comme « Gentil petit » ou « Il est grand maintenant », et elle songea à quel point elle s'était enfermée dans la cage de la garde-malade, dans un piège sans écoutille de secours, dans cet ennui ingrat, bénévole, laborieux, affligeant à mourir, qui consistait à veiller sur le malheureux.

C'est cette même semaine que l'on découvrit le corps de Jacky Miller, dans le jardin sur rue d'une maison de South Kensington. La maison était en réfection, il n'en restait que les quatre murs et, malgré la masse de débris amoncelés que l'on avait retirés de ce carré de terrain en façade, jadis occupé par une pelouse, il était encore recouvert de briques, de planches, de parpaings de fibre de verre, de verre brisé et de planchers arrachés. La fibre de verre était désagréable, et le cas échéant dangereuse à manier, car cet épais matériau, jaune et neigeux, était composé de minuscules filaments de verre. Si l'on y plongeait les mains nues, on les ressortait constellées d'innombrables écorchures de l'épaisseur d'un cheveu. Cette fibre faisait donc partie du dernier tas de matériaux qui restait à enlever, et ce jour-là le chauffeur du camion-benne de l'entreprise de construction y découvrit une fille morte, en décomposition rapide.

Sa mère, qui depuis un mois vivait tour à tour dans l'espoir et dans une peur panique, alla identifier le corps à la morgue. Elle s'approcha, elle la dévisagea, elle s'en détourna, comme une somnambule.

Pendant tout ce temps, Jacky était restée gisante à tout juste deux rues des écuries où vivait Jeremy Quick – en la personne d'Alexander Gibbons. Traverser le West End en voiture lui arrivait peu fréquemment, mais c'était ce qui s'était passé la nuit où Jacky avait quitté la boîte où elle était sortie avec ses amies. Comme on était largement en dehors des horaires de stationnement interdit, il s'était garé sur l'une des rares places vides, le long d'une ligne jaune simple, parce qu'il avait repéré ces filles. Elles étaient quatre, toutes un peu éméchées, joyeuses et peut-être fatiguées à cette heure-ci. Cela recommençait, comme avec Gaynor Ray.

Il s'était approché d'elles et il n'était qu'à un mètre, pas plus, quand il avait bifurqué pour entrer dans une cabine télé-phonique et faire semblant de passer un coup de fil. Déjà excité, parcouru de fourmillements, il se rappelait Gaynor et sa croix en argent, sa promptitude à accepter sa proposition de la déposer. Il ne comprenait pas ce qui lui arrivait à cet instant, il n'avait jamais compris. Quand il regardait la fille qu'il allait tuer, la prochaine, toute capacité d'analyse de ses sentiments l'abandonnait. Son intellect était subjugué par cette faculté plus puissante, qui n'était ni sexuelle, ni de la colère, ni ce que les idiots appelaient la soif du sang. Était-ce un désir écrasant de vengeance ?

Trois filles sur les quatre étaient parties en prenant Totten-ham Court Road, peut-être pour attraper un bus de nuit. La quatrième, celle qu'il avait choisie – pourquoi ? il n'en savait rien –, avait tourné dans une rue de traverse et attendait au bord du trottoir, un taxi certainement. Il était une heure vingt et il n'y avait pas de taxis. Il n'y avait personne non plus, dans cette rue étroite et sombre.

La lumière gris-blanc d'un unique réverbère scintillait sur les boucles d'oreilles qu'elle portait. Des brillants sertis dans l'argent comme des diamants dans l'or blanc – pas de danger ! Il démarra. S'il était resté là sans bouger, il aurait eu la nausée, il aurait dû descendre vomir dans le caniveau. Une fois déjà, il avait essayé de résister à cette pulsion, et il y était parvenu parce que la fille avait ouvert une porte donnant sur la rue avant de disparaître à l'intérieur, mais il avait rendu pour de bon. Pas cette fois.

Impeccable comme toujours dans son costume foncé, sa chemise blanche et sa cravate bleue, il avait trafiqué sa voix au maximum, le plus loin possible des accents propres au quartier de Nottingham, au milieu desquels il avait grandi. Il les avait remplacés par cette voix traînante des écoles privées et s'était immobilisé à l'endroit où elle avait espéré qu'un taxi s'arrêterait.

– Où allez-vous ? lui avait-il demandé. Ne me regardez pas comme ça...

Elle ne le regardait ni comme ça ni autrement, elle était juste surprise.

— Je ne suis vraiment pas quelqu'un d'étrange. J'ai une fille de votre âge et je suis absolument inoffensif.

— À Wandsworth, lui avait-elle répondu, et elle lui avait communiqué le nom de la rue. C'est près de l'hospice.

— C'est sûr, ça vous va ? Vous ne préférez pas attendre un taxi ?

— Il y en a pas. Où vous allez, vous-même ?

— À Balham. C'est sur ma route.

Il avait pris en direction du sud, il était presque passé devant chez lui, il avait traversé Chelsea par le World's End avant de continuer par Wandsworth Bridge Road. Sur tout le chemin ils avaient discuté, elle parlait de ses amies et de la soirée qu'elles avaient passée, et lui, se félicitant de son imagination fertile, s'était inventé une épouse qui était doctoresse, une fille à Oxford, un fils qui passait son bac. Quand ils étaient presque arrivés au Wandsworth Bridge, il avait tourné dans une rue encore plus isolée et déserte.

— Je ne pense pas que ce soit le chemin, avait-elle remarqué, pas craintive du tout mais comme si elle s'était adressée à une amie qui aurait tourné au mauvais endroit.

— Je sais. Je voulais faire comme les chauffeurs de taxi et chercher dans mon plan.

Il avait débouclé sa ceinture de sécurité et s'était penché pour ouvrir la boîte à gants. Mais au lieu d'en sortir son plan de Londres, il avait mis la main sur le fil électrique qui était rangé là.

Quand ce fut fait, il n'avait même pas déplacé le corps de son siège. Les passants, si jamais il en croisait, supposeraient sa passagère endormie. C'était un risque, mais prendre des risques rehaussait tout cela au-delà de l'inexplicable et du sordide. Peut-être aussi que prendre des risques lui donnait davantage l'impression d'un jeu, de quelque chose de moins réel. Enfin, elle ne pourrait quand même pas rester là longtemps. En route vers les anciennes écuries, où il avait de toute manière l'intention de dormir cette nuit-là, il était passé devant ce tas de débris dans ce jardin sur rue. D'immenses maisons à cet endroit, toutes indépendantes, toutes avec un jardin encombré d'épais taillis et de grands arbres verticaux. Quelques lumières étaient encore allumées, mais aucune dans cette demeure-ci, bien entendu, et pas davantage chez les voisins. D'ordinaire, il ne se donnait pas la peine de cacher le corps, mais quelque chose lui disait que cette fois un peu de dissimulation serait plus sage. Dès l'instant où il avait su qu'elle était morte, il lui avait retiré ses boucles d'oreilles. C'était la réflexion qu'il s'était déjà faite, tout recommençait comme avec Gaynor Ray…

En refaisant ce trajet à pied une semaine plus tard, il avait eu la satisfaction de voir les couches de fibre de verre, qui constituaient sa seule protection, à moitié enfouies sous des briques, du sable et des bouts de bois brisés. Il s'écoulerait sans doute un long moment avant qu'on ne la retrouve. Et en effet.

Cette découverte l'avait brièvement distrait de la préoccupation qui, désormais, ne le quittait plus vraiment : ses conjectures sur ce qu'il était advenu de son coffre-fort. Certes, une issue heureuse était possible. Mis à part les voleurs qui en auraient eu assez et qui auraient fini par le jeter quelque part sans l'avoir ouvert, il y avait une chance pour que les objets qu'il contenait passent inaperçus, qu'on ne les identifie pas pour ce qu'ils étaient. Et si on les reconnaissait, ceux qui s'étaient emparés du coffre pouvaient juger qu'il valait mieux ne rien tenter, que c'était plus sûr comme ça. N'étaient-ils pas tout aussi criminels que lui ? La probabilité que des individus de ce genre se rendent à la police était faible.

À mesure que les jours passaient et que rien ne se produisait, il se sentait l'esprit plus tranquille. Le meilleur parti à prendre serait peut-être de retourner se fondre dans sa véritable identité et de redevenir Alexander Gibbons, pour toujours, comme il en avait eu l'intention en épousant l'imaginaire Belinda. Depuis le cambriolage, l'appartement de Star Street était devenu moins attrayant. Il sentait que l'astucieuse Inez était désormais méfiante. Ce n'était pas qu'elle le soupçonnait de ses vrais crimes, il en était sûr, mais de mentir et d'user de faux-fuyants, ça oui. Se retrouver seul avec elle n'était plus ni plaisant ni amusant, et il avait fini par éviter la tasse de thé et la conversation du matin. À une ou deux reprises, il n'avait pas eu le courage d'aller travailler dans sa maison des anciennes écuries, et il était resté toute la journée dans le quartier de Paddington, à déambuler, à s'asseoir boire un café aux terrasses, sans cesser de se demander si quelqu'un le suivait. Il était parfois convaincu d'avoir une ombre qui ne le lâchait pas d'une semelle, d'un bout à l'autre de Bayswater Road, en remontant Westbourne Terrace et sur le mamelon lugubre et désert de Bishop's Bridge. Mais bien avant qu'il n'arrive à son domicile, il s'avérait que l'homme ou la femme qui se trouvait derrière lui ne le suivait pas, non, il ou elle se rendait simplement dans la même direction que lui, et du même pas.

Les journaux étaient pleins d'articles sur la découverte du corps de Jacky Miller, d'interviews de sa mère, de ses parents et amies. L'une de ces interviews, avec l'amie qui lui avait offert ses boucles d'oreilles, le sensibilisa plus vivement au danger qu'il encourait, car la jeune fille, quand on lui avait montré la paire qu'il avait achetée et dissimulée dans la boutique, affirmait que ce n'était pas son cadeau. Les anneaux de ses boucles à elle étaient sertis de vingt brillants, elle avait pris la peine de les compter, alors que la paire que lui avait montrée la police n'en avait que seize. On s'était débrouillé pour trouver une paire identique chez un bijoutier, et une photographie de cette paire-là, à côté de celle que Jeremy avait achetée, était publiée dans tous les quotidiens, et on l'avait aussi montrée à la télévision.

C'était sans aucun doute une mauvaise nouvelle pour lui, songea-t-il, là-haut dans son appartement. Il s'était encore absenté de son travail et, pour aujourd'hui, de ses vagabondages dans le nord-ouest de Londres. Si les voleurs du coffre-fort tombaient sur cette histoire, et ils n'y manqueraient pas, c'était l'évidence, les choses allaient empirer. Ils sauraient, s'ils ne le savaient pas déjà, que les boucles d'oreilles du coffre comptaient vingt brillants sur leurs anneaux et qu'elles étaient identiques à celles de la photographie. Pourquoi, oh, pourquoi n'avait-il pas pensé à compter ces fragments de verre scintillants avant d'acheter la paire de substitution ? Parce que cela ne lui serait pas venu à l'esprit, il n'aurait pas imaginé que ce nombre puisse avoir la moindre signification. Cela voulait-il dire qu'il méprisait les femmes qui se paraient de bijoux à quatre sous ? Ou même qu'il méprisait les femmes tout court, pire, qu'il les abhorrait ? Peut-être. Pour l'heure, aucune femme qu'il aurait appréciée ne lui venait à l'esprit.

Sauf sa mère. Pour le reste, on était dans le vrai. En plus – et il lui semblait avoir fait là une étrange découverte –, sa mère n'était pas à proprement parler une femme, elle était unique, elle était sa mère. Hors catégorie, hors sexe. Cette plongée dans son être intérieur lui laissa une impression d'épuisement, et il était assis dans son fauteuil, à moitié endormi, quand le téléphone sonna. Peu de gens connaissaient ce numéro. Les autres locataires, naturellement, Inez et maintenant, sans doute, la police.

Il laissa sonner, cinq fois, six fois. Puis il décrocha le combiné.

CHAPITRE 20

La voix était celle d'une femme, et l'accent, songea Jeremy, celui auquel on pouvait s'attendre de la part de ce genre de pègre. Ses paroles étaient irréelles, ou surnaturelles. Il se demanda si un homme ou une femme avait jamais pu poser pareille question :

— C'est bien le meurtrier ?

Il se força à parler :

— Que voulez-vous dire ?

— C'est le Rottweiler, c'est ça ?

Cette fois, il ne répondit pas. Il détestait ce sobriquet.

— J'ai ton coffre et le merdier qui est dedans, fit la voix. Tu l'veux ? T'as intérêt à répondre. De pas causer, ça va pas te faire du bien, *monsieur* Gibbons.

Même en son for intérieur, il n'aurait jamais admis avoir peur. La situation éveillait plutôt sa vigilance, jugeait-il. Comment savait-elle ? Comment pouvait-elle savoir ?

— Qu'est-ce que vous voulez ? fit-il.

Fidèle au style à l'honneur chez les maîtres chanteurs, elle lui répondit :

– Tu verras. Je te rappellerai plus tard, et tu auras intérêt à être là.

Qu'elle sache son nom, c'était pour le moment l'aspect le plus alarmant. Bien entendu, elle n'était pas toute seule, il y en avait d'autres avec elle, au moins un autre, c'était certain. Ils s'étaient arrangés pour forcer son coffre-fort et ils prenaient leur temps pour l'approcher, en toute cruauté. Il s'émerveilla de l'emploi de ce mot, « cruauté », fût-ce dans ses pensées silencieuses, intérieurement, dans le silence de son esprit. Cruel, se répéta-t-il, cruellement, cruauté, le plus cruel. La manière dont elle avait prononcé son vrai nom était cruelle. À part cela, il n'arrivait pas à comprendre comment elle le connaissait. Ici, il n'avait pas apporté de papiers qui auraient pu être à la merci des intrus. Sa police d'assurance, ses certificats de titres boursiers, son passeport, son assurance de voiture, son rôle d'imposition de l'année, ses relevés de carte de crédit, son permis de conduire et tout le reste étaient en sécurité, sous clé, dans son bureau du 14, Chetwynd Mews. Mais non, une minute… Où était son permis de conduire ? Quand il avait rendu visite à sa mère, pas la dernière fois, mais en mars, on l'avait arrêté pour excès de vitesse. Huit kilomètres à l'heure seulement au-dessus de la limite, mais ce motard zélé l'avait arrêté. Évidemment, il n'avait pas son permis sur lui, mais, afin de se conformer à la règle qui lui imposait de venir le présenter dans les cinq jours au commissariat le plus proche, il s'était exécuté, il l'avait glissé dans sa poche et il était retourné dans Star Street. Qu'en avait-il fait ? En dépit de cette femme qui l'avait prié de ne pas quitter son domicile – il n'allait pas recevoir d'ordres d'une femme, surtout pas avec une voix comme la sienne –, il sortit, remonta à pied jusqu'à Norfolk Square et prit un taxi pour South Kensington.

À mi-chemin, il lui vint à l'esprit que sa mère ne lui avait jamais dit quoi faire, de toute son enfance et de toute son adolescence, elle ne lui avait jamais donné d'ordre. Elle l'avait aimé d'amour. Sa seconde pensée fut de se demander si, par une horrible coïncidence ou par un hasard qu'il était incapable de cerner, ils ne seraient pas entrés aussi par effraction au 14, Chetwynd Mews. Mais c'était la nervosité, il se laissait aller à ses fantasmes. L'alarme était allumée, comme d'habitude, et à l'intérieur tout était resté inviolé. Dans le bureau il retrouva tous les papiers qu'il venait d'énumérer – à l'exception de son permis de conduire. Ensuite, cela lui revint. Il avait eu l'intention de le rapporter ici, mais il avait fait ce à quoi on a si facilement recours, il l'avait rangé « en lieu sûr » dans la cuisine de Star Street, au fond du tiroir où il gardait les modes d'emploi pour le micro-ondes ou le lave-vaisselle. Pourquoi iraient-ils fouiller là-dedans ?

Il ne savait pas pourquoi. Pas de permis de conduire. Il sortit dans le jardin-terrasse, une tonnelle divine par cette belle journée, les premiers géraniums étaient sortis, de petits arbustes en pot pointaient de nouvelles feuilles, la fougère arborescente d'un vert frais déployait ses frondes. Il la remarqua à peine, il remarqua à peine le parfum des hyacinthes, mais il s'assit, pour attendre le coup de fil de cette femme.

– Je lui ai dit, expliqua Zeinab, que je l'ai déposé à la banque jusqu'à la noce. À ce moment-là, ce qu'il pourra penser, ça comptera plus, il sera trop tard.

Elle rappelait à Inez ces jeunes filles des romans victoriens qui épousaient de riches messieurs, pour ne confesser le poids de leurs dettes au jeune marié qu'après la cérémonie. Mais le mariage, en ce temps-là, était un lien irrévocable...

– Alors tu vas jusqu'au bout ?

Au lieu de lui répondre de manière directe, Zeinab continua :

– Le mariage aura lieu le 8 juin à Saint Peter's, sur Eaton Square. J'espère que tu viendras.

– Cela ne me semble pas très convenable, considérant qu'il est juif et toi musulmane.

– Tout ça, c'est le même Dieu, non ? répliqua Zeinab avec hypocrisie, et elle contempla ses bagues de fiançailles, une à chaque main, le petit diamant de Rowley Woodhouse et l'énorme pierre de Morton.

– Où partirez-vous en voyage de noces ?

Cette question émanait de Freddy, qui venait d'entrer par la porte de la rue.

Zeinab et lui ayant apparemment réglé leurs différends, ils avaient décidé de passer l'éponge.

– Aux Bermudes, fit-elle, et elle se reprit. Non, ça, c'est avec Rowley. Morton et moi, on va à Rio.

– Vous ne pouvez pas épouser les deux. (Freddy n'attendit pas sa réponse.) Je songe à me marier moi-même.

Depuis qu'il ne travaillait plus pour Inez, il avait renoué avec sa vieille manie d'examiner et de temps à autre d'épousseter certaines pièces exposées à la vente. Adoptant une posture d'orateur, une pierre ponce couleur sable dans la main gauche, il se lança dans une diatribe :

– Le mariage est une institution dont j'ai craint qu'elle ne tombe en désuétude, mais point du tout, elle serait plutôt sur la pente ascendante, en d'autres termes elle deviendrait à la mode. Retenez mes propos : d'ici quelques années, cohabiter, toutes ces façons de vivre ensemble sans le bénéfice du mariage civil, ce sera une chose du passé, si ce n'est même un penchant désapprouvé par les gens dans le vent…

– Et alors, vous ne vivez pas avec Ludmila, vous ? s'écria Zeinab.

– Vivre avec elle, non, ce n'est pas exact, Zeinab, releva Freddy avec dignité. Comme on ne l'ignore pas chez les êtres qui comptent ici… (un clin d'œil amical à Inez) dans cette maison Ludo est locataire, alors que moi, je suis résident à London Fields. Retenez bien mes propos…

Inez les retenait depuis suffisamment longtemps.

– Freddy, fit-elle sur un ton tranquille alors qu'un client entrait dans la boutique et que Zeinab s'approchait de lui en douceur pour le servir, Freddy, quand vous avez gardé le magasin, l'autre après-midi, j'étais au commissariat de police avec Becky, vous êtes tout à fait certain que personne n'est entré par-derrière ? Pas d'ami d'un locataire, pas de visiteur arrivé à l'improviste ?

Elle songeait au hasard à Rowley Woodhouse, que personne n'avait jamais vu, à Keith Beatty et à sa famille, et, alors qu'une voiture orange s'arrêtait dehors, à Morton Phibling.

— Vous êtes sûr?

— Croix de bois, croix de fer, si je mens, je vais en enfer, promit Freddy. Je le jure sur la tête de ma mère.

— Et vous n'avez à aucun moment laissé la boutique sans surveillance?

— Jamais!

Le connaissant, Inez eut une inspiration:

— Ou à la surveillance de quelqu'un d'autre, tant qu'on y est?

— Ah, là, c'est une autre paire de manches.

Freddy hochait sagement la tête, et elle porta les mains à son visage dans un geste incrédule.

— Ludo est descendue. J'ai filé au bout de la rue, pour aller chercher des documents.

Inez se moquait de savoir quels documents, et elle l'écouta non sans impatience (c'était presque à hurler) exposer pourquoi et comment Ludmila et lui avaient eu besoin de ce coupon et de ce certificat de l'agence de voyages pour profiter au maximum de leur week-end à Torquay à prix fortement cassé.

— Ludo a eu la responsabilité des lieux pendant cinq minutes.

— Et elle n'est pas partie, et quand vous êtes revenu, elle était là?

— Ah, là, je n'ai pas dit ça, Inez. Vous me prêtez des propos qui ne sont pas les miens. Ce que je viens de dire, c'est qu'elle a eu la responsabilité des lieux, d'accord? Dans les faits, ce qui s'est passé, c'est que Ludo, pendant qu'elle attendait mon retour, s'est souvenue d'avoir laissé par inadvertance son fer à repasser allumé dans son appartement et elle…

Morton entra en trottinant d'un pas leste, et son sourire soudain juvénile amena Inez à se demander une fois encore où diable elle avait pu déjà le croiser. Les quelques secondes qu'il lui fallut pour retirer sa casquette de base-ball, qu'il portait sans motif bien clair, laissèrent à Zeinab le temps de glisser la bague de Rowley Woodhouse dans un tiroir.

– Ma bien-aimée est un lotus dans le jardin d'Allah, déclama-t-il, une possible référence à la confession religieuse de Zeinab, et il lui planta un baiser sur la joue.

C'en était trop pour le client, qui invoqua une rapide excuse et s'éclipsa.

– Vous allez me faire perdre mon boulot, grommela Zeinab.

– Et alors, mon trésor ? De toute façon, le 7 juin vous démissionnez.

Ils entrèrent en conciliabule, Zeinab l'air irrité, Morton un bras passé autour de sa taille et un sourire béat aux lèvres. Inez reprit son interrogatoire de Freddy là où elle l'avait interrompu :

– Donc, l'espace de quelques minutes, il n'y avait personne ici ? N'importe qui aurait pu entrer ?

– Pas pendant « quelques » minutes, Inez. Et pas « n'importe qui ».

Elle renonça. Elle allait devoir le dire à Crippen et Zulueta, et ils reviendraient. Entre-temps, Freddy pouvait aussi bien se rendre utile.

– Écoutez, si vous n'avez rien d'autre à faire, cela vous ennuierait de porter ma montre à côté, et de demander à M. Khoury de me mettre une pile neuve ?

C'était malheureux, mais en un sens, dans le tour plutôt morose que prenaient les événements, puisque tout allait mal en même temps, ceci n'avait rien d'inattendu : il se trouva que James, Keith Beatty et sa sœur arrivèrent ensemble. Cela aurait pu être évité si l'un d'eux avait téléphoné auparavant, mais aucun des trois n'avait appelé. James ne se donna guère la peine de masquer sa consternation, et pire, son dégoût des Beatty. Becky et lui étaient dans la cuisine, elle s'occupait de sortir des verres pour tout le monde, de la bière pour Keith, du jus d'orange pour Kim et Will, du vin pour James et elle.

– Je suppose que c'est en train de devenir le second chez-soi de tous ses copains, c'est ça ?

– Je ne savais absolument pas qu'ils allaient venir, James.

– Pourquoi est-ce que je m'embête? Que je sois seul ou non avec vous, ça n'a pas l'air de faire de différence.

Il repassa au salon, sans ajouter un mot. Il avait déjà attrapé les mots croisés, c'était probable, se dit-elle en se versant un généreux verre de whisky – dans ces circonstances une rasade au goulot eût été mal venue –, qu'elle avala d'un coup.

La jeune fille s'était assise dans le sofa, à côté de Will, et lui parlait de façon amicale, décontractée. Si le garçon ne disait rien, il n'avait pas eu non plus l'un de ses gestes de rejet, cette manière de tourner le dos ou d'aller s'asseoir ailleurs, dans un fauteuil. C'était une jolie fille et elle avait l'air gentille, trouva Becky, sa jupe n'était pas trop courte et son maquillage était discret. Qu'est-ce qui lui prenait subitement, avec ses réflexions dignes des gens qui avaient le double de son âge? s'étonna-t-elle. Était-ce l'effet d'être restée chez elle comme une garde-malade, sans la moindre perspective de voir sa servitude prendre fin?

La télévision était allumée, comme de juste, et c'était le régime habituel de la fin d'après-midi et du début de soirée. Ni Will ni les Beatty n'avaient l'air d'y trouver grand-chose à redire, car pour tous les trois c'était la toile de fond obligée de la vie de famille, une présence aussi normale que l'air, la lumière et une température constante. Will était le seul à vraiment regarder. Keith et Kim bavardaient, en jetant un œil à l'écran, en adressant de temps à autre une remarque insignifiante à James, qui levait le nez et hochait la tête ou haussait les sourcils. Becky regarda Kim prendre doucement la main de Will et elle s'attendait à ce qu'il retire la sienne, mais il la retint, et assez fermement. Eh bien, les renforts lui viendraient peut-être de cette intervention inattendue…

Combien de temps allaient-ils rester? Ses pensées prenaient un tour qui ne lui inspirait que de l'aversion envers elle-même. Ces gens, cette sorte de gens, ne savaient jamais quand il était temps de s'en aller, ils ne savaient pas s'éclipser avec élégance. Elle allait devoir le leur signifier, avec tact, c'était fort probable. Au lieu de quoi, elle repartit dans la cuisine, surtout parce qu'elle avait besoin d'un autre verre, avala son whisky en vitesse avant que James ne vienne la retrouver et ne se mette à penser repas. S'ils s'attardaient encore ici, elle allait devoir les nourrir. Des œufs, se dit-elle, au bout du compte cela se résumait toujours à des œufs, ou alors elle pourrait téléphoner pour commander quelque chose.

La porte s'ouvrit et elle s'attendait à voir James, mais c'était Kim.

– Je me demandais si je ne devrais pas commander une pizza ou alors des plats chinois à emporter. Qu'est-ce qui vous ferait plaisir ?

– Oh, on ne va pas s'éterniser. J'ai déjà déjeuné et Denise va attendre Keith. Becky, je venais vous dire… enfin, j'ai eu une idée. Au sujet de Will, je veux dire.

Le rouge lui vint aux joues, et maintenant elle était tout à fait jolie. Becky remarqua sa ravissante coupe de cheveux, et ils étaient si propres. Mais, évidemment, elle était coiffeuse…

– Quel genre d'idée, Kim ?

– J'aime vraiment bien Will. Je ne sais pas si vous le savez, mais je l'aime vraiment bien. Je sais qu'il a été malade, qu'il a eu une espèce de dépression, n'est-ce pas ? Votre ami m'a dit que vous aviez dû prendre un congé à votre travail pour vous occuper de lui, et il faudrait vraiment qu'il rentre chez lui, alors j'ai pensé, vous voyez, pourquoi je ne m'installerais pas avec lui, disons, et comme ça je pourrais veiller sur lui, un petit peu ?

– Vous ?

– Oui, enfin, je veux dire, je l'aime vraiment bien. Je sais qu'il est timide et qu'il ne raconte jamais grand-chose, mais il est quand même agréable et gentil, vous savez, beaucoup de types ne le sont pas. Quand je parle de « m'installer », ce ne serait pas comme deux concubins, enfin, c'est-à-dire au début je serais juste là, et peut-être qu'un jour…

– Il n'y a qu'une seule chambre.

Becky se sentit la tête tourner. À cause du choc que représentait tout cela ou du whisky ? Les deux, sûrement.

– Mais c'est une grande chambre.

Et avec le canapé-lit ouvert et un paravent…

– Et il y a votre travail.

– Ce n'est pas loin. Je pourrais rentrer pour l'heure du déjeuner. Et puis il va bien retourner avec Keith, non ?

Elle pourrait reprendre son métier. Elle serait de nouveau libre. Et Will aimerait bien ça. James et elle auraient la possibilité de se voir pour de bon, de sortir, rien ne l'empêcherait de rester la nuit, et une fois par semaine Will viendrait passer la journée, comme avant, Will et Kim viendraient tous les deux ensemble… Elle se laissait emporter par le fil de ses pensées.

– J'aimerais y réfléchir.

Elle allait en parler à James, lui demander.

– Votre ami est parti, fit Kim. Il m'a demandé de vous dire qu'il devait y aller.

– On va le pousser à bout, expliqua Anwar. Le faire baver.

– Sale tueur. (Flint eut un regard hypocrite, tout de désapprobation et de vertu étalée.) Ce qui lui arrive, il le mérite. La chambre à gaz, ce serait encore trop bien pour lui. Qu'on lui foute une piquouse, et que ça soit lent.

Cet étalage de compétence en matière de méthodes d'exécution lui valut une réponse hargneuse de la bouche d'Anwar :

– Ferme ta putain de gueule, tu veux ?

Julitta, leur porte-parole, était rentrée chez elle pour la journée, voir sa mère à Watford, et elle ne serait pas de retour avant minuit. Il était difficile de dire si Jeremy, sachant cela, en eût été réconforté ou encore plus décontenancé. En fait, à ce stade, il estimait qu'il eût été malavisé de s'éloigner du téléphone. Il se pouvait qu'il sonne à trois heures, à neuf heures ou plus tard. Il n'avait rien envie de manger et il avait peur de boire, par crainte que l'alcool ne le fasse dormir. Que voulait-il ? Il se le demandait, sachant qu'une réponse sincère aurait pu l'aider, mais s'il devait être absolument honnête avec lui-même – et le contraire aurait été vain –, il n'avait qu'une envie, fuir et se cacher. Sauf qu'il n'avait nulle part où se cacher.

Il trouva des livres, de nouveaux ouvrages qu'il avait achetés sans avoir encore eu le temps de les consulter, et il commença par une biographie de Winston Churchill, excellente, à ce que l'on disait. Quand il s'aperçut qu'il ne faisait que regarder les caractères d'imprimerie, que suivre le contour des mots mais pas leur sens, il renonça et essaya un roman. C'était pire. Une nouvelle traduction de Suétone parvint à retenir son attention, car les vies dissolues et les excès de ces empereurs romains ne laissaient pas d'être fascinants, peut-être parce que, si mauvais et si méchant que soit l'un d'eux, il y en avait toujours de pires. Pour un Tibère, disons, tuer quelques jeunes femmes, c'était de la pure routine.

Le livre le retint jusque dans l'après-midi, mais après qu'il l'eut reposé, si quelqu'un lui avait demandé d'expliquer de quoi il traitait, il n'aurait pu apporter qu'une réponse vague. Le sandwich qu'il se prépara, il fut incapable de l'avaler. Il réussit à boire un verre de jus d'orange, avec de la vodka, l'équivalent d'un verre de vin. La lassitude qu'il redoutait s'empara de lui, et il sombra dans un sommeil perturbé.

La sonnerie du téléphone le réveilla. Il tendit la main vers l'appareil et renversa son verre vide. C'était une erreur, et la voix le réprimanda de ne pas être la personne désirée. À présent il était tout à fait réveillé, et il n'était que trois heures et demie. Les filles lui revinrent en tête, Gaynor Ray, Nicole Nimms, Rebecca Milsom, Caroline Dansk, Jacky Miller. S'il avait pu leur trouver un point commun, il aurait alors eu un moyen de comprendre ce qui le poussait à faire ce qu'il faisait. Elles étaient toutes jeunes, ou assez jeunes, toutes célibataires (mais cela, sur le coup, il n'en savait rien), sauf Gaynor qui avait un homme dans sa vie, avec qui elle habitait, et toutes marchaient seules dans la rue. C'était tout.

Il recréa la sensation qu'il avait eue en les voyant, toujours la même sensation, et toujours vis-à-vis d'un type de fille en particulier. Et jamais rien avec les milliers d'autres qu'il croisait dans une journée, qui toutes, enfin presque, se trouvaient aussi dans une rue déserte, avec lui seul dans leur dos. Cela se

produisait toujours quand il était derrière elles – fallait-il y attacher de l'importance ? Elles avaient quelque chose en elles qui
l'attirait, quelque chose dans leur démarche, leur attitude, leur
posture ou ce regard furtif lancé par-dessus l'épaule. Et quand
il reconnaissait ce détail, lui-même ou une sorte d'œil intérieur
qu'il avait en lui, inconsciemment, tout son corps et toute son
âme – oui, son âme – enflaient, secoués par le désir, une excitation insoutenable tant qu'il ne la dirigeait pas vers sa seule et
unique fin. Car ce n'était pas sexuel. Aucun acte sexuel n'aurait pu épuiser ce désir ou le satisfaire. Et il fallait que l'objet
qui l'avait éveillé soit… annihilé.

Invariablement, c'était presque toujours là que le menaient
ses investigations intérieures. Pour découvrir le reste, la cause,
il aurait fallu qu'il franchisse un pas en avant, ou plusieurs pas
en arrière, mais il n'y parvenait jamais. À l'occasion, il lui était
arrivé de jouer à l'analyste et à l'analysant, en tenant les deux
rôles, il s'allongeait sur son canapé et son ombre s'asseyait
dans son fauteuil, posait les questions, et il lui apportait les
réponses. Pourquoi ne pas jouer à ça, là, tout de suite, histoire
de passer le temps ? Il s'allongea sur le dos et ferma les yeux.
L'analyste lui demanda de revenir en arrière, avant la mort de
son père, avant l'école, au temps de sa prime enfance. À maintes
reprises déjà il avait essayé, et chaque fois, à peu près vers
l'âge de trois ans, il avait un blanc. Le compartiment de son
esprit qui n'était ni l'analyste ni l'analysant n'ignorait pas que
certains experts faisant autorité en la matière estimaient que
la mémoire demeurait quasi absente chez un enfant tant qu'il
était incapable d'un discours cohérent, car nous pensons et
nous nous souvenons en mots.

– Cela remonte trop loin en arrière ! s'écria-t-il, et cela le
surprit lui-même.

Jamais, lors de toutes ces séances insolites, il ne s'était fait
cette réflexion, il en était à peu près certain.

– Retournez jusqu'à cette époque, alors, lui demanda l'analyste.

– Je ne peux pas.

– Vous pouvez.

– Cela se passe à l'école, reprit-il. Je suis à l'école. J'ai douze ou treize ans. Je suis heureux, je vais très bien. Mon papa est malade, très malade, il va mourir, mais je suis heureux et je me sens aussi coupable. Coupable d'être heureux. Oh, je ne peux pas, je ne peux pas faire ça !

– Vous pouvez.

– J'ai des amis. Andrew est mon ami.

– Continuez.

– Ma mère est très malheureuse, parce que mon père est mourant. Je l'aime, ma mère. La mère d'Andrew va avec elle le voir à l'hôpital. J'aime sa mère… je veux dire, j'aime ma mère… Je ne peux pas continuer, je ne peux pas, je ne peux pas… !

Et maintenant il pleurait, et l'analyste pleurait, tous deux sanglotaient, leurs deux cœurs brisés se fondaient en un seul homme, qui se redressait, pleurant dans ses mains, ses deux seules mains.

À la télévision, il lui arrivait parfois de regarder les documentaires, ça et les émissions politiques. Il y avait quelque chose sur Jung, mais après son expérience de cet après-midi cela lui semblait un peu limite. À force, d'après certains, on risquait de s'endommager le mental, de littéralement se rendre fou. Et c'était ce qu'il éprouvait. Il ne recommencerait jamais. L'émission sur le Tibet lui paraissait possible, mais dès qu'il l'eut mise, il se sentit vite très nerveux. Même si le son était très bas, et il n'était pas sourd, loin de là, il craignait de ne pas entendre le téléphone sonner. Il en serait à peu près de même s'il sortait sur le jardin-terrasse, et pourtant c'était charmant d'être là, dehors, sous ce ciel tendre, bleu lilas, encore coloré à l'horizon par le dernier soleil, et puis il ne faisait pas froid du tout. Il vit un gros papillon de nuit se poser sur la table et déployer ses ailes brunes marquées d'anneaux.

Il s'obligea à regarder encore deux bulletins, « regarder », c'était bien le terme, car le son était si bas que cela ne dépassait pas le léger chuchotement. À onze heures le coup de téléphone n'était toujours pas venu, il retira ses vêtements, enfila sa robe de chambre et se brossa les dents. Le maniement du fil dentaire, devant son miroir, lui remit en tête l'appareil qu'il avait porté jadis pour corriger sa dentition. En y repensant, il constata que les filles aussi lui revenaient à l'esprit, surtout l'une d'elles, ou une femme qui n'était pas du nombre. Soudain, le souffle court, il se raccrocha à cette femme-là, mais elle s'effaça aussi vite qu'elle était venue et il cracha de la pâte dentifrice mêlée de salive dans la vasque du lavabo. Il se mit au lit. Le combiné était branché, posé sur sa table de chevet. Il s'assit un peu dans son lit, lut Suétone en s'arrêtant de temps en temps, songeant combien cette lecture le captiverait sans cette terreur qui planait au-dessus de sa tête. La lumière éteinte, il était étendu dans le noir, les yeux grands ouverts. La même sensation qu'il avait eue à cause du son de la télévision lui revint, sauf que cette fois c'était une peur névrotique de ne pas entendre le téléphone sonner dans l'obscurité. C'était évident, il fallait rallumer la lumière. De toute manière, il ne dormirait pas.

Minuit, une heure. Supposons, quel que soit leur plan, qu'ils aient renoncé, que cela les ait refroidis et qu'ils soient allés déposer le tout à la police? Ou supposons même que la police les ait démasqués, qu'elle ait effectué une descente dans leur repaire et découvert les boucles d'oreilles et le reste? Mais non, pas pour un cambriolage mineur. Tu n'en sais rien, si c'était mineur, se marmonna-t-il, tu ne sais pas ce qu'Inez avait là-bas, ou cette Russe ridicule. Une femme comme elle pouvait fort bien posséder une fortune en bijoux. Deux heures. Si seulement il avait pu s'enfuir, courir auprès de sa mère…

Juste avant trois heures, le téléphone sonna. Il décrocha.

– Surprise! fit la voix qu'il avait entendue ce matin. Me revoilà.

CHAPITRE 21

Il avait accepté toutes ses exigences, car il n'avait pas le choix. Dans tous les domaines de l'existence, la majorité des gens ont plus ou moins le choix. Cela dépend évidemment de ce qu'ils ont fait et de la nature de la menace éventuelle. Quelques photographies cochonnes tombées en de mauvaises mains, une infidélité dévoilée, chez un homme ou une femme de caractère, ou si l'on affronte bravement les conséquences, cela peut s'arranger, on peut soutenir une attitude du type : «Publiez-les et allez au diable!» Quand la menace consiste à dévoiler ou à sous-entendre de manière irréfutable une série de meurtres, le tueur n'a pas d'autre recours que se soumettre. Face à cela, la révélation sera pire que la complaisance, quel qu'en soit le prix.

Elle exigeait dix mille livres. Elle était seule, prétendait-elle, mais il ne la crut pas. Quand elle lui eut avoué qu'elle n'avait pas commis ce cambriolage seule, qu'elle s'était lancée là-dedans avec quelqu'un d'autre, son petit ami, mais qu'il n'avait pas vu le coffre-fort et ce qui était enfermé à l'intérieur, quand elle lui eut raconté que son père l'avait forcé pour l'ouvrir sans s'être rendu compte de ce que signifiait son contenu, là il la crut plus ou moins. Seule une femme, disait-elle, reconnaîtrait ces objets pour ce qu'ils étaient et ce qu'ils signifiaient, et ça, il le comprit. Ce pouvait être vrai, en effet. Elle voulait dix mille livres, ils étaient pauvres, son petit ami et elle, ils avaient besoin de cet argent pour déposer la caution d'un appartement, il fallait qu'ils trouvent quelque part dans Londres et les prix de la capitale crevaient tous les plafonds. D'ailleurs, elle aurait peut-être envie de plus, un petit peu plus, elle ne pouvait pas garantir que non. C'était dit avec une franchise qui le convainquit presque. Qu'il soit ou non convaincu, il allait devoir payer, il allait devoir la rencontrer et payer, pour essayer de gagner du temps et parce qu'il n'avait pas le choix.

Elle le rappellerait le lendemain pour lui indiquer une heure et un lieu.

— Ne tardez pas trop, insista-t-il.

Il avait horreur de supplier, mais s'il devait encore endurer une journée comme celle-ci, il en redoutait l'effet sur son état mental.

— Dans la matinée, je vous prie.

— OK, j'essaierai.

Après qu'elle eut raccroché, il y eut un silence terrible. Il avait l'impression, en plein Paddington, au cœur d'une grande ville surpeuplée, que Londres n'avait jamais été aussi calme. Il se mit à se parler tout seul à voix haute :

— Elle a téléphoné ! hurla-t-il dans le silence. Elle a téléphoné, ça y est. Au moins, l'attente est terminée. C'est fini, je connais ce qu'il y a de pire, et je peux dormir.

Il en fut incapable. Il resta allongé un moment dans le noir, puis avec la lumière allumée. Il pensa à tout ça, il pensa à lui. Il n'avait pas particulièrement envie de vivre, pas si lui ou un autre qu'il appelait de manière trompeuse son autre lui-même continuait de tuer des femmes. Mais si elle allait voir la police, il n'en mourrait pas, il vivrait des années, en prison. C'était cela qu'il ne saurait affronter. La mort lui conviendrait mieux, mais la mort n'était pas facile d'accès. Il resta étendu sur le ventre, puis sur le côté, puis sur le dos. À un certain stade, à moitié ensommeillé, il se dit qu'elle allait téléphoner à six heures du matin, à sept heures. Il aurait dû s'y attendre. Les gens comme elle se couchaient le matin, vers six ou sept heures, elle s'installait pour dormir quelque part, jusqu'à ce que ce soit l'heure de se lever, à trois heures. Trois heures de l'après-midi, pour elle, c'était le matin. À huit heures il se leva, but de l'eau, retomba sur son lit et s'endormit d'un sommeil lourd jusqu'à midi. Les événements de la veille revinrent à la charge, et il les revécut tous, il réentendit la voix, se souvint de sa décision de payer. Il se leva, avec la peur même de prendre une douche, il s'assit dans sa robe de chambre, il attendait son appel.

Becky téléphona à Kim au salon de coiffure. Si elle était sûre, si elle n'avait pas changé d'avis, on pouvait faire une tentative. Will avait été consulté sur le sujet, il n'avait guère manifesté de plaisir ou de déplaisir à cette idée, mais elle avait bien vu qu'il était abasourdi. À certains égards, il était ravi à l'idée de rentrer à son domicile de Star Street, et s'il avait avoué à une ou deux reprises qu'il aurait préféré que Becky vienne aussi s'installer chez lui, elle ne répéta pas ces propos à Kim. Elle lui empaqueta ses affaires et partit tôt en voiture, pour faire une halte au grand magasin Sainsbury de Finchley Road, acheter ce que Will aimait bien manger et certains produits que Kim pourrait apprécier.

Tout arriva donc très vite, comme toujours quand vous désirez vivement quelque chose, l'entrée dans l'aéroport quand vous mourez d'envie d'atterrir à destination, l'arrivée pour l'entretien dont tout votre avenir paraît dépendre, si bien que vous faites les cent pas dix minutes dans la rue devant le lieu du rendez-vous. Becky déposa Will dans Start Street à quatre heures, sachant que Kim ne pourrait être là avant cinq heures. Ils entrèrent par la porte de la rue et montèrent l'escalier. L'appartement était resté fermé. C'était mal aéré et poussiéreux. Becky ouvrit les fenêtres et elle épousseta les surfaces. Elle prépara le thé et disposa les pâtisseries qu'elle avait achetées. La culpabilité était de retour, la culpabilité qui avait été absente durant toute la période où elle avait accompli son devoir, et elle se demanda ce que sa sœur aurait pensé d'elle, de son désir ardent de se débarrasser de ce pauvre enfant, son seul parent, le petit garçon laissé pour compte, sans mère et… pas tout à fait comme les autres petits garçons.

À cinq heures pile, Kim sonna plusieurs fois en insistant. Becky descendit en courant lui ouvrir la porte de la rue.

– Je ne suis pas en retard, non ?

– Vous êtes pile à l'heure.

Becky avait envie d'ajouter : Ce n'est pas comme si vous étiez forcée d'attraper le seul et unique train de la journée, et vous ne vous rendez pas à l'entretien de votre vie, mais Kim n'aurait pas davantage compris que Will. À la place, elle lui sourit.

Maintenant, bien sûr, elle savait qu'elle ne pouvait repartir tout de suite. Il fallait qu'elle reste et qu'elle montre à Kim où se trouvaient les choses, qu'elle lui explique, l'informe au sujet de l'alarme, des autres locataires, il fallait qu'elle reste, ne serait-ce que pour ne pas donner l'impression qu'elle mourait d'envie de s'en aller. Cela se termina par un plat qu'elle leur cuisina, des côtelettes de porc, avec purée, carottes et petits pois. Kim n'arrêtait pas de répéter que c'était joli, qu'elle adorait l'appartement. Elle s'émerveilla de la taille de la pièce, du vaste espace de la chambre à coucher délimité par le rideau, le confort du lit de fortune. La musique russe lugubre qui se déversait en mélopée funèbre par la porte voisine lui passa complètement au-dessus de la tête, elle ne l'entendit même pas.

Quand Becky repartit, il était neuf heures, Kim et Will étaient devant la télévision et le bruit en provenance de l'appartement de Ludmila avait cessé. Elle monta dans sa voiture en se demandant si elle avait raison de s'en aller. Aurait-elle plutôt dû emmener Will avec elle, juste pour une dernière nuit ? Mais, après tout, que pouvait-il arriver ? Si Kim avait l'impression qu'il avait de la peine, elle lui avait suggéré de téléphoner, de l'appeler à n'importe quelle heure, et elle accourrait. La nuit s'écoula et, chose étrange, elle dormit, d'un sommeil visité de rêves de sa sœur et de Will bébé, mais à part cela ce fut sans perturbation.

Depuis le cambriolage, Jeremy n'était plus venu boire son thé. Tous les matins Inez avait disposé deux tasses, comme d'habitude, mais une seulement avait servi. Elle savait qu'il était là-haut. Elle avait entendu ses pas dans l'escalier et, depuis la rue, elle l'avait vu à l'une des fenêtres de son logement. À l'évidence, il avait décidé de la prendre de haut – si tant est que l'on puisse prendre de haut quelqu'un à qui on louait un appartement et qui habitait dans la même maison que soi. Sa fierté était un peu entamée, mais elle ne se sentait pas blessée pour autant. Il ne serait pas surprenant que son absence de la boutique le matin soit le prélude à son déménagement. Un jour, il allait juste entrer et lui remettre son préavis.

– William est de retour, annonça Freddy en entrant d'un pas nonchalant par la porte de communication.

Pour une raison qui n'appartenait qu'à lui, depuis le cambriolage il avait apparemment décidé qu'Inez ne devait jamais rester seule dans la boutique, donc pour les trois quarts d'heure compris entre neuf heures et dix heures moins le quart, il était déterminé à être là, pour l'« aider »

– Et il a amené une jeune dame avec lui.

– Vous voulez parler de Becky?

– Oh, non, Inez, une dame vraiment jeune. Ce doit être sa maîtresse. Elle est restée cette nuit. J'ai entendu sa voix tard hier soir et tôt ce matin. Ces murs sont épais comme des feuilles de papier, vous savez.

Inez ne savait pas. Quand elle avait fait transformer l'immeuble, elle avait demandé que les murs soient isolés avec des matériaux d'insonorisation. La nouvelle de Freddy la stupéfia. Will avec une petite amie! Comptait-elle s'installer ici alors qu'il continuerait de payer le même loyer, lui ou Becky? Était-ce la même histoire qu'avec Ludmila et Freddy qui recommençait? En tout cas, Becky aurait pu lui en parler.

Tandis qu'elle réfléchissait à tout cela, plutôt indignée, le téléphone sonna et c'était Becky, pour lui annoncer la nouvelle.

— C'est un arrangement temporaire, Inez. Ils ne vivent pas ensemble. Elle est juste là pour veiller sur lui, jusqu'à ce qu'il aille mieux.

Voilà des mois qu'Inez n'avait pas entendu Becky aussi heureuse.

— Il se figure que tu vas l'épouser le 8 juin?

Algy était abasourdi. Il s'assit en se laissant tomber lourdement.

— Et l'autre, Rowley Machinchose, il s'imagine que tu vas l'épouser le 15?

Un borborygme, un peu comme le grondement du métro passant sous terre, sous vos pieds, monta des profondeurs d'un fauteuil. C'était le rire de Reem Sharif. Après un baby-sitting sur le tard, elle était restée coucher pour la nuit et s'occupait maintenant d'essuyer les restes de petit déjeuner des frimousses de Carmel et Bryn.

— Je ne vois pas pourquoi ça ferait tant d'histoires, se défendit Zeinab. Je ne vais pas réellement me marier avec eux, Algy.

— Tu vois pas que tu es en terrain glissant? Si jamais l'un des deux découvre tout, ça va provoquer un de ces foutoirs! Il est temps d'arrêter tout ça, de rompre avant qu'il ne soit trop tard.

— En tout cas, avec Orville ça n'a jamais accroché. Et il s'est pas privé d'essayer.

Ce matin Zeinab était particulièrement ravissante, dans une nouvelle minijupe en lin noir et, suivant la mode du moment, un chemisier blanc façon paysanne, en mousseline de dentelle. Et elle portait une bague de fiançailles à chaque main.

— Tu veux bien regarder autour de toi, Alge, tout ce que ça nous a rapporté? Une télé numérique et les vélos des gosses. Ces lustres. Et tu as vu notre compte joint depuis que j'ai vendu le truc en diamant et en saphir de Morton?

— J'ai trop peur pour aller voir, avoua Algy. Tu ne m'as toujours pas dit ce qu'il y avait dans ce gros carton sale qu'on a livré hier. C'est deux types qui ont apporté ça dans une grosse camionnette noire avec du doré peint partout.

— Tu aurais pu ouvrir. Je n'ai pas de secret pour toi, tu sais.

— Tu ferais aussi bien de lui dire ce que c'était, Suzanne.

Reem gâcha tout son ouvrage en fourrant un chocolat dans la bouche des deux enfants, et elle les repoussa tous les deux loin d'elle.

— La jalousie, c'est merdique. Soulage-le de son malheur, le pauvre bougre.

— Tu sais c'que je pense ? Je pense que tu devrais m'épouser, moi. Surtout maintenant qu'on a un endroit pour vivre. Ça t'empêcherait d'épouser n'importe qui. Maintenant, tu vas me dire ce qu'il y a dans ce paquet.

— OK, ça me dérange pas. C'était ma robe de mariée, voilà. Celle que je vais porter quand je vais épouser Morton. Je veux dire, que je suis supposée porter. Mon Dieu, regarde l'heure. J'aurais déjà dû être au travail depuis une demi-heure.

Il n'eut pas à attendre aussi longtemps, cette fois. Elle téléphona à trois heures. Rien dans ses propos ne le surprit, si ce n'est une certaine complication dans les instructions qu'elle lui donna. Des billets non repérables, et peu importait leur provenance, directement de la banque ou retirés à des distributeurs, il fallait que l'argent vienne de plusieurs endroits différents. Quand il aurait réuni cinq mille livres, il devait en convertir la moitié en euros dans de petits bureaux de change, le genre qu'on trouve dans l'arrière-boutique des bijouteries, autour de la gare de Paddington. Les cinq mille restants devraient être retirés par cartes de crédit auprès de plusieurs agences bancaires de Londres. Si le plafond de retrait sur ses cartes était atteint – ce qu'elle jugeait peu vraisemblable, c'était clair –, il n'avait qu'à établir un chèque en y joignant son numéro de carte de paiement à titre de garantie.

– Cela va prendre des semaines, protesta Jeremy.

– Je vous accorde une semaine. Mercredi 29 mai. Je vous rappellerai vers la même heure pour qu'on s'organise…

– Attendez, fit-il. Il faudrait que j'en sache plus, il faut que…

– *Ciao*, pour l'instant, fit-elle, et elle raccrocha.

Il sortit dans le jardin-terrasse, avec un gin-tonic et un sandwich au fromage. Cela faisait quelque chose comme trente-six heures qu'il n'avait plus rien avalé. Les hyacinthes étaient passées, leurs fleurs cireuses étaient toutes collantes et leur parfum exhalait l'odeur de la putréfaction. Réfléchis, se dit-il, réfléchis à fond, sois logique. S'il ne payait pas, cette femme allait apporter le porte-clés, le briquet et les boucles d'oreilles à la police. Le fait qu'il s'agissait des vraies boucles de Jacky Miller leur apparaîtrait aussitôt, puisque cette amie avait identifié la paire qu'il avait achetée et placée chez Star Antiques, en leur signalant qu'elle ne comportait pas le bon nombre de brillants. Comment cette fille expliquerait-elle qu'elle avait mis la main dessus ? Elle leur montrerait le coffre, c'était certain. Ils avaient connaissance de ce vol – oui, mais ils ignoraient qu'un occupant de la maison de Star Street conservait le porte-clés, le briquet et les boucles d'oreilles dans son placard de cuisine. D'une manière ou d'une autre, elle amènerait la police à établir le lien avec lui, et elle n'y parviendrait qu'en expliquant que ces objets avaient été dérobés dans son appartement.

Cela étant, elle n'avait pas besoin de les apporter personnellement. Elle pouvait les envoyer, accompagnés d'une lettre anonyme. Quelque chose du genre : *Trouvé dans l'appartement de Jeremy Quick. Pourquoi ne lui demandez-vous pas où il les a eus ?* Ils pouvaient se méfier, avoir de la répugnance, mais pas se permettre d'ignorer cet envoi. Crippen et compagnie viendraient en effet lui demander où il les avait trouvés. Bien entendu, il nierait être au courant, il n'avait jamais vu ces objets. Mais supposons qu'il y ait ses empreintes digitales dessus ? Il ne les avait jamais essuyés, ça ne lui était jamais venu à l'esprit en les manipulant, mais il avait essuyé les boucles d'oreilles qu'il avait achetées avant de les placer dans la boutique d'antiquités. S'ils exigeaient de prendre ses empreintes digitales, il n'aurait plus qu'à obtempérer.

Il devait aussi tenir compte du fait que la fille n'avait certainement pas de réputation à perdre, pas de casier vierge à préserver. Si la police l'accusait de vol, et son petit ami avec elle – il n'avait pas envie de penser au petit ami, l'autre maître chanteur potentiel –, s'ils prenaient cette décision, qu'est-ce que ça pourrait lui faire ? Elle écoperait d'une peine de mise à l'épreuve, ou de quelques semaines de travaux d'intérêt général. Il commençait à comprendre qu'il lui était impossible de s'en tirer. À moins que…

Plus tard dans l'après-midi, il descendit au rez-de-chaussée pour sortir repérer les bureaux de change qui existaient dans le quartier. Jusqu'à présent, chaque fois qu'il avait eu besoin de devises étrangères, il avait acheté des dollars ou des marks à l'aéroport. Comme toute personne ayant toujours recours à une agence précise pour ce genre de transactions, il n'avait jamais remarqué qu'il existait d'autres options. Mais à cet instant, en traversant la chaussée, il avisa un écriteau suspendu à des chaînes devant la boutique de M. Khoury, qui proposait le « change de devises étrangères à des taux compétitifs ». Il avait dû passer un millier de fois devant sans jamais voir cet écriteau, ou alors, s'il l'avait vu, sans réaliser ce qu'il signifiait.

À titre de répétition générale, il entra, il aperçut la petite vitre avec sa grille dans le fond, et il resta là, debout, en regardant autour de lui, attendant un signe de vie. Au bout d'une minute ou deux, il appuya sur la sonnette du comptoir et M. Khoury arriva de l'arrière-boutique. En voyant Jeremy, il passa derrière la grille.

– En quoi puis-je vous aider, monsieur ?

– Je voudrais acheter des dollars américains pour cent livres.

– Certainement. Je vais faire le calcul.

Le bijoutier tapa des chiffres sur le clavier d'une calculatrice et annonça la somme.

– Vous vous offrez d'agréables vacances en Floride ?

Ne recevant pas de réponse, il continua :

– Peut-être auriez-vous l'amabilité, monsieur, de signaler à Mme Ferry que sa montre est prête.

Jeremy faillit en rester bouche bée. Cet homme savait qu'il habitait la porte à côté ! Il s'était souvent interrogé sur cette illusion entretenue par certaines personnes, selon laquelle, à Londres, personne ne saurait ce que fabrique le voisin. Il répliqua avec brusquerie :

– Eh bien, merci, mais j'ai changé d'avis.

M. Khoury le regarda sortir avec cette sorte de silence impénétrable qui a pu alimenter l'idée fallacieuse que toute personne née à l'est de Suez serait calme, fataliste et résignée au *qismet*.

Enfin, se dit Jeremy, à présent il savait comment s'y prendre. Cela voulait-il dire qu'il avait l'intention de se soumettre aux exigences de cette fille ? Sans aucune intention particulière, il marcha vers l'ouest et, en prenant Norfolk Street, il poursuivit en direction de Bayswater Road et de Kensington Gardens. Il avait besoin de respirer un peu d'air frais, tout comme il avait éprouvé le besoin d'avaler quelque chose, et quel que soit le niveau de pollution dans ces rues congestionnées, l'air des parcs royaux était toujours frais.

Traversant la grande rue, il emprunta l'un des chemins menant à Kensington Gardens et au Round Pond. Il y avait du soleil, il faisait assez bon, et même chaud. Jusqu'à présent, il ne s'en était pas encore aperçu. Des couples et des gens seuls étaient allongés un peu partout dans l'herbe. Dans ces endroits, il y avait, semblait-il, toujours plus de jeunes filles, c'était l'échantillon de population dominant. N'avaient-elles pas de métier, pas de bébés, aucune occupation, mis à part traîner par ici sans but précis, à bavarder bras dessus, bras dessous ou côte à côte ? Des dizaines de jeunes filles l'avaient dépassé, mais aucune n'avait éveillé en lui cette fièvre terrible et terrifiante. Il s'affala sur l'herbe, au milieu d'elles, et il respira cette odeur verte et chaude.

CHAPITRE 22

Elle n'avait pas consulté James, elle l'avait placé devant le fait accompli.

– Vous ne le regretterez pas, lui avait-il assuré, et elle s'était étonnée de son insensibilité.

Et, depuis, n'avait-elle pas plus ou moins regretté ? La culpabilité qu'elle avait crue apaisée pour toujours était de retour, et elle lui paraissait plus insistante et plus douloureuse que jamais. Elle était retournée travailler, mais Will ne lui était quasiment pas sorti de la tête de la journée. Déterminée à ne pas téléphoner, elle avait fini par céder et elle avait parlé à Kim, une heure avant l'arrivée de James. Ils allaient bien, l'avait rassurée Kim, ils regardaient la télé. Elle avait décidé de l'emmener manger dehors et il avait apprécié. «Ne vous inquiétez pas», avait-elle ajouté, mais, évidemment, elle ne voyait pas vraiment de quoi il aurait fallu s'inquiéter au juste.

En se regardant dans le miroir, Becky se rendit compte que depuis deux ou trois semaines elle avait fait très peu attention à son apparence. Elle avait les cheveux ébouriffés, hirsutes, le visage vieilli par l'anxiété, et toute cette boisson lui avait fait prendre du poids. Elle accusait son âge, et davantage. Une longue douche chaude, un masque facial, un shampooing et un conditionneur améliorèrent pas mal les choses. Elle se vaporisa un peu partout de son parfum Bobbi Brown, s'enduisit les mains de crème, enfila une robe qu'elle n'avait encore jamais mise, car, le jour où elle était revenue avec, elle avait trouvé le décolleté trop révélateur et la couleur trop voyante.

Cinq minutes avant l'heure convenue, elle se versa un grand gin-tonic, très gin et peu tonic. Il fallait l'avaler en vitesse, forcément. Elle en rinça toute trace avec un bain de bouche au goût épouvantable.

James la félicita de son allure, lui confia combien il était merveilleux d'être enfin seul avec elle, et ils étaient ensemble depuis à peine une demi-heure qu'elle commençait déjà de soupçonner son intention de la punir. Quelque part dans sa tête devait circuler l'idée qu'il avait souffert, et à cause d'elle.

Ils se rendirent dans un restaurant de Hampstead, un endroit à la mode sur lequel les critiques culinaires branchés avaient beaucoup écrit. On commanda les apéritifs et, quand leurs verres arrivèrent, ils burent en leur honneur à tous les deux.

– Je me demande combien d'hommes, fit James, pensif, auraient supporté ce que j'ai enduré ces dernières semaines.

Elle avait envie de lui répliquer qu'il n'était pas obligé de venir aussi souvent. Durant toute cette période, il lui était arrivé de se faire la réflexion qu'il y avait chez lui quelque chose de masochiste dans son acharnement à lui rendre visite et, une fois sur place, à bouder et à s'obséder avec ses mots croisés. Mais à la place, à voix haute, elle lui dit tout autre chose :

– Je sais que ça a été dur.

– Je ne suis pas convaincu que vous le sachiez vraiment.

Il sourit et, pour atténuer un peu le mordant de sa réponse, il couvrit sa main posée sur la table avec la sienne.

– Avec moi, il va falloir vous rattraper.

S'il voulait dire ce qu'elle croyait (ce cliché masculin qui consiste toujours à présenter l'acte amoureux comme une menace), il était évident qu'ils pouvaient tous deux considérer cela comme acquis. N'était-ce pas ce qu'ils avaient attendu, dès le premier jour, quand Will s'était assoupi sur le perron ? Maintenant, le moment était venu de changer de sujet. Elle parla du plaisir à retourner travailler, de ses premières journées de reprise, et il écoutait, il ponctuait avec les commentaires appropriés. La soirée se passait très bien. Après tout, il était un homme, et les hommes, elle s'en était souvent fait la réflexion, avaient davantage besoin d'être appréciés que les femmes.

Mue par une impulsion, elle le remercia :

– C'est gentil à vous de tant me soutenir. Je vous en suis vraiment reconnaissante.

Sa réponse la glaça :

– Je me demandais combien de temps il vous faudrait pour me le dire.

Pendant toute cette période, des semaines, il était resté des heures assis dans un coin en silence, le front plissé sur son journal, et ne lui adressant la parole en de rares occasions que pour la houspiller. Et là, elle le regarda droit dans les yeux, et elle vit un bel homme, à l'évidence le produit de toute une vie passée en soins médicaux et cosmétiques coûteux – des couronnes dentaires parfaites, des lentilles de contact légèrement teintées, des cheveux coupés par un expert, des ongles soignés par une manucure –, mais pas moins bel homme pour autant. Souvent, en compagnie d'autres femmes, elle s'était sentie ordinaire et peu soignée, pas aussi bien habillée, pas aussi affinée et aussi raffinée qu'elles, mais encore jamais devant un homme.

Le désir qu'elle avait éprouvé par intermittence quand il lui rendait visite dans son appartement était encore présent, mais elle le sentait réduit au style d'attirance qu'elle aurait éprouvé envers un jeune et beau manœuvre, ou pour un acteur de télévision. Aucune entente profonde, aucune ébauche de tendresse réciproque. Elle s'estimait heureuse d'avoir encore envie de lui.

À plusieurs reprises, au cours du dîner, il refit allusion aux sacrifices qu'il avait consentis et au fait que Becky n'avait pas su reconnaître son altruisme et sa patience, mais il aborda aussi d'autres sujets, son métier, ses parents et sa sœur, et sa maison dont il n'était propriétaire que depuis deux ans, mais qu'il était encore occupé à meubler avec grand soin. Et à l'heure où ils regagnèrent Gloucester Avenue en voiture, elle avait le sentiment qu'ils avaient tous deux renoué avec cette ambiance que la première rencontre de James avec Will avait perturbée de si épouvantable manière.

Dans l'idéal, coucher avec un homme pour la première fois devrait être un acte naturel, l'issue spontanée d'un consentement, d'une attirance réciproques et, parfois, d'un verre de trop. Même ce dernier cas de figure eût été préférable à un accouplement forcé. Ce devait être plutôt de cet ordre pour la génération de ses grands-parents, le marié et la mariée, gauches et empruntés l'un comme l'autre, lors de leur nuit de noces. Mais James n'était pas maladroit, et comme elle s'était astreinte à ne pas attendre de miracle de cette première fois, tout cela dépassa ses attentes, et ensuite elle se sentit apaisée, un court instant. Au bout d'une heure environ, incapable de s'endormir, elle se leva et passa dans la cuisine. Là, elle fit ce qu'elle n'avait pas osé faire en face de lui quand ils avaient bu leur sauvignon de manière si convenable, elle se versa une grande rasade de whisky et, sans trop comprendre pourquoi, lorsque la chaleur et le frisson de l'alcool lui coulèrent dans le fond de la gorge, elle eut un soupir de soulagement.

Et pourtant, maintenant que Will était parti et que James était enfin son amant, elle allait petit à petit se sevrer de la boisson. Elle n'aurait plus besoin de ce genre de soutien et de stimulant.

En descendant au rez-de-chaussée, juste avant huit heures et demie, il devait passer devant la porte des appartements de Ludmila Gogol et de Will Cobbett. Ce n'était qu'à deux heures du matin que l'on avait cessé d'entendre de la musique en provenance de chez la Russe. C'était ce que l'on appelait du « classique », naturellement, et, de fait, Jeremy l'avait souvent remarqué en d'autres circonstances, une musique considérée par ceux qui étaient obligés de l'écouter bien malgré eux comme beaucoup moins répréhensible que la pop, la *soul*, le hip-hop ou la *garage music*, tandis que ceux qui la leur faisaient subir la jugeaient au-dessus de tout reproche. Il s'arrêta un instant pour tendre l'oreille à l'autre porte, il entendit une voix de femme, et puis celle de Cobbett, et la femme qui soudain gloussa. Donc Cobbett avait une petite amie – cela tenait du miracle. Il se demanda si Inez le savait. Il descendit, et il entendit derrière lui un martèlement sourd et une succession d'accords majestueux, comme un orage qui éclate de nouveau après une accalmie paisible et ensoleillée.

Il tapota à la porte au pied de l'escalier et, au lieu de l'invitation habituelle à entrer, il entendit : « Qui est-ce ? »

En guise de réponse, il ouvrit la porte et entra, en se forçant à sourire et à afficher un air jovial.

– Je suis une espèce de revenant, je sais, mais ce sont des choses qui arrivent.

Ne jamais s'excuser, ne jamais s'expliquer…

Il remarqua l'unique tasse de thé, avec les brins de thé dans le fond.

– J'ai déjà bu le mien, lui dit Inez d'une voix tout sauf empressée. Je peux vous en faire un, si vous voulez.

– Je vous en prie, ne vous embêtez pas, la remercia-t-il, mais il s'obligea à rester et à s'asseoir, comme il l'avait toujours fait, dans le fauteuil en velours gris. M. Cobbett a une petite amie, j'ai appris ça.

– Je crois, oui.

– On est en droit de se demander ce qu'il pense de Chostakovitch qui tonne à toute heure à travers les murs.

– Ah oui ? lâcha Inez, glaciale.

C'était bien pire que dans ses craintes. Ou alors c'était juste qu'elle était dans un jour sans. À son âge, ce n'était quand même pas le syndrome prémenstruel. La remarque misogyne qui lui vint spontanément à l'esprit lui rappela son jugement fermement arrêté : une femme, ce n'était jamais digne d'être aimé… Que disaient donc les Italiens ? *Tutte le donne sono putte eccetto mia madre ch'è una santa.* Ce n'était sans doute pas exact, mais le sens était clair : toutes les femmes sont des putains, sauf ma mère, qui est une sainte.

– Bien, je vais devoir y aller, fit-il.

Inez leva les yeux et le gratifia d'un petit sourire pincé.

Il prit à pied en direction de la gare de Paddington. Il la détestait. De quel droit s'imaginait-elle qu'il était à sa disposition ? Sa réflexion suivante l'amena à se demander pourquoi il ne tuait pas les femmes comme elle, les vieilles, les vilaines, qui ne servaient à personne, qui n'étaient une source d'agrément pour personne. Non, il fallait qu'il choisisse les jeunes, envers lesquelles, à sa connaissance, il ne nourrissait aucune animosité personnelle. Son esprit conscient détestait sans doute Inez et ses semblables, mais son inconscient dirigeait son énergie contre un certain genre de féminité juvénile. Non seulement il restait dans l'ignorance de sa motivation, mais il ne savait même pas pourquoi c'était celle-ci plutôt qu'une autre. Ses pensées le ramenèrent au fait qu'il se trouvait toujours derrière ses victimes. C'étaient toujours celles qu'il avait devant lui, celles qui lui tournaient le dos qu'il tuait, jamais celles qui venaient au-devant de lui.

Au-delà, il était incapable de pénétrer plus loin dans son mental, sauf pour comprendre que c'était cela qui le poussait à utiliser le lacet. Comme les adeptes du *thuggee*, en Inde, il fallait qu'il attaque par-derrière. Par-delà cette prise de conscience, c'était un rideau qui s'abattait, un volet clos qui menaçait presque d'obscurcir tout ce qui avait précédé. Pour l'heure, il allait cesser d'y penser.

Il y avait des bijoutiers par ici, mais un seul était ouvert. *Bureau de change*, annonçait un chevalet publicitaire installé sur le trottoir. Il entra ; cette fois il acheta des euros pour l'équivalent de mille livres, une transaction qui laissa son compte presque à sec. Le long trajet en ligne droite jusqu'à Sussex Gardens le ramena à Edgware Road. En route, il songea à la victime commode qu'il ferait pour un agresseur, et ils pullulaient par ici. Tous ces euros sur lui, plus les deux cents livres. Mais à tout agresseur qui s'y essaierait il en donnerait pour son argent – au sens littéral du terme. Cela lui plairait.

Utiliser les distributeurs du quartier serait plutôt déconseillé, à moins de rester vigilant. Jeremy aimait croire qu'il l'était en permanence. Il inséra sa carte, tapa son code et demanda cinq cents livres, en espérant que ne s'afficheraient pas à l'écran ces mots lui annonçant que son compte ne le permettait pas. C'était entendu, il possédait bien plus que cela en dépôt et en titres, mais il n'aurait pu y toucher dans l'immédiat. Il serait sûrement obligé de se rendre à sa banque, de faire transférer l'argent investi vers son compte courant – en espérant qu'ils puissent s'exécuter rapidement. Quoi qu'il en soit, le distributeur débita les cinq cents livres, qu'il emporta vers l'autre bout de la rue, un coin mieux fréquenté, la partie qui débouchait sur Marble Arch, où il les échangea contre des euros à un guichet qui ne comportait pas de rayon bijouterie, qui ne traitait que le change.

Dans Baker Street, il y avait une agence de sa banque. En un sens, ce qui le faisait enrager plus encore que tout le reste, c'était l'idée d'aller là-bas retirer des fonds qui produisaient des intérêts pour les verser sur un compte où ils dormiraient sans rien rapporter. Est-ce que ces gens gagnaient leur vie ? Ou vivaient-ils complètement du vol, de l'escroquerie et du chantage ? Ils étaient des milliers comme eux. Le crime dans cette ville le scandalisait, le fait de s'emparer des possessions d'autrui, de les détruire, le mépris des droits du propriétaire, la pure immoralité gratuite de tout cela. Mais il s'engagea quand même dans George Street et marcha dans la direction de sa banque, en fulminant.

Avant de téléphoner pour voir comment ces deux-là s'entendaient, Becky avait laissé s'écouler une journée supplémentaire. Bien entendu, ce fut Kim qui lui répondit. Elle avait l'air

calme et enjouée, ce n'était que compliments sur l'appartement, et comme c'était agréable de vivre chez soi plutôt que
chez ses parents, et quel bon repas Will avait fait quand ils
étaient sortis dîner chez Al Dar. Becky était assez contente,
et elle n'aurait pas osé suggérer de dire un mot à Will si
Kim, après avoir énuméré tous les plats au menu du restaurant
libanais, ne le lui avait proposé.

Il prit l'appareil, lui dit bonjour de cette voix neutre qu'elle
associait chez lui, sans raison aucune, avec le mécontentement.

– Ça va, fit-il.

– Tu vas retourner travailler avec Keith ?

Elle l'entendit poser la question à Kim :

– Est-ce que je vais aller travailler avec Keith ?

Et elle entendit la réponse :

– Tu sais bien que oui, mon cœur. Lundi.

– Je vais aller travailler avec Keith lundi, Becky.

– Et ça te fait plaisir ?

S'il avait fallu qu'il demande à Kim si cela lui faisait plaisir,
elle ne savait pas comment elle aurait réagi. Mais il lui répondit de lui-même :

– Ça va, répéta-t-il. Il va falloir que j'y retourne, hein, Kim ?

Elle n'entendit pas la réponse. En revanche, elle entendit la
supplique suivante de Will, qui lui résonna dans le crâne :

– J'aimerais être avec toi, Becky. Quand est-ce que je peux
venir te voir ?

– Pourquoi pas dimanche ? proposa-t-elle. Pour la journée,
à déjeuner et à dîner ?

Fallait-il qu'elle invite aussi Kim ? Elle attendit, mais ils ne le
suggérèrent ni l'un ni l'autre.

– Je vais venir dimanche. J'adore venir chez toi, Becky.

Elle s'était sentie obligée de téléphoner, mais elle aurait préféré repousser à un autre jour. En fait, elle avait vu James deux
soirées (et deux nuits) de suite, et comme elle le reverrait ce
soir, il n'était pas nécessaire de l'inviter dimanche. Tout en se
servant son premier gin-tonic de la soirée, dont elle avait bien
besoin après cette conversation téléphonique, elle se demanda

ce qui lui prenait, à quoi donc elle jouait, à se réjouir, dès le début d'une nouvelle histoire d'amour, que son nouvel amant ne vienne pas la voir.

Il regagna son domicile avec une jeune femme dans sa ligne de mire. Elle était juste à la bonne distance, devant lui, à environ cinq mètres, et ils avançaient du même pas. Elle s'engagea dans Star Street et il la suivit. Le ciel était couvert, mais il faisait chaud, avec une lumière éclatante, et le moindre geste d'agression sur la personne de cette jeune femme aurait forcément des témoins. Même si elle avait exercé sur lui cette attirance indéfinissable, cette force mystérieuse assez puissante pour lui arracher le cœur de la poitrine, il n'aurait pu la tuer ici, en plein jour, et il aurait souffert de cette privation, cela l'aurait rendu malade. Le fait était plutôt qu'il n'éprouvait pas cette attirance, il n'avait aucune envie de lui faire du mal.

Il pensait maintenant l'avoir suivie pour se mettre à l'épreuve, rien que pour voir si d'être en quelque sorte en sa compagnie, et dans la bonne configuration, cette pulsion n'allait pas surgir et enfler en lui. Il ne s'était rien produit. Il aurait aimé savoir pourquoi. Elle devait avoir trente ans, longiligne mais pas mince, blonde – enfin, il savait qu'aucun de ces critères, sauf peut-être le fait d'avoir à peu près l'âge voulu, ne faisait de grosse différence. Il pouvait sentir le parfum qu'elle laissait flotter dans l'air derrière elle, sucré, floral et chaud. Le reste, l'autre facteur, lui échappait toujours. Il la regarda traverser la rue et continuer sa marche vers Norfolk Place, et, quand elle fut hors de vue, il entra dans l'immeuble de la boutique par la porte des locataires.

Il s'installa dans le jardin-terrasse et compta la somme. Juste un peu plus de quatre mille livres et il lui restait encore quatre jours, moins le dimanche. En réalité, il n'avait que lundi et mardi, car mercredi il faudrait qu'il soit là pour recevoir son appel. Allait-il vraiment lui remettre cet argent, la totalité ? Il la tuerait avant, décida-t-il. Il la tuerait, même si elle n'avait pas, même s'il était fort peu probable qu'elle possède les qualités requises. Mais non, de toute manière il ne pourrait pas la tuer. Cela ne le sauverait pas, cela ne ferait qu'aggraver les choses. Même si personne d'autre n'était impliqué, il y aurait toujours le petit ami, et peut-être son père. S'il la tuait, ils iraient directement trouver la police avec les boucles d'oreilles, le briquet et la montre. Ils pourraient raconter qu'ils l'avaient vu jeter ces objets dans une poubelle, qu'ils les avaient récupérés et les restituaient à la police. Chantage ? La fille l'avait appelé uniquement pour lui annoncer qu'elle détenait ce qui lui appartenait et qu'elle allait le lui rendre…

Par coïncidence, ils étaient de retour. De là où il était, il vit ce qu'il croyait être la voiture de Zulueta arrivant par Bridgnorth Street, et quand il rentra dans l'appartement pour regarder depuis une des fenêtres côté rue, il était là, en train de se garer – le long de la ligne jaune –, en toute impunité sans doute. Un autre inspecteur l'accompagnait. Ils restèrent assis, ils surveillaient la boutique d'angle. Mais Jeremy savait qu'il n'avait aucun souci à se faire. C'était Will Cobbett qu'ils avaient dans le collimateur.

Il resta en observation, vit une Jaguar turquoise arriver et Morton Phibling en descendre. Est-ce que les deux autres, Zulueta et… Jones, c'était cela ?… allaient s'occuper de la voiture garée sur une place de stationnement réservée aux résidents ? Ce serait sûrement attenter à leur dignité que de s'abaisser au rang d'un banal agent de la circulation. Il fallait qu'il ressorte chercher de l'argent. Quand il émergea de nouveau dans la rue, il s'aperçut qu'il se trompait sur le compte de Zulueta et Jones. Ils se montraient moins jaloux de leur statut qu'il ne l'aurait cru, car ils étaient à hauteur de la vitre de la Jaguar, côté conducteur, occupés à sermonner le chauffeur sans défense de Phibling.

Il en frémit un peu. *Il s'était trompé.* Était-ce la tournure que prendraient les choses, désormais ? Tout cela, sa lucidité, sa réussite, sa double vie, son inviolabilité, touchait-il à sa fin ? Deux vers d'une pièce qu'il avait vue à Nottingham, il y avait longtemps de cela, lui revinrent à l'esprit. Quelle pièce, il était

incapable de s'en souvenir, mais il se récita ces vers, de tête :
La clarté du jour n'est plus et nous entrons dans la nuit…
J'entre dans la nuit.

CHAPITRE 23

Elle avait été obligée de prier James de se tenir à l'écart.

— Je croyais que nous allions passer nos week-ends ensemble.

— James, je suis désolée, mais maintenant que Will n'est plus là, il faut que je le voie de temps en temps. J'ai un devoir envers lui, c'est simple, je ne peux pas le laisser tomber.

— Je comprends ça, fit-il. Faut-il que ce soit les week-ends ?

— Si c'était un jour de semaine, cela nous limiterait à la soirée puisque j'ai recommencé de travailler.

Elle savait que sa phrase suivante allait provoquer une explosion. Will aime bien prendre son repas principal à midi.

— Et moi, hurla presque James, j'aime bien prendre le mien le soir, comme tous les gens civilisés. Comme toi. Pourquoi faut-il que tout le reste se plie à ses manies ridicules de la classe ouvrière ? Aux horaires de son centre de détention ?

— C'était un foyer pour enfants, rectifia-t-elle en essayant de ne pas se départir de sa patience. Ses habitudes ont été modelées par cet endroit tout comme les tiennes l'ont été par les parents qui t'ont élevé. Will n'a pas eu de parents, il a eu des travailleurs sociaux.

– Comme tu ne cesses de me le répéter. Pourquoi ne l'as-tu pas adopté, et c'était réglé ? Ça me dépasse. (L'injustice de cette réflexion faillit lui couper la respiration.) Et puis est-ce que tu te rends compte que nous ne parlons quasiment plus que de ça ? De Will ? C'est Will ceci et Will cela, à tel point que je me demande parfois s'il n'est pas plus proche de toi que tu ne veux bien l'admettre. Mais tu n'as pas à t'inquiéter, dimanche je ne viendrai pas. Je vais bien faire attention à garder mes distances.

Il fit bien attention à garder ses distances aussi le samedi. Becky n'avait pas le cœur à renouer avec ses anciennes habitudes du samedi matin, son shopping tranquille, son lèche-vitrines et ses menus achats, ses petits luxes occasionnels. C'était peut-être fini pour toujours. Elle finissait par croire qu'elle ne pouvait rien faire qui ne suscite la critique de la part de James. Il avait envie de la transformer en quelqu'un d'autre. Pas seulement par rapport à Will, mais aussi sur le plan du physique. « Pourquoi ne prends-tu pas une manucure, avait-il commencé, pourquoi ne te fais-tu pas un masque facial, pourquoi ne t'offres-tu pas une vraie coupe de cheveux ? » Elle était trop âgée et trop indépendante pour changer. Très malheureuse, elle s'était plus d'une fois demandé ce qu'il avait voulu dire, à propos de Will qui serait plus proche d'elle qu'elle ne voulait l'admettre – qu'il serait en fait son amant ou son fils ? Elle sortit marcher dans Primrose Hill et resta un long moment dehors, car maintenant elle se sentait plus solitaire qu'avant l'entrée de James dans sa vie.

Voilà des années, Becky habitait un appartement au rez-de-chaussée avec jardin, et elle avait un chat. C'était un animal très affectueux, un gros et beau tigré, et à sa mort, à l'âge de dix-sept ans, elle avait résolu de ne plus jamais en avoir. Il ne fallait pas que le déchirement, la véritable douleur de sa mort se répète encore et encore dans son existence, comme c'est le cas dans la vie des propriétaires impénitents d'animaux de compagnie. Un jour, il devait avoir cinq ans, ce chat avait disparu. Il était sorti, comme d'habitude, mais ce soir-là il n'était pas rentré. Elle avait placardé les affichettes bien connues sur les murs et les réverbères, sonné chez les voisins, téléphoné aux vétérinaires du coin et à la fourrière de la ville. Rien n'y avait fait et, au bout d'une semaine d'angoisse et de détresse, elle l'avait considéré comme perdu. Espérant la réconforter, des amis lui avaient expliqué qu'il avait dû trouver un foyer plus à son goût, les chats, c'était leur style. D'autres croyaient qu'il avait sauté dans une voiture qui l'avait emmené loin d'ici. Seule Becky savait qu'il n'aurait jamais pu trouver un toit susceptible de lui plaire davantage que cette maison-ci, avec elle, et puis il détestait tant les voitures qu'il les évitait autant qu'il fuyait les chiens. Le huitième jour de son absence, il fut de retour, aussi enjoué que d'habitude, agile, l'œil luisant, il s'engouffra par la chatière et avança droit sur elle pour réclamer tout de suite son affection. Il avait maigri, mais à part cela il était en bonne santé. Elle n'avait jamais su où il était parti.

Le retour de Will se déroula à peu près de la même manière. Aux yeux de Becky, il avait aussi l'air amaigri. À d'autres égards, il était comme son chat errant, la fêtant avec bonheur, la serrant dans ses bras, les yeux luisants. Et, comme le chat, il dévora un énorme déjeuner, avant de regarder la télévision et de sombrer dans un sommeil repu. Il n'évoqua pas ses journées avec Kim, pas avant qu'elle ne lui en parle. Au début c'était troublant, on eût dit qu'il avait oublié qui était cette Kim, en fixant sa tante de son regard interdit. Puis il eut l'air de reprendre ses esprits.

— Elle va bien, dit-il.

— Ce doit être sympathique, d'avoir avec toi quelqu'un que tu aimes.

Aurait-elle pu lui faire une remarque plus banale ? Pourtant, il eut l'air de réfléchir sérieusement à la question. Elle savait où sa réflexion le mènerait, elle savait ce qu'il allait dire, mais elle se serait attendue à moins de véhémence.

— Ici, avec toi, c'est mieux. Je préférerais, ça me plairait vraiment, vraiment plus, que tu viennes habiter avec moi là-bas.

Plus tard, il était presque l'heure de le ramener chez lui, il l'étonna par une révélation et une explication :

– J'ai creusé dans ce jardin, lui dit-il, parce que je cherchais un trésor. Ces hommes qui m'ont trouvé, ils m'ont emmené. Je savais que le trésor était là, je l'ai vu dans le film, et j'ai acheté une pelle, et j'ai creusé, j'ai creusé, mais je ne l'ai pas trouvé.

Elle ne savait pas quoi lui répondre.

– C'était des bijoux, il y en avait pour des millions et des millions. Si j'avais trouvé le trésor, j'aurais acheté une maison, et toi et moi, on aurait habité dedans, il y aurait eu de la place pour tous les deux, pas comme ici ou comme chez moi. J'allais l'acheter. Mais ici, en fait, il y a de la place, non, Becky ? Il y en a, de la place.

Morton Phibling passait désormais tous les matins, et quel que soit le nombre de clients qui défilaient, Zeinab et lui restaient assis l'un à côté de l'autre, à discuter projets de mariage. Le stratagème de la jeune femme au sujet du pendentif au diamant semblait avoir apaisé les craintes éventuelles de Morton. En effet, Inez n'étant pas parvenue à convaincre un visiteur de lui acheter un cor d'harmonie du début du dix-neuvième siècle, une vente que Zeinab aurait su conclure, elle en était sûre, elle l'avait entendu demander à sa fiancée de retirer le bijou de la banque pour le vendredi 7, afin de pouvoir le porter lors de la cérémonie du samedi. Entre-temps, il lui avait présenté un bracelet d'émeraudes et de diamants, qu'elle avait mis et exhibé autour d'elle. Il reflétait la lumière du soleil et constellait les murs de taches couleur d'arc-en-ciel.

– Alors, tu t'es décidée, c'est ça ? s'enquit Inez, tandis que Morton repartait, conduit par son chauffeur.

– Je m'suis décidée à quoi ?

Zeinab avait l'air absorbé, comme si elle anticipait son avenir somptueux en Mme Phibling. En fait, elle se demandait où elle allait pouvoir emporter ce bracelet afin d'en tirer le meilleur prix.

– À te marier, bien sûr.

– J'me dis qu'il va falloir.

Il semblait à Inez qu'elle revenait sur terre, qu'elle s'était éveillée d'un rêve, mais en fait, si Zeinab avait retrouvé un certain aplomb, c'était qu'elle venait de calculer que, si le bracelet lui rapportait ce qu'elle en attendait, Algy et elle seraient à mi-chemin de l'achat de la maison dont ils avaient envie. Il fallait d'abord procéder à l'échange d'appartements dès que possible, qu'elle s'éloigne de cet endroit et de ses deux fiancés, puis elle s'occuperait de téléphoner aux agents immobiliers… Elle se leva, se chargea d'un client qui cherchait un verre vénitien ancien authentique et d'un autre qui voulait des bijoux 1930. C'était sidérant, songea Inez, cette capacité de vendre à peu près n'importe quoi, et pas seulement à des messieurs impressionnables.

— Alors je suppose que tu vas me donner ton préavis?

— Il faut que je te dise ça tout de suite?

— Eh bien, si tu pars vendredi de la semaine prochaine, oui. Nous sommes lundi.

— Ouais, enfin, une semaine, ça ira, non? (Zeinab changea aussitôt de sujet.) Tu as remarqué comme ces filles qu'on a tuées sont passées à la trappe?

L'image scabreuse que cela évoqua chez Inez suffit à lui sortir de l'esprit les projets de mariage de sa vendeuse.

— On dirait qu'ils les ont toutes retrouvées, qu'ils ont récupéré les boucles d'oreilles de Jacky Miller, et voilà, terminé, plus besoin de s'en préoccuper.

— Ils n'ont pas retrouvé le briquet et la montre.

— Non, tu as raison. Je ne t'ai jamais demandé ce que Zulueta voulait vendredi dernier. Ça m'est sorti de la tête.

— Oh, encore des sornettes au sujet de Will. Est-ce qu'il ne s'est jamais trouvé seul dans la boutique? Est-ce que je ne l'aurais pas vu en train de creuser dans le jardin? Ce genre de choses. Jones a même soutenu que cette jeune fille qui habite chez Will risquerait d'avoir besoin de protection. Je lui ai répondu qu'à mon avis Anwar était venu fouiner par ici pendant que j'étais au commissariat, mais ça n'a pas eu l'air de l'intéresser.

– Je ne vais rien lui annoncer, fit Algy, et je compte sur vous pour ne pas lui dire un mot.

Reem, qui partageait un sachet de chips graisseuses avec son petit-fils, répondit la bouche pleine :

– Tu me connais, Alge. Je dis jamais grand-chose, je pense que j'ai pas l'énergie. Moi, ce déménagement, je vois ça comme un degré plus haut dans l'échelle qui va vous conduire à votre chez-vous, avec une annexe pour moi, la mamie, hein, Bryn ?

– Bryn, il adore mamie, fit le petit garçon avec ferveur en grimpant sur ses genoux.

– Que tu es gentil, mon garçon !

– J'ai programmé le déménagement, reprit Algy sur un ton assez solennel, pour vendredi 7 juin.

– Suppose que Zeinab ne marche pas ?

– Mes deux potes, ils débarquent avec la camionnette à huit heures et demie, et le temps qu'elle se réveille, la moitié des trucs sera déjà sur le trottoir.

– Bien vu.

Le grondement de rire de Reem secoua le petit garçon, qui se retrouva projeté en l'air gaiement. Il écrasa la joue contre les rondeurs imposantes de son corsage et ferma les yeux.

Le mardi soir, Jeremy avait réuni la somme demandée. Il était impatient d'enchaîner avec la suite. S'il devait leur remettre dix mille livres, il avait envie d'en finir, et il s'efforça de ne pas penser à ces gens recevant cet argent et revenant en réclamer davantage. Leur coup de téléphone aurait lieu vers trois heures de l'après-midi, calcula-t-il, car il commençait à connaître leurs habitudes, et ils lui indiqueraient le lieu de la… comment appelaient-ils cela, la « livraison » ?… pour le soir ou le lendemain. L'espace d'un court instant, il songea avec envie à ces gens qui, face au chantage, avaient toute latitude d'informer la police de la nature de la menace et d'obtenir son aide. En ce qui le concernait, cela avait toujours été exclu.

Le mercredi, une lettre de sa mère contenait une requête : elle voulait qu'il lui achète un certain parfum. Pas pour elle, mais en cadeau pour une jeune amie, une fille qui faisait parfois quelques courses pour elle. Naturellement, sa mère le rembourserait dès lundi, quand elle le verrait, une promesse qui le fit sourire, c'était si absurde de sa part d'avoir une telle pensée. Samedi matin il se rendrait dans un grand magasin, il achèterait l'article en question, il nota le nom.

Il avait beau être persuadé que l'appel n'arriverait pas avant l'après-midi, il jugeait tout de même impossible de sortir. Mais il s'était suffisamment habitué à ce type bien particulier de tension pour s'installer dans son jardin-terrasse sans craindre de ne pas entendre la sonnerie. Depuis l'instant où il avait lu la lettre de sa mère, il n'avait plus cessé de penser à elle, à son amour sans réserves à son égard, à son caractère ultrasensible, à sa considération. S'il ne s'était pas invité lui-même pour ce lundi de la fête du Printemps, elle n'aurait jamais osé espérer sa visite. En fait, quand il lui avait demandé s'il pouvait venir passer la journée, elle lui avait répondu de manière hésitante : « Es-tu sûr de pouvoir me consacrer tout ce temps, mon chéri ? » Il lui avait assuré qu'il n'attendait que cela, et elle avait ajouté ces mots : « C'est très gentil de ta part de me dire ça. »

Comment cela se serait-il passé si son père avait vécu ? Jeremy, alors âgé de treize ans, était avec lui la veille de sa mort, c'était en tout cas ce qu'elle lui avait expliqué quand il lui avait avoué n'en conserver aucun souvenir. Parfois, s'il se concentrait, s'il essayait de percer les sombres volutes de brumes qu'il lui fallait traverser pour atteindre ce souvenir, il croyait apercevoir le visage jaune et cadavérique de son père sur un oreiller d'hôpital, mais il ne pouvait que l'imaginer, sans aucune certitude. Il avait peur de demander à sa mère si son père avait eu la jaunisse le jour où il s'était rendu là-bas.

Une fois, une fois seulement, en recréant ce tableau macabre, il lui avait semblé entrevoir une autre silhouette, présente sur les lieux, et qui n'était pas celle de sa mère. Une femme ou un homme, ça non plus, il était incapable de le dire, à ceci près que ce n'était pas la mère de son ami Andrew, cette bonne femme mal attifée. Et lorsqu'il avait voulu conforter cette image en tâchant de se raisonner, elle avait disparu comme si elle n'avait jamais existé – et peut-être n'avait-elle jamais existé, en effet. Peu à peu, il s'était résigné à cette certitude : il ne se souviendrait jamais. Pourquoi était-ce si important ? Il avait aimé son père, mais il avait fini par le prendre en grippe, il avait totalement effacé de sa mémoire le lit de mort auprès duquel il avait failli être présent. Voilà pourquoi. Et il y avait une autre raison. Il finissait par se demander si le motif qui le poussait à tuer ces filles ne puisait pas ses origines dans les dernières scènes de la vie de son père, ces scènes oubliées qu'il serait quand même peut-être vital d'exhumer.

Le soleil était chaud, le lilas était en fleur dans sa jardinière et aussi le philadelphus neigeux dans le vase vert à large bord. Leurs parfums entremêlés, tout à fait différents mais pareillement exquis, vinrent flotter autour de lui quand la petite brise se leva, et il s'endormit dans la chaise cannée matelassée – pour être réveillé en sursaut, en laissant échapper une exclamation, par la sonnerie du téléphone.

– Je vais pas me lancer là-dedans toute seule, protestait Julitta. Il pourrait m'assassiner. Il a flingué les autres, et elles lui avaient rien fait.

Anwar avait déjà pensé à tous les aspects du problème, tant du point de vue de la sécurité de Julitta que de celui de la meilleure opportunité à saisir. Si Alexander Gibbons (rien que d'y penser, Anwar avait les pseudos en horreur) l'étranglait selon sa manière habituelle, Keefer, Flint et lui-même n'auraient pas beaucoup plus d'emprise sur lui qu'ils n'en possédaient à l'heure actuelle. Mais au total, conclut-il, cette emprise suffisait déjà amplement. Et il n'allait pas répondre à Julitta qu'elle avait raison, ça ne changerait rien.

– Pas question de ça, fit-il. Je vais m'en occuper moi-même.

– Le schnock de luxe va te reconnaître, le prévint Flint.

– Laisse-moi faire.

Tous les regards se tournèrent vers Keefer, qui était assis par terre comme un malheureux dans un coin de la pièce d'Anwar, car il n'y avait pas d'autre place de libre, et ses trois comparses étaient sur le lit. Il avait les bras croisés autour de ses genoux repliés, la peau du visage et du cou verdâtre et dégoulinant de sueur. Une coulure de bave visqueuse gouttait à la commissure des lèvres. De temps à autre, il laissait échapper un gémissement de douleur et il déployait grands les bras, qu'il agitait violemment en tous sens. À cette minute il était calme, il somnolait, et Flint et Julitta s'étaient tous deux fait la remarque, dans le langage fleuri qui leur était propre, qu'il avait l'air à l'article de la mort. Quand ils se référaient au personnage, ils évoquaient sa désaccoutumance aux drogues dures en recourant à toutes sortes de termes argotiques du répertoire, mais Anwar, lui, parlait de «réhabilitation», et il réussissait à donner à cette formule une tonalité sinistre.

Il enfonça le bout du pied dans le flanc de Keefer, comme quand on essaie de déplacer un chien endormi, et il sortit le pendentif de Zeinab de sa poche pour le déposer sur le lit, entre Julitta et lui.

— Il appartient à cette fille, fit-il. La super-jolie.

Il avait dit cela en passant, comme il aurait dit la «super-brune» ou la «super-mince». Pour une experte en étude de caractères comme Inez, ce langage aurait révélé toute la froideur intrinsèque de sa nature, ou un début de commentaire louangeur de la beauté féminine, ou éventuellement les deux.

Les autres étaient habitués à ses étranges tournures de langage.

— Comment tu l'sais?

— C'est mon pote, l'amoureux de la vieille Russe, qui me l'a dit. Elle est fiancée à un drôle de vieux baiseur qui a cinq bagnoles. Encore un schnock de luxe. C'est ce type qui lui a offert le bijou. On a intérêt à faire gaffe à la manière dont on s'en débarrasse, c'est tout. C'est pas la peine de s'imaginer le déposer chez Hawker sur North End Road.

Anwar posa encore une fois les yeux sur Keefer, car c'était lui qui avait dégotté ce receleur, et fixa sur lui un regard agressif, alors qu'à l'évidence l'autre était incapable de formuler la moindre idée sur quoi que ce soit.

— Là-dessus aussi laissez-moi faire, ça vaudra mieux. Juli, tu sonnes notre schnock de luxe à nous, et tu lui expliques qu'il doit nous apporter ce qu'on lui demande et le fourrer dans la poubelle d'Aberdeen Place, à Saint John's Wood. C'est pigé ? Aberdeen Place et les poubelles sont du bon côté, en face de Crocker's Folly. Il faut qu'il apporte le blé dans un sac-poubelle blanc, pas un noir, et quand il arrivera sur place, il faudra qu'il regarde à l'intérieur de la poubelle réservée aux vieux vêtements, mais faut pas qu'il jette le sac blanc dedans. En général, elle est pleine, cette poubelle, et quand il arrivera là-bas, elle sera pleine. La poubelle des vieux vêtements, elle est un peu à l'écart par rapport aux autres, il y a une porte dans le mur, juste à côté, et ensuite c'est le conteneur à bouteilles vides, d'accord ? Il faut qu'il pose le sac par terre entre la poubelle des fringues et le porche.

Julitta hocha la tête. Son soulagement de ne pas devoir être présente pour la transaction était si grand qu'elle aurait volontiers accepté tout ce qu'il lui aurait demandé d'autre.

— Il va vouloir ses affaires. Il va demander après les boucles d'oreilles et tout le reste.

— Et il les aura... sauf que pour les boucles d'oreilles, ce sera un peu différent. Mais ça, tu lui précises pas, compris ? Tu lui racontes qu'il les trouvera scotchées à l'intérieur de la poubelle aux vieux vêtements. Après ça, il pourra dégager. Il faudra qu'il y soit pour neuf heures pile. Tu dis à ce connard d'arriver par le chemin piétonnier qui longe le canal et ensuite il rentre direct par Lisson Grove. Il va pas obéir, il va rester mater, mais nous, on s'en fiche, ça sera tout bon.

Il laissa Julitta digérer le tout avant de lui beugler dessus :

— Maintenant, tu me répètes ce que je viens de te dire.

Elle s'exécuta, sans trop bafouiller, et Anwar les chassa, Flint et elle, avec pour instructions à Julitta de passer son coup de téléphone chez Gibbons dans l'heure. Keefer était endormi. Il ne dormirait plus longtemps, il allait se réveiller en s'agitant en tous sens, et il hurlerait après son héroïne, qu'il avait maintenant de quoi se procurer facilement. Comme, suivant ses instructions, il décrochait de la drogue dure, Anwar décida qu'il allait s'arranger pour lui procurer un peu de méthadone, dans la mesure du possible. Il n'avait pas envie que son gars casse tout ici ou qu'il attire trop l'attention sur eux. En partant, il ferma la porte à clé derrière lui.

Toutes ses sœurs étaient présentes dans la maison de Brondesbury Park. Elles le considéraient un peu comme les jeunes filles de l'époque victorienne voyaient leur frère, un spécimen qui se trouvait être de sexe masculin et, par conséquent, affranchi de toute contrainte, libre. Et cela nonobstant le fait que leur père et leur mère étaient des gens éclairés qui n'attendaient de leurs filles aucun autre type de comportement, et n'exigeaient d'elles rien de plus que de la part de leur fils. Mais la tradition a la vie dure et il restait encore à chacune de ses sœurs, soumises aux opinions de parents plus âgés, à surmonter les stéréotypes d'une existence protégée, les jupes longues, les sorties accompagnées d'un chaperon et les mariages arrangés.

– Ça me plairait d'avoir autant de bol! s'exclama Arjuna à la vue de la camionnette de Keefer garée le long du trottoir, alors que rien, hormis la loi, ne lui interdisait d'emprunter la voiture d'un copain et de se mettre au volant, ce qui s'appliquait tout autant à son frère.

Il le lui rappela, et le temps qu'elle réfléchisse à une réplique appropriée, il lui demanda si la vieille *abaya* de l'amie de maman était encore quelque part dans la maison. Nilima, la sœur aînée, l'avait déjà portée une fois pour un spectacle de son école, inspiré du *Flecker's Hassan* de James Elroy.

– Tu la veux pour quoi faire?

– Ça te regarde pas. Où elle est?

– Si tu ne peux pas me dire pourquoi tu la veux, je te dirai pas où elle est.

Anwar consulta sa Rolex. Ces filles lui faisaient perdre tellement de temps.

– Pourquoi t'économises, Arj? Ça doit bien être pour quelque chose.

– Ma télé dans ma chambre. Si Nilima a le droit d'en avoir une, pourquoi je pourrais pas, moi?

– OK. Combien tu veux?

Il sortit une liasse de billets de sa poche.

Sa sœur reluqua les billets. Il y en avait de cinq et dix. S'il en avait eu de vingt et cinquante, il ne les lui aurait pas montrés.

– Cinquante, dit-elle.

– Vingt-cinq.

– Tu veux rire. Quarante.

– Trente-cinq, reprit Anwar, et c'est mon dernier mot. Je peux te la trouver moi-même, sauf que ça me prendra du temps.

– OK. Trente-cinq.

Elle roula les billets et les logea dans son décolleté, révélé par son T-shirt échancré. C'était un geste qu'elle perfectionnait pour des fréquentations qui en valaient plus la peine qu'un frère.

– Elle est au grenier, dans la grande malle, sous un plastique comme ceux qu'on te donne dans les pressings.

Anwar monta les marches en portant un escabeau, le moyen le plus commode pour atteindre la trappe du plafond, par où on accédait à ce grenier.

CHAPITRE 24

Il avait beau savoir qu'ils lui formuleraient encore au moins une exigence supplémentaire, c'était tout de même un soulagement. En soi, cet argent était un prix très faible à payer pour sa sécurité et son impunité. Bien entendu, ce ne serait plus le cas si cette somme devait se multiplier à l'infini, mais il y ferait face le moment venu. S'il y avait quelque chose qui l'inquiétait pour de bon, c'était de savoir comment il allait récupérer la montre-gousset, le briquet et les boucles d'oreilles. La fille avait promis qu'il les trouverait sur place, dans un sac plastique opaque, scotché au couvercle rabattable de la poubelle. Mais supposons qu'ils n'y soient pas? Et ensuite?

Il quitta son appartement avec bien trop d'avance sur l'horaire. Dans sa situation, c'était inévitable. Alors qu'il sortait par la porte des locataires, il regarda autour de lui, persuadé qu'on devait l'observer. S'ils étaient là, ce ne serait sûrement pas au vu et au su de tout le monde, en pleine rue. Il n'y avait personne dans les parages et aucune des voitures en stationnement n'avait d'occupant à son bord. Plus tôt dans la journée il avait plu, mais au coucher du soleil les nuages s'étaient dispersés et les trottoirs séchaient lentement. Jeremy emportait l'argent à l'intérieur du sac plastique blanc, glissé, suivant les instructions, dans un petit sac à dos bleu qu'il avait utilisé jadis, mais plus ces dernières années. Une serviette eût été davantage dans son style, mais il s'était dit que dans ce quartier-là cela risquait d'attirer l'attention, surtout en soirée. Il emprunta Edgware Road et passa sous le toboggan de la voie rapide. Il y avait là les habituels attroupements d'hommes rassemblés devant les restaurants libanais. Très peu de femmes étaient visibles et celles qui s'aventuraient dehors à cette heure-ci portaient le foulard ou certaines le tchador, ce châle noir et enveloppant qui dissimule tout, sauf la pointe des souliers et les yeux.

Presque arrivé au bout, il traversa au feu pour prendre Orchardson Street et déboucha sur Aberdeen Place en passant par Lyons Place, un itinéraire plutôt plus discret que le chemin direct par Edgware Road. Une ou deux personnes, bravant le froid humide du soir, s'étaient attablées devant Crocker's Folly. Jeremy songea à ces gens comme à des témoins potentiels. Mais témoins de quoi, au juste ? Et qui devrait répondre de leur témoignage ? Il était un meurtrier et par conséquent il ne pourrait faire à personne le récit de ses mauvaises actions, jamais, et encore moins en appeler à des témoins.

Sa montre lui indiquait qu'il ne restait plus que dix minutes. Mieux valait agir comme demandé. Après tout, il s'était exécuté pour le reste, la partie la pire, alors à quoi bon ergoter pour dix minutes ? Mais comme elles s'écoulaient lentement ! Si quelque chose avait pu convaincre Jeremy que le temps ne filait pas à la même vitesse, ou même qu'il n'avait aucune vitesse du tout puisqu'il demeure immobile tandis que nous nous déplaçons en lui, c'était cette mollesse avec laquelle il donnait l'impression de s'écouler en certaines circonstances, et sa rapidité à d'autres. Tout cela n'était qu'illusion, aveuglement… Il marcha jusqu'à Saint John's Wood Road, dépassa Lord's Cricket Ground, jusqu'à Hamilton Close et retour, et il n'était toujours que moins cinq. Il fit demi-tour vers Northwick Place, il tâchait de traîner des pieds, et il ne lui resta plus qu'une minute, enfin. Il s'attendait à entendre une cloche d'église sonner quelque part, il n'entendit rien et s'approcha de la poubelle à vieux vêtements. Il inspira à fond et souleva le couvercle. Là, scotché à l'intérieur comme promis, il y avait le petit sac en plastique opaque contenant... quoi ?

Les individus qui se trouvaient devant Crocker's Folly ne regardaient pas dans sa direction, mais il se faufila quand même dans l'étroit goulet de Victoria Passage et, une fois dedans, il inspecta le contenu du sac. Boucles d'oreilles, montre-gousset, briquet. Bien. Enfin, il avait intérêt à ne pas s'attarder. Il extirpa le sac-poubelle blanc de son sac à dos, sortit du passage et le déposa entre le conteneur à vieux vêtements et le porche du mur en brique rouge. De retour dans le passage, il attendit et observa.

Elle arriva moins de cinq minutes après. Elle était plutôt grande, mince, autant qu'il puisse en juger, car la silhouette était enveloppée de la tête aux pieds d'un vêtement noir. Seuls les yeux étaient visibles, grands, noirs, ourlés d'épais cils noirs, avec leurs paupières fardées de violet et le tour de l'œil fait au khôl. Elle s'empara du sac, l'enfouit quelque part dans les épais replis de sa tunique noire et disparut comme elle était venue, par l'escalier du canal. Jeremy se lança à sa poursuite, mais le temps qu'il atteigne le haut des marches, avec l'eau jaune et stagnante à ses pieds, la silhouette n'était plus nulle part en vue. Seul son sac à dos, ouvert et vide, gisait abandonné en haut de l'escalier en fer.

– Je n'ai jamais été marié, avoua Freddy et, suivant son habitude, il s'installa dans le fauteuil en velours gris pour développer sa pensée. Ce sera une nouvelle expérience. Je me demande comment je vais trouver ça. Moins sympathique que notre arrangement actuel, ou plus divin ? (Tout en parlant, il agitait son index droit.) Ludo, elle, bien sûr, a déjà été mariée. Je ne sais pas du tout combien de fois au juste, mais tout ça, c'est du passé. Le lieu, ce sera la mairie de Marylebone, la date, le 1er juin, et à onze heures pétantes ce sera l'heure fatidique du « oui-oui ». La lune de miel, ce sera une de ces virées de week-end que nous apprécions tant, cette fois dans un endroit qui s'appelle l'île de Man. Pour moi, ce sera vraiment le voyage enchanté, et à plus d'un titre. Avez-vous déjà entendu parler de l'île de Man, Inez ?

— Bien sûr que oui. C'est au large de Liverpool, dans la mer d'Irlande. J'y suis allée une fois, avec mon premier mari.

— Encore une dame aux multiples mariages, à ce que je vois, releva Freddy, croyant se montrer poli. Est-ce que ça ressemblerait de près ou de loin à la Barbade ?

— Je ne suis jamais allée à la Barbade, mais je ne pense pas, certainement pas côté climat en tout cas.

— Cela m'est égal, je suis toujours prêt au changement. Pour un penny, pour une livre, ou serait-ce plutôt « pour un euro » ?

À l'instant où Zeinab fit son entrée, il se leva, que ce soit par galanterie ou parce qu'il avait l'intention de bouger, Inez n'aurait su le dire.

— Bonjour, Zeinab. Je disais justement à Mme Ferry, ou à Inez, car nous avons tous le privilège de l'appeler ainsi, que ma fiancée et moi, nous allions former nos vœux, samedi.

— Former vos vœux ?

— Il veut dire qu'il va se marier, lui expliqua Inez.

— C'est vrai ? Une semaine avant Mort et moi.

— Donc, mon prochain geste, en cette matinée… et là, je vais être vraiment débordé… ce sera d'aller acheter une alliance, d'ailleurs je suis certain de pouvoir en trouver une ici même. Pas besoin d'aller chercher midi à quatorze heures, hein ?

— Laissez-moi vous aider, proposa Zeinab.

Ce matin, Inez s'aperçut que Zeinab ne portait pas un seul bijou, pas un diamant, pas un saphir sur elle. Cela devait signifier que Morton Phibling et Rowley Woodhouse – si ce dernier existait, car personne ne l'avait jamais vu – étaient absents de Londres pour la journée. Elle avait déjà entendu Will Cobbett et sa petite amie quitter l'immeuble par la porte des locataires et elle les avait vus remonter Star Street en direction d'Edgware Road, chargés de sacs de commissions. La jeune fille tenait Will par le bras, et on voyait bien qu'il était tout juste consentant, il gardait passivement la main à son coude. Était-il donc vrai que, dans un couple, il y en a toujours un qui embrasse et l'autre qui tend la joue? Pour Martin et elle, il n'en était pas ainsi. Est-ce que le jour viendrait où le moindre événement, qu'il soit grave, perturbant, ridicule ou ordinaire, cesserait de le lui remettre en mémoire?

Depuis sa tentative de se regagner son estime, Jeremy Quick n'était plus entré dans la boutique. Pour le reste, son attitude n'avait guère été plus normale. Par exemple, il n'était pas allé travailler tous les jours. Il était sorti plusieurs fois, mais il était revenu dans la maison, et il avait passé tout l'après-midi et toute la soirée chez lui. À cette minute, depuis sa chaise, Inez regardait par la vitrine dans l'attente d'un client, tandis que Freddy et Zeinab passaient au crible son stock d'alliances en or toutes simples, et puis elle entendit le bruit des pas de Jeremy dans l'escalier, et la porte des locataires qui se referma, presque en claquant. Il partit à pied, dans la direction opposée des deux autres, vers la gare de Paddington et Saint Mary's Hospital, ou tout simplement vers Hyde Park.

Il irait sans doute rendre visite à sa mère, pour l'un des deux jours fériés de la fête du Printemps, le lundi ou le mardi, supposa-t-elle, et il sortait lui acheter un cadeau. Un bon fils, quels que soient ses autres défauts.

— Peut-il monter ce lot chez Ludmila pour voir s'il y en a une qui lui va? s'enquit Zeinab.

Cinq alliances étaient disposées sur le plateau noir de joaillier en velours, dont une avec un nœud d'amour et *Albert et Moira, unis pour toujours* gravé à l'intérieur.

— Elle ne voudra sûrement pas de celle-ci, prévint Inez en récupérant l'alliance gravée.

— Hélas, fit Freddy, je crains fort que ce ne soit la seule qui aille à son doigt si mince.

Jeremy avait beau redouter le pire, il n'avait toutefois pas pensé à examiner les boucles d'oreilles de près. Il vivait ce moment où le lâche bat en retraite, cet état où, quand le doute subsiste, vous êtes incapable d'affronter ce que vous ne savez pas de manière certaine. Rien ne vous en empêche, mais l'espoir demeure, avec l'idée que si, par miracle, les choses se terminent bien, il aura finalement été payant de remettre l'échéance à plus tard. Ensuite, c'est évident, il faut se précipiter sur l'objet en question et vite l'examiner. C'était ce qu'il avait fini par faire, à une heure du matin cette nuit-là. Il s'était réveillé dans un état d'anxiété insoutenable, il avait bondi de son lit et déchiré le sac pour l'ouvrir. Il y avait encore un reste d'espoir. Il ferma les yeux, les rouvrit et compta les brillants sertis dans le métal argenté. Seize, bien sûr, seulement seize, et pas vingt. Ses maîtres chanteurs – il était persuadé à présent que la fille n'était pas seule – avaient acheté une paire de boucles similaires à celles qu'il avait dissimulées dans la boutique de Star Street. On devait les trouver chez tous les bijoutiers à deux sous du pays.

Leur motivation, c'était sûrement de revenir lui réclamer encore davantage d'argent. Pas aujourd'hui, sans doute, pas même la semaine prochaine, mais vers le 10 ou le 11 juin, c'était environ à cette date-là qu'il fallait s'attendre à leur coup de téléphone. Pour lui, le sommeil, cette nuit, c'était fini, et pourtant il ne s'était rien produit d'autre que ce qu'il avait tant redouté depuis qu'il avait détaché le sac scotché sous le couvercle de la poubelle. Il fallait bien admettre le caractère inéluctable de la chose. Il n'aurait pu rester plus longtemps au lit et se rendormir sans se lever pour aller vérifier, pas plus qu'il n'eût été capable de refuser leurs exigences. Il n'avait pas le choix, et ce qui lui arrivait n'était que le début de ses peurs concernant la clarté du jour évanouie et son entrée dans la nuit.

C'était à tout cela qu'il songeait en remontant Star Street avant de tourner en direction de Sussex Gardens, et, au lieu d'emprunter Edgware Road, il choisit cette fois un chemin plus agréable, mais plus détourné, pour rejoindre Oxford Street. De ce côté-ci, il y avait des arbres chargés de l'épais feuillage de ce printemps qui tournait à l'été, avec ces jardinières en façade des maisons géorgiennes et ces bacs à fleurs devant de petits pubs pimpants. Il n'irait jamais en prison, il se tuerait d'abord, mais son cœur se serra un peu quand il pensa à sa mère, privée de lui pour toujours.

C'était pour lui acheter le parfum qu'elle voulait qu'il était venu par ici. Tourmaline, c'était le nom de ce parfum, une sorte de pierre semi-précieuse, croyait-il, mais ce devait être très compliqué de concocter de nouveaux noms de parfums, il y en avait déjà tant sur le marché. Dans Oxford Street il y avait quatre grands magasins entre Marble Arch et Piccadilly Circus, le plus proche des quatre étant Selfridges. Il commencerait donc par Selfridges.

Cela faisait longtemps qu'il n'y avait plus remis les pieds. Depuis sa dernière visite, le rayon des parfums et des cosmétiques s'était considérablement agrandi. Il ne se serait certes pas considéré comme un expert en matière de parfums et autres adjuvants de la beauté dont usaient les femmes, mais les grands noms lui étaient tout de même connus. Certains de ces grands noms existaient encore, mais les parfumeurs dont sa mère était cliente quand il était enfant avaient disparu, ou leurs stands avaient diminué de taille et s'étaient retrouvés relégués dans un coin. Partout c'étaient de nouveaux noms. Sur chaque mur, à chaque pilier, des femmes en photo, des jeunes filles, sûrement les plus belles du monde, qui lui souriaient, l'air radieux, ou qui lui faisaient la moue. Leur peau sans défaut et leurs cheveux éclatants le laissèrent froid. Il n'avait envie ni de les étreindre, ni de les étrangler.

Pourtant tout cela le laissait perplexe. D'autres femmes, l'air très différent des mannequins des laboratoires cosmétiques, déambulaient en regardant autour d'elles ou avançaient d'un pas décidé vers un but bien arrêté, mais lui, il se sentait perdu dans un bazar onirique et mystérieux, sans du tout savoir où aller ou même quoi chercher, hormis ce nom indéfinissable,

Tourmaline. La dernière fois qu'il avait acheté un parfum à sa mère, il avait repéré ce qu'il lui fallait dans une vitrine de pharmacie, à Marble Arch, du côté d'Edgware Road, il était entré, il avait montré le flacon du doigt en indiquant que c'était ce qu'il voulait. Peut-être aurait-il dû agir de même cette fois-ci, pénétrer dans une petite boutique et tendre à la vendeuse un bout de papier avec le nom écrit dessus.

Nulle part il n'y avait de Tourmaline. Il allait pousser jusqu'à Oxford Street, essayer le prochain grand magasin. Cette fois, au lieu d'errer en tous sens, il se renseignerait. Il se dirigea vers la sortie la plus proche, enfin il essaya, pour se retrouver vite englué au milieu d'une troupe de jeunes femmes qui toutes regardaient fixement une fille assise sur un haut tabouret, en train de se faire maquiller par une esthéticienne. Il força le passage avec impatience, fendit le groupe et déboucha dans un périmètre plus ou moins désert, avec devant lui des montres et des bijoux, et la porte vitrée donnant sur la rue. Il crut pouvoir atteindre la sortie sans encombre, mais une jeune et magnifique Orientale à la longue chevelure noire lui coupa la route, leva un vaporisateur en l'air et lui demanda s'il aimerait essayer ce parfum si particulier. C'était un parfum ancien, tombé en désuétude depuis des années, mais on avait enregistré une telle demande que le parfumeur l'avait réédité depuis deux ans.

– À la demande générale, ajouta-t-elle de sa voix séduisante et parfumée. Il s'appelait Yes, mais le nom est un peu démodé, alors nous l'avons rebaptisé. Avez-vous envie d'essayer ?

Il vit le nom inscrit en lettres d'or, mais, sans le lire, il secoua la tête et marmonna « Non merci », trop tard, car elle en avait déjà laissé échapper un jet, droit sur ses deux mains levées dans un geste de défense. Sur lui l'effet fut cataclysmique. Il recula et, lorsque cette essence lui assaillit les narines, il sentit un séisme le secouer de la tête aux pieds. Il ne comprit pas au juste quelle fut sa première réaction, si ce n'est qu'il poussa un cri, il lâcha un chapelet de propos étranglés. Après quoi, le sol monta vers lui comme le plancher d'un ascenseur. Il plongea comme si ce sol était fait de gelée, visqueuse et gluante. Les parois tremblotantes se refermèrent sur lui et il s'évanouit.

Quand il revint à lui, il était allongé sur une espèce de brancard de fortune, et on le portait hors du rayon. Conservant les yeux fermés, le corps immobile, il feignit l'inconscience prolongée. Il n'avait pas envie de reprendre connaissance, pas envie de parler ou d'être questionné, et si on lui en laissait le choix, il aurait préféré l'extinction totale de toute vie et le long repos qui s'ensuivrait.

Mais, comme la nuit précédente, il n'eut pas le choix. On avait reposé le brancard. Non sans difficulté, il se redressa en position assise, vit qu'on l'avait amené dans un bureau et qu'on avait installé sa litière de fortune à cheval sur deux chaises. Un homme penché au-dessus de lui s'enquit de savoir s'il fallait appeler un docteur. Jeremy répondit qu'il ne voulait pas de médecin. Ce qui s'était passé, c'était normal, prétendit-il, une sorte de crise d'épilepsie, sauf que cela ne lui était encore jamais arrivé dans un lieu public. Il allait bien, il allait rentrer chez lui. Désirait-il quelque chose? À cet instant, une femme lui apporta un verre d'eau et, comme il se sentit soudain la gorge desséchée, mort de soif, il but.

— J'étais venu chercher, dit-il, un parfum qui s'appelle Tourmaline...

— Rien de plus facile, lui répondit la femme, et deux minutes plus tard elle était de retour avec un coffret rouge, au nom imprimé en lettres or sur le flanc.

Jeremy paya le flacon et les autorisa à lui appeler un taxi. Assis sur la banquette arrière, il se prit à répéter encore et encore à voix haute les mots inscrits sur un petit écriteau à côté de lui: *Prière de ne pas fumer, prière de ne pas fumer.* Il ne pouvait s'empêcher de les répéter et il lança même cette phrase au chauffeur en descendant:

— Prière de ne pas fumer... Je suis désolé. Je veux dire, combien vous dois-je?

L'homme lui adressa un regard étrange, suscité peut-être par cette phrase que Jeremy n'avait cessé de répéter, transformée en une sorte de mantra, ou par le motif qui avait exigé la commande d'un taxi pour ce client. Un homme, ça ne s'évanouit pas. Une femme, le cas échéant, oui, mais un homme jamais.

Pourquoi s'était-il évanoui? Il connaissait la réponse à cette question, mais il fallait encore qu'il repense à tout cela, qu'il sorte dans son jardin-terrasse et qu'il réfléchisse.

Ce qui lui était arrivé au moment de la mort de son père ne lui était pas revenu sous une forme complètement non expurgée, entre la seconde où il avait respiré ce parfum et celle où il s'était évanoui, non, cela s'était limité aux aspects les plus saillants. Il n'avait pas eu l'illusion de revoir un film en accéléré, ou cet épisode, l'un des grands clichés des contes de bonne femme: toute sa vie défilant devant ses yeux. Enfin, il n'empêche, en cet instant, installé au milieu de ses massifs de fleurs sous un ciel clément bleu et blanc, il repensait à ses treize ans, il était déjà très grand, déjà très avancé dans la puberté, avec cet appareil détesté scellé sur les dents. Il accompagnait sa mère à l'hôpital, où son père gisait au stade terminal d'un cancer du poumon. Toute sa vie, Douglas Gibbons avait été fumeur, tout comme son épouse, tout comme sa veuve l'était encore à presque soixante-dix ans, et apparemment toujours en forme. À l'époque elle était jeune, ravagée par le malheur, et elle ne cessait de répéter à son fils qu'il serait bientôt sa seule raison de vivre.

Elle réagissait de plus en plus violemment à ces séances au chevet de son père, de sorte que le jour de cette visite auprès de son mari abruti par la morphine, elle était au bord de l'hystérie. Il avait reconnu son fils et, pour Jeremy, il était parvenu à ébaucher un sourire spectral, mais il n'avait plus l'air de reconnaître son épouse. Ses yeux qui voyaient sans comprendre s'étaient tournés vers elle avec une lueur interdite dans leurs noires profondeurs, et il ne semblait plus savoir qui était cette femme. Cela avait suffi à déclencher chez elle un torrent de larmes et, avec ces mots murmurés à Jeremy: «Je te retrouverai à la maison, mon chéri », elle était sortie précipitamment de cette chambre.

Plus tard, il devait se demander si la femme qui s'était introduite dans la pièce aurait osé en faire autant si sa mère avait été encore là, et si elle n'avait pas regardé par la petite vitre de la porte pour vérifier d'abord. Il l'avait reconnue, c'était l'amie de sa mère, une amie d'un temps, qui était sortie de leur existence quand elle avait déménagé, deux ou trois ans auparavant. Elle était plus jeune que ses parents, d'une dizaine d'années, et très jolie femme. À cette époque, Jeremy était en train d'acquérir en vitesse un certain coup d'œil pour repérer la beauté féminine (depuis cette époque cela lui avait passé), et la silhouette et les formes de cette femme lui avaient plu, ses cheveux blonds, courts, joliment coiffés, et ses longues jambes – dignes d'une publicité pour une marque de bas. En fait, cette vision l'avait excité d'une manière encore inconnue de lui, mais qu'il espérait bien connaître à nouveau. À ses yeux, malgré leurs quinze années de différence, elle était juste assez son aînée pour être excitante.

De prime abord, elle n'avait pas fait attention à lui. Après s'être avancée de deux pas dans la pièce, elle s'était immobilisée, avait vu son père et retenu son souffle. Il avait cru l'entendre murmurer : « Oh, mon Dieu. » Ensuite, elle s'était approchée lentement du lit et était tombée à genoux, avait pris la main du malade et l'avait couverte de baisers. Elle remarquait si peu la présence de Jeremy qu'il aurait aussi bien pu ne pas exister, être un fauteuil roulant ou un couvre-lit rabattu. Son père avait tourné vers elle un regard si rempli d'amour que même Jeremy, en dépit de sa jeunesse, en avait perçu la teneur. Le percevoir, c'était une chose, le comprendre en était une autre. Il était troublé, ne sachant pas de quoi il était le témoin, parcouru d'impressions semblables à celles des rêves, sans trop saisir par quelles voies mystiques ou surnaturelles il avait pu tomber au milieu d'une scène pareille.

– Tess, avait dit son père d'une voix chuchotée, éraillée. Tess. Ravi que tu sois venue, avait-il ajouté, au prix d'un effort immense.

Ces quelques mots l'avaient épuisé et il restait haletant, les yeux clos.

Perdu un moment dans ses souvenirs, Jeremy revint à sa vie dans Star Street, se leva, étira les bras et les jambes au-dessus de sa tête. Il rentra dans l'appartement et se versa un gin-tonic bien tassé. La première gorgée, il l'avala avant de ressortir dans le jardin-terrasse. Rien que de songer à la merveille de cette première gorgée, à quel point elle vous remontait, à toute l'énergie qu'elle vous insufflait, une espèce d'inspiration, il était difficile de comprendre l'alcoolisme, car rien de ce qui venait après n'égalait l'intensité et l'ivresse pure de cette première gorgée.

Il se tenait sur le toit, il observait le jardin d'Inez et, tout au fond, l'autre jardin attenant. Tout était très vert maintenant, une végétation épaisse, envahissante. Un buisson était couvert de brassées de fleurs neigeuses, et il reconnut aussi un lilas. La maison à laquelle appartenait ce jardin devait se situer dans Saint Michael's Street. Depuis une fenêtre en hauteur, un visage à la peau brunie qu'il reconnut vaguement – d'où? en quelles circonstances? – lui retourna son regard avant de lentement reculer.

Il se rassit, incapable de fermer son esprit à tout ce flot de pensées autour de Tess et son père. Il y avait quelque chose de miraculeux dans cette mémoire retrouvée, ce à quoi il n'avait jamais cru jusque-là. Dans ce passé, c'était une autre vie qui avait été vécue. Ce souvenir était resté en sommeil et voilà que soudain, à cause d'un parfum, il se remémorait tout.

Elle était restée au chevet de son père, peut-être une demi-heure, presque sans mot dire, tous deux se contemplant mutuellement. Son visage à elle trahissait une expression de besoin et de concupiscence, et celui de son père une terrible lassitude et une sorte de désir profond, sans espoir.

– Je dois m'en aller maintenant? avait-il demandé.

Il était trop jeune pour éprouver autre chose que de la gêne.

– Alex, lui avait dit son père, car c'était toujours ainsi qu'il l'appelait, je t'en prie, reste. Reste et ramène Tess chez elle. Je me sentirais mieux en sachant que tu es là pour veiller sur elle

Lui, veiller sur elle ? À treize ans ? Mais il était resté et enfin Douglas Gibbons s'était endormi. Alexander ne devait jamais le revoir. Il avait regardé Tess et elle l'avait regardé, et ils avaient eu un signe de tête simultané. Il n'avait pas souri, il avait gardé les lèvres closes, à cause de l'appareil. Pour ce qui était de la raccompagner chez elle, en fait c'est elle qui l'avait ramené à son domicile, car elle était en voiture. Elle habitait une maison en périphérie. « Une sale petite baraque », c'était ainsi qu'il l'appelait, dans sa tête, parce qu'il était snob, à peu près comme tous les enfants ou presque.

Une fois à l'intérieur, elle lui demanda s'il voulait boire un thé ou un café, mais quand elle revint avec les boissons, ce fut du cherry qu'elle apporta, capiteux, brun et sucré. Il n'y avait jamais goûté et l'alcool lui monta directement à la tête. C'est alors qu'il remarqua ses jambes, et subitement il les vit très différentes de celles des hommes, ainsi que ses seins (qu'il avait presque peur de remarquer), comme n'en possédait aucun homme. Ensuite, elle lui parla sur un ton qu'il n'identifierait que plus tard, plus vieux, et qu'elle n'aurait jamais dû employer avec lui. Tout se passait comme si elle avait oublié que Douglas Gibbons, son amant, était aussi son père et que, après l'avoir quittée, Alexander retournerait auprès de l'épouse de Douglas, sa mère. Elle lui avoua qu'ils vivaient un amour passionné, et que son père se serait affranchi du foyer familial s'il n'était tombé malade. Elle évoqua en des termes à peine voilés leurs rapports sexuels, toutes ces merveilles. Là encore, il se sentit gêné, mais il y avait aussi autre chose. Il était excité par ces allusions à l'acte d'amour.

Au bout d'un moment, après avoir avalé un deuxième cherry, elle lui annonça qu'elle allait monter au premier se changer. Sa jupe était trop serrée et ses chaussures lui faisaient mal aux pieds. Elle fut longue, et il finissait par ne plus savoir quoi faire, rentrer chez lui, l'appeler – elle avait pu s'endormir –, quand ce fut elle qui lui adressa la parole :

– Monte ici une minute, tu veux?

Sa chambre était noyée dans le parfum. Ce parfum, ce devait être le même, il l'imprégnait de toute sa densité, et il se rendit compte que c'était le même qui flottait autour d'elle au moment où elle s'était approchée du lit de son père pour s'agenouiller à sa hauteur. Elle était dans son lit, un édredon remonté jusqu'au menton.

– Je me sentais si fatiguée, fit-elle. Ça m'a vraiment vidée.

Il se tenait près d'elle. Elle tendit la main pour attraper la sienne et, quand elle se redressa, l'édredon glissa de ses épaules, révélant ses seins nus. Il sentit une bouffée de chaleur lui monter au visage, et il dut rougir, il en était sûr. Il n'osait pas regarder ses seins, et pourtant il était impossible d'en détacher les yeux.

– Tu vas rester avec moi, hein? dit-elle. Je me sens si seule. Maintenant, je vais être seule pour toujours.

Elle entendait par là: quand son père serait mort, et pourtant, même ces mots-là ne suffirent pas à le glacer.

– Tu ressembles beaucoup à Douglas. Il devait avoir ton allure quand il était jeune. À part cet appareil épouvantable.

Il hocha la tête, rougit, les lèvres serrées.

– Ce que j'aimerais vraiment bien, poursuivit-elle, ce serait que tu viennes au lit avec moi et que tu me tiennes serrée contre toi. Juste un petit peu. Tu veux bien?

Il était si inexpérimenté, si naïf, qu'il crut qu'elle voulait dire comme ça, tel qu'il était, en pantalon gris, en chemise verte à carreaux et avec son blazer de l'école. Même à travers tous ces vêtements, il imaginait ce que serait le contact de ses seins contre lui.

– Oh, mon chou, fit-elle de cette voix qu'elle avait aussi eue avec son père, déshabille-toi, mais vraiment. (Elle gloussa.) Je vais pas regarder.

C'était ridicule – enfin, c'est ce qu'il lui semblait, rétrospectivement. Il passa derrière la coiffeuse, derrière le miroir, retira ses vêtements et se couvrit avec sa robe de chambre, qui était jetée sur un dossier de chaise, en s'approchant de cette chaise, mais à reculons. À cet instant, il se figurait encore qu'elle avait juste l'intention de se blottir contre lui et qu'il la câline pour la réconforter, et il avait honte de son pénis dressé que la robe de chambre trop légère dissimulait à peine. Elle se masqua les yeux des deux mains et il courut au lit, s'y glissa à côté d'elle.

Elle se mit à lui caresser le corps, d'une manière qu'il jugeait assez experte, après coup. Elle lui toucha le pénis, elle le retint dans sa main et lui dit qu'il était joli. Jeremy n'avait jamais embrassé personne de la sorte, et maintenant il découvrait dans ce baiser une révélation, bien au-delà de la simple réunion des lèvres. La langue de Tess courait le long de son appareil dentaire tant détesté, et cela lui était égal.

– Tu ne diras rien à ta mère, hein? fit-elle, une réflexion bien malavisée si l'on y pense, qu'elle lui chuchota d'une voix feutrée de conspiratrice. Je ne veux pas parler de nous deux, ce ne serait pas si grave que ça, mais pour ton père et moi.

Elle l'avait enfourché, peut-être parce qu'elle craignait – non sans raison – qu'il ne sache pas trop s'y prendre sans un peu d'aide et d'encouragement. Mais tandis qu'elle prononçait ces paroles fatales, il songea à sa mère qui l'attendait à la maison, déjà en deuil de son père, de la confiance qui devait être la sienne envers son père qu'elle aimait sûrement de tout son cœur, et son érection faiblit, mollit, son pénis devint une pauvre chose minuscule et flasque, recroquevillée entre son ventre et celui de la jeune femme.

– Oh, mon cœur, s'écria-t-elle, qu'est-ce qui t'arrive?

Elle se mit à lui pétrir le membre et à l'embrasser, l'édredon glissa et le dénuda, et il en éprouva une telle honte et une telle indignité qu'il aurait cru mourir s'il était resté là. Il la repoussa avec brusquerie et sauta du lit.

– Fais-moi confiance, insista-t-elle en lui tendant la main. Je m'occupe de tout. Détends-toi et laisse-moi faire.

Elle éclata de rire, sans le quitter du regard et en le montrant du doigt. Elle rit à gorge déployée.

– Tu es vraiment un peu jeune pour tout ça. J'aurais dû savoir qu'à ton âge c'était la première fois, bien sûr…

Ce qui n'était pas de son âge et ce qu'elle aurait dû savoir, il ne resta pas pour l'entendre. Le parfum s'empara de lui comme une vague, il s'échappa des draps défaits en tenant ses vêtements serrés contre lui, car après avoir eu honte de son érection, il se sentait maintenant doublement honteux de son absence. La porte de la salle de bains était ouverte, il y courut et il atteignit le lavabo juste à temps pour vomir.

Lui dire au revoir, lui reparler un jour, tout cela était exclu. Il s'habilla, descendit au rez-de-chaussée, se faufila hors de chez elle. Elle avait sans doute l'intention de le raccompagner chez lui en voiture – et il était trop inexpérimenté pour s'imaginer le rendez-vous qu'elle aurait aussi pu lui proposer –, mais il dépendait du bus, qui mit longtemps à venir, avant de se retrouver pris dans un embouteillage d'un bout à l'autre ou presque du trajet jusqu'à son village. Dans le bus, il repensa à ce qui venait de se produire et c'était à sa connaissance la dernière fois qu'il y pensa ou qu'il se remémora la chose, jusqu'à ce jour.

Si le désir inconscient est suffisant, l'esprit enfouira l'expérience vécue. Quelle que soit la blessure, il développera là un tissu cicatriciel et s'efforcera d'en empêcher le décollement. Mais le parfum que cette jeune fille lui avait vaporisé si généreusement avait remis ce souvenir à nu, de si douloureuse manière que le saignement et la douleur de la blessure l'avaient privé de toute conscience et l'avaient immobilisé l'espace de quelques instants.

Il avait tout redécouvert, et maintenant il savait. Il savait que les propos et le rire de Tess, et son échec et sa honte à lui l'avaient marqué à un point tel que, sur le moment, sa vie en avait été transformée du tout au tout. Il avait fait plus qu'entrer dans une nouvelle phase : il avait pénétré dans un nouveau monde. Tout comme il avait accédé à un monde nouveau, un monde encore différent, ce matin, en respirant ce parfum qui lui était demeuré caché depuis un tiers de siècle.

Après mûre réflexion – et désormais il aurait toute latitude d'y repenser –, il comprenait pourquoi c'était lorsque ces filles

346

le précédaient, et quand il les suivait, que cette pulsion de tuer s'emparait de son mental. Le parfum qu'elles portaient, car elles mettaient toutes le même que Tess – cette essence autrefois très répandue, longtemps remisée et relancée deux ans plus tôt –, flottait derrière elles, dans leur sillage, quand elles marchaient, tour à tour persistant et délicat, fort et entêtant. Et lui, il était là, saisi, pris au piège, capturé par ce parfum, aimanté vers ces gestes redoutables.

Maintenant qu'il savait, allait-il s'arrêter ?

CHAPITRE 25

Soucieuse de ne pas céder à l'habitude de se rendre chez sa sœur et son beau-frère à toutes les fêtes du Printemps, Inez avait décidé cette fois de s'offrir une séance de cinéma, avant de passer la soirée à la maison, à regarder une cassette de *Forsyth*, en guise d'antidote au film qui serait sûrement une déception. Quelle attitude négative envers la vie ! se dit-elle, mais elle s'en tint à son programme. Westminster et le West End seraient pleins de touristes en quête des cérémonies du Jubilée d'or, par conséquent ces quartiers-là seraient à éviter, et elle se rendit donc au Screen, dans Baker Street. Elle songea à ces deux jours fériés de suite cette année, un phénomène sans précédent dans l'histoire britannique, et une tristesse dont elle ne parvenait pas à se défaire s'empara d'elle.

Dans l'île de Man, le temps était ensoleillé, mais froid. Freddy et Ludmila partirent tous les jours en excursion en autocar, évitant d'aller s'extasier sur des sites pittoresques, les visites dans les musées, les églises et les grandes demeures, fuyant les plages et ne quittant leurs sièges que pour sortir écumer les

boutiques et dévorer des repas pantagruéliques, dans la catégorie pizza-hamburger avec chips. Freddy racontait à tous les
participants de l'excursion et à tous les inconnus qu'ils croi-
saient que Ludmila et lui venaient de se marier, ce qui leur
valait à tous deux un immense succès. Comme le leur raconta
Freddy, il n'avait pour ainsi dire jamais payé le moindre verre
de sa poche, mais sa jeune épouse trouvait tout cela ridicule,
lorsqu'on avait été déjà mariée aussi souvent qu'elle, et qui sait
combien d'autres maris elle aurait dans le futur?

Algy emmena Zeinab, les enfants et Mme Sharif au Mall
voir la reine et la famille royale faire leur apparition au balcon
du palais. Reem Sharif, qui était une patriote enthousiaste et
très pro-monarchie, pleura à chaudes larmes dans ses jumelles
quand on chanta l'hymne national. Algy était sidéré. Il ne
l'avait jamais vue pleurer. Tout près d'eux, dans la foule, il y
avait aussi Anwar Ghosh, Keefer, Julitta et Flint, mais si Anwar
reconnut Zeinab, il s'abstint de montrer qu'il l'avait déjà croisée. Il veilla surtout à une chose: nouer son propre foulard noir
autour du cou de Julitta, histoire de masquer le pendentif au
diamant.

— Qu'est-ce que tu fous, bordel? s'emporta Julitta. J'ai déjà
assez chaud comme ça, j'peux plus respirer, putain!

— La fille à qui ce truc appartient est juste là-bas.

— Quoi? Où ça?

— Avalée par la foule, fit Anwar.

— Je t'avais prévenue de pas le porter, espèce de conne,
lâcha Flint.

— Après cette journée, elle le portera plus.

Anwar surveillait toujours Zeinab du coin de l'œil, histoire
de repérer où elle était.

— Demain, je le fourgue.

Il se voulait confiant, mais en fait il se demandait si le type
qu'il connaissait à Clerkenwell allait vouloir y toucher. Ils
n'avaient encore sûrement jamais accepté de prendre une
pièce d'une telle valeur. Enfin, on verrait. Profitons de l'instant.
Il croyait fermement à cette idée de vivre le présent et, s'il

devait adopter une devise, ce serait: *Vis l'instant*. À eux quatre, ils avaient dépensé une bonne partie de l'argent de Jeremy Quick et ils avaient la ferme intention de continuer dans des pubs, et dans des boîtes, et des restaurants, dès que la passion de Julitta serait assouvie et qu'elle aurait aperçu le prince William.

Le vendredi, James emmena Becky dîner, et il rentra avec elle passer la nuit dans Gloucester Avenue. Elle avait eu beau l'avertir plusieurs jours à l'avance que Will viendrait lundi, il avait complètement oublié. Lundi matin, il avait fait la grasse matinée et, à l'arrivée du neveu, il était sous la douche. Il serait bien rentré tout de suite chez lui, c'était ce qu'il devait confier plus tard dans la journée à Becky sur un ton bougon, mais il avait prêté son appartement à un couple d'amis qui étaient descendus du nord pour assister aux cérémonies du Jubilée.

Son comportement en présence de Will, sa manière en somme de l'ignorer, de bouder, de s'absorber dans ses mots croisés, de se plaindre auprès de Becky chaque fois qu'il parvenait à lui arracher une minute en tête à tête, l'avait d'emblée dérangée. Mais, jusqu'alors, l'attitude de Will en présence de James avait été à peu près la même que quand il était seul avec Becky ou avec Kim. Ce lundi, elle remarqua un changement.

Bien entendu, depuis sa chasse au trésor et la nuit qui s'était ensuivie dans une cellule du commissariat, il était vrai que Will avait changé, il était plus craintif, moins bavard et, quand il parlait, il tenait des propos plus bizarres que d'habitude. C'était un nouveau virage. L'inévitable télévision allumée, il s'était mis à faire une chose que Becky ne l'avait jamais vu faire, manier la télécommande pour zapper. Et James, attitude inhabituelle de sa part, témoignait même un certain intérêt pour ce qui défilait à l'écran. Pendant tout le mois de juin c'était la Coupe du monde, et s'il n'y avait pas de match pour le moment, les commentaires sur les rencontres passées, la forme des équipes, savoir si tel ou tel joueur était guéri de ses blessures, défilaient quasiment sans interruption. Le football, soutenait quelqu'un, c'était plus important que le Jubilée d'or de la reine et bien davantage que la guerre qui menaçait entre l'Inde et le Pakistan. Pas pour Will, qui préférait les programmes pour enfants et les émissions de jeux, et qui, surtout quand James manifestait un intérêt plus marqué pour les reportages sur les précédentes victoires de l'Angleterre, ou dès qu'il se concentrait sur le pied blessé de Beckham, zappait pour revenir à un dessin animé de Tom et Jerry.

Témoin d'une partie de la scène, Becky y vit d'abord un geste tout à fait innocent, Will n'ayant aucune idée des préférences de James et se conduisant avec l'égocentrisme propre aux enfants. Mais cette fois-ci, s'étant attardée un peu plus longtemps avec eux dans la pièce, elle constata que la réalité était tout autre. Will zappait exprès, pour importuner ; il tendait la télécommande à James, puis il la reprenait et revenait à sa chaîne favorite. De temps à autre, il lançait à James des regards sournois, surveillait sa réaction exaspérée d'un air satisfait, et Becky comprit ce qui jusqu'à présent lui avait échappé. On tenait pour acquis que les êtres souffrant de « manques particuliers », pour employer une formule politiquement correcte, étaient forcément d'une bonté et d'une pureté parfaites, leur vertu étant inhérente à leur inaptitude. Ils étaient comme ces simples d'esprit des romans russes du dix-neuvième siècle, dont la sainteté compensait les manques au niveau de l'intellect. Il n'en était rien, c'était tout à fait faux. Will éprouvait les mêmes jalousies et les mêmes ressentiments, le même désir de vengeance que n'importe qui d'autre, mais chez lui c'était plus manifeste et plus marqué, parce qu'il était un enfant dans un corps d'homme, et, comme chez un enfant, son sentiment de triomphe se lisait sur son visage. Quand finalement James, perdant son dernier reste de patience, jeta le supplément du *Radio Times* et sortit de la pièce d'un air digne, Will éclata de rire et bascula sur le sofa, en avant, en arrière et retour.

Dimanche soir, Jeremy récupéra sa voiture au garage des anciennes écuries et la gara le long de la ligne jaune de Saint

Michael's Street, c'était autorisé les week-ends et les jours fériés. De tous les habitants de la rue, Anwar Ghosh était probablement le seul debout à sept heures et demie du matin, en train de boire son mug de cacao – il ne faisait jamais la grasse matinée –, et il était le seul à observer Jeremy occupé à ouvrir sa voiture, à installer sur la banquette arrière une grande composition florale, une bouteille de champagne, un paquet qui devait contenir un livre ou une boîte de chocolats, et un sac jaune Selfridges, avant de démarrer.

Parti tôt, Jeremy était en route pour aller rendre visite à sa mère. Toujours très dévoué à son égard, il avait encore davantage pensé à elle depuis son expérience de samedi, et elle occupait maintenant toutes ses pensées. Il lui était presque impossible de se mettre à sa place, car il n'avait jamais essayé de comprendre les femmes, et il était trop tard pour commencer. Avait-elle jamais su pour son père et pour cette Tess – il n'arrivait toujours pas à se rappeler son nom de famille –, ou était-elle restée dans l'ignorance de cette liaison ? Si elle avait su, en quoi cela l'aurait-elle dérangée ? Peut-être était-elle au courant, mais elle préférait garder le silence, de peur que son père ne la quitte si la vérité éclatait au grand jour. Jeremy n'avait jamais osé lui poser la question, ou ne serait-ce qu'aborder le sujet. Le mieux qu'il puisse espérer, c'était qu'elle n'en ait rien su ou que le temps ait émoussé ce souvenir tout comme l'âge effaçait la passion, la jalousie et la douleur d'être rejetée. Ah oui, vraiment ? Il avait lu cela quelque part, mais en réalité il n'en savait rien.

Il roulait sur l'autoroute quasi déserte, abandonnée au profit du centre de Londres par tous ceux qui célébraient le Jubilée, et il laissa le cours de ses pensées revenir à Tess et sa chambre à coucher, à sa fuite et à ce parfum envahissant. Il avait désormais la force de considérer la scène sans humiliation, sans honte et sans se fustiger. Il était enfant et elle s'était servie de lui, de manière impardonnable. C'étaient les conséquences de cette expérience aussitôt enfouie qui le préoccupaient à présent. Sans nul doute, le désir de tuer Tess était resté enseveli

avec la fureur qui avait dû accompagner son échec et l'amuse-
ment non dissimulé de la maîtresse de son père, avant de refaire
surface sans relâche, non pas dès qu'il croisait une créature
comme elle, d'un âge comparable ou avec des jambes aussi
fines, mais quand il respirait un effluve de ce parfum reconnaissable entre tous, flottant dans le sillage d'une femme. Et
puis il se remémorait aussi ce qu'avait dit cette jeune fille qui
l'en avait vaporisé, que c'était une vieille essence, mais que
la marque avait été relancée « à la demande générale », cela
s'appelait Yes, mais on l'avait récemment rebaptisée.

Ces filles qu'il tuait mettaient toutes ce parfum. Peut-être
Gaynor Ray portait-elle encore l'ancienne version, achetée dans
une petite boutique au fond d'une rue mal fréquentée, mais
les autres, ses dernières victimes, s'étaient laissé convaincre
par cette mode de porter une essence rebaptisée. C'était aussi
la réponse à cette énigme : pourquoi rien ne l'avait-il incité au
meurtre, durant toutes ces longues années, entre l'adolescence et le milieu de la quarantaine ? Ce parfum ne se portait
plus, il avait été retiré de la vente, presque comme si ses fabri-
cants en avaient saisi le pouvoir mortifère – quelle idée fantai-
siste et ridicule !

Quand il le respirait, flottant dans le sillage de ces femmes,
perceptible uniquement par un individu doté d'un odorat
superlatif, cela devait aussitôt le replonger dans cet état de rage
vengeresse et insatiable, jusqu'à ce qu'il parvienne à tuer Tess
en chacune d'elles. Il trouvait à la fois macabre et amusant
d'avoir pu ignorer le nom de ce parfum. Il croyait tout savoir
désormais – sauf le nom de l'agent chimique qui le poussait au
meurtre.

Lorsque Will demanda s'il avait le droit de rester pour la nuit,
James annonça qu'il allait rentrer chez lui. Ses amis repartaient
dans la soirée. Le temps qu'il arrive, ils auraient plié bagage.
Devant les signes de son départ, Will n'alla pas jusqu'à se
réjouir ou jusqu'à s'exclamer « Bon ! », mais son sourire réjoui
parlait pour lui. Becky avait prévu de les emmener dîner et elle

réfléchissait à un endroit où l'on aurait servi le genre de cuisine qui plairait à son neveu, tout en demeurant acceptable
pour son amant, mais elle n'avait plus qu'à y renoncer, le jeune
homme et elle iraient au Café rouge ou dans un McDonald's,
pourquoi pas? Si James avait réuni ses affaires pour s'en aller
de chez elle, sans dire un mot à Will en partant, s'il lui avait
juste déposé un baiser sur la joue avec un «Bon, eh bien, au
revoir» lâché avec froideur, deux semaines plus tôt cela l'aurait pour ainsi dire affolée. Ce soir elle se sentait soulagée et si,
après que James se fut éclipsé, elle eut recours à la bouteille
de gin, ce fut par simple habitude. N'importe quelle soirée lui
paraîtrait souffrir d'un manque, d'un vide, sans quelques gorgées d'alcool fort pour la préparer à la suite des événements.

Si Becky ne lui faisait pas la cuisine – ce serait la deuxième
fois de la journée –, Will avait envie d'aller dans un *fish and
chips* où elle l'avait déjà emmené. Il était d'humeur radieuse et,
après le départ de James et que Becky eut accepté sa suggestion
de rester jusqu'à mardi, il pavoisait carrément, sans faire le
moindre effort pour s'en cacher, tout naturellement.

– Je ne l'aime pas, avoua-t-il en montant dans la voiture de
Becky. Il n'est pas gentil. Ne le fais plus venir ici, tu veux bien?

– Je ne te promets rien, Will.

– Il boude. Monty m'a dit que bouder, c'est mal. Ça vaut
mieux de se mettre en colère et de crier plutôt que bouder,
c'est ce qu'il dit.

Will parlait toujours du foyer pour enfants, et surtout de son
personnel, comme s'il était encore là pour lui prodiguer ses
conseils.

– Pourquoi ce qu'il veut voir à la télé, ça serait mieux que ce
que je veux voir, moi?

Il était impossible de répondre à cette question. Qu'aurait-
elle dit à un enfant de dix ans qui la lui aurait posée? Parce
que c'est un adulte et toi, tu es un enfant, c'eût été déjà une
réponse tout juste acceptable pour un véritable enfant. Pour
Will, une telle réponse serait intolérable. James aurait dû céder,
c'était lui qui, des deux, aurait dû se montrer sage et compré-

hensif. Après tout, cela n'arrivait qu'une fois par semaine – enfin, deux fois cette semaine-ci. Cette pensée la fit frémir, sans qu'elle sache trop pourquoi. La conséquence de tout cela, c'était une espèce d'aversion qu'elle finissait par éprouver envers eux deux, mais tempérée par la tolérance et l'indulgence en ce qui concernait Will, car il fallait faire la part des choses, alors que, du côté de James, ses sentiments à son égard se desséchaient et déclinaient un peu plus chaque fois qu'ils étaient ensemble. Bientôt, songeait-elle pendant qu'on les conduisait à leur table, Will et elle, tout ce qu'elle avait pu lui trouver aurait disparu.

Émoustillé par l'odeur de friture, Will faisait de son mieux pour déchiffrer le menu, heureusement limité, et il hésitait entre du carrelet et de la rascasse. Elle lui commanda un Coca. Si le restaurant n'avait pas été d'un certain raffinement, en dépit des supplices de Will, elle aurait refusé d'y mettre les pieds. Pour elle, elle commanda un grand verre de vin.

– Oh, que c'est ravissant ! Tu es si bon avec moi, mon chéri.

C'était la mère de Jeremy qui arrangeait les fleurs dans trois vases, pas moins, déballait les chocolats et sortait le flacon de Tourmaline de son sac jaune. Jeremy savourait ses commentaires approbateurs, il se sentait heureux comme jamais depuis le premier coup de téléphone des maîtres chanteurs. Sa mère lui servit un de ses repas préférés, le genre de panier pique-nique façon courses à Ascot-festival de Glyndebourne qu'elle ne lui offrait pas souvent (et qu'il s'offrait non moins rarement), du saumon fumé, une tourte au gibier avec une salade et des framboises à la crème. Elle insista pour qu'ils boivent du champagne.

Après le déjeuner, elle s'autorisa encore une entorse au cours normal des événements en parlant de son père. En la voyant sortir un album de photos qu'il ne se souvenait pas d'avoir jamais eu sous les yeux, il se dit qu'elle n'avait sans doute plus mentionné le nom de Douglas Gibbons depuis des années. Était-ce étonnant de la part d'une veuve, et à son âge ? Ou bien était-ce que dans toute existence un peu longue un compagnon qui n'avait partagé qu'une quinzaine d'années de cette vie devait forcément s'effacer avec le passage du temps et perdre la grande importance qu'il avait eue autrefois?

Jeremy se trouva confronté à des photos de lui à onze ans, à douze, et puis à l'âge fatidique de ses treize ans. À ses yeux d'homme mûr, son jeune être lui apparaissait tel qu'il était, un écolier d'une taille exceptionnelle au visage inexpérimenté, encore vierge de toute épreuve, le regard innocent. Son refus de sourire dissimulait l'appareil tellement haï. Qu'est-ce que Tess avait vu en lui pour le désirer sexuellement? Le visage de son père? Il suivait le fil de ses pensées dans une relative sérénité quand, subitement, il la vit devant lui. Elle était là, sur la photo suivante, avec ses parents et un homme qui devait être le mari dont elle s'était séparée, et deux autres personnes en qui Jeremy crut reconnaître leurs voisins, ceux de la maison d'à côté. Toute sa sérénité en fut anéantie, il lutta pour ne pas le montrer, mais il fut incapable de résister, et il dut fermer les yeux pour oblitérer l'image trop vive et trop nette de cette femme.

Au même instant, mais il prit cela pour une pure coïncidence, sa mère installa l'album sur ses genoux et le referma.

– Vous, les jeunes, fit-elle, les vieux clichés, ça vous embête un peu, n'est-ce pas?

Immédiatement, il se défendit:

– Pas du tout, pas du tout. Cela fait très longtemps que je n'avais pas revu de photo de papa.

D'instinct il aurait dit «mon père», mais il réussit à prononcer «papa», car il pensait que cela lui ferait plaisir. Si ce fut le cas, elle n'en laissa rien paraître, mais elle soupira, un peu comme il avait entendu Inez Ferry soupirer, pas de souffrance, de douleur ou de désespoir, mais de solitude, croyait-il. Et pourtant, elle lui sourit.

– Ton père était un bon époux, lui confia-t-elle. Dans l'ensemble, ajouta-t-elle, gâchant ainsi le compliment.

Il resta stupéfait, redoutant subitement d'en entendre davantage. Que ferait-il si tout ressortait, Tess, et pourquoi pas – comble d'horreur – d'autres femmes avant Tess? Mais il ne tarda pas à comprendre qu'il n'y avait pas de danger. Si ces photographies lui avaient rappelé quoi que ce soit de particulier, il semblait peu probable que ce soit l'infidélité de son mari.

Là-dessus, elle sema encore quelques graines de doute dans son esprit:

– Tu sais, mon chéri, j'ai été élevée dans l'idée qu'il ne fallait pas attendre grand-chose d'un homme. On m'a appris qu'ils ne grandissaient jamais, par certains côtés... Pas toi, bien sûr, tu es très différent. Ma propre mère répétait tout le temps que si une femme désirait quelque chose, il fallait qu'elle persuade, qu'elle s'arrange et... enfin, qu'elle complote pour l'obtenir, mais si un homme voulait quelque chose, il se l'appropriait comme si c'était son dû. Et en règle générale, oui, je crois que j'ai pu le vérifier.

Il craignait de lui demander ce qu'elle entendait par là. Mais cela lui laissa en tête l'image d'un père s'appropriant tout ce à quoi il estimait avoir droit, y compris les femmes.

Après cette petite réflexion philosophique, elle abandonna le sujet paternel et revint aux compliments pour les fleurs et le chocolat. C'était une belle journée ensoleillée, très loin des prévisions météo, et ils sortirent se promener par les petites routes de campagne, ils prirent un chemin qui coupait à travers champs, jusqu'à l'église, et rentrèrent par un bois et une autre petite route. Cette promenade, il l'avait faite des milliers de fois, enfant, avec sa mère, et plus tard seul ou avec des amis, mais cette fois-ci il la voyait d'un œil neuf, en se demandant si son père n'aurait pas pu retrouver Tess dans ce bois. Avec le recul, il se dit qu'elle devait être le genre de femme à apprécier de faire l'amour en plein air, surtout quand il s'y attachait une dimension de risque. Mais la maison de Tess était à au moins quinze kilomètres de là, et cet endroit était si proche de chez sa mère que c'eût été franchement périlleux...

Pour le dîner ils eurent une soupe et du poulet froid, et

Jeremy reprit le volant juste avant huit heures. Il avait pensé que la route serait déserte, personne ne rentrant à Londres avant l'après-midi du lendemain, mais il s'était trompé et il se retrouva pris dans un embouteillage. Il avait l'intention de ramener la voiture à Chetwynd Mews et de rejoindre Paddington en métro ou en taxi, mais à l'heure où il atteignit la périphérie de Londres il était onze heures passées. Il se rendit directement dans Edgware Road et se gara le long d'une ligne jaune, cette fois dans Praed Street.

Chez Inez la lumière était encore allumée. En montant l'escalier, il fut pris d'une envie d'avoir de la compagnie. Sur tout le trajet du retour, il s'était senti hésitant, anxieux, en danger. Une nouvelle semaine avait commencé et, dans le courant de cette semaine, mercredi ou plus tard, il s'attendait à ce que ces gens, cette fille, reviennent exiger davantage. Il avait cet argent, une somme conséquente, mais qu'est-ce qui les empêcherait d'insister et de le mettre complètement sur la paille ? Sans trop se demander pourquoi, il avait perdu l'autonomie qui était la sienne en temps normal, il frappa à la porte d'Inez. Elle n'entendit pas, ou elle était décidée à ne pas entendre, et il frappa de nouveau. Au lieu de lui parler par l'Interphone, elle s'immobilisa derrière sa porte pour regarder par le judas, voir de qui il s'agissait. Ensuite elle lui ouvrit, mais avec une expression rien moins qu'accueillante.

– J'arrive de chez ma mère, lui dit-il. Il y a une bande de gamins dans la rue (il n'y avait personne)... et quand j'ai vu de la lumière chez vous, si tard, je me suis demandé s'ils ne vous avaient pas importunée.

– Non. Tout est resté très calme, très paisible.

– Puis-je entrer ?

En dépit de sa mine qui lui signifiait qu'elle aurait préféré le contraire, sa voix lui répondit, mais froidement :

– Oui, bien sûr.

Elle avait éteint la télévision, mais elle n'avait pas eu le temps de cacher le boîtier de la cassette, avec la photo de son défunt mari. Chez elle c'est presque du vice, songea-t-il avec férocité, c'est sa pornographie à elle. Toute sa mélancolie, tout son désir de compagnie furent consumés par sa fureur devant cette manière de le recevoir. Au lieu de s'asseoir, il resta debout au milieu de la pièce, et lui fit des réponses anodines quand elle lui demanda comment allait sa mère et comment était la circulation. Elle ne lui proposa pas de verre.

— Bon, si je ne vous suis d'aucune utilité, j'étais sur le point de me mettre au lit.

Menteuse, pensa-t-il, je parie que tu te touchais devant les images d'un mort. Nécrophile. Subitement, toute cette maisonnée lui fit horreur, cet idiot et cette Russe, cette folle, et le débile léger, sur le même palier, avec sa petite amie tout aussi balourde que lui, et surtout Inez. Il aurait aimé la tuer, l'étrangler là, dans son salon, tandis qu'une horloge sonnerait minuit quelque part. C'était impossible. Il ne pouvait pas, il le savait. Elle était inviolable, comme le serait toute femme tant qu'elle ne marcherait pas devant lui en laissant flotter un nuage de cette essence sans nom. Et peut-être même que ces femmes lui échapperaient, maintenant qu'il avait résolu le mystère et analysé ce qui motivait cet instinct de meurtre. Il les avait tuées parce qu'il ne pouvait s'en empêcher, à cause d'un parfum et d'un souvenir qui l'y forçaient, mais il ne regrettait rien. Il était content, car il les haïssait. Toutes.

— Bonne nuit, dit-il à Inez, et sa voix lui parut rauque et gutturale. Je voulais juste m'assurer que tout allait bien.

— Oui, merci, tout va bien. Bonne nuit.

La porte se referma un peu trop vite derrière lui pour que cela reste un geste poli. Quand tout serait terminé, et quand il aurait versé à cette fille vêtue de ce voile noir – qui sait? – toutes les économies qu'il avait accumulées, alors peut-être, s'il était encore en sécurité, renoncerait-il à tout cela, à sa double vie, et il retournerait chez sa mère pour le restant de ses jours. Pourquoi pas? Il l'aimait et elle l'aimait. Elle était la seule personne qu'il était capable de fréquenter longtemps sans s'ennuyer et sans en concevoir de dégoût.

À l'heure qu'il était, il aurait dû se sentir fatigué, mais s'il se couchait, il était certain de ne pas trouver le sommeil. Il se servit le verre qu'Inez n'avait pas daigné lui proposer et s'assit pour le savourer, et pourtant, comme ce n'était pas le premier de la journée, il y manquait cet effet délicieux du gin-tonic bu, disons, à midi. Le journal, dans son état initial, toujours intact, était posé sur la table basse. Il l'ouvrit pour se retrouver face aux photos du Jubilée, la famille royale dans les tons pastel ou en grand uniforme, le soleil qui brillait sur le feuillage éclatant des parcs londoniens. Mis à part le hululement d'une sirène qui s'éleva, déclina et mourut au loin, tout était silencieux. Il était rare que tout soit aussi calme. Il était une heure moins dix du matin, et demain – non, aujourd'hui – serait encore férié. Il allait paresser dans un bain et cela finirait peut-être par lui apporter le sommeil.

Il emporta son gin, et il était à mi-chemin de la salle de bains quand le téléphone sonna. Il en laissa presque choir son verre. Ce ne pouvait être qu'un seul et unique interlocuteur, personne d'autre ne l'appellerait à cette heure. Il laissa sonner neuf fois. Puis il souleva le combiné et entendit la voix, cet accent horrible, cette langue approximative.

– Vous pouvez pas dire que je vous aurai pas prévenu. Vous aurez peut-être à verser plus, je disais. Il va falloir. Les appartements, ça coûte cher, et ça n'arrête pas de monter. Cinq mille, et ça sera le bout, je pense. J'peux pas le certifier à cent pour cent, mais ça m'en a tout l'air.

– Attendez, dit-il. Laissez-moi parler à votre petit ami.

– Pourquoi ?

– Pour me prouver qu'il existe. Est-il là ?

– Non, fit-elle, il est pas là. Je vous refais signe demain.

Incapable de dormir, Inez se redressa dans son lit, elle se souciait de choses qui n'auraient guère provoqué cette anxiété dans la journée. Elle n'avait encore pris aucune disposition pour remplacer Zeinab quand elle aurait cessé de travailler, jeudi soir, et c'était maintenant dans moins de trois jours. Elle se demanda si cette omission n'était pas due au fait qu'elle ne croyait plus franchement un traître mot de ce que lui racontait la jeune femme. Cela ne faisait pas de doute, Morton Phibling avait bien l'intention de l'épouser samedi, mais elle ? La robe de mariée, songea Inez, la bague de fiançailles… Mais elle possédait une autre bague de fiançailles, que lui aurait prétendument offerte Rowley Woodhouse. Si ce Rowley Woodhouse existait…

Toutes ces réflexions lui rappelèrent qu'en fait Phibling n'avait plus reparu dans la boutique depuis au moins mardi dernier, et peut-être même depuis plus longtemps que ça. Que s'était-il passé ? Zeinab lui aurait-elle avoué que, du fait de sa négligence, le pendentif lui avait été dérobé lors du cambriolage ? Cela suffirait à mettre un homme en colère, mais certainement pas au point de lui faire annuler son mariage. Alors, fallait-il se mettre en quête d'une vendeuse pour la remplacer ? Si elle ne s'en occupait pas, Freddy allait sûrement se proposer, et non seulement se proposer, mais refuser de se contenter d'un « non merci ». Elle ne se sentait pas la force de supporter une nouvelle dose de Freddy cinq jours par semaine, dix heures par jour. Par moments, toutes ses conjectures la ramenaient à la question de la clé qui avait permis à ces gens de s'introduire dans sa maison. Freddy était d'une honnêteté foncière, elle en était convaincue, mais enfin, il avait pu se laisser rouler par un vaurien de ses amis, même si elle ne voyait pas trop comment.

À ce rythme, elle n'allait plus dormir du tout. Une bénédiction que demain – aujourd'hui – soit encore un jour férié. Elle alluma la lumière, s'assit et trouva par terre à côté du lit le supplément du *Radio Times* avec la photo de Martin en couverture. Ils passaient un vieux film dans lequel il avait tenu un petit rôle, tourné des années avant la série des *Forsyth*. Il avait l'air très beau et très jeune. Elle résista à la tentation d'embrasser la photo, ce serait de la sottise, du sentimentalisme. Mercredi, elle allait vraiment demander à Zeinab quelles étaient ses intentions concernant son travail et son mariage, et elle insisterait jusqu'à obtenir une réponse claire et nette. Les décisions avaient du bon, elles vous aidaient à retrouver votre tranquillité d'esprit. Martin était quelqu'un de très décidé. Elle lui souhaita une bonne nuit, éteignit la lumière, s'allongea dans le noir et resta un long moment éveillée.

Julitta raccrocha le combiné et remit les pieds sur le lit d'Anwar. On était à l'étroit, car il y avait aussi Anwar et Flint, Flint fumait un joint qu'il passa à Julitta. L'air était bleu et sucré de fumée de marijuana. Ils n'étaient rentrés que depuis dix minutes, mais Keefer s'était déjà endormi sur un sac de linge sale d'Anwar, dans un coin. Anwar était le seul à ne rien avaler de plus corsé qu'une canette de Coca Light, sans caféine. Il se cala sur un coude, pour s'écarter du nuage de fumée de Julitta, et posa le regard sur son cou.

— Où est ce truc en diamant ? lui demanda-t-il.

Elle porta la main à sa gorge, se redressa et poussa un cri.

CHAPITRE 26

Il fallait qu'il se rende au cinéma Odeon, dans Swiss Cottage, en apportant l'argent, qu'il retirerait, comme précédemment, dans plusieurs agences bancaires et distributeurs de billets, mais cette fois il le placerait dans une sacoche d'ordinateur portable. L'Odeon était un complexe multisalles et le film qu'il devait choisir, *Joue-la comme Beckham*, passait dans la salle numéro 3. Il fallait qu'il y soit pour la séance de trois heures et quart mercredi, et qu'il arrive sur place à trois heures cinq. À cet horaire peu fréquenté de l'après-midi, la quasi-totalité des fauteuils serait inoccupée. Il devait s'asseoir au quatrième rang en partant du fond, tout au bout de la rangée à droite, le dernier siège si possible. Dans l'éventualité peu probable où la quatrième rangée serait pleine, il n'aurait qu'à se rabattre sur la troisième.

Jeremy était furieux du choix de ce film, et il se demanda si elle n'avait pas profité de la semaine écoulée pour mieux se renseigner sur son compte, notamment pour savoir si les autres films que l'on donnait à l'Odeon, comme *Infidèle* ou

Pour un garçon, ne lui auraient pas mieux convenu. Elle avait aussi l'air d'être au courant de son entreprise informatique et, par conséquent, de la facilité qu'il aurait à se procurer une sacoche d'ordinateur. Cela supposait qu'ils, elle ou son petit ami, si petit ami il y avait, soient des individus intelligents, ce dont il doutait. Tout cela devait relever de la coïncidence. Les toutes dernières instructions étaient qu'au bout d'une demi-heure il place la sacoche sous son siège, le sien, pas celui de devant, et qu'il s'en aille. Ils auraient surveillé ses faits et gestes, ils trouveraient la sacoche. Mais il ne devait pas s'attarder, et s'il prévenait la police… Il, elle, ils savaient fort bien qu'il ne dirait rien à la police.

Il dut se consacrer de nouveau à la tâche fastidieuse de réunir cet argent, et cette fois il n'avait qu'une journée et demie devant lui. Tout en allant de distributeur en distributeur, il mesura la minceur du risque qu'ils prenaient. S'il s'adressait à la police – à Crippen, sans doute, ou à ce Zulueta –, il aurait à expliquer aux policiers ce que les cambrioleurs lui avaient dérobé dans son appartement, et pour lui ce serait la fin. Quand il leur aurait remis ces cinq mille livres supplémentaires, il lui en resterait à peine plus de cinq mille, entièrement placées. C'était toute l'étendue de ses économies, et, après qu'elles se seraient envolées, il n'aurait plus qu'à vendre sa voiture ou même sa maison. Pour le moment n'y songe pas, se dit-il, demain tu vas au cinéma, tu leur remets cette mallette et ensuite tu réfléchis posément. Assurément, un homme de son intelligence avait de quoi se montrer plus malin qu'une adolescente en tunique noire et son crétin de petit ami, si petit ami il y avait.

Will n'était de retour dans Star Street que depuis une soirée et une nuit, mais Kim, elle, déménageait. L'après-midi précédent, étant revenue à l'heure du déjeuner, elle avait attendu le retour de Will pour trois ou quatre heures, elle s'était occupée de briquer la chambre et la cuisine afin de les rendre «accueillantes», pour employer la formule de sa mère. L'endroit était déjà

assez propre, mais Kim s'était activée avec l'aspirateur, le chiffon à poussière et la cire en bombe. Elle avait acheté des tulipes
roses et du lilas blanc, qu'elle avait arrangés dans les deux seuls
récipients qu'elle avait pu trouver – l'un servait de corbeille à
papier. Et ensuite, un peu comme une femme au foyer des
années quarante s'apprêtant pour le retour de son homme, elle
avait pris une douche et enfilé sa robe d'été transparente,
qu'elle avait achetée samedi. Elle s'était souvenue, juste à
temps, qu'elle n'avait pas changé les draps de lit de Will – dans
son plan, c'était d'une importance capitale –, et elle les avait
changés.

Ce matin, elle avait confié sa coiffure à l'une des employées
du salon, qui était venue spécialement chez sa mère. En temps
normal elle se maquillait très peu ou pas du tout, mais cet
après-midi elle s'était fait le visage avec soin et elle avait prêté
encore plus d'attention que d'habitude à ses ongles. Quand
elle s'était regardée dans le miroir de la salle de bains – le seul
de l'appartement –, elle s'était trouvé un faux air de Cindy
Crawford, en plus jeune.

Becky ramena Will à la maison trois heures plus tard que
Kim ne l'avait espéré. À cette heure-là, le poulet rôti était trop
cuit, les pommes au four avaient noirci et séché, et elle s'était
déjà fait un raccord de maquillage. Sa colère fut encore accen-
tuée par l'arrivée de Becky en compagnie de Will. Un homme
de son âge n'avait pas besoin que sa tante lui tourne autour
comme une poule autour du seul poussin survivant de la
couvée.

– Tu arrives très en retard.

Kim eut conscience, tout en parlant, de s'exprimer exactement
comme une mère.

– Nous n'avions convenu aucun horaire précis, enfin je ne
crois pas, n'est-ce pas ? se défendit Becky.

– Will m'a dit qu'il ne rentrerait pas tard. Il m'a dit ça vendredi dernier.

Becky sortit une bouteille de vin du frigo de Will et la déboucha. Elle avait dû l'y mettre elle-même, car Will n'en buvait

jamais, et en règle générale Kim n'avait pas de quoi se le permettre. Mais elle accepta le verre que la tante lui proposa. Elle en avait besoin.

– Sept heures, ce n'est pas très tard, souligna Becky sur un ton conciliant.

Elle but son vin très vite, se servit un deuxième verre et remarqua la propreté de l'appartement. Kim apprécia, elle se calmait, mais elle avait tout de même envie que l'autre s'en aille. Pourquoi s'attardait-elle ? Elle avait une maison et un petit ami à elle.

Mais Becky s'éternisait, et elle bavardait, et elle racontait qu'elle était contente d'avoir l'occasion de mieux connaître Kim, et de la voir si charmante, et elle sentait que quelque chose était en train de cuire, mais Will n'aurait pas besoin de dîner une seconde fois, car il avait déjà mangé avant leur départ de Gloucester Avenue. Kim éteignit le four et, dès que Becky fut enfin partie et que la porte se fut refermée derrière elle, elle jeta toute la nourriture dans la poubelle. À ce moment-là, Will avait allumé la télévision depuis une bonne demi-heure. Il avait souri à Kim et lui avait dit bonsoir, mais après il n'avait plus prononcé un mot.

Découragée, elle s'assit à côté de lui et regarda la série. Comme elle avait raté les épisodes précédents, tout cela n'avait ni queue ni tête. De toute manière, elle voyait à peine ce qu'elle regardait. Elle réfléchissait à son plan. Enfin, elle n'avait pas pu se tromper à ce point sur les sentiments de Will à son égard. Cette semaine écoulée, quand ils s'étaient installés tous les deux dans le canapé, elle lui avait pris la main et il avait eu l'air d'apprécier. Un soir, alors qu'ils allaient se mettre au lit, elle l'avait serré dans ses bras et il l'avait serrée à son tour, très fort, comme le petit garçon de son frère Wayne quand elle lui faisait un cadeau. Sans trop qu'elle sache pourquoi, cette comparaison la mit mal à l'aise, comme si elle tenait Will pour un gamin, ce qui était absurde et impossible, car on parlait là d'un homme adulte, en âge de se raser et qui mesurait plus d'un mètre quatre-vingts.

À cet instant elle lui prit la main, il tourna la tête et lui fit un joli sourire. La série, une histoire de clients dans un pub, fut suivie par une autre, policière cette fois, et après ce fut le journal. Will n'avait jamais envie de regarder le journal, donc il joua avec la télécommande jusqu'à ce qu'il tombe sur un comique et une troupe de filles aux jambes longilignes, en soutien-gorge à paillettes et minijupe.

— Tu n'es pas fatigué ? lui demanda-t-elle. Il est tard.

— Je veux voir cette émission. Quand ce sera fini, j'irai au lit. Promis.

C'était encore un trait de caractère qui lui rappelait son neveu de huit ans. Elle aurait préféré ne pas avoir du tout fait cette association d'idées, car maintenant elle était incapable de se sortir son neveu de la tête. Tout ce que Will lui disait — «Dans une minute, dans une minute» et «J'arrive, j'ai dit que j'arrivais» — évoquait en écho le petit garçon de Wayne. Mais l'émission était enfin terminée, Will l'obéissant avait éteint le poste et il était passé dans la salle de bains. Elle ferma toutes les lumières sauf la lampe de chevet, et elle avait tiré le rideau autour de son lit uniquement pour enfiler sa nouvelle chemise de nuit, courte et bleu pastel. Il n'avait pas eu l'air de remarquer sa robe, mais peut-être remarquerait-il au moins cette tenue-ci.

Quand il émergea en pyjama, elle se sentit subitement intimidée et tira aussitôt le rideau autour d'elle. Son cœur battait vite. Elle entendit Will se mettre au lit. Dès qu'il éteignit la lampe de chevet, la pièce fut plongée dans l'obscurité. Elle n'avait pas prévu ça, mais elle n'osait pas rallumer. Alors elle faillit renoncer, mais elle se dit : Si je ne fais rien, je ne vais jamais être capable de rester ici, pas avec les sentiments que j'éprouve. Quand je lui aurai fait comprendre que j'ai envie, ce sera merveilleux, c'est peut-être ce qu'il attend, cinq minutes et il sera tout excité parce que je lui aurai montré ce que je ressens. Elle écarta le rideau, s'approcha du lit de Will et chuchota :

— Will, Will…

– Qu'est-ce qu'il y a?

Il avait l'air à moitié endormi.

– Est-ce que je peux venir avec toi?

Sans attendre sa réponse, elle rabattit la couverture et se glissa à côté de lui. Il allait la prendre dans ses bras, il le fallait. Et elle le laisserait lui retirer sa chemise de nuit, il aimerait ça. Elle posa ses deux mains sur sa poitrine et amena sa bouche près de la sienne.

Ce fut pire que tout ce qu'elle avait redouté. Il détourna la tête, si bien qu'elle eut son épaisse tignasse blonde dans la figure, et il repoussa ses mains loin de lui.

– J'aime pas avoir des gens dans mon lit, gémit-il, et il se retourna.

Il avait le front tout contre le mur, et les genoux repliés sous le menton.

– Va-t'en, va-t'en!

Et donc, à sept heures et demie du matin, après une nuit sans sommeil, encore sous le coup de la honte et de l'incompréhension, elle déménageait. Will allait partir à son travail dans une heure, mais elle voulait qu'il la voie s'en aller, elle voulait qu'il comprenne qu'il ne pourrait s'en tirer en la traitant de la sorte, comme une femme de ménage et une cuisinière à titre gratuit, puisqu'elle n'était pas sa petite amie. Mais il semblait avoir tout oublié de la nuit précédente.

– Je m'en vais, Will, lui dit-elle. Je ne peux plus supporter ça. Je ne suis pas ta maman, à dormir dans ta chambre parce que tu as peur la nuit.

– Ma maman est morte, lança-t-il sur un ton assez léger, mais j'ai Becky.

Rien que pour ça, elle aurait aimé lui sauter dessus, le frapper à coups de poing et le griffer de ses longs ongles. À la place, elle acheva de préparer ses affaires et, comme il ne proposa pas de lui porter ses valises en bas, elle les sortit elle-même sur le palier. Elle les emporterait à son travail, et après le travail – enfin, ce serait super si les trois filles qu'elle connaissait acceptaient qu'elle s'installe avec elles dans leur appartement de

Kilburn. Sinon, ce serait le retour à Harlesden, chez sa mère et son père.

— Au revoir, Will, dit-elle.

Il regardait une émission de télé du matin et ne se retourna pas.

— Au revoir.

Pour annoncer à James qu'elle ne voulait plus le revoir, Becky éprouvait le besoin de se saouler. Elle était déjà en assez mauvais état à son retour de Star Street. À deux reprises elle était montée sur le trottoir, et une fois elle avait failli percuter l'arrière d'une autre voiture, il s'en était fallu d'un millimètre. Le conducteur avait prétendu qu'elle avait heurté son pare-chocs, mais il n'y avait pas la moindre marque. Ce qu'elle avait dû endurer était encore bien pire, une bordée de jurons, et qu'elle était « bourrée », et qu'elle devrait avoir honte.

Si elle n'avait pas été ivre, elle aurait compris qu'il n'était pas très courageux, et *a fortiori* plutôt mal élevé, de dire adieu à son amant au téléphone. Mais la brume agréable et floue dans laquelle elle s'était immergée, la pièce parcourue d'une houle la débarrassèrent de toute exigence éthique. Elle téléphona à James, lui annonça que leur liaison était terminée et le pria de ne plus essayer de la rappeler.

— Becky, qu'est-ce que tu as bu ?

— Je ne sais pas, prétendit-elle. Pas grand-chose, pas grand-chose du tout.

— Tu t'imagines certainement que je n'ai jamais remarqué tous ces petits coups que tu bois en secret ? Mais si. Oh, que si.

— Je te déteste, lâcha-t-elle, comme Will aurait pu le dire, et comme Will en revanche ne l'aurait jamais fait, elle ajouta ces mots d'une langue pâteuse, en bredouillant: Tu es un puri-puri-purit-puritain de moraletiqu... de mo-ra-lis-te, moraliste, un raseur bégueule.

Elle raccrocha violemment, avant qu'il n'en fasse autant. De toute manière, il était tout ce qu'elle venait de dire, et méchant avec Will, et impatient, et – enfin, toutes sortes d'autres choses.

Lesquelles, elle n'en savait rien, car elle avait sombré dans le sommeil.

Le lendemain elle se sentait tellement malade qu'elle téléphona au bureau et prévint de son absence, elle avait attrapé une grippe estivale. Moyennant quelques aspirines, un Alka-Seltzer et enfin un petit verre pour faire passer la gueule de bois, il lui fallut encore la matinée et l'essentiel de l'après-midi pour récupérer. La honte et l'autoflagellation s'installèrent. Et aussi la culpabilité, car elle se demandait si Kim Beatty n'avait rien remarqué de bizarre chez elle. Enfin, Dieu sait si elle avait des raisons de s'autoriser quelques verres. Will, peu emballé à l'idée de quitter l'appartement de Gloucester Avenue, s'était mis à la supplier, dès la fin du déjeuner, de lui permettre de rester, de ne pas le forcer à retourner dans Star Street. Il avait été si heureux ces deux derniers jours. Il y avait plein de place chez elle, ce n'était pas vrai qu'elle n'avait pas de deuxième chambre à coucher. Pour lui c'était assez grand, il n'avait pas envie de plus.

Cela faisait longtemps qu'elle ne l'avait pas entendu geindre comme ça.

– S'il te plaît, s'il te plaît, allez, laisse-moi rester. Dis que je peux, Becky, allez.

– Tu es heureux, avec Kim, n'est-ce pas ? Tu n'es plus tout seul.

Avant de se remettre à la supplier, il l'avait dévisagée, comme s'il savait à peine qui était Kim. Et elle était tellement convaincue que cette organisation était satisfaisante pour tous les deux, en se demandant même à un moment si l'inévitable n'était pas arrivé, ce qu'elle considérait en réalité comme le souhait de Kim depuis le début, et peut-être aussi comme celui de son neveu, s'ils n'étaient pas devenus amants. À présent, elle était quasi certaine de s'être trompée. Aurait-elle tenu lieu pour Will de mère maquerelle, sans en avoir tout à fait conscience ? Le sang lui était monté vivement au visage.

– Je veux vraiment rester ici avec toi, Becky. Tu ne vas pas me forcer à partir, hein, dis ?

Grâce au gin, elle avait réussi à franchir cet après-midi. L'air renfrogné, il regardait la télévision. Alors qu'il avait cessé de gémir depuis une demi-heure, elle s'était obligée à soulever de nouveau le problème :

— Que tu restes ici, cela ne va pas être possible, Will. Je t'en prie, ne me pose plus la question. Je vais te préparer ton dîner préféré, une grande assiette de saucisses, d'œufs et de bacon à la poêle. Et ensuite, je te raccompagnerai chez toi.

Il n'avait rien répondu.

Le pendentif était perdu. Malgré leur fatigue à tous, ils avaient fouillé la chambre, ils avaient descendu et remonté les escaliers, ils étaient sortis inspecter dans la rue, en vain. Le fermoir avait dû s'ouvrir, et la chaîne et le diamant tomber par terre quand ils étaient tous les trois au milieu de la foule, sur le Mall.

Julitta répétait sans arrêt qu'elle aimerait pouvoir revenir en arrière et qu'elle donnerait n'importe quoi pour ne pas avoir porté cet horrible truc.

— Il ne te reste plus rien maintenant, lui lança brutalement Anwar, alors que Julitta conservait encore sa part des dix mille livres, et d'ailleurs il n'avait jamais eu l'intention de lui laisser ce bijou. C'est trop tard de toute façon, donc tu peux t'arrêter de pleurer. Je ne vais pas supporter longtemps d'avoir une putain de nana qui pleure.

Mais Julitta continuait de sangloter.

— C'est quelqu'un qui a dû le ramasser et qui l'a gardé, braillait-elle. Sales voleurs de merde ! ajouta-t-elle, sans saisir l'ironie de cette exclamation indignée.

Flint la traîna vers chez eux. Il était trois heures du matin. Quand ils furent repartis, Anwar se prépara une tasse de cacao sur son réchaud à gaz et saupoudra dessus des paillettes de chocolat au lait. Cela l'aidait à réfléchir. C'était lui, et non Julitta, qui s'était enveloppé dans l'*abaya* et qui avait rapporté le sac à dos de Jeremy depuis Aberdeen Place. Le schnock de luxe l'avait pris pour une fille, et telle était bien son intention.

Il faudrait peut-être recommencer. D'un autre côté, c'était aussi le tour des autres…

Cette fois ce serait Flint qui pourrait aller ramasser la thune, et s'ils avaient la chance de réussir une troisième tournée, alors ce serait le tour de Julitta. Le schnock était trop effarouché pour ne pas demeurer inoffensif. Keefer, qui avait de nouveau succombé à la seringue, ajoutant l'héroïne à la méthadone, un mélange dangereux, était devenu si comateux et muet que Flint et lui l'avaient porté jusqu'au rez-de-chaussée, en le tenant chacun par un bras, ils l'avaient chargé dans la camionnette blanche et l'avaient largué sur le perron du Saint Mary's Hospital. Cela ne servait qu'à démontrer, songea Anwar, parfois sentencieux, à quel point la possession de sommes d'argent sortant de l'ordinaire risquait de monter à la tête des esprits faibles et des êtres de petite intelligence.

Il termina son cacao, se glissa sous la couette et s'endormit en deux minutes. Ils ne se revirent pas avant le lendemain, à deux heures de l'après-midi, et c'était encore trop tôt pour Julitta, qui n'arrêtait pas de bâiller. Elle paraissait avoir surmonté la perte du pendentif, mais chez quelqu'un comme elle, qui avait presque sans arrêt la bouche ouverte, il était difficile d'en juger. Ils discutèrent de la méthode pour récupérer le deuxième versement en liquide.

Flint voulait se déguiser en turban et djellaba, mais quand Anwar lui fit observer que cette coiffe et ce vêtement appartenaient à deux cultures différentes, il se sentit humilié. Il serait mieux inspiré de porter son blouson à capuche noire et ses lunettes de soleil.

— Je pourrais aller me trouver des bacchantes à la boutique de farces et attrapes.

— Et ma maman, elle a une perruque, renchérit Julitta. C'était à cause de sa calvitie.

— Vous voulez bien grandir, oui ? fit Anwar. Et, nom de Dieu de merde, cesse de bâiller. J'en ai ras le bol d'avoir la vue directe sur tes amygdales.

En fin de compte, Flint se rendit à l'Odeon de Swiss Cottage habillé exactement suivant les recommandations d'Anwar, en jean, boots de cuir noir, un ample blouson à capuche et des lunettes de soleil façon plongeur, avec un sac Tesco roulé dans une poche. Le schnock avait reçu pour instructions d'entrer dans la salle à trois heures cinq, mais Flint ne fut pas surpris de le voir traverser la rue depuis l'arrêt de bus, une sacoche d'ordinateur à la main, à trois heures moins trois. Tu es sur les nerfs, toi. Il n'oserait pas repartir avant quarante-cinq. Flint traversa la rue pour aller boire un café.

Assis à l'extrême droite de la quatrième rangée, la sacoche sur les genoux, Jeremy regardait autour de lui dans la salle, en quête d'une femme en tunique noire. Personne. Les seuls autres spectateurs présents étaient deux dames d'âge mûr côte à côte, une autre avec un enfant d'environ six ans et plusieurs messieurs solitaires. Les publicités et les bandes-annonces défilaient encore à l'écran, et la demi-heure était écoulée. Il regarda de nouveau autour de lui, sans trop savoir s'il y avait précédemment sept personnes dans ce cinéma, lui compris, ou huit. La silhouette en blouson à capuche était-elle là depuis le début, ou venait-elle d'arriver ? Au fond, peu importait. Était-ce un homme ou une fille ? Elle avait l'air trop mince pour être un homme, même un très jeune homme. Les mains, qui trahissaient le sexe à coup sûr, étaient dissimulées dans des gants noirs. Pourtant, ce devait bien être la même fille. C'était sa taille et, autant qu'il puisse en juger, sa silhouette. Réprimant un soupir, bien inutile en la circonstance, il déposa la mallette de l'ordinateur sous son fauteuil, se leva et partit.

Flint, qui aurait aimé jadis faire carrière à l'écran – à Hollywood, à Bollywood ou juste à la télé – et à qui il arrivait encore de caresser le rêve de devenir acteur, transforma sa sortie de la salle en véritable numéro, façon jeune fille décontractée à la démarche aérienne. Derrière la demi-cloison séparant le dernier rang de l'entrée et du hall, il marqua un temps d'arrêt, fixa vaguement l'écran du regard, au-dessus de la séparation, pendant cinq minutes, avant de s'éloigner d'un ou deux pas en direction de l'allée, côté droit, et d'aller s'asseoir là où le schnock s'était assis. Le film avait débuté. Dommage qu'il doive partir, vraiment, ça commençait à lui plaire, mais quand tu es en mission, tiens-toi à ta mission, se dit-il, avec l'accent de la vertu. Il était là pour le travail, pas pour le plaisir. Il tira la mallette de sous le siège, la fourra dans le sac Tesco et se dirigea vers la sortie. Personne n'avait eu l'air de rien remarquer ou de prendre garde à son manège.

De retour dans Saint Michael's Street, Flint et Julitta s'en remirent à Anwar pour l'ouverture de la mallette. Il souleva les liasses de billets, en les comptant au fur et à mesure. Cinq mille livres.

Tout au fond, il y avait une feuille de papier A4 imprimée, manifestement à partir d'un ordinateur. Anwar la lut à voix haute :

> *Vous avez reçu de moi quinze mille livres et cela suffit. Si vous avez l'intention d'en exiger davantage, réfléchissez bien. Je ne vous verserai pas, je répète, je ne vous verserai pas un penny de plus, espèce de voleurs, sales sangsues. Menacez-moi autant que vous voudrez. Vous avez eu toutes mes économies et je n'ai plus rien.*

— C'est quoi, un penny ? demanda Julitta.

— Un centime, espèce de pauvre conne. Une petite pièce en cuivre.

— Et pourquoi on en voudrait, de ces pièces-là ?

— Fais pas chier, tu veux ? s'écria Anwar. Réfléchissez bien, qu'il dit. Je réfléchis bien, et ce que je pense, c'est qu'il va faire ce qu'on lui demandera, bordel. C'est drôle, mais avant que cette pauvre pétasse ne perde le diamant, je m'étais presque décidé à arrêter les frais.

Julitta ouvrait déjà la bouche, sans doute pour qu'il lui traduise ses propos en clair, et, d'une mimique hargneuse, il la mit en garde.

— Maintenant, plus question. Il nous faut encore cinq plaques. Puisqu'il ne demande que ça, il va récolter. Ou plutôt, c'est nous.

— Bien vu, approuva Flint.

CHAPITRE 27

Bien sûr qu'elle allait l'épouser. Inez n'avait pas de craintes à nourrir à ce sujet. N'avait-elle pas reçu une invitation à son mariage ? Inez n'avait rien reçu et, de toute façon, elle n'avait aucune intention de s'y rendre.

— Je ne l'ai plus revu ces temps-ci.

— Il est dans les derniers préparatifs jusqu'au cou, expliqua Zeinab. Qu'est-ce qui est arrivé à la pendule en porcelaine de Chelsea ?

— Je l'ai vendue. À un monsieur qui n'a pas marchandé. Il s'est contenté de payer le prix que j'en demandais. Enfin ! Il était à peu près dix heures moins le quart. C'était avant que tu n'arrives.

Même si elle était de meilleure humeur vis-à-vis de Zeinab que le jour de la fête du Printemps, Inez n'avait pu résister à cette pique.

Ce genre de remarques n'affectait guère la jeune fille.

— Dommage qu'il n'ait pas aussi emporté cet animal.

Elle se posta devant le miroir qu'elle appelait « mon miroir », étudia son reflet, toujours aussi belle, mais le cou, les bras et les oreilles dépouillés de tout bijou. Les seuls diamants qu'elle portait étaient ceux de la bague de fiançailles de Morton Phibling.

– Dommage qu'on se soit fait chiper ce pendentif, ajouta-t-elle. Je ne lui ai jamais avoué. Il vaut mieux garder ça pour une confession de nuit de noces, je pense.

– Et nous n'avons plus entendu parler de la police non plus.

– Une bande de fainéants, rien que des inutiles, lâcha Zeinab. Et la pauvre Ludmila qui a perdu toutes ses alliances. Tu m'as trouvé une remplaçante ? Ou tu vas reprendre Freddy ?

Il était malheureux, de l'avis d'Inez, qu'au moment précis où elle prononçait ces mots la porte de communication se soit ouverte et que Freddy fasse son entrée.

– Je crois que c'est convenu comme ça, n'est-ce pas, Inez ? Enfin, si j'ose m'exprimer ainsi, cela va sans dire.

– Fâcheux que vous le disiez, alors, lâcha Inez avec plus d'acidité qu'elle ne se le serait permis d'ordinaire.

Ensuite, se sentant coupable, elle demanda à Freddy si Ludmila et lui avaient passé une jolie lune de miel.

– Un enchantement, fit-il en s'asseyant dans le fauteuil gris. Ludo pétait la forme et je dois dire, Inez, malgré ce que vous nous avez raconté de peu flatteur sur cet endroit, que l'île de Man m'a pas mal rappelé la Barbade.

Cette fille et son petit ami, si petit ami il y avait, ne perdaient vraiment pas de temps. Jeremy se demanda si c'était son mot qui les avait irrités, en les incitant à repasser à l'action. Avant que le téléphone sonne – à onze heures du soir, pour eux c'était encore tôt –, il pensait à son maître chanteur, ou à ses maîtres chanteurs. Ces derniers jours, il réfléchissait rarement à autre chose, sauf quand, avec un étonnement sans cesse renouvelé, il revoyait son passé et la cause qui le poussait à tuer toutes ces femmes. Si jamais cette fille lui retéléphonait, et il était persuadé qu'elle le ferait, il lui demanderait s'il y avait vraiment un petit ami, s'ils étaient plusieurs dans la bande, ou si elle était réellement seule. Cela signifierait soit qu'elle était parvenue à lui voler son coffre-fort sans que ses acolytes en sachent rien, soit, hypothèse plus vraisemblable, qu'un de ces types, car ils devaient bien être plusieurs, avait réussi à l'ouvrir sans comprendre la signification de son contenu. Elle seule avait compris – précisément parce qu'elle était une femme.

Bien entendu, elle tiendrait à ce qu'il croie les autres impliqués, son petit ami et peut-être deux ou trois de leurs copains. Ainsi, s'il projetait de se débarrasser d'elle lors de la prochaine livraison, il devrait prendre en compte d'autres maîtres chanteurs, tout prêts à lui soutirer de l'argent ou à faire part de leurs soupçons à la police. En revanche, s'il finissait par avoir la certitude qu'elle était complètement seule…

Il avait entamé son gin-tonic, sa dernière douceur de la soirée, dont il trouvait la première gorgée si vivifiante, quand le téléphone sonna. Incapable de penser à qui que ce soit d'autre, il crut d'abord à un appel d'Inez ou de sa mère – manquait-il d'amis à ce point? –, il décrocha le combiné et demeura stupéfait, aussitôt rendu furieux par le son de cette voix.

– Je vous l'ai dit dans ma lettre! s'exclama-t-il. Je n'ai plus rien. Vous avez déjà tout ce que je possède.

Elle ne lui répondit rien.

– Vous n'avez pas lu ma lettre?

Il lui trouva une voix théâtrale, travestie comme pour faire de l'effet, plus perçante que d'ordinaire:

– C'est un des autres qui l'a lue. On est toute une bande au courant de ce truc. Tu te figurais que j'étais seule? Pour toi ce serait trop beau, Alexander, enfin je sais plus trop comment tu te fais appeler, toi. On en a rien à branler…

Ce mot le fit tressaillir, il avait toujours détesté ce genre de langage.

– … de ce qu'il y avait dans ta lettre. On veut encore cinq plaques.

– Vous ne les aurez pas. Je ne les ai pas.

– Tu peux bien fourguer quelque chose, non? Ta voiture, ce joli petit endroit que tu as vers South Kensington.

La colère monta en lui, une vague de fond qui se déversa, une bouffée de chaleur qui lui envahit tout le corps.

– Je ne ferai jamais ça.

– OK. Alors la banque va te les prêter. Tu sais ce qui va arriver si tu le fais pas. Nous aussi, on peut en écrire, des lettres, et on en mettra juste une avec le paquet pour les flics. Je te resonne samedi.

– Attendez, reprit-il sèchement. Laissez-moi parler avec quelqu'un d'autre.

La communication n'était pas encore coupée, mais la fille demeurait silencieuse. En bruit de fond, il n'entendait rien, pas un mouvement, pas une voix. Elle raccrocha sans un mot de plus.

L'appel du samedi concernerait le lieu. Cela lui inspira une réaction à laquelle il ne se serait jamais attendu, une sensation de soulagement. Auparavant cela restait de l'ordre de la conviction, c'est-à-dire qu'il conservait quelques doutes, mais là elle venait pratiquement de le lui avouer : elle était seule. Il se remémora cette voix et il en perçut de nouveau toute la fausseté : « On est toute une bande au courant... » Pas vrai. Soit elle était seule, songea-t-il, soit le petit ami s'était impliqué au tout début, mais maintenant elle agissait de son propre chef. Elle était rapace. Sa rapacité scellerait sa perte.

Qu'allait-il faire ? Il ne le savait pas – pas encore. Attendre l'appel de samedi. Quelle formule d'illettrée stupide c'était, « resonner » quelqu'un. Il sentit sa bouche se crisper d'amertume, et il la radoucit d'une gorgée de son gin. Pour une raison qui lui échappait, il se souvint ensuite de cette citation issue d'il ne savait trop où, l'autre jour, quand il s'était senti particulièrement abattu : *La clarté du jour n'est plus et nous entrons dans la nuit.* La nuit avait reflué et la lumière était de retour, une lumière éclatante, surtout au moment même où, pour la troisième fois, on lui réclamait de l'argent, de l'argent assorti de menaces. Elle n'enverrait jamais ces boucles d'oreilles aux « flics », comme elle les appelait. Il y veillerait.

Ce jeudi soir-là, Zeinab avait promis de dîner avec Morton Phibling, qui voulait l'emmener au Connaught, mais comme elle fut de retour dans l'immeuble Dame Shirley Porter un peu plus tôt que d'habitude, Algy l'attendait, vêtu de pied en cap, dans un nouveau costume, avec une table pour deux réservée chez Daphne's. Un dîner-surprise, précisa-t-il. Sa mère allait s'occuper du baby-sitting. En fait elle était déjà dans l'appartement, un enfant sur chaque genou, ses genoux de la taille d'un traversin, tous trois très absorbés par leur cassette des *Autres*. On en était justement au passage le plus glaçant.

— Pourquoi Nicole Kidman met-elle toujours la même robe violette ? s'enquit Zeinab. C'est une grande star. Pourquoi elle a pas une garde-robe plus *glamour* ?

— Me demande pas ça à moi. (Reem enfourna une barre de Bounty dans la bouche ouverte de ses deux oisillons.) Et boucle-la. On regarde.

Zeinab en conclut qu'elle aurait plutôt intérêt à sortir avec Algy. Si elle lui refusait encore quelque chose, il allait lui faire la tête, surtout si elle disparaissait pour un rendez-vous avec Morton. En un sens, elle n'aurait eu aucun problème de conscience si elle n'avait pas perdu ce pendentif, car elle aurait pu le vendre et remettre la somme à Algy.

— OK, dit-elle. Je vais juste me changer.

Dans la chambre, en enfilant une robe de satin noir brodée de perles (si Algy avait su combien Morton avait déboursé pour cette robe, ça l'aurait tué net), elle téléphona à Phibling sur son portable et, contente qu'il ne réponde pas, lui laissa un message pour lui annoncer qu'elle était trop fatiguée et qu'elle se sentait souffrante, un mal énigmatique, et incapable de sortir. Ensuite, comme la cassette vidéo était terminée, elle put demander à Reem, au cas où Morton téléphonerait, de lui répondre qu'elle était partie se coucher et qu'il ne fallait pas la déranger.

— D'accord, fit Reem. C'étaient des fantômes, c'est pour ça.

— C'est pour ça quoi ?

— Que Nicole avait cette robe.

Algy et Zeinab quittèrent l'appartement et prirent un taxi pour Knightsbridge.

Ils passèrent une charmante soirée et Zeinab dut admettre qu'elle s'amusait toujours plus avec Algy qu'avec Morton – ou n'importe qui d'autre, d'ailleurs. C'était tout à fait romantique, comme avant la naissance des enfants. Le seul petit hic, c'était qu'Algy paraissait tout le temps sur le point de lui annoncer quelque chose sans jamais franchir le pas, à moins qu'elle ne se fasse des idées. Reem restait là pour la nuit, autrement dit ils pouvaient rentrer quand ils le désiraient. Algy l'emmena dans un club et ensuite ils enchaînèrent dans un autre, et à leur retour il était presque deux heures.

Algy se leva tôt quand même. Il le fallait. Il réveilla Reem à sept heures et demie, parce qu'il aurait besoin de son aide, il fit lever les enfants et lui rappela qu'elle avait promis de les emmener à l'école. Zeinab dormait toujours, ce qui lui convenait à merveille. Le camion de déménagement arriva à huit heures et demie. Désormais, Algy avait les moyens de louer les services d'une véritable entreprise. Quand ils avaient emménagé ici, c'était lui qui avait conduit la camionnette louée chez Wheels, et qui, avec Zeinab, s'était occupé du chargement. Bien sûr, à l'époque ils n'avaient pas grand-chose. Il dit aux déménageurs de commencer par le salon et de faire attention avec le téléviseur numérique. Une fois qu'ils se furent mis au travail et que Reem se fut coltinée Carmel et Bryn, il réveilla Zeinab.

– Quelle heure est-il, bon sang?

– On approche des neuf heures, dit-il. Tu ferais mieux de te lever. On déménage.

– On quoi? cria Zeinab.

– Tu m'as entendu, Suzanne. Allez, tu le savais déjà, sauf que tu savais pas quand. Eh bien, c'est pour aujourd'hui, c'est là, tout de suite.

Elle se leva, enfila son nouveau jean – délavé autour des genoux, à la dernière mode, avec l'ourlet effrangé – et un pull en cachemire parce qu'il faisait un froid glacial pour un mois de juin. Déménager, en réalité, c'était assez excitant. En général, les hommes lâchaient prise dès qu'elle prononçait un mot, donc c'était une agréable nouveauté de se voir soulagée de la sorte par un Algy magistral, qui faisait preuve d'autorité dans l'action, une surprise tout à fait ébouriffante. Cela lui donnait envie de lui acheter quelque chose de joli. Peut-être, une fois qu'elle serait installée à Pimlico, fourguerait-elle sa bague de fiançailles, de tout ce que ses riches admirateurs avaient pu lui offrir, c'était le dernier bijou qu'elle possédait encore.

Une chose, avec Freddy, c'est qu'il était toujours ponctuel. Plutôt en avance, se dit même Inez, car elle avait à peine allumé la bouilloire qu'il faisait déjà son apparition dans sa blouse couleur carton.

— Pour le cas où vous seriez inquiète, dit-il, j'aimerais que vous sachiez que j'ai la pleine et entière permission de mon épouse pour vous seconder dans votre boutique.

— Je dois, hélas, vous avouer que je tenais cela pour acquis, Freddy. (Elle versa du thé dans sa tasse et y ajouta une cuillerée de sucre.) Ludmila n'y avait pas vu d'objection la dernière fois.

— Ah, mais maintenant qu'elle est ma femme, les choses sont différentes. Une épouse occupe une place que l'on pourrait dire sacrée. Et, autre question assez délicate, Inez, maintenant que je suis ici, dans ce que vous seriez en droit d'appeler une position officielle, et sans vouloir m'encombrer de trop de sub-tilités, il y aura la petite question de mon salaire. (Freddy leva une main en l'air, dans un geste de mise en garde.) Non, pas tout de suite. Après que nous aurons bu notre thé, il sera amplement temps d'engager les négociations.

— En ce cas, fit Inez, maintenant que vous êtes un couple marié installé ici de façon permanente, il y aura aussi la petite question de la hausse de votre loyer.

La dispute qui s'ensuivit ne s'acheva de manière très satisfai-sante ni pour l'un ni pour l'autre, car Inez accepta de ne pas augmenter le loyer tant que Freddy travaillerait pour elle, mais elle le rémunérerait bien moins que Zeinab.

– Vous n'oublierez pas de le déclarer à l'aide sociale, n'est-ce pas ?

– Faites-moi confiance, fit Freddy avec un sourire rassurant.

La matinée était froide mais lumineuse et ensoleillée, ce qui ne voulait rien dire. En début de journée c'était toujours comme ça, et ensuite, à l'heure du déjeuner, la pluie se déchaînait. Mais elle sortit les présentoirs de livres, en notant bien de les surveiller, ainsi que les nuages qui s'amoncelleraient d'ici une heure ou deux.

Jeremy Quick ne s'était pas montré pour le thé, avant de partir travailler. Cela faisait plusieurs semaines qu'il n'était plus descendu boire ce thé, et au moins huit jours qu'il ne s'était plus rendu à son travail. Elle l'avait aperçu en coup de vent et il n'avait pas l'air malade, plutôt l'inverse. En fait, il avalait les escaliers, qu'il montait ou dévalait pour sortir au pas de charge dans la rue, en direction d'Edgware Road, avant de revenir une demi-heure plus tard et de ressortir dix minutes après avoir passé dix minutes en haut. Elle mourait d'envie de lui signifier son congé, mais elle estimait n'avoir aucune justification pour l'expulser. Il payait son loyer, il n'était pas bruyant, il n'organisait pas de fêtes tard le soir. Elle ne pouvait lui adresser aucune remontrance, n'était son aversion croissante à son égard, ses yeux couleur mauve qui lui faisaient horreur et ses mensonges.

Freddy devait faire plutôt bonne impression sur les clients de passage dans la boutique. C'était une surprise, car elle l'avait toujours considéré comme un poids mort, mais à la minute présente, étant elle-même de retour après être sortie dans la rue, elle le vit brièvement d'un œil neuf, et elle se fit la réflexion qu'il avait l'air très professionnel dans sa blouse de travail, en présentant à la lumière un gobelet en verre de Venise. Un commissaire-priseur à la retraite, songea-t-elle, ou un artisan qui aurait besoin d'arrondir ses fins de mois. À cet instant, c'est une femme en feutre d'hiver qui entra dans la boutique, et Inez eut la satisfaction de le voir très occupé à lui vendre un baromètre d'époque victorienne.

— Bien mieux que ces bulletins météo à la télé, expliquait-il à la cliente en lui enveloppant son achat dans du papier kraft. Neuf fois sur dix ces gens-là se trompent, mais avec ce petit-là ça ne peut pas louper.

Le visiteur suivant était le genre de personne que l'on voyait rarement, un homme, la trentaine, assez grand et de forte carrure, en veste de cuir et en jean, des cheveux roux assez longs noués en catogan. Inez se demandait ce qu'il recherchait, un objet tape-à-l'œil, un fruit en cire sous une cloche de verre ou une peinture, un nu du dix-huitième. Après avoir regardé autour de lui, l'air décontenancé, à la vue du jaguar son regard s'enflamma.

— C'est une honte, vraiment, lança-t-il d'une voix tonitruante. Pire qu'un manteau de fourrure.

— Ce n'est pas moi qui l'ai abattu, fit Inez.

— C'est une honte de l'avoir accepté chez vous. Pauvre bête. Cela ne vous donne pas envie de rentrer sous terre, rien que de le voir là? Ou alors êtes-vous insensible au point de ne penser à rien?

Inez se leva.

— Quand vous aurez fini de m'insulter, vous me direz ce que vous désirez.

Sans qu'elle comprenne pourquoi, ces paroles eurent sur lui un effet calmant.

— Je cherche Ayesha, marmonna-t-il.

— Il n'y a personne ici qui s'appelle Ayesha, lui répondit Inez, avec déjà plus qu'un vague soupçon quant au sens de sa question.

— Une jeune fille brune, ravissante, elle a de longs cheveux. À peu près vingt ans.

— Ah, je crois savoir qui vous voulez dire. Et puis-je savoir qui vous êtes?

— Mon nom, c'est Rowley Woodhouse.

— Vous existez vraiment!

Inez avait laissé échapper cette exclamation, elle n'avait pas su se retenir.

— Bien sûr que j'existe, nom de Dieu. Où est Ayesha ?

— Elle a quitté hier son emploi ici.

Toujours avide de drames, Freddy, qui n'en loupait pas une, s'approcha d'eux.

— Je suis convaincu qu'elle aura besoin de sa journée pour se préparer. Elle se marie samedi prochain. Je me suis moi-même marié la semaine dernière, donc je sais mieux que personne l'effet que ça fait.

Rowley Woodhouse le dévisagea. Inez avait déjà suffisamment bien saisi la situation pour veiller à se tenir à l'écart, mais Freddy se montrait à la fois innocent dans l'insensibilité et joyeux dans la vindicte.

— Je ne comprends pas, fit Woodhouse.

— Écoutez, c'est surtout une question qui vous regarde, elle et vous, commença-t-elle par lui répondre, et je ne peux pas…, poursuivit-elle, quand elle vit la BMW jaune de Morton Phibling s'arrêter le long du trottoir et le chauffeur en descendre pour ouvrir la portière à son employeur.

Elle fut traversée des pensées les plus folles, cacher Woodhouse dans la petite arrière-cuisine ou dans un placard, comme un amant clandestin dans un vaudeville français, mais Morton était déjà dans la boutique – encore un homme à la recherche de sa fiancée, avant de finalement s'enquérir à son sujet :

— Où est-elle, celle que je cherche le matin, belle comme la lune ?

Il devait apprendre toutes ces reparties par cœur en chemin, songea Inez, une réflexion tout à fait déplacée de sa part. Elle ne savait que dire, et puis une idée lui vint.

— Zeinab a cessé de travailler ici depuis hier.

Woodhouse se serait-il imaginé qu'elle avait deux jeunes filles asiatiques à son service ?

— Je croyais que vous le saviez.

Comme de juste, il fallait aussi que Morton vende la mèche :

— Je me souviens maintenant. Quel idiot ! Oublier le jour de mon mariage, je dois perdre la boule, moi.

Woodhouse se dirigea droit sur lui.

– Vous parlez d'Ayesha?

– De Zeinab.

– C'est une seule et même personne, leur précisa Freddy, toujours serviable.

Woodhouse lui lança un regard en coin, mais c'était à Morton qu'il s'adressait:

– Tirons ça au clair. Vous êtes en train de me raconter que vous allez épouser ma fiancée demain?

– Non, je me marie avec la mienne. La plus belle fille du monde, Zeinab, Ayesha ou qui vous voudrez, pour moi c'est tout un. Aujourd'hui, continua-t-il avec ravissement, elle ressemble à Miss Monde, mais demain ce sera Mme Phibling.

Woodhouse le frappa, un crochet du gauche assez mal ajusté. Inez poussa un cri. Elle ne put s'en empêcher, ce cri lui était sorti de la bouche, c'était involontaire. Morton tituba, mais resta planté droit sur ses pieds. Inez recula, battit en retraite derrière son bureau, en hurlant à Woodhouse que son adversaire était un vieux monsieur, qu'il ne devait pas se battre contre un homme deux fois plus âgé que lui, mais Morton marcha sur lui, les deux poings en avant. Elle était désemparée, cependant elle fut sidérée par le savoir-faire de Morton. Et puis, soudain, elle comprit qui il était. Depuis tout ce temps qu'il venait dans sa boutique, elle s'était demandé où elle l'avait déjà vu. Des années plus tôt, il y avait peut-être trente-cinq ans de cela, il avait été champion du monde des poids coq. Son premier mari, qui d'ailleurs en était venu une ou deux fois aux mains avec elle. À l'époque, il ne s'appelait pas Morton Phibling, mais Morty Phillips. Pas étonnant que Woodhouse se soit écroulé.

– Téléphonez à la police! cria-t-elle à Freddy.

Mais avant qu'il ait pu décrocher le combiné, la voiture de Zulueta s'arrêtait dans la rue. Jamais Inez n'avait été aussi enchantée de le voir. Morton et Woodhouse s'en donnaient de nouveau à cœur joie, mais la victoire de Phibling-Phillips ne faisait plus aucun doute, car le second fiancé de Zeinab était vaincu, à genoux, et il tentait encore mollement quelques frappes feintées dans les jambes de l'ex-boxeur professionnel. Il fallait qu'un arbitre intervienne, et il se matérialisa en la personne de Zulueta, qui entra au pas de charge dans la boutique, accompagné de l'inspecteur Jones.

– Que se passe-t-il ici?

Woodhouse s'effondra au sol et roula sur le flanc, en proférant quelques petits grognements misérables. Morton l'observa depuis le fauteuil de velours gris où il s'était laissé retomber, en s'essuyant la figure avec un mouchoir de soie rouge, le visage éclairé d'un sourire satisfait.

– Apparemment je n'ai pas perdu la main, constata-t-il.

Jones se penchait sur Woodhouse, qui, peu désireux d'être pris en pitié, surtout face à un rival qui était son aîné de trente années bien tassées, se démena pour au moins se remettre à genoux.

Secouant la tête, comme désespéré par le spectacle de la folie humaine, Zulueta se tourna vers Inez.

– L'objet de notre visite, madame Ferry, était de vous demander si vous pouviez nous communiquer l'adresse de M. Morton Phibling, car je crois qu'il doit épouser la jeune dame qui travaille ici.

– C'est moi, fit Morton en se levant, comme pour qu'on le reconnaisse mieux. Vous ne vous souvenez pas de moi? Quand vous êtes venu ici, au sujet de ces meurtres, j'étais là. Vous ne vous souvenez pas?

– Les circonstances étaient quelque peu différentes, monsieur.

Woodhouse s'était relevé, il écarta Jones et il serait reparti à l'assaut de Morton si Zulueta ne l'avait pas empoigné parderrière, par les deux épaules. Il le repoussa dans le fauteuil que Morton venait de quitter, et Woodhouse s'effondra dedans avec un grognement exaspéré.

– Cela suffira comme ça. (Zulueta avait l'air d'un instituteur qui sermonne une classe de gamins de cinq ans.) Maintenant, vous deux, messieurs, vous allez cesser, et comme vous n'êtes blessés ni l'un ni l'autre, en ce qui nous concerne, nous nous en tiendrons là, nous aussi.

Il s'adressa à Woodhouse, l'œil noir :

– Toutefois, je vous rappellerai, monsieur, que vous avez bousculé l'inspecteur Jones, et d'aucuns seraient tentés d'interpréter ce geste sur la personne d'un officier de police judiciaire comme une voie de fait. Alors tenez-vous-le pour dit.

Puis il tourna son attention vers Morton, sortit un carnet de sa poche et poursuivit :

– Donc, monsieur, nous avons été informés de ce qu'un pendentif en diamant de grande valeur, ramassé lundi dernier dans la rue non loin du Mall, Londres, secteur W1, serait votre propriété. Selon MM. La Touche-Chessyere, joailliers dans Bond Street, même secteur, vous auriez acquis ce bibelot auprès d'eux pour le prix de vingt-deux mille livres…

Hoquet de Freddy et regard incrédule de Rowley Woodhouse.

Zulueta consulta son carnet.

– Le 22 mai 2002.

Morton opinait de la tête, oubliant soudain son air béat.

– Il semblerait que cela vous dise quelque chose, reprit Zulueta, abandonnant ses manières pompeuses, donc nous allons devoir vous déranger et vous prier de nous accompagner au poste de police, afin d'identifier cet objet.

Woodhouse et sa querelle avec lui bien oubliés, Morton dodelina de la tête avec le même air contrit que Zulueta tout à l'heure.

– Ma bien-aimée a dû le laisser tomber de son cou charmant en prenant part aux festivités du Jubilée. (Il suivit Jones en direction de la porte.) Peu importe. Quel ravissement pour elle quand je le lui restituerai, entre ses mains ! Je suis tout à fait prêt à vous accompagner à la minute, ajouta-t-il en s'adressant à l'autre officier de police, mais si cela ne vous ennuie pas, j'irai dans mon propre véhicule.

Tout en haut, au grenier de la maison de ses parents, Anwar fouillait dans les cartons de vieux vêtements, lieux d'origine de ce tchador. Sa recherche étant infructueuse, il redescendit l'échelle et passa dans la chambre parentale. Serait-ce un sari cette fois, ou un ensemble *salwar* et *kameez*? Sa mère n'en avait qu'un, et à sa connaissance, elle ne portait jamais. Les saris, et elle en avait eu de magnifiques, elle ne les sortait que lors des grands dîners ou de ses ventes de charité. Avec l'un comme avec l'autre, il pourrait porter le voile. Il serait peut-être nécessaire de masquer le visage de Julitta avec le coin d'un *dupatta*, elle avait la peau très pâle et en sari elle aurait un drôle d'air, à moins d'être maquillée. Ça dépassait sans doute ses talents, se dit-il.

Lequel manquerait le moins à sa mère? Le rose pâle, avec son liséré argenté, il se rappelait l'avoir entendue dire qu'il faisait désormais trop jeune pour elle, mais il ne l'avait jamais vue porter le bleu foncé à motifs blancs. Il était en coton et elle devait le juger trop simple pour un dîner. En revanche, il fallait que le visage de celui qui le porterait soit dissimulé, ça, il ne l'ignorait pas, et même si une femme en sari pouvait porter un *dupatta*, elle ne se voilerait certainement pas la face avec. Tout au fond de la penderie, il remarqua autre chose: une longue tunique boutonnée avec une ceinture, un vêtement gris foncé et démodé, comme ceux que mettaient les femmes musulmanes dans certaines régions du Moyen-Orient. Sa mère l'avait acheté trois ou quatre ans auparavant, se souvint-il, en Syrie, où son père et elle étaient partis en vacances. Il lui tiendrait chaud, avait-elle répondu à sa famille qui s'était moquée d'elle, et il serait parfait pour l'hiver, quand elle sortirait. Autant qu'il se souvienne, elle ne l'avait jamais porté. Elle avait beau prêter assez peu d'attention à sa tenue vestimentaire, celui-ci était vraiment trop peu flatteur, même pour elle.

Julitta pourrait le mettre avec le *hijab*. Pourquoi pas de couleur blanche, ou, mieux encore, un *yashmak*, puisque même un foulard ne suffirait pas à lui masquer le visage? Anwar doutait de pouvoir trouver quelqu'un qui soit capable de lui en confectionner un, mais juste un foulard noir autour de la tête, bien tendu sur l'arête du nez, avec un tour supplémentaire au-dessus des sourcils avant de le nouer dans le dos, cela conviendrait très bien. Il roula la tunique en boule, trouva dans le tiroir un long foulard noir et retourna dans la camionnette sans revoir ses sœurs.

Il conduisit en direction de Paddington, et ses pensées le ramenèrent au schnock de luxe. Ils allaient bientôt devoir lui choisir un nouveau nom. Au rythme où ils le tondaient, il n'allait plus rien cracher de précieux encore très longtemps. Où allait-il l'envoyer, cette fois, pour son rendez-vous avec Julitta? Pourquoi pas les jardins, le petit triangle de pelouse planté d'arbres entre Broadley Street et Penfold Street? C'était un de ces quartiers louches, un endroit peu sûr après la tombée de la nuit, et pourtant, à vol d'oiseau, ce n'était pas loin des résidences majestueuses de Crawford Place et Bryanston Square. De l'autre côté de Lisson Grove, c'était Boston Place, où le schnock avait tué une de ces filles, qui longeait la gare de Marylebone en direction de Dorset Square.

Il se remémorait le meurtre de Caroline Dansk, quand elle longeait le mur de la voie ferrée, et cela inspira à Anwar ce qui fut sans doute le premier geste chevaleresque de son existence. Son père serait content de lui, n'était le contexte dans lequel cette idée avait pris forme, évidemment. Pourquoi pas? Il sourit tout seul, songeant qu'une fois encore il allait se divertir.

L'homme qui avait acheté l'horloge en porcelaine de Chelsea revint dans l'après-midi. Inez crut qu'il y avait repéré un défaut, une ébréchure dans la porcelaine, ou que le mécanisme était grippé, mais ce n'était pas la raison. Il ne révéla pas ce qui l'avait incité à revenir, mais déambula en admirant divers objets, tout en lui parlant. Il avait la soixantaine, il était veuf depuis peu, c'était un avocat à la retraite, il habitait Saint John's Wood. Il s'attendait à ce qu'elle se souvienne du nom qu'il lui avait donné pour la facture, quand il avait payé l'horloge, cela ne faisait aucun doute. Elle se creusa la cervelle, mais fut incapable de se le rappeler, et elle ne parvint pas non plus à ouvrir son bureau pour en sortir la copie de la facture, vérifier pendant qu'il lui parlait.

Freddy fut de retour de son déjeuner au Ranoush Juice avec

Ludmila environ une demi-heure plus tard que promis, mais Inez n'était pas aussi contente de le voir revenir qu'elle l'aurait cru. Après son arrivée, son visiteur ne s'attarda guère plus de deux ou trois minutes, précisant au moment de ressortir qu'il aimerait repasser lundi, car elle avait en magasin d'autres articles sur lesquels il avait envie de jeter un œil.

— C'est facile de voir qu'il est béat d'admiration, Inez, commenta Freddy.

— Ne soyez pas ridicule.

— Très bien, à votre aise. Le pauvre vieux Freddy a toujours tort, comme d'habitude. Enfin, nous verrons bien.

Ce soir-là, elle avait eu l'intention de se gâter, en regardant non pas un, mais deux épisodes de *Forsyth*. Et pourtant, quand ce fut l'heure, après s'être versé son verre de vin blanc et s'être confortablement installée en face de l'écran, elle ne fit pas le geste d'appuyer sur le bouton de la télécommande du magnétoscope. À la place, elle se demanda s'il n'y avait pas quelque chose de morbide dans cette façon de cultiver son chagrin au-delà de sa durée de vie naturelle. Voilà trop longtemps qu'elle se complaisait dans ses rêves d'un passé et d'un amour parfaits, disparus à jamais. Il était temps, comme le disait la formule bien connue, de passer à autre chose.

Elle attrapa un livre qu'elle avait acheté des mois auparavant, sans y avoir jamais jeté un œil, et elle l'ouvrit.

CHAPITRE 28

Le garrot qu'il employait était chaque fois différent. La première fille, il l'avait étranglée avec la chaînette en argent qu'elle portait autour du cou. C'était le seul ustensile qu'il ait eu à portée de la main car, évidemment, quand il sortait, il ignorait qu'il allait tuer, pas plus Gaynor Ray que les autres. La fois suivante, c'était l'hiver, et il s'était servi d'un câble électrique qui se trouvait justement dans sa boîte à gants. Ensuite, il avait beau n'être jamais sorti pour sa promenade vespérale avec l'intention de tuer quelqu'un, il n'aurait sans doute jamais mis le nez dehors s'il n'y avait eu cette possibilité, ce risque qui couvait, affleurant juste à la surface de sa conscience, et il emportait toujours l'ustensile adapté à cette fin plus ou moins envisagée, un bout de corde ou de ficelle, un carré de tissu. Mais il n'avait jamais en tête l'intention clairement arrêtée de suivre une fille et de la tuer avec un de ces outils de son cru. Simplement, cette possibilité subsistait toujours, et ne pas avoir le nécessaire sur lui si jamais la bonne rencontre se présentait suffisait à le rendre furibond. Il lui arrivait parfois de se voir en train d'expliquer cela à un policier ou à un avocat, au cas où on l'arrêterait, et de prendre acte du caractère tout à fait incompréhensible de la chose pour les individus vertueux, respectueux de la loi, ceux que l'on n'arrêtait jamais. Il n'y avait encore pas si longtemps, il était lui-même respectueux des lois, donc il comprenait.

Cette fois il empocha d'un geste décidé le garrot qu'il avait choisi, un bout de câble électrique, peut-être le moyen le plus efficace. Il lui fallait une de ces sacoches en toile synthétique un peu lustrée, légères à porter et bon marché, que l'on vous distribue parfois dans les colloques, bourrées de documents et de brochures. Jeremy allait devoir se l'acheter. Étant à son compte, il ne participait jamais à ce genre de manifestations. Mais il refusait de se plier à l'exigence de son maître chanteur, de remplir cette sacoche de cinq mille livres en billets retirés en différents points. Cette fois, la pochette choisie, vert jade et noir, avec un logo anonyme sur le rabat, ne contenait que des coupures de journaux à la taille de billets de banque.

Mis à part se demander quel déguisement elle adopterait cette fois-ci, il se posait très peu de questions sur la fille. À son avis, le seul risque serait qu'il se soit trompé et que les autres soient là pour lui venir en aide. Mais si tel était le cas, ces autres lui confieraient-ils chaque fois la responsabilité de récupérer l'argent elle-même ? Connaissant les penchants de Jeremy, laisseraient-ils une seule et même personne, et une femme, s'exposer de façon répétée à un danger tout à fait réel ? N'auraient-ils pas envoyé un autre membre de la bande, un homme ? L'un de ces personnages ne lui aurait-il pas téléphoné, pour formuler ses exigences ? Elle avait parlé de son petit ami, le ton se voulait assez insistant, comme si elle avait tenu à ce qu'il la croie. Si ce petit ami était à côté d'elle, pourquoi ne lui avait-il pas parlé, pourquoi ne s'était-il pas fait connaître ? Et si, en fait, elle avait toujours passé ses coups de fil seule, quelle serait l'autre explication possible ?

L'explication, c'était qu'elle agissait de son propre chef, peut-être parce qu'elle s'était déjà lancée avec succès dans ce genre d'opérations. Si elle mourait étranglée dans un jardin d'une petite rue derrière Marylebone, la police et les médias ne la considéreraient-ils pas comme une victime de plus du Rottweiler ? Pour cela, il lui déroberait un petit objet personnel, comme il l'avait fait avec les autres. Se débarrasser d'elle ne soulèverait pas de difficultés, elle était mince et pas du tout de la même taille que lui. Et il avait beaucoup d'entraînement.

Des trois lieux de remise successifs, celui-ci était le plus proche de Star Street, et l'heure convenue bien plus tardive. Minuit – il ferait sombre, évidemment, très sombre, même presque au cœur de l'été, surtout si le ciel était couvert. Il ne se mit en route qu'à minuit moins dix, car il n'avait pas envie d'être obligé de poireauter, comme la dernière fois.

Il trouva Broadley Street assez sinistre. Ce serait sans doute moins perceptible en plein jour, mais de nuit le quartier dégageait une impression d'isolement et paraissait désert, en particulier dans ces rues de traverse étroites, avec leurs blocs d'immeubles collectifs de l'office municipal, ponctués de temps à autre par une haute maison victorienne. Il y avait de la lumière à certaines fenêtres, et pourtant on eût dit qu'il n'y avait pas âme qui vive, jusqu'à ce qu'une bande d'adolescents surgisse de Penfold Street, ils s'échangeaient des bourrades, proféraient des beuglements surnaturels, s'échangeaient des passes avec une canette de bière, comme au football. Ils le dépassèrent en courant, traversèrent la chaussée en faisant des bonds, sans regarder ni à droite ni à gauche, puis ils reprirent le trottoir d'en face en direction de Lisson Grove. Une voiture arriva à trop vive allure, et de la musique, du genre qui cogne, qui frappe et qui grince, se déversait à plein volume par le toit ouvert. Après quoi, ce fut le retour du silence, qui lui sembla plus pesant qu'avant toutes ces interruptions.

Il traversa la rue en consultant sa montre, à peine capable de lire l'heure sur le cadran. Minuit deux, et la fille n'était toujours pas là. Il n'y avait personne ici, dans ce jardin encore silencieux où jamais une femme qui aurait tout son bon sens n'entrerait seule à une heure pareille. Pour cette fille, c'était différent – du moins le croyait-elle. Et puis il la vit approcher par Ashmill Street, ou plutôt glisser en douceur, car elle marchait du pas des femmes asiatiques, avec leur air modeste, et cette lenteur, comme si elle avait tout le temps du monde, le front levé, le visage, la tête et le corps entièrement enveloppés dans un vêtement couleur de nuit.

Il n'y avait pas de lune, pas d'étoiles et quelques rares réverbères, mais il vit quand même que sa longue tunique qui lui descendait jusqu'aux chevilles, nouée par une ceinture, était gris foncé, et que le foulard qu'elle s'était enroulé autour de la tête, du bas du visage et du front était noir. Apparemment elle ne l'avait pas vu, mais elle se tenait à quelques mètres de l'arbre sous lequel il devait déposer la sacoche aux documents. Et lui, au lieu d'avancer vers l'arbre, il resta là où il était, observa la fille fixement, tentant de croiser son regard, sans la certitude d'y être arrivé. Seuls ses yeux et ses sourcils étaient à découvert, cela, il en était sûr – mais captaient-ils le peu de lumière de l'endroit ? Il lui était impossible de l'affirmer, et il s'imagina qu'elle devait avoir les paupières baissées. **Il renifla,** cherchant à respirer son odeur, sachant qu'il pourrait très bien percevoir ce qu'elle sentait, même à cette distance, mais il ne discerna pas la moindre trace de ce parfum-là, c'était évident, ce serait impossible. S'il y avait une odeur dans l'air, c'était celle de l'herbe, un relent de fumée de tabac et, bizarrement, une bouffée de noix de coco.

La main dans la poche, il tâta son câble électrique, referma les doigts dessus. La sacoche dans l'autre main, il s'avança très lentement vers l'arbre, en espérant que son calme et son apparente décontraction la déstabiliseraient. Elle le surveillait peut-être, peut-être pas. Il posa la mallette dans l'herbe et se retourna, immobile, pour regarder dans sa direction. Ce serait plus facile, songea-t-il, si elle trahissait la nervosité qu'elle devait forcément ressentir, si elle laissait échapper quelque chose, au lieu de rester plantée là comme une statue. Il fut saisi par un dégoût étrange de l'acte qu'il allait accomplir, une répugnance qu'il n'avait jamais éprouvée auparavant. Les fois précédentes, dès qu'il comprenait qu'il se trouvait en présence de celle qui lui était destinée, le sang lui battait dans le crâne, tout son corps tremblait, parcouru de palpitations, et en même temps il avait l'impression que ses pieds étaient montés sur ressorts et ses mains chargées d'électricité. Pourquoi cet état lui faisait-il défaut, en cet instant où il en aurait eu le plus grand besoin ?

Cette prise de conscience le fit frémir. C'était le parfum, ce parfum sans nom, qui était absent, il n'y avait que ce relent de noix de coco. Et il avait besoin de ce parfum-là pour l'aiguillonner, c'était le rouage principal de tous ses actes. Peu importait, il faudrait se débrouiller sans, il savait ce qu'il faisait, mieux que personne, et si c'était à sa portée quand la pulsion était là, il devrait bien y arriver sans aide et sans cette stimulation. La fille s'était approchée de l'arbre, là encore avec cette démarche gracieuse et flottante. Il la vit faire, à la seule lumière de l'endroit, le petit réverbère qui l'éclaira quand elle traversa la pelouse, et il bondit, une extrémité du câble dans chaque main. Elle laissa échapper un râle rauque, se plia en avant et lui décocha un coup de pied. Il tint bon, tira fort, en espérant que le câble lui écraserait quand même la trachée, malgré toutes ces épaisseurs d'étoffe noire. L'espace d'une demi-seconde, il allait devoir relâcher son étreinte. Ce qu'il fit, et il lui arracha le foulard du cou, mais il eut un mouvement de recul, avec un cri. Sous ses phalanges, il venait de sentir la protubérance d'un cartilage thyroïde.

Une pomme d'Adam. C'était un homme ! Un très jeune homme, à la peau douce et olivâtre, un nez aquilin assez long et ces yeux, qui lui semblaient si ternes un instant auparavant, brûlant maintenant d'un air de triomphe ou de vengeance. La lèvre supérieure se retroussa et il poussa un rugissement de fureur. Le jeune homme s'en prit à Jeremy à coups de pied, le griffa de ses ongles bien trop longs pour un garçon, mais Jeremy était plus grand et il parvint à saisir son maître chanteur à la gorge, en serrant des deux mains. Il serra, en enfonçant les pouces et l'extrémité de ses doigts. Le souffle court et secoué de haut-le-cœur, mais d'une force surprenante, le garçon réussit à flanquer un violent coup de genou à Jeremy, dans l'entrejambe. La douleur fut atroce. Jeremy ne s'écroula pas, mais il tituba, et il ne put se retenir de lâcher un cri. Tandis qu'il s'efforçait de garder l'équilibre, le garçon en profita pour s'emparer de la mallette et filer. Il était jeune, et il courait plus vite, beaucoup plus vite qu'un homme de quarante-huit ans, même en étant obligé de relever les pans de sa tunique qui lui arrivait aux chevilles. Lancé à sa poursuite, mais loin derrière lui, Jeremy le vit se débarrasser de son accoutrement, qu'il abandonna en tas sur le trottoir. Il avait déjà laissé tomber le foulard sur la pelouse, mais il tenait fermement la mallette.

Jeremy renonça. Il était bien obligé, il se savait battu. Ce garçon qui aurait dû être une fille, il l'apercevait encore tout là-bas, loin devant. Il avait atteint Penfold Street en courant, et Jeremy se traînait loin derrière en boitant, mais il ne tarda pas à s'avouer vaincu. Le garçon avait atteint la relative sécurité de Marylebone Road, il le voyait encore courir, fonçant aussi vite que possible vers la station de métro de Baker Street.

La douleur cuisante avait cessé de lui tenailler l'entrejambe, mais la souffrance lancinante qui lui succéda était presque insupportable. Il fut forcé de s'asseoir sur l'un des bancs en bois. Au bout d'un petit moment, la douleur s'apaisa un peu, la pensée reprit ses droits. Ces dix dernières minutes, il n'avait plus réfléchi, il avait juste agi et souffert. Il se leva pour repartir par où il était venu, et il repensa à ce qu'il avait fait. Le câble avait mordu dans la chair du jeune homme, en l'empêchant un court instant de respirer, ce devait être douloureux, et quand il découvrirait cette marque, ou pire, cette blessure, il serait décidé à se venger. Lui et la fille, sa petite amie, sans aucun doute. Irait-il voir la police ? C'était probable, Jeremy comprenait à présent que ce ne serait plus la peine de mentionner les boucles d'oreilles. Il suffirait à ce garçon d'aller voir la police avec la preuve de cette marque (ou de cette blessure) au cou, et la possibilité où il était de décrire et d'identifier son agresseur, pour qu'ils ne tardent guère à reconnaître l'homme qu'il leur désignait et à se rendre directement dans Star Street...

Chez lui, il monta l'escalier d'un pas lent, sans se laisser déranger dans sa progression par quelqu'un, sûrement un enfant, qui sanglotait derrière la porte de Will Cobbett. Le reste de la maisonnée était plongé dans le noir et un silence immuable. Jeremy se glissa à l'intérieur de son appartement et s'effondra dans un fauteuil sans allumer la lumière. Dormir lui semblait au-delà de ses ambitions, plus jamais il ne trouverait le sommeil. Mais il ferma les yeux, se laissa aller en arrière et réfléchit à la suite. Rester là et attendre qu'ils arrivent ?

L'idée n'avait guère d'attrait. À sa grande surprise, qui se mua bientôt en sentiment de honte, il constata qu'il avait envie de courir à la maison, chez sa mère. C'était impossible. Il risquait de ne jamais la revoir, enfin, s'il la revoyait, ce serait en prison ou à son procès. Ne pense pas en ces termes, se dit-il. Il ouvrit le tiroir du bureau, où il avait rangé les fausses boucles d'oreilles, et les glissa dans la poche de sa veste. Conservait-il encore en sa possession d'autres pièces qui soient susceptibles de l'incriminer ? Pas à sa connaissance. Sa clé dans la main gauche, il redescendit au rez-de-chaussée. Les sanglots derrière la porte de Cobbett n'avaient pas cessé et maintenant un rai de lumière était visible entre le panneau et le sol. Jeremy sortit dans la rue.

Elle avait son apparence nocturne habituelle, déserte, des voitures garées à touche-touche le long des trottoirs, juste séparées par un étroit intervalle. On avait fracassé la vitre côté conducteur d'une Peugeot quasi neuve, sans doute pour un autoradio ou un téléphone portable. Il croyait se souvenir que cette fenêtre était intacte à son arrivée. Sous le réverbère, au coin, il y avait une poubelle, mais on l'avait vidée. Les gens qui habitaient deux maisons plus loin, dans Bridgnorth Street, avaient déjà sorti leurs sacs-poubelle pour la tournée de ramassage du matin. Jeremy dénoua le lien qui fermait l'un des sacs et recula devant la puanteur fétide. Encore la rançon d'un superbe odorat. Il y jeta les boucles d'oreilles, le briquet et le porte-clés, et referma le sac.

En remontant les marches, il s'arrêta devant la porte de Cobbett. La lumière était éteinte et les pleurs avaient cessé. Pourquoi s'en souciait-il ? Ce n'était pas pour Cobbett, ou pour celui ou celle qui se trouvait là, un enfant ou une femme qu'on maltraitait. D'une certaine manière, c'était à lui que ces sanglots s'adressaient, c'était une lamentation sur son existence, un chant funèbre, car pour ce qui était de cette vie, de tout ce qui comptait dans la vie, ce serait bientôt fini. Il regagna son appartement, retira ses vêtements et s'allongea sur son lit, sans dormir.

On pourrait croire, se dit Becky à sept heures du matin, qu'à boire comme elle buvait, et la quantité qu'elle buvait, son corps allait peu à peu s'habituer à de grosses consommations d'alcool et qu'elle ne souffrirait plus de gueules de bois aussi violentes. C'était la règle, en effet. Mais, apparemment, elle constituait l'exception. Elle se dit une fois encore, comme elle se le répétait tous les matins, qu'il faudrait s'arrêter, ou réduire radicalement la dose. Elle allait mettre son métier en péril, s'abîmer la silhouette, engraisser, vieillir prématurément et se détruire le foie.

Elle se leva, trébucha, ses jambes obéissaient plus ou moins aux instructions de son cerveau, sa tête flottait vers le plafond. Cette migraine féroce ne se réveillerait pas avant une demi-heure, et ensuite elle lui infligerait son châtiment si sévère. Les dents brossées et la bouche rincée, le visage aspergé d'eau froide, en toute inutilité, deux aspirines prises pour rien, elle se demandait même pourquoi. Pourquoi buvait-elle autant, maintenant qu'elle était libre, qu'elle avait du temps devant elle, un bon emploi et beaucoup d'argent ? Sans raison, et c'était pour cela que le moment était venu d'arrêter.

Des bruits assez méchants lui résonnaient dans le crâne, un bruissement perpétuel qui lui semblait localisé du côté gauche, et aussi un élancement cadencé, un battement régulier, du côté droit. Un tintement s'ajoutait à tout cela, au milieu du front, juste au-dessus des yeux. Elle les ferma, coucha la tête contre la table de la cuisine, et puis elle comprit que la sonnerie n'était pas dans sa tête, qu'elle était réelle.

– Allô. Qui est-ce ?

– C'est Will. Laisse-moi entrer, Becky, s'il te plaît. J'ai froid.

Elle appuya sur le bouton avec un pictogramme de clé gravé dessus, ouvrit la porte d'entrée de l'appartement et s'affala dans le premier fauteuil qui se présentait. Will avait dû pleurer des heures, il avait le visage rouge et bouffi, ses yeux gonflés se réduisaient à deux fentes. Il portait une valise qui avait l'air lourde, et la lâcha par terre, d'un coup. Becky reconnut la plus grosse des trois valises de Will. Il ne parlait pas. Oh, Seigneur, songea Becky, a-t-il de nouveau perdu l'usage de la parole ?

Il ne l'avait pas perdu.

– Je peux avoir un verre de lait ?

– Oui, bien sûr. Sers-toi.

Pendant que Will se versait son lait dans un mug, elle se prépara un gin-tonic bien tassé dans un grand verre. La seule chose qui l'aiderait, c'était d'ingurgiter encore davantage d'alcool, même si ça lui faisait du mal.

– Qu'est-ce qui ne va pas, Will ?

Il serait incapable de lui apporter une réponse précise.

– Je suis venu ici pour rester, Becky. Je ne voulais pas rentrer chez moi samedi. Déjà là je voulais rester, j'ai toujours envie, parce que ici c'est bien.

– Et chez Inez, ce n'est pas bien ?

– Si, mais ce n'est pas comme ici.

– Qu'est-ce qu'il y a dans la valise, Will ?

– Toutes mes choses que j'ai besoin.

Il s'agenouilla et l'ouvrit. Il devait y avoir des vêtements, quelque part en dessous, mais elle ne vit qu'un camion, un jouet – jouait-il encore avec ? –, un magazine de bandes dessinées, le supplément du *Radio Times*, sa télécommande, comme si celle de Becky ne marchait pas, comme s'il avait pu la remplacer par la sienne, un pot de bonbons à la menthe, une casquette de base-ball rouge avec ces mots, *Man United*, imprimés dessus en blanc, et une cassette vidéo de *Cinquante Millions d'amis*.

— Je vais préparer ma chambre tout seul, fit-il. Je vais faire comme tu as fait. Je vais sortir toutes les chaises sauf une, et je vais mettre l'ordinateur ailleurs, et je vais changer le canapé en lit, et je vais mettre des draps.

— Et ton travail, Will ?

— Tu n'auras qu'à téléphoner à Keith et lui dire que je suis pas bien.

L'équivalent du mot d'excuse à l'école primaire, songea-t-elle.

— Tu n'auras qu'à dire que j'irai mieux demain et qu'il vienne me chercher ici.

Il referma la valise et la tira dans le bureau. La migraine de Becky s'estompait, mais elle se sentait le corps assez faiblard, et elle l'entendit déplacer les meubles en fredonnant le chœur des sept nains dans *Blanche Neige*. Il ne chantait, elle le savait depuis belle lurette, que lorsqu'il était très content.

Que fallait-il faire ? Si demain il allait travailler, alors elle pouvait en faire autant. Il resterait seul deux heures l'après-midi, ce ne serait pas trop dur. Elle avait congédié son amant, et elle n'en aurait plus d'autre. La télévision resterait allumée toute la matinée et toute la soirée, jour après jour, tous les jours. Elle n'éprouverait plus aucun sentiment de culpabilité, tout cela appartiendrait au passé. La culpabilité céderait la place à une sorte de paix mortelle, un calme stérile, en compagnie d'un enfant doux et têtu qui la dominerait et qui serait là, tout le temps. Pour ses sorties et ses retours, ses rencontres et ses séparations, dans la veille et dans le sommeil. Et peut-être que, une fois la culpabilité évanouie, le besoin de boire s'effacerait aussi. Peut-être. Un jour.

Son installation chez elle était inévitable. Il n'était pas impossible que, quelque part dans un coin de sa tête bourdonnante, elle ait toujours su que cela finirait ainsi. Elle s'était bornée à repousser le jour fatidique. Mais je l'aime vraiment, songea-t-elle. Ces mots sonnaient creux. L'aimait-elle vraiment ? Aimait-elle vraiment quelqu'un en ce monde ?

Becky posa les bras sur la table et, la tête dans les bras, elle pleura. Elle pleura à cause d'un accident de voiture et d'un fragile chromosome, et d'une société qui était dure, et sur elle-même.

Elle entendit la voix de Will, qui chantait dans le bureau :

– Hé-ho, hé-ho, en rentrant du boulot…

– Vous auriez dû nous informer la nuit dernière, lui dit l'inspecteur Crippen, dès que c'est arrivé. Pas attendre jusqu'à maintenant.

– Je viens vous voir avec la meilleure piste que vous risquez de trouver sur l'identité du Rottweiler. J'aurais cru que vous seriez aux anges.

Anwar n'était pas réellement indigné. Cela lui était égal. Si, avec les preuves qu'il lui apportait, la police restait inerte, il saisirait les médias et on verrait ce que feraient les journalistes de l'indifférence des autorités face à la preuve évidente d'une tentative de strangulation.

– Voyons un peu votre cou.

Anwar, qui dissimulait sa nuque avec un pull à col roulé porté sous son costume, non par pudeur, mais pour rendre l'effet encore plus spectaculaire quand il se dénudait le cou, tira sur la laine bleu nuit et tendit la tête.

La réaction des deux policiers, Crippen et Zulueta, fut presque à la hauteur de ses espérances :

– C'est une méchante lésion que vous avez là, reconnut Crippen avec un petit mouvement de recul devant l'anneau rougeâtre et violacé qui cerclait la gorge olivâtre d'Anwar. Je serais fort surpris que cela ne vous laisse pas une cicatrice.

– Vous auriez intérêt à faire examiner ça, lui conseilla Zulueta. Cela mérite un suivi médical.

Crippen n'arrêtait pas de secouer la tête, il songeait sans doute aux tendances maléfiques de cette humanité des quartiers ouest de Londres.

– Redites-moi ce qui s'est passé.

– Je rentrais chez moi à pied, depuis la gare de Marylebone. J'étais allé rendre visite à ma tante, à Aylesbury.

C'était en effet la vérité, il y était allé avec ses parents le ven-dredi précédent, mais tante Seema ne se souviendrait jamais du jour exact de sa visite, il lui avait toujours manqué deux grains de sel pour avoir tout son bon sens.

— Il était à peu près minuit quand je suis arrivé dans Ashmill Street, en venant de Lisson Grove.

Ils ne sauraient le contredire là-dessus, c'était le trajet le plus court.

— Vous ne ressemblez pas franchement à une fille, observa Zulueta, et encore moins à une femme.

Il considéra Anwar d'un œil perplexe, son corps osseux, sa poitrine creuse et ses jambes maigres, la barbe naissante qui lui poussait au menton et aux joues, et son grand nez très présent.

— Il n'y voyait peut-être pas très bien, hasarda Anwar. Il faisait noir, et il était sous un arbre. Je coupais par le jardin vers Broadley Street. Il s'est approché de moi avec ce câble élec-trique et je n'ai rien pu tenter, je me suis retrouvé avec ce machin autour de la gorge.

— Qu'avez-vous fait?

— Je ne suis pas une fille, hein? Alors je me suis battu, évidemment.

— Et vous dites que vous l'avez reconnu?

— Bien sûr que je l'ai reconnu, insista Anwar sur un ton offensé. Je ne sais pas son nom, mais il habite dans l'apparte-ment juste au-dessus de chez mon ami Frederick Perfect.

Ayant gagné cent livres à la loterie, Freddy était d'humeur guillerette. Il fit signe à Jeremy depuis la vitrine de la boutique, un signe qui fut délibérément ignoré, et pourtant le locataire de l'appartement du dernier étage l'avait bien vu, il avait même croisé son regard.

— Il ne peut quand même pas sortir travailler à cette heure-ci, observa Freddy. Il n'a pas l'air bien, on dirait qu'il couve quelque chose. J'espère que ce n'est pas contagieux. Sortir sans manteau et sans parapluie, cela ne va pas arranger ses affaires. Il va pleuvoir à verse. Je me demande où il va comme ça. Peut-être chez le docteur. Ça doit être ça.

Aucune de ces réflexions ne semblait appeler de réponse. Inez sourit vaguement à son vendeur. Il était descendu très tard ce matin, il suivait l'exemple de Zeinab, mais, en l'occurrence, elle n'en était pas mécontente. Juste après avoir déverrouillé la porte et sorti les livres sur le trottoir, elle avait vu entrer l'homme qui avait acheté la pendule en porcelaine de Chelsea. Il avait tourné un peu, il avait fait mine de jeter un œil à certains objets – mais sans vraiment s'y attarder, constatat-t-elle –, avant de venir directement à elle et de l'inviter à dîner. Elle était tellement surprise qu'elle lui répondit que cela ne lui déplairait pas, et quand il fut reparti, elle se rendit compte que, surprise ou non, cela lui plairait vraiment beaucoup.

Jeremy n'allait évidemment pas chez le médecin, il était sorti pour s'acheter un pistolet.

Une vraie arme de poing, il ne saurait pas s'en servir. Un faux ou un jouet, cela lui conviendrait très bien, pourvu que, vu de loin, ça ressemble à un pistolet ou un revolver. Les jouets, ça effrayait autant que les vrais – tant qu'on n'essayait pas de tirer avec.

Il avait passé une nuit épouvantable, avant de finalement tomber de sommeil, à sept heures du matin. Si on lui posait la question, il avait pour habitude de répondre qu'il ne faisait jamais de rêves ou, s'il en faisait, il les oubliait au réveil, et c'était *grosso modo* la vérité. Ce qui lui arrivait, c'étaient de curieuses visions, d'étranges fantasmes nocturnes qui ne cessaient de se répéter à l'état de veille, lui surgissant devant les yeux et le taquinant avec leur apparente insignifiance. Ainsi, il y avait une période où il revoyait la première fille qu'il avait tuée, de face, de profil, le regard baissé, le regard levé, riant et en pleurs, et ensuite, comme les rois de *Macbeth*, c'était la procession de ses divers ustensiles d'étrangleur, corde, fil électrique, câble, cordon, cordelette, bande, chaîne et ficelle, qui dansaient et dévalaient un escalier sans fin. La nuit précédente, alors qu'il n'avait plus souffert de cette affliction depuis longtemps, il avait revu des flacons, des fioles, des bouteilles de parfum, sans rien sentir, pas la moindre odeur. Ces bouteilles de parfum, des grandes, des petites et des minuscules, des translucides, des dorées, des roses, des vertes, des bleues, des noires, valsaient et se mélangeaient, comme lancées d'une certaine hauteur. Il essayait de leur résister, en fermant les yeux, puis en se forçant à les rouvrir, en se levant, en allumant la lumière. Dès qu'il se recouchait, lumière éteinte ou allumée, ça recommençait, elles sautaient et rebondissaient en tous sens, et elles tombaient, tombaient, tombaient, sans jamais atteindre le sol où, Dieu merci, elles se seraient brisées avant d'être balayées.

Maintenant elles avaient disparu, mais pas leur souvenir, et pas ce sentiment de besoin qu'elles laissaient derrière elles. Ses pensées étaient remplies de ce parfum, et du fait qu'il en ignorait le nom. Mais avant de donner libre cours à son désir, il fallait qu'il se procure ce pistolet. Il y avait une boutique dans New Oxford Street, près de Saint Gile's, où il pensait pouvoir trouver un fac-similé. À Marble Arch il monta dans un bus qui se dirigeait vers l'est et, après un court trajet qui fut très long, dans cette circulation chargée, il descendit à l'endroit où Shaftesbury Avenue croise New Oxford Street. L'endroit qui vendait des faux pistolets se trouvait à côté du magasin de cannes et de parapluies, mais il n'existait plus. Il faudrait se rabattre sur un jouet.

Un taxi le ramena d'où il venait et le déposa devant Selfridges. Malgré son envie pressante, il évita le rayon des parfums et monta par l'Escalator au rayon des vêtements pour hommes. Parmi les jouets du premier étage, il trouva un pistolet acceptable, qui ferait l'affaire. Il était argent et noir, en plastique, mais dans la rue, en bas, personne ne verrait la différence. Il l'acheta. Fallait-il ou non qu'il prenne quelqu'un en otage? Si la fille asiatique qui travaillait dans la boutique de Star Street y était encore, il n'hésiterait pas. Il devait trouver quelqu'un, pour être certain que son plan de suicide marche. Non, pas de suicide, car s'il souhaitait se donner la mort, il se jetterait du haut de la passerelle, non, ce qu'il voulait, c'était se faire abattre, mourir de la main des autres.

Arrivé au pied de l'Escalator, il se dirigea cette fois vers les parfums. Il avait besoin de savoir. Enfin, il ne fallait pas non plus que ça lui prenne trop de temps. À moins que le garçon sur lequel il était tombé hier soir ne soit pas allé voir la police, ils le retrouveraient vite. D'abord, ils téléphoneraient. Mais quand ils ne recevraient pas de réponse?... Ils viendraient l'attendre, cela ne faisait pas l'ombre d'un doute. Le cœur battant et les paumes moites, il entra dans le rayon parfumerie, les narines immédiatement agressées par toutes sortes d'essences, sucrées ou douces-amères, musquées ou fruitées, mais inoffensives, surtout dans cette enceinte où il existait au moins un parfum qui ne le serait pas.

Il cherchait la fille qui lui avait vaporisé de cette essence mortelle.

Tout le monde l'aurait trouvée belle, le cheveu noir, l'œil noir, avec du sang oriental, songea-t-il, mais sans pli épicanthique à la paupière supérieure, donc ce sang serait plutôt extrême-oriental. La bouteille de spray était noir et or.

Il ne fallait pas qu'il la laisse lui en vaporiser de nouveau, à aucun prix, quoi qu'il arrive. Il avait plus peur de cette odeur que de la mort.

CHAPITRE 29

Il la reconnut. Cette fois, elle ne jouait pas les tentatrices auprès des clients avec son parfum, elle se tenait derrière un comptoir, elle discutait avec une fille du même âge qu'elle, mais qui n'avait pas du tout la même allure. Assez prudent, il s'approcha d'elle, déconcerté par toute cette profusion d'articles sur les présentoirs et les rayonnages. Comment les femmes s'en sortaient-elles avec tout ça ? Et pour quoi faire ? Cela devait supposer des heures de travail inutile, et pour rien, finalement. Une peur rampante chassa toutes ses velléités de commentaires sociologiques. La police savait-elle, maintenant ? Cette idée remonta à la surface. Elle était là depuis une demi-heure, enfouie sous une couche de vaine fausseté, derrière une question purement fantasmatique qui, une fois résolue, ne contribuerait en rien à son bien-être, à son existence, à sa sérénité. Tout cela avait disparu pour de bon. Il voulait savoir le nom de ce parfum avant de mourir, c'était tout.

Il traversa le hall, et la beauté sombre avait disparu. Il

regarda autour de lui, espérant la voir. Il y avait des filles par dizaines, un peu partout, certaines étaient aussi parfaites que des mannequins, toutes avaient belle allure.

— Excusez-moi, dit-il à la jeune fille pâle et blonde.

Elle se retourna et l'expression de son visage lui plut, gentille, tolérante, compréhensive, elle avait été formée en ce sens, quand le client était de sexe masculin.

— Que puis-je faire pour vous?

Pour une fois, cette phrase ridicule, qui n'avait pas sa place dans le langage dc tous les jours, n'eut pas le don de le mettre en boule. Il lui répondit, presque sur un ton embarrassé:

— Je suis venu ici, il y a à peine plus d'une semaine, et votre amie a vaporisé un parfum sur moi...

— Mon amie?

— La jeune dame à qui vous parliez à l'instant. Je me demandais si vous pourriez me dire de quel parfum il s'agissait.

— Eh bien, en fait, Nicky ne travaille pas sur nos produits. Elle est là-bas. (Elle désigna du doigt un autre stand, un autre comptoir avec un autre étalage de boîtes, de flacons et de bocaux.) Mais pour le moment elle est en réunion.

Cette excuse ou ce prétexte, plus souvent invoqué pour justifier l'absence de présidents ou de directeurs généraux de sociétés, le laissa absolument interloqué. Il se sentit vieux, comme transplanté dans un monde neuf et différent. À présent, rentrer chez lui, se défendre, et si nécessaire mettre fin à tout, semblait la scule solution.

Elle le considéra avec un regard d'une sympathie débordante, on eût dit qu'elle était au bord des larmes.

— Vous vous souvenez de la date? À quoi ressemblait cette... euh... cette fragrance?

— C'était samedi, le 1er juin. Dans la matinée. Je crois que ça ressemblait... c'était noir et or. Elle m'en a vaporisé, j'avais besoin... je voulais...

— Je comprends tout à fait, dit-elle, et sa réponse ne lui inspira qu'une seule réflexion, c'était qu'elle ne pouvait franchement pas comprendre. Je pourrais vous le retrouver. Je m'appelle

Lara… Vous allez retenir ? Lara. Si vous me laissiez votre numéro de téléphone… ?

Il n'avait pas de cartes de visite à l'adresse de Star Street, donc il lui dit le numéro et elle le nota. Il n'entendrait plus jamais parler d'elle, il le savait. Dans l'éventualité improbable où elle l'appellerait, où elle ne perdrait pas ce bout de papier et où elle ne l'oublierait pas, lui, son coup de téléphone arriverait trop tard. Il la remercia, et il se rendit compte que ces dernières heures Jeremy Quick avait gagné en humilité, son arrogance coutumière s'évacuait peu à peu, à mesure qu'Alexander Gibbons lui prenait tranquillement sa place.

Il fallait qu'il s'approche de Star Street avec précaution. Il s'estima heureux de la pluie qui venait de commencer à tomber pendant qu'il était dans ce grand magasin. C'était une fine bruine, qui restait suspendue dans l'air comme de la brume, en accentuant l'odeur de diesel et de *fast-food*. Il n'était pas question d'envisager de rentrer en taxi, mais ce n'était pas loin. Il décida de marcher. Si des véhicules de police étaient sur place, si les voitures de Crippen et Zulueta étaient là – il reconnaîtrait de loin l'Audi rouge foncé de l'inspecteur et la Honda bleue de son adjoint –, il battrait en retraite afin d'élaborer une stratégie. Mais ce ne seraient peut-être pas ces fonctionnaires-là, l'un ou l'autre ou les deux auraient pu prendre un jour de congé, à moins que l'on n'ait confié cette affaire à une toute nouvelle équipe. Il marcha jusqu'à Seymour Place, tourna à gauche dans George Street, avec Edgware Road en face de lui.

Il était à peu près certain que le garçon au voile noir n'était pas allé voir la police dès la nuit dernière. S'il y était allé, ils seraient venus le chercher en début de matinée, ce qu'il avait énormément redouté, couché dans son lit, sans trouver le sommeil, avec ses visions d'insomniaque qui lui défilaient devant les yeux. Et qu'était-il advenu de sa théorie selon laquelle « ces gens », le garçon et sa petite amie, se couchaient si tard qu'ils étaient incapables de s'adapter à la vie diurne, avec leur manie de se réveiller au beau milieu de l'après-midi ? À l'évidence, cela ne s'appliquerait pas à ce cas d'urgence, pas quand elle aurait vu la marque du garrot dans le cou de son ami. Là, ils n'auraient peut-être pas attendu jusqu'à ce matin…

À cet instant, il traversait Edgware Road et, après avoir envisagé l'achat d'un parapluie, une idée qu'il avait écartée, il était complètement trempé. Il calculait par quel côté il serait le plus en sécurité pour s'approcher de chez lui. Ils s'attendraient à ce qu'il remonte Star Street d'ici ou qu'il la prenne depuis l'autre bout, à partir de Norfolk Square, donc il allait prendre Saint Michael's Street. Il ne s'aperçut pas du tout qu'on le surveillait depuis une fenêtre sur le côté gauche de la rue, d'où Anwar le montrait du doigt à Flint, dans le couloir où ils se tenaient tous les deux, lorgnant à travers la vitre de la porte d'entrée.

— Tu vas sonner les flics ?

— Je sais pas. Mais bon, non, fit Anwar. Je les ai suffisamment aidés comme ça, merde. Qu'ils bossent un peu, pour changer.

Pas une voiture de police, pas de voiture du tout. Bizarrement pour une matinée en milieu de semaine, les places de parking résidentiel et les places de parcmètres autour de la boutique étaient toutes libres. Jeremy hésita devant la porte des locataires et, à la place, il passa par la boutique. Un cri ou même une expression de choc de la part d'Inez suffirait amplement à le renseigner.

Elle leva les yeux de ses comptes et le salua, d'un ton pas très amical :

— Ah, bonjour.

Un grand sourire de cet idiot en combinaison marron.

— Eh bien, bonjour, monsieur Quick. Vous vous faites rare. Il fut un temps où vous vous pointiez sans arrêt pour venir voir la patronne.

Cela ne méritait pas de réponse. Jeremy prit son courage à deux mains :

— Personne ne m'a demandé, par hasard ?

— Je ne pense pas, fit Inez. On aurait certainement sonné chez vous, non ? Ah si, il y a eu un appel de ce policier… Zulueta, c'est comme ça qu'il s'appelle?… Il voulait savoir si vous étiez chez vous, je lui ai répondu que je n'en avais pas la moindre idée. Ça n'avait pas l'air d'avoir de l'importance.

Ça n'en aurait plus, en effet. Il la remercia, toujours humble, sortit par la porte de communication et monta les marches. Le premier étage vibrait sous les accords de Rachmaninov. Il crut presque voir les portes trembler. Une fois qu'il fut entré dans son appartement, le téléphone demeura silencieux, et pourtant il lui donnait l'impression (à moins que ce ne soit le fruit de son imagination) d'avoir sonné, sonné sans relâche. Il aurait peut-être dû s'abonner à un service de messagerie, mais il n'en avait jamais éprouvé le besoin, et quel intérêt aurait-il, maintenant, à entendre la voix enregistrée de Crippen?

Dehors, dans le jardin-terrasse, la première fleur de la saison s'était ouverte sur son rosier grimpant. Il ne se rappelait pas son nom. Il était d'un rose pâle assez quelconque, mais son parfum, comme promis dans le catalogue, était exquis, un mélange d'orange mûre et de jasmin avec une note de muscade. Il pencha le visage vers la fleur, le nez plongé en son cœur. Oui, elle possédait tout ce qui était annoncé. Ce serait la dernière rose qu'il respirerait, la dernière rose de son été. Pour le moment, le téléphone demeurait silencieux, la sonnette demeurait silencieuse. Le seul son audible était celui de la musique à l'étage inférieur, qui ne parvenait que vaguement jusqu'à lui. Zulueta souhaitait peut-être juste lui demander s'il avait vu quelque chose la nuit dernière, car il n'était pas impossible que le garçon, après avoir compris qu'il était dangereux et qu'il valait mieux ne pas le défier, ait eu peur de l'identifier formellement. Par exemple, il aurait pu tenir le raisonnement suivant: s'ils ne parvenaient pas à réunir suffisamment de preuves contre lui, il resterait en liberté, en mesure de se venger à sa guise du garçon et de la fille qui l'avaient vendu.

– Je suis un homme dangereux! tonna Jeremy. Personne ne me cherche des crosses, ajouta-t-il dans ce qui devait être le langage du garçon.

Mais la voix qu'il eut pour prononcer ces mots-là était

faiblarde, fluette. Ses vrais sentiments, il les exprima autrement, dans sa barbe :

– J'ai eu une vie pourrie.

Il retourna dans le salon, laissa les portes-fenêtres ouvertes, en dépit du froid et de la pluie qui tombait plus dru. Dans la chambre, il retira son pantalon et sa veste humides, et enfila une tenue inhabituelle chez lui, un pull et un jean. Il était juste midi passé. L'heure d'un petit gin-tonic, un peu plus de gin que d'ordinaire, un cube de glace et une rondelle de citron. Il découpait sa rondelle avec un couteau aiguisé quand le téléphone se mit à sonner, et s'il ne se coupa pas, ce fut uniquement parce que, à la seconde où cette sonnerie le cueillit, il avait les mains immobiles et le couteau levé en l'air.

Répondre ou non ? S'il ne répondait pas, ils le croiraient sorti, et ils réessaieraient. Ensuite, ils appelleraient chez Inez, et elle leur raconterait tout. Il eût été plus avisé de ne pas entrer dans la boutique, mais maintenant il était un peu tard pour y penser. À la neuvième sonnerie, il souleva le combiné.

– Allô ? dit-il d'une voix forte.

On raccrocha. Voilà qui était assez éloquent. Maintenant, ils n'allaient plus tarder. À supposer qu'ils se mettent tout de suite en route, ils seraient ici en un rien de temps, une poignée de minutes. Alors décide-toi maintenant sur la manière d'appréhender ceci. Décide-toi, décide-toi... Inez était dans sa boutique, avec le gros crétin. Dommage que cette fille asiatique ne soit pas là, qu'elle soit partie, malade, enfin peu importait. Il ne restait qu'une autre possibilité, et il faudrait s'en contenter. Il attrapa le pistolet et descendit jusqu'au palier du premier. À chaque marche, Rachmaninov était de plus en plus fort. Elle avait monté le volume, s'imaginant peut-être, en entendant sa porte se refermer, qu'il sortait de nouveau. Elle était bonne pour un sacré choc.

Il tambourina des deux poings à sa porte, sachant que cette fois elle croirait qu'il descendait se plaindre. Il frappa de nouveau, et il flanqua un coup de pied dans le bas de la porte. Le volume de la musique se réduisit à un murmure. Sa voix retentit avec cet horrible accent guttural qu'elle prenait parfois :

— Qu'est-ce que c'est ?

— Ouvrez, je vous prie. C'est Jeremy Quick.

Elle ouvrit, très lentement, comme quelqu'un qui refuse de se presser. Il cala un pied dans l'interstice, avant de lui exhiber son pistolet. Elle porta une main à son visage, le souffle coupé, puis elle geignit. Elle était en peignoir rose, en réalité un négligé, plein de fanfreluches, avec un grand nœud à la taille. Ses cheveux blonds grisonnants étaient relevés en désordre sur le sommet du crâne et attachés avec une pince, comme en portent les jeunettes.

— Venez par ici, fit-il. Vous allez monter.

Ludmila tremblait de tous ses membres, une feuille flétrie suspendue à une branche, secouée, frémissant sous le vent. Dans son état et avec ses mules à hauts talons, elle avait du mal à négocier les marches. Jeremy la poussait devant lui. Elle trébucha, elle gémit, mais elle y arriva, et dès qu'il déverrouilla sa porte, elle s'écroula sur le seuil.

Il la laissa par terre, se rendit à une fenêtre et regarda au-dehors. Il entendit une sirène au loin, mais était-ce une ambulance ou une voiture de police, il était incapable de le dire. Seule la tonalité des pompiers était reconnaissable entre toutes, ce braiment atroce et d'une étrange musicalité qui débutait leur mélopée, suivi de mugissements d'alerte. Il tendit l'oreille. Le bruit de la sirène mourut au loin. Il se retourna, s'assit sur une chaise. Maintenant qu'elle n'était plus obligée d'avancer et de monter des marches, Ludmila avait l'air moins terrorisée, plus maîtresse d'elle-même.

— Je peux avoir une cigarette ? lui demanda-t-elle.

— D'accord. Le pistolet est chargé, que ce soit bien clair. Si vous m'y obligez, je m'en servirai. Ma vie n'a aucune importance à mes yeux, et la vôtre non plus.

Il lui tendit une cigarette et la lui alluma avec son briquet, dont il se servait rarement. S'il l'avait laissée l'allumer elle-même, Dieu sait ce qu'elle aurait pu tenter, mettre le feu au tapis, pourquoi pas? Elle inhala la fumée, considéra le briquet, le regarda, lui.

— C'est le briquet de cette fille.

Ce n'était pas ce briquet-là. Celui-là, il l'avait jeté.

— Quelle fille?

— Celle qu'on a étranglée dans l'allée des écuries.

Il aurait aimé sourire, mais les muscles de son visage refusèrent de lui obéir.

— Vous l'avez étranglée. Vous êtes le Rottweiler!

Il avait toujours détesté ce nom à un point! Il se défendit, conscient qu'il devait faire piètre impression:

— Je n'ai jamais mordu personne. C'est de la diffamation. Les journaux seraient prêts à écrire tout et n'importe quoi.

Tout en parlant, il entendit une voiture, puis une autre, qui s'arrêtaient dehors. Une portière claqua. Il se figea. Il était coincé ici, paralysé. Ludmila leva les yeux, la cendre de la cigarette tomba sur son tapis.

Il retrouva l'usage de ses jambes, il se rendit une fois encore à la fenêtre. La voiture de Zulueta était de l'autre côté de la rue, le long d'une ligne jaune. Deux hommes étaient assis dans le véhicule garé derrière le sien. La portière arrière, côté trottoir, s'ouvrit et Crippen en sortit, suivi par un homme qui devait s'appeler Osnabrook, croyait-il. Jeremy ouvrit la fenêtre et le fracas de la guillotine qui remontait incita Crippen à lever les yeux.

Leurs regards se croisèrent.

— Nous allons monter, Quick, fit-il. Nous avons des choses à vous dire et vous aussi, je pense.

Jeremy se retourna une brève seconde pour surveiller Ludmila, puis il cria en bas:

— Je n'ai rien à vous dire, à personne. Et je ne m'appelle pas Quick. Je suis Alexander Gibbons. J'ai un pistolet et j'ai Mme... euh...

— Perfect! hurla Ludmila, assez fort pour que Crippen l'entende.

— Mme Perfect est ici, en haut. Vous avez entendu sa voix. Vous voulez la voir?

Il n'attendit pas de réponse, tira Ludmila de sa chaise et, en lui braquant le pistolet dans le dos, la poussa vers la fenêtre. Crippen entra dans la boutique et Osnabrook le suivit. En gardant son arme pointée sur Ludmila, Jeremy tira un siège jusqu'à la fenêtre, et il lui fit signe d'avancer en agitant le pistolet, de s'asseoir afin que tout le monde dans la rue puisse la voir. Ils seraient plus nombreux à regarder, maintenant que quatre policiers en uniforme étaient arrivés. Ils étaient entrés à leur tour dans la boutique, d'où Freddy Perfect venait de sortir en hurlant :

– Ludo, Ludo !

Ludmila lui souffla un baiser. Jeremy n'apprécia pas. Cela témoignait d'un aplomb et d'un sang-froid très déplacés, vu la gravité de la situation où elle se trouvait. Il la poussa devant lui, le canon calé au creux de la nuque.

– Dites-lui de bien se tenir ! cria-t-il. S'il le faut, je la tue. Ça ne me dérange pas.

Ludmila se remit à trembler. Il sentit le tremblement se transmettre à sa main.

– Arrêtez, fit-il. Contrôlez-vous.

Crippen et Zulueta étaient tous deux sortis dans la rue, accompagnés d'un des hommes en uniforme. Dès que ce dernier ouvrit la bouche, depuis le trottoir d'en face, en s'aidant d'un mégaphone, Jeremy comprit de qui il s'agissait. C'était un de ces policiers « psychologues » qui croyaient recourir à d'habiles tactiques pour amener les désespérés à abandonner toute méfiance.

– Quick, relâchez Mme Perfect. La retenir et la terroriser là-haut ne vous sera d'aucune utilité. Au bout du compte, ça ne sert à rien, non ? Laissez-la partir. Laissez-la descendre et nous allons venir à sa rencontre. Nous n'essaierons pas de monter chez vous, je vous le garantis.

– En ce cas, répliqua Jeremy, comment allez-vous m'attraper ?

– Quand vous aurez saisi que ça ne sert à rien de vous cacher, vous finirez par entendre raison. Car c'est la vérité, non ? Ce que vous faites ne vous mènera nulle part, et en fin de compte, en ce qui vous concerne, ça ne fera qu'aggraver les choses.

– La fin, pour moi, c'est ici, là-haut, dans cet appartement.

– Donnez-moi votre arme, Quick. Videz-la et lancez-la par la fenêtre.

– Vous voulez rire, fit Jeremy. Et puis je ne m'appelle pas Quick, je ne me suis jamais appelé comme ça.

Cette mise au point tomba dans l'oreille d'un sourd.

– Je voudrais vous voir vider votre arme. Vous n'avez encore rien fait, n'oubliez pas ça. Rien de prouvé. Vous n'êtes pas inculpé. Les cas d'erreur sur la personne, ça arrive tout le temps. Lancez cette arme avant d'avoir un mauvais geste.

Le téléphone sonna. Ce devait être eux, qui appelaient depuis la ligne d'Inez, dans la boutique. De là où il était, il put l'atteindre en faisant un peu le grand écart, tout en maintenant le canon de son arme enfoncé dans le dos de Ludmila.

– Allô ?

Ce n'était pas la police. C'était la fille qui l'avait fait chanter.

– Dans la merde jusqu'aux yeux, hein, là ?

Et elle éclata de rire avant de raccrocher.

Il reposa violemment le combiné, si fort que la table trembla. Puis il contourna Ludmila pour de nouveau regarder en bas, dans Star Street. Le psychologue était toujours là, il s'entretenait avec Crippen. En dépit de leurs promesses, quelqu'un s'était engagé dans l'escalier. Si celui ou ceux qui s'approchaient (car il n'y en avait pas qu'un seul) essayaient de monter d'un pas léger, ce n'était pas une réussite. Ils tambourinèrent à sa porte.

Jeremy s'en approcha un peu, son arme braquée sur Ludmila.

– Si quelqu'un essaie de forcer cette porte, elle meurt, menaça-t-il, content de voir Ludmila trembler de nouveau. Elle est tétanisée. C'est votre faute, c'est vous qui avez provoqué ça. J'espère que vous êtes fiers de vous. Alors, qui est-ce qui les terrorise, les femmes, maintenant ?

Il n'obtint pas de réponse. Il n'en attendait pas, mais le

tambourinement cessa. Il était content de son pistolet – si tant est qu'il eût un motif de satisfaction. C'était aussi bien qu'un vrai – à une réserve près. À la fin des fins, ce jouet ne pourrait délivrer le coup mortel, mais il croyait, il espérait que d'autres s'en chargeraient. Les bruits de pas redescendirent les marches.

Dans l'Utah, expliqua-t-il à Ludmila, la peine de mort est confiée à un peloton d'exécution. Vous le saviez ?

– Ils n'exécutent jamais personne, dit-elle.

– Mais si. La dernière fois, c'était dans les années soixante-dix. Ils ont lancé un appel à volontaires, et ils ont reçu beaucoup trop de réponses pour pouvoir enrôler tout le monde. Et la quasi-totalité des candidats retenus étaient si maladroits qu'ils n'auraient pas su abattre un éléphant à un mètre cinquante, donc ils ont placé parmi eux deux tireurs d'élite. C'est comme ça que j'aimerais mourir, devant un peloton d'exécution. Et vous ?

– Je ne veux pas mourir. Je viens de me marier.

Cela le fit rire. Le téléphone sonna de nouveau. S'il ne décrochait pas, ils n'allaient plus arrêter. Le pistolet dans la nuque, juste sous l'oreille droite, d'où pendait une boucle d'oreille, un vrai chandelier.

– Allô ?

– Quick, ou Gibbons, peu importe, ici l'inspecteur principal Crippen.

Jeremy ne répondit rien.

– Vous ne vous rendez pas service, vous savez. Ce pistolet, ce n'était pas une bonne idée. Prendre Mme Perfect en otage, ce n'est pas une bonne idée non plus. Si vous la relâchez et si vous laissez tomber cette arme par la fenêtre, ce sera déjà un pas dans la bonne direction, et votre cas sera considéré d'un œil plus favorable.

– Plus vous parlez comme ça, rétorqua Jeremy, plus ça me donne envie de la tuer. Là, j'ai mon arme collée pile derrière son oreille. Si j'appuie sur la détente, en une demi-seconde elle meurt.

La communication s'interrompit. Encore des palabres, sans

nul doute. Il sentit Ludmila gigoter, s'écarter du contact du canon, lever le visage vers lui.

— Pourquoi vous faites ça? (Elle commençait à perdre sa maîtrise de l'anglais ou à retrouver sa maîtrise d'un accent slave.) Pourquoi moi? Qu'est-ce que je fais pour que vous vous en preniez à moi?

— C'est vous qui étiez là, dit-il simplement.

Une autre voiture venait d'arriver. Pas une voiture, un fourgon de la police. Par la porte arrière quatre tireurs d'élite sortirent, armés de fusils. Jeremy sourit.

— Je ne la relâcherai jamais! hurla-t-il par la fenêtre. Si vous me tuez, je la tue aussi, ça, vous pouvez compter sur moi.

Il n'en ferait rien, mais ce n'était pas plus mal de le leur laisser croire.

Zulueta était sorti dans la rue. Mis à part un plus beau visage, Jeremy trouvait qu'il ressemblait fort au garçon qu'il avait essayé d'étrangler la nuit précédente. Ils auraient pu être frères. C'étaient les yeux noirs de ce garçon qui le fixèrent.

— Nous n'allons rien tenter pour le moment… euh… Gibbons. Rien ne presse, ni de votre côté, ni du nôtre. Mais pour Mme Perfect, si. Elle est cardiaque… vous saviez ça?

Jeremy l'ignorait, tout comme Ludmila d'ailleurs. C'était Freddy qui avait tout inventé. Et Ludmila n'allait pas le démentir. Elle prit une mine de chien battu et gémit un peu.

— Si elle fait une crise cardiaque, vous aurez vraiment des ennuis, Quick. Pourquoi ne pas vous éviter ça, et tout de suite? Laissez-la descendre et nous viendrons l'accueillir à mi-chemin. Nous avons un médecin avec nous, ici. Confiez-la-nous, elle sera entre de bonnes mains, Quick… je veux dire Gibbons.

Jeremy hurla, un étrange borborygme, d'une voix étranglée:

— Qu'est-ce que j'en ai à fiche, de son cœur? Bientôt, je n'en aurai plus rien à fiche de rien.

Sauf de ma mère, songea-t-il. Oh, Seigneur, ma pauvre mère! Mais il insista:

— C'est mon suicide, ajouta-t-il. Je suis comme un kamikaze poseur de bombes, sauf que les tueurs, ce sera vous.

Cela les figea. Zulueta rentra promptement à l'intérieur et presque aussitôt le téléphone sonna. Il faillit ne pas répondre. À quoi bon ? Star Street et une partie de Bridgnorth Street étaient barrées par des cordons de sécurité. On refoulait les badauds, qui affluaient immanquablement, car il y avait toujours quelqu'un pour être au courant, c'était comme deux chiens de berger avec leur troupeau de moutons. Les quatre tireurs d'élite avaient pris position. Supposons que sa mère lui téléphone ? Il pourrait lui dire au revoir… Il décrocha.

— Oui ? Allô ?

— Monsieur Quick ?

Qui diable cela pouvait-il être, à la fin ? Il sentit Ludmila se raidir contre le canon de son pistolet.

— Qui est à l'appareil ?

— Lara, lui dit-elle, la jeune fille du magasin Selfridges. Vous êtes passé ce matin. Vous vouliez savoir le nom d'un parfum. Je vous l'ai trouvé. C'est Libido. Voulez-vous que je vous l'épelle ?

— Merci, dit-il. Merci beaucoup. Je n'ai pas besoin que vous me l'épeliez.

Libido. La source de luxure, du désir lubrique. Il n'en avait jamais éprouvé beaucoup lui-même, sauf une fois. Cette fameuse fois, si. Il avait envie de rire, faire cette découverte-là sur la fin de sa vie, mais il en était incapable. Il la remercia encore poliment, car il était redevenu Alexander, et il reposa le combiné. Ludmila se redressa, se retourna et lui agrippa le poignet. Elle hurla :

— Ce n'est pas un vrai pistolet ! S'il était en métal, il serait plus froid. C'est du plastique, je le sens, c'est du plastique !

Elle s'était levée, avec une force insoupçonnable, elle l'empoigna, n'importe comment, n'importe où, là où ses mains trouvèrent une prise, et ses ongles lui lacérèrent le visage. Il cria, non pas à cause des griffures ou de la douleur, mais parce que si elle lui échappait, c'était son dernier espoir qui s'évanouirait. Il lui décocha un coup de pied dans les tibias, en s'accrochant à son pistolet, la gifla en pleine figure et la saisit sous les aisselles, d'abord de face, mais elle se débattit, et il eut devant lui ses yeux de furie, et puis il la retourna, de toutes ses forces, et la maintint si près de la fenêtre qu'elle manqua basculer. Un beuglement monta d'en bas. Freddy était sorti de la boutique et se tordait les mains de désespoir.

Jeremy se servait d'elle comme d'un bouclier. Il la serrait par la taille. Mais il n'avait pas du tout l'intention d'éviter de s'exposer et de leur servir de cible. Il ne pouvait maintenir son emprise sur elle que d'une seule main. Il leva l'autre en l'air et la tendit vers Zulueta, qui était sorti pour attirer Freddy à couvert. Si Ludmila leur hurlait à tous, là, en bas, que ce pistolet était factice, tout serait terminé, c'en serait fini de ses espoirs de mourir sous les balles du peloton d'exécution... Soudain, il comprit qu'elle n'en ferait rien ! Elle le voulait mort, la même envie que lui, et, comme si elle venait d'entendre ses pensées, elle fit un dernier effort désespéré pour se libérer.

Il relâcha son étreinte et elle tomba à genoux, roula sur le sol loin de lui. Libido, songea-t-il, c'était le nom de ce parfum désormais, ce parfum qui l'avait transformé en meurtrier, contre sa volonté et contre sa nature. Ma pauvre mère, se dit-il dans sa tête, subitement cela le fit sourire, et il retourna son arme contre les tireurs d'élite.

Ils l'abattirent.

CHAPITRE 30

Dorothy Gibbons en conçut un chagrin inconsolable. On n'avait rien prouvé contre son fils, il n'était jamais passé en jugement, et elle continua, pour le restant de ses jours, à le croire victime d'une injustice. La première fois qu'elle s'aventura hors de chez elle, après l'enterrement, elle croisa par hasard, dans une boutique de son quartier, une femme qu'elle avait perdue de vue depuis trente-cinq ans. Elles avaient toutes les deux changé, mais pas au point d'en devenir méconnaissables, et si Dorothy eut un peu de mal à reconnaître Tess Maynard, celle-ci la remit tout de suite. Elles renouèrent leur relation amicale et, Tess étant seule elle aussi, après avoir récemment divorcé de son second mari, elles s'installèrent ensemble. Cet arrangement fonctionne très bien.

Après avoir habité six mois dans leur appartement de Pimlico, Zeinab et Algy déposèrent un acompte substantiel pour l'acquisition d'une maison à Borehamwood, qu'ils achetèrent en empruntant le solde, Algy ayant décroché un bon emploi dans une agence immobilière. Zeinab est de nouveau enceinte.

Si c'est une fille, elle a l'intention de l'appeler Inez, et si c'est un garçon, Morton, car c'est à Morton Phibling, comme elle ne manque pas de le rappeler à Algy, qu'ils doivent les fondements de leur fortune.

Zeinab a cédé aux pressions d'Algy et ils se sont mariés deux semaines plus tôt : la mariée portait la robe créée pour ses noces avec Morton. La cérémonie fut plutôt simple, mais la réception majestueuse, car elle eut lieu dans le nouvel hôtel d'Orville Pereira, dans le nord de Londres.

Furieux du refus de sa promise de se présenter devant l'autel de Saint Peter's, à Eaton Square, Morton avait surmonté son courroux. Après tout, il en avait retiré un grand profit, le moindre n'étant pas son triomphe éclatant, guère égalé du temps où il était boxeur, sur Rowley Woodhouse, un homme deux fois plus jeune que lui, qu'il avait étendu pour le compte. Sa nouvelle petite amie a l'âge que Zeinab prétendait avoir, et elle est aussi friande de diamants et de restaurants coûteux, mais à part cela elle est très différente, puisqu'elle est blonde, avenante et pas spécialement chaste. Morton songe à lui proposer de se fiancer. Après mûre réflexion, le couple accepta l'invitation d'Algy à son mariage, car Morton tenait à montrer sa grandeur d'âme et sa petite amie. Et il tint sa récompense quand Algy, lors de son discours d'après-dîner, lui signifia toute la gratitude des jeunes mariés. Morton ne saisit jamais tout à fait de quoi ils lui étaient reconnaissants, mais cela importait peu.

Inez était là, elle aussi, avec l'homme qui lui avait acheté la pendule en porcelaine de Chelsea, qu'elle avait épousé en troisièmes noces. Ils vendirent l'immeuble et la boutique de Star Street, Inez n'aimant pas l'idée de rester dans un endroit où un meurtrier avait vécu avant d'y mourir, et ils achetèrent une maison à Bourton-on-the-Water, où le jaguar fixe la fenêtre du salon d'un œil furieux. Si Inez n'est pas plongée dans le bonheur et l'extase, elle est très contente. Elle ne pouvait s'attendre à vivre ce qu'elle avait vécu avec Martin, pas une seconde fois dans une existence. Son mari l'adore et elle l'aime beaucoup.

421

Et elle se dit, en reprenant les paroles d'une chanson de Merle Haggard : *Ce n'est pas de l'amour mais ce n'est pas mal.*

Manière de solder le passé, Ludmila et Freddy furent invités, mais le carton ne leur parvint jamais. Ils ne sont plus ensemble. Ludmila n'avait rien contre son mari, mais le mariage ne lui avait jamais convenu longtemps, et elle avait entamé une liaison avec un Syrien qu'elle avait rencontré au restaurant Al Dar, et qui l'a amenée avec lui à Aleph, où elle traverse une période difficile. Freddy s'est installé avec une femme maternelle et charmante, qui tient le vestiaire dans un très bon hôtel. Ils louent une chambre dans la maison de la fille de cette dernière, à Shepherd's Bush.

Comme Zeinab a oublié l'existence de Will et Becky – et elle n'est pas la seule à les avoir oubliés, tant leur vie est devenue tranquille et étriquée –, on ne les a pas inscrits sur la liste des invités. Will habite toujours avec sa tante sur Gloucester Avenue. Il a cessé de travailler pour Keith Beatty et il vit du chômage et d'une allocation de recherche d'emploi. Becky se rend au bureau deux jours par semaine et, le reste du temps, elle s'arrange tant bien que mal pour travailler chez elle, mais elle perçoit déjà quelques signes menaçants et s'attend à ce que le cabinet « doive se séparer d'elle ». Will et elle ont vraiment besoin d'un logement plus vaste, mais elle n'a pas le cœur à déménager, et elle redoute de bientôt ne plus avoir l'argent nécessaire. Will est aux anges. Il regarde la télévision toute la journée, et quand elle est à la maison, il exige qu'elle lui prépare à manger deux fois par jour, et il grossit. Becky a compris qu'il resterait avec elle, et elle avec lui, jusqu'à ce que l'un des deux meure, sans trop savoir qui le premier.

Zeinab, Algy et Reem Sharif, superbe lors de la réception dans le plus grand ensemble *salwar-kameez* rouge et or qui se puisse trouver dans Edgware Road, ont toujours évité la police, dans toute la mesure du possible. Orville Pereira, qui a conduit la mariée à l'autel, éprouve une aversion similaire envers la loi. La présence de Finlay Zulueta aurait suffi à refroidir l'atmosphère de la fête. Sous son regard sombre, froid et désapprobateur, entre autres, la danse eût été plus empesée et plus gauche. S'ils l'avaient invité, il aurait refusé. En tout état de cause, il était bien trop occupé pour sortir.

Il réussit ses examens de façon spectaculaire, et il est devenu inspecteur principal. Il repense souvent à Jeremy Quick ou Alexander Gibbons, et se demande ce qui le poussait à étrangler ces femmes (si c'était vraiment lui qui les étranglait), pourquoi il leur subtilisait ces menus objets et pourquoi il avait tenté d'étrangler un garçon au lieu d'une fille. Zulueta prend sur son temps libre pour passer un diplôme de troisième cycle en psychologie, et il s'attarde pas mal sur tous ces aspects-là, la motivation, la pulsion, l'obsession. Ce qui le perturbe, c'est le frisson de culpabilité qu'il a ressenti en voyant cet homme se faire abattre par le fusil du tireur d'élite, et sa stupéfaction devant le grand sourire de Jeremy à la seconde de sa mort. Ces émotions-là, estime-t-il, devraient rester étrangères à un officier de police judiciaire mûr et responsable, et qui ne cesse de monter en grade. Pourtant, il était permis de s'interroger sur la cause de ce sourire, comme si cet homme avait eu envie de mourir.

L'AUTEUR

Depuis son premier roman, *From Doon with Death*, publié en 1964, Ruth Rendell a remporté de nombreuses distinctions, notamment le Gold Dagger de la Crime Writers' Association, en 1976, pour le meilleur roman de l'année, *A Demon in My View*, et l'Arts Council National Book Award, dans la section fiction, pour *Le Lac des ténèbres*, en 1980.

En 1985, Ruth Rendell a reçu le Silver Dagger pour *L'Arbre à fièvres*, et, en 1987, sous son autre nom de plume, Barbara Vine, elle remporta son troisième Edgar du Mystery Writers of America pour *A Dark Adapted Eye*.

Elle s'est aussi vu décerner deux Gold Dagger pour *Live Flesh*, en 1986, et *Le Tapis du roi Salomon*, en 1991, puis de nouveau, sous le nom de Barbara Vine, un Gold Dagger, en 1987, pour *A Fatal Inversion*.

Ruth Rendell a aussi reçu le Literary Award du *Sunday Times*, en 1990, et, en 1991, fut couronnée d'un Cartier Diamond Dagger de la Crime Writers' Association pour sa contribution exceptionnelle à ce genre littéraire. En 1996, elle était décorée du titre de

commandeur de l'Empire britannique (CBE) et, en 1997, devenait pair du royaume.

Ses livres ont été traduits en vingt-cinq langues et ils ont reçu un
accueil unanime aux États-Unis.

Ruth Rendell a un fils et deux petits-fils, et elle vit à Londres.

RÉALISATION : PAO ÉDITIONS DU SEUIL
IMPRESSION : S.N. FIRMIN-DIDOT AU MESNIL-SUR-L'ESTRÉE
DÉPÔT LÉGAL : JANVIER 2006. N° 24 (77290)
IMPRIMÉ EN FRANCE

Bibliographie sélective
des romans du même auteur

Le Pasteur détective
Librairie des Champs-Élysées, 1978

L'Enveloppe mauve
Librairie des Champs-Élysées, 1979

La banque ferme à midi
Librairie des Champs-Élysées, 1980

Reviens-moi
Librairie des Champs-Élysées, 1980

Le Lac des ténèbres
Librairie des Champs-Élysées, 1981

Qui a tué Charlie Hatton ?
Librairie des Champs-Élysées, 1981

Le Maître de la lande
Librairie des Champs-Élysées, 1982

L'Analphabète
Librairie des Champs-Élysées, 1983

La Fille qui venait de loin
Librairie des Champs-Élysées, 1983

Morts croisées
Librairie des Champs-Élysées, 1986

Un Enfant pour un autre
Calmann-Lévy, 1986
Le Livre de Poche, 1991

Et tout ça en famille
Librairie des Champs-Élysées, 1986

Les Corbeaux entre eux
Librairie des Champs-Élysées, 1986
Le Livre de Poche, 1993

L'Homme à la tortue
Calmann-Lévy, 1987
Le Livre de Poche, 1992

Véra va mourir
Calmann-Lévy, 1987

La Danse de Salomé
Librairie des Champs-Élysées, 1989

La Maison aux escaliers
Calmann-Lévy, 1989
Le Livre de Poche, 1994

La police conduit le deuil
Librairie des Champs-Élysées, 1989

L'Été de Trapellune
Calmann-Lévy, 1988
Livre de Poche, 1994

La Maison de la mort
Librairie des Champs-Élysées, 1990

Le Jeune Homme et la Mort
Librairie des Champs-Élysées, 1990

Un Amour importun
Librairie des Champs-Élysées, 1990

La Demoiselle d'honneur
Calmann-Lévy, 1991
Le Livre de Poche, 1992

Le Tapis du roi Salomon
Calmann-Lévy, 1992
Le Livre de Poche, 1994

Le Goût du risque
Calmann-Lévy, 1992
Le Livre de Poche, 1996

Fausse route
Calmann-Lévy, 1993
Le Livre de Poche, 1995

Le Journal d'Asta
Calmann-Lévy, 1994
Le Livre de Poche, 1996

L'Oiseau crocodile
Calmann-Lévy, 1995
Le Livre de Poche, 1997

Simisola
Calmann-Lévy, 1995
Le Livre de Poche, 1997

Une Mort obsédante
Calmann-Lévy, 1996
Le Livre de Poche, 1998

Noces de feu
Calmann-Lévy, 1997
Le Livre de Poche, 1999

Regent's Park
Calmann-Lévy, 1998
Le Livre de Poche, 2000

Espèces protégées
Calmann-Lévy, 1999
Le Livre de Poche, 2000

Jeux de mains
Calmann-Lévy, 1999
Le Livre de Poche, 2001

Sage comme une image
Calmann-Lévy, 2000
Le Livre de Poche, 2002

Sans dommage apparent
Calmann-Lévy, 2001
Le Livre de Poche, 2002

Danger de mort
Calmann-Lévy, 2002
Le Livre de Poche, 2003

Pince-mi et Pince-moi
Calmann-Lévy, 2003
Le Livre de Poche, 2004

Crime par ascendant
Calmann-Lévy, 2004
Le Livre de Poche, 2006

Promenons-nous dans les bois
Calmann-Lévy, 2005

Dans la même collection

Patricia Cornwell
Jack l'Éventreur
Signe suspect

Jilliane Hoffman
Justice imminente

Alexander McCall Smith
Le Club des philosophes amateurs

Tana French   The Hunter